S0-BZZ-258

Wolfram Strack

Kultische Terminologie in ekklesiologischen Kontexten in den Briefen des Paulus

Bonner Biblische Beiträge

Herausgegeben von Frank-Lothar Hossfeld
und Helmut Merklein
Professoren der Katholisch-Theologischen Fakultät
der Universität Bonn

Band 92

Ausgehend von Röm 15,14–21 wird in der vorliegenden Arbeit danach gefragt, welche Absicht Paulus bei der Verwendung der kultischen Terminologie in ekklesiologischen Kontexten verfolgt hat. Der Sachverhalt selbst wird seit vielen Jahren mit dem Begriff „Spiritualisierung“ umschrieben. Die Textuntersuchungen zu ausgewählten Stellen der Paulusbriefe zeigen, daß diese Bezeichnung in den meisten Fällen unzutreffend ist. Es geht um mehr als bildlich-metaphorische Redeweise. Gerade die Tempelaussagen zeigen, daß es hier nicht um einen Vergleich „Tempel – Gemeinde“ geht, sondern um eine Identitätsaussage: Jetzt, in Christus, *ist* die Gemeinde Tempel Gottes, da sich die alttestamentlichen Aussagen über den Tempel nun eschatologisch erfüllt haben. Die Gemeinde *ist* Tempel, weil Gottes Verheißungen vom Wohnen unter seinem Volk jetzt eschatologisch Wirklichkeit geworden sind. In diesem Anspruch steht die urchristliche Gemeinde einzigartig und unvergleichlich da.

Wolfram Strack, Jahrgang 1957, studierte katholische Theologie in Bonn und Freiburg; 1984 Priesterweihe; im Herbst 1988 Freistellung zur Promotion. Seit Februar 1992 Kaplan in Königswinter und Dozententätigkeit an der Erzbischöflichen Bibelschule in Köln.

Wolfram Strack

Kultische Terminologie in ekklesiologischen Kontexten in den Briefen des Paulus

Druck und Bindung: Druckhaus Müntzer, Bad Langensalza
Printed in Germany
ISBN 3-89547-012-0

Meinen Eltern

Wilhelm und Annesofie Strack

Vorwort

Die vorliegende Arbeit wurde im Wintersemester 1992/93 von der Katholisch-Theologischen Fakultät der Rheinischen Friedrich-Wilhelms-Universität Bonn als Dissertation angenommen und für den Druck geringfügig überarbeitet. Im Blick zurück sage ich allen Dank, die in inhaltlicher, formaler oder persönlicher Hinsicht am Zustandekommen der Arbeit beteiligt waren. Dem Erzbistum Köln danke ich für die Möglichkeit des Weiterstudiums und für die Gewährung eines großzügigen Druckkostenzuschusses.

Die Arbeit wurde von Herrn Prof. Dr. Helmut Merklein betreut. Während der Ausarbeitung hat er mir mit notwendiger und wichtiger Kritik und wohlwollender Ermutigung zur Seite gestanden und auch mit heilsamem Druck dazu beigetragen, daß die Gedanken zu Papier gebracht wurden. Ihm bleibe ich in herzlicher Dankbarkeit verbunden. - Herrn Prof. Dr. Heinz-Josef Fabry habe ich manchen hilfreichen Rat und die Erstellung des Korreferates zu verdanken.

Herr Pfarrer Georg Kalckert hat mich in der Zeit als Subsidiar und auch darüber hinaus bei der Vorbereitung der Drucklegung durch Gewährung einer Schonfrist bei der alltäglichen Tätigkeit in der Seelsorge unterstützt. Ihm und allen danke ich, die mich in den Jahren meiner Zeit als Doktorand durch Höhen und Tiefen begleiteten, mir Ermutigung zusprachen und so auf ihre Weise zum Gelingen des Ganzen beitrugen. Stellvertretend seien die Menschen der Pfarrgemeinden im Nahbereich Königswinter-Tal genannt.

Schließlich gilt mein Dank den Teilnehmerinnen und Teilnehmern der neutestamentlichen Oberseminare, die mir durch ihre Anfragen halfen, die Arbeit in die richtigen Bahnen zu lenken und Irrtümer zu vermeiden. Frau Christine Böse, Frau Dr. Marlis Gielen und meinem Bruder Christoph danke ich für das Korrekturlesen der Manuskripte.

Bonn, im Januar 1994 Wolfram Strack

EXKURSE

LITERATURVERZEICHNIS

1. EINLEITUNG

1.1 Ausgangsfrage dieser Arbeit

Paulus verwendet in seinen Briefen an zahlreichen Stellen kultische Begrifflichkeit als Aussagehilfe zur Deutung von theologischen Sachverhalten. Mit der Bezeichnung "Deutungskategorie" wird in dieser Arbeit ausgedrückt, daß eine bestimmte (hier die kultische) Begrifflichkeit als Kategorie zur Deutung eines genauer festzulegenden inhaltlichen Sachverhaltes genutzt wird, wobei in der Bezeichnung "Deutungskategorie" weder über das Verhältnis zwischen dem ursprünglichen Sachgebiet eines Begriffs oder der damit gedeuteten Wirklichkeit etwas ausgesagt wird, noch über die Art und Weise des Deutungsvorganges. Dies ist vielmehr Gegenstand und mögliches Ergebnis dieser Untersuchung.

Wenn Paulus also kultische Begrifflichkeit als Aussagehilfen zur Deutung von theologischen Sachverhalten verwendet, wollen wir von "kultischen Deutungskategorien" sprechen. Diese Arbeit geht von der Annahme aus, daß in den Briefen des Paulus mehr kultische Deutungskategorien genutzt sind, als bisher angenommen wurde. Während man auf der Grundlage von Röm 3,25 und ähnlicher Stellen des Corpus Paulinum in der Exegese der Meinung ist, daß Paulus seine soteriologischen und christologischen Aussagen bewußt mit Hilfe solcher Terminologie formuliert hat[1], gibt es zur paulinischen Ekklesiologie hinsichtlich ihrer Verbindung mit derartiger kultischer Begrifflichkeit m. W. noch keine weitergehende Untersu-

1 Vgl. U. WILCKENS, Röm I 182-202.233-243; H. MERKLEIN, Bedeutung.

chung oder Gesamtdarstellung. Daraus ergibt sich die Frage, warum Paulus solche kultischen Deutungskategorien zur Formulierung wichtiger ekklesiologischer Sachverhalte genutzt hat.

Paulus verwendet in seinen Briefen an einigen Stellen einen bestimmten, dem kultischen Sprachgebrauch entlehnten Wortschatz, um so seine ekklesiologischen bzw. missionarischen Anliegen auszudrücken. Ausgehend von Röm 15,16, einer bis heute nicht nur unter ekklesiologischer Fragestellung wenig beachteten, zugleich aber auch nicht leicht zu deutenden Aussage, sollen solche ekklesiologischen bzw. missionarischen Aussagen des Paulus daraufhin untersucht werden, inwieweit er hier kultischen Wortschatz verwendet hat. In der Gegenüberstellung mit anderen Texten, ausgehend vom Alten Testament (MT/LXX), frühjüdischen Texten aus hellenistisch-römischer Zeit, von Qumran, von Philo von Alexandrien und von Flavius Josephus, wird versucht, Gründe aufzuweisen, die Paulus bei der Abfassung seiner Briefe bewogen haben könnten, in derartiger Weise zu formulieren. Zugleich ist der Frage nachzugehen, wo die Formulierungen des Paulus mit anderen Texten übereinstimmen, und wo sie singuläres Gedankengut darstellen.

Für diesen nicht unmittelbaren Gebrauch von Kultus- und Opferbegriffen wurde im Jahre 1932 von Hans WENSCHKEWITZ der Begriff der "Spiritualisierung" der Kultusbegriffe[2] geprägt, der bis auf den heutigen Tag von vielen Exegeten, zum Teil unreflektiert, zum Teil auch mangels Alternative, zur Bezeichnung der entsprechenden Phänomene im AT, bei Paulus und im übrigen NT sowie in den frühjüdischen Schriften einschließlich der Qumranliteratur übernommen worden ist. Gewiß "spiritualisiert" Paulus auch Kultbegriffe. Doch eine vorschnelle Verallgemeinerung verkennt, wie zu zeigen sein wird, daß paulinischen Aussagen zur Soteriologie und Christologie wie auch solchen zur Ekklesiologie da, wo sie in Verbindung mit kultischer Terminologie stehen, ein positives Verständnis von "Kult" zugrundeliegt[3]. Paulus nutzt die Kultbegriffe positiv

---

2 H. WENSCHKEWITZ, Die Spiritualisierung der Kultusbegriffe Tempel, Priester und Opfer im Neuen Testament (Angelos Beihefte 4), Leipzig 1932.

3 Vgl. J. MAIER, Beobachtungen 173f: "Eine grundsätzliche Ablehnung des Tempelkults an sich ist im NT wohl nirgends belegt. Auch die heils-

als ekklesiologische Interpretamente. So wird schließlich der Frage nachgegangen, wie anders und zutreffender als mit "Spiritualisierung"[4] die Nutzung kultischer Begrifflichkeit zur Deutung ekklesiologischer Sachverhalte zu bezeichnen ist.[5]

1.2 Vorüberlegungen

Vor jeder weiteren Klärung gilt es festzulegen, was unter der Bezeichnung "Kult/kultisch" im folgenden verstanden wird. Unter Kult versteht man religionsgeschichtlich "festgesetzte und geordnete Formen des Umgangs mit dem Göttlichen", denen das Streben nach Antwort auf das personenhaft erlebte Heilige zugrunde liegt. Kult als Reaktion auf religiöse Erfahrung setzt also die Existenz von Religion voraus.[6] Auch wenn der Kult ursprünglich in der unmittelbaren religiösen Erfahrung wurzelt, setzt er sich aber in seiner objektiven Gestalt davon ab und bedeutet insofern eine gewisse Einschränkung und Bindung des religiösen Vollzugs. Der Kult ist gekennzeichnet als "Ausdruckshandlung in Leiblichkeit und Gemeinschaftsbezogenheit" und auch "als Träger des göttlichen Einstroms in die Menschen, der in leiblicher und sozialer Bindung des religiösen Empfindens erfolgt, da die göttliche Aktivität sich der menschlichen Willkür entzieht und sich des Mediums des Hier und Jetzt der kultischen Hand-

---

geschichtstheologisch-soteriologisch begründete Übertragung der Sühnefunktion des Kults auf Jesus Christus oder die entsprechende Umdeutung kulttheologischer Konzepte im Hebräerbrief setzen nicht eine Infragestellung des Kultes voraus, sie ergaben sich vielmehr als Konsequenz aus dem Christusglauben, aus der verkündeten Erfüllung der Kultfunktion."

4 In dieser Untersuchung ist der Begriff "Spiritualisierung" stets in Anführungszeichen gesetzt, um auszudrücken, daß diese Bezeichnung nicht nur einen bestimmten Sprachgebrauch unzureichend kennzeichnet, sondern die bezeichnete Sache selbst nicht trifft.

5 So sagt auch J. MAIER, Tempel und Tempelkult 389: "Die Tatsache, daß dem äußerlichen rituellen Akt oder einem kultisch relevanten Sachverhalt symbolische Bedeutung zugeschrieben wird, beweist noch lange nicht, daß eine Spiritualisierung vorliegt." So wird in dieser Arbeit neben "Spiritualisierung" auch nicht von "Übertragung", "Umformung" oder dergleichen gesprochen. Alle diese Bezeichnungen haben ihre Einseitigkeit und Schwäche vor allem darin, daß sie von einem uneigentlichen, metaphorischen Verständnis des Kultes ausgehen.

6 Vgl. G. LANCZKOWSKI, Art. Kult I, in: LThK VI, 659f; Zitat ebd. 659.

lung in der Gemeinschaft bedient".[7] Alle rituellen Akte setzen die Vorstellung voraus, daß der kultische Vollzug reale Wirkungen verursacht, die die Gesamtheit des kosmischen und menschlichen Lebens umfassen. Ziel und Zweck des Kultes ist die Förderung und Heiligung des Lebens. Da alle Wirkungen des Kultes der Aufrechterhaltung der göttlich gesetzten Ordnung dienen, besteht ein enger Zusammenhang zwischen Kult und Moral.[8]

Kult ist weiter zu verstehen als "Gottesdienst in rituellen Vollzügen", die abbildende Funktion haben, da menschlicher Kult "das Verhältnis zur Transzendenz nur im Zeichenhaften abbilden kann"[9], wobei der Begriff "im Zeichenhaften abbilden" wichtig ist. Für den biblischen Menschen war Kult in solchem Sinn immer schon von der bloßen Abbildfunktion des Göttlichen geprägt, da wiederum jeder Bezug zur Transzendenz nur in zeichenhafter Weise möglich war.

Für die Zeit Jesu ist der nachexilische Kult ausschlaggebend, dessen Grundgedanke es ist, daß Israel zum Heiligen hinzugebracht wird. "Der Kult ist zeichenhafte Sühne; denn er ist der Weg zum Heiligen, der nur durch den Tod hindurchführen kann." Ziel des Kultes in nachexilischer Zeit ist "der Zugang zu Gott: Die Gottesgemeinschaft Israels, die Verbindung Jahwe-Israel, der Ursinn der alttestamentlichen Offenbarung soll im priesterschriftlichen Kult zeichenhaft Erfüllung finden".[10]

Der sakrale Charakter alles Kultzugehörigen beruht auf einer besonderen Gottbezogenheit, wodurch es der Sphäre des Profanen entrückt ist. Für das Verständnis des Begriffs der spezifisch kultischen Heiligkeit ist zu beachten, daß dieser in urtümlichen dinglichen Sakralvorstellungen wurzelt,

---

7 Vgl. I. BECK, Existenz 18-21, hier 18; Zitate ebenda.

8 Vgl. LANCZKOWSKI, a.a.O. 659; Zitat ebenda.

9 GESE, Sühne 91; zum folgenden vgl. ebd.; GESE schreibt zu Recht (91f): "In diesem Abbildungscharakter des Kultischen, in dieser Anschaulichkeit des Unanschaulichen liegen unsere besonderen Verstehensschwierigkeiten. Entweder sehen wir im Kult etwas Irreales, sozusagen eine Art ernsten 'Theaters', das mit Gott nichts wirklich zu tun hat, denn das menschliche Tun ist ja dem Göttlichen nicht gemäß, oder im Gegenteil etwas Magisches, Zauberhaftes, eine Art Theurgie."

10 Vgl. GESE, a.a.O. 99, Zitate ebenda.

die ein religionsgeschichtliches Phänomen darstellen: Alles kultisch Geheiligte ist dem profanen Gebrauch und der Berührung des Menschen entzogen, wie sich beispielsweise an der Verwendung des Begriffs בדל/ ἀφορίζειν ablesen läßt.[11] Aus dieser dinglichen Vorstellung des Heiligen heraus erwachsen entsprechende Vorschriften, so zur kultischen Reinheit, zur Kultfähigkeit oder -unfähigkeit des Menschen, insbesondere des Priesters. Die kultische Reinheit ist die Voraussetzung, sich der Gottheit zu nahen. Um die kultische Reinheit wiederzuerlangen oder besondere kultische Heiligkeit zu erwerben, bedurfte es der kultischen Sühne.[12]

B. JANOWSKI definiert Sühne als "*die von Gott her ermöglichte*, im kultischen Geschehen Wirklichkeit werdende und hier dem Menschen zugute kommende *Aufhebung des Sünde-Unheil-Zusammenhangs*"[13]. Die kultische Sühne geschieht in der "*Identifizierung des Opfernden mit seinem Opfertier*" und darum in der Lebenshingabe des Opfertieres als "eine den Opferer einschließende Stellvertretung"[14], also nicht im bloßen Tod des Opfers, sondern in der Lebenshingabe an das Heilige, im Kontakt mit dem Heiligen. "In der (einschließenden) Stellvertretung durch das Sühneopfer tritt Israel bei der kultischen Sühne in den Kontakt mit Gott. Dieser neue, positive Aspekt der Sühne findet seinen Ausdruck in den Blutriten."[15] Es geht also bei der kultischen Sühne nicht primär um die Übertragung von Sünden und Sündenfolgen, vielmehr übernimmt der Ersatzträger selbst die Identität des Sünders. Der Kult war die von Gott selbst geschaffene Institution zur ständigen Heiligung Israels.

Im Kult geht es darum, daß dem Sünder ein neuer Zugang zu Gott eröffnet wird, durch Sühne also Kontakt mit dem Heiligen, Kontakt mit Gott

---

11 Vgl. BECK, a.a.O. 19.- Zu ἀφορίζειν/בדל vgl. in Kap. 3.1 den entsprechenden Exkurs; als Literatur zu בדל bes. E. SCHWARZ, Identität 63-84 u. 131-134.

12 Vgl. BECK, a.a.O. 19; zum Versuch, die Herkunft dieser Bräuche vom primitiven Tabuglauben her aufzuhellen, vgl. W. EICHRODT, Theologie des Alten Testamentes I, Stuttgart-Göttingen [7]1962, 78.

13 Vgl. JANOWSKI, Sühne 359 (Hervorhebungen von JANOWSKI); zur Sache ebd. 215-221.

14 JANOWSKI, a.a.O. 220 im Anschluß an GESE, Sühne 97.

15 GESE, Sühne 97.

zu schaffen: "Die kultische, die heiligende Sühne ist alles andere als nur ein negativer Vorgang einfacher Sündenbeseitigung oder bloßer Buße. Es ist ein Zu-Gott-Kommen durch das Todesgericht hindurch."[16] Damit ist das eigentliche und höchste Ziel des Kultes angesprochen. Denn: "Höchstes Ziel und Vollendung priesterlichen Handelns ist also der Zugang zur göttlichen Majestät, das Eintreten in die himmlische Versammlung der Gott dienenden Engelwesen, der Zutritt zum göttlichen Thron. Ziel des Kultes in nachexilischer Zeit ist der Zugang zu Gott: Die Gottesgemeinschaft Israels . . . , nachdem schon vorher Israel als Priestertum, als heiliges Volk, verstanden worden war (Ex 19,6 D)."[17] Letztlich geht es dabei um die Heiligung Israels: "Ihr sollt heilig sein, denn ich JHWH, euer Gott bin heilig" (Lev 19,2). "Dieser Sicht voller Gottesgemeinschaft entspricht ebenso entschieden, daß der Mensch nur vor Gott treten kann als der dem Tod Verfallene. Die Begegnung mit dem Heiligen vernichtet das Unheilige. Die Konsequenz des Gedankens der vollen Gottesgemeinschaft ist die Sühne, und zwar die Sühne in einem neuen positiven Verständnis der Hingabe an das Heilige. Für P kann der Kult, in dem der Mensch Gott begegnet, nur sühnender Kult sein."[18]

Im für Israel notwendigen Tempelkult, dessen Wesen es ist, die Begegnung mit Gott selbst zu vermitteln, geht es um die Gottesgegenwart. Da im Wohnen Jahwes mitten unter den Israeliten seine Verheißung, Israels Gott sein zu wollen (Gen 17,7f; Ex 6,7), ans Ziel kommt (Ex 29,45f), sind die Kultgesetze nichts geringeres als Ausdruck der Erwählung Israels und zugleich seiner Unterscheidung von den Völkern. Der Kult selbst "verbürgt aller Versündigung Israels zum Trotz Gottes gnädige Zuwendung; seine Gesetze sind deshalb nicht schwere Forderung und untragbare Last, sondern Gottes Gabe für Sünder, um in der Gegenwart Gottes leben zu können"[19]. - Diese Arbeit will auch untersuchen, ob sich in paulinischen Texten in ekklesiologischen Kontexten das hier dargestellte, we-

---

16 Vgl. GESE, a.a.O. 97-106; Zitat 104.

17 Vgl. ebd. 99f.

18 GESE, a.a.O. 100.

19 Vgl. M. KÖCKERT, Leben 59f; Zitat ebenda 60.

sentlich in priesterschriftlichen Texten vermittelte Kultverständnis wiederfinden läßt.

1.3 Paulinische Aussagen zu "Gemeinde"

Wenn wir die paulinischen Homologumena danach befragen, inwieweit sie Aussagen zu einer paulinischen Ekklesiologie machen, ist festzustellen, daß Paulus wohl ausführlich christologische und soteriologische Fragen erörtert, in keinem seiner Briefe aber explizit das Thema "Kirche/Gemeinde" behandelt. Walter KLAIBER geht deshalb sogar so weit, ein "'ekklesiologisches Defizit' im Werk des Paulus" zu sehen, das bereits der Verfasser des Epheserbriefes erkannt und mit seiner betont ekklesiologischen Konzeption zu beseitigen versucht habe.[20] Richtig stellt Karl KERTELGE fest: "Von einem ekklesiologischen Defizit mag man im Lichte der späteren theologischen Entwicklungen sprechen. . . . Wenn die Ekklesiologie in den uns bekannten Briefen des Paulus aus bestimmten Gründen nicht explizit wird, ist damit nicht ausgeschlossen, ja sogar verstärkt zu vermuten, daß seine Ekklesiologie aus den größeren Zusammenhängen seiner Verkündigung und seiner theologischen Reflexion zu erheben ist. Zu fragen ist in diesem Sinn nach der *impliziten* Ekklesiologie des Paulus."[21]

Wir verwenden im folgenden die Bezeichnung "Ekklesiologie" in Verbindung mit Paulus und seinen Briefen stets mit der Einschränkung, daß wir anhand seiner uns bekannten Briefe nur nach der darin enthaltenen impliziten Ekklesiologie fragen können. Diese Arbeit setzt bei diesem Ansatz an und soll einen Beitrag bei der Frage nach der impliziten Ekklesiologie des Paulus leisten. Dabei wird, wie bereits gesagt, zunächst ein Überblick über jene Aussagen geboten, in denen der Apostel Aussagen zur Ekklesiologie mit kultischer Terminologie verbindet. Weiter wird gefragt, aus welchen umfassenden theologischen Zusammenhängen bei Paulus seine Rede von der ἐκκλησία zu verstehen ist. Schließlich wird die kultische

---

20 Vgl. W. KLAIBER, Rechtfertigung, 9; der Verfasser des Epheserbriefes habe "in der Ekklesiologie des Apostels den Punkt gesehen, der am ergänzungsbedürftigsten war" (vgl. KLAIBER, a.a.O. 9, Zitat ebenda).

21 K. KERTELGE, Ort 185; Hervorhebung durch den Autor.

Begrifflichkeit auf ihre Verwendung im Alten Testament, im Frühjudentum und im Neuen Testament hin genauer betrachtet, um eine Antwort auf die Frage zu erhalten, ob Paulus eine "Spiritualisierung" dieser Terminologie beabsichtigt, oder wo die Art und Weise der Verwendung der kultischen Begrifflichkeit in seinen Briefen mit anderen Texten parallel geht bzw. sich von anderen Texten unterscheidet. Es geht also wesentlich darum, das spezifisch paulinische Interesse in der Verwendung kultischer Kategorien als Aussagehilfen zur Deutung ekklesiologischer Sachverhalte herauszuarbeiten. Am Ende der Arbeit wird in Kap. 9 die Frage behandelt, wie anders als mit "Spiritualisierung" diese Verwendung kultischer Begrifflichkeit durch Paulus zu beschreiben ist.

Kultische Termini in ekklesiologisch relevanten Aussagen

Im folgenden sind, nach Briefen geordnet, die wichtigsten Stellen, in denen ekklesiologische Sachverhalte mit Hilfe kultischer Terminologie gedeutet sind, zusammengestellt, einschließlich der Aussagen, wo Paulus den Begriff ἐκκλησία verwendet. Die semasiologische Matrix für die Erhebung der folgenden Stellen beruht auf zwei Bestimmungen, "ekklesiologischer Sachverhalt" und "kultische Terminologie". Mit "ekklesiologischer Sachverhalt" sind hier Aussagen über Gemeinde und Kirche gemeint, wozu auch die gemeindeaufbauende Evangeliumsverkündigung gerechnet wird. Mit "kultischer Terminologie" ist hier solche Begrifflichkeit bezeichnet, die so oder in entsprechenden Synonymen in Texten des Alten Testamentes (LXX), vor allem dem Pentateuch, zu finden ist, so daß wir uns vom Kultverständnis her auf den alttestamentlich-jüdischen Kult beschränken.

Erster Thessalonicherbrief

-- ἐκκλησία (1,1; 2,14) als Gemeindebezeichnung;
-- in 3,13 ἁγιωσύνη und ἅγιοι;
-- in 4,1-8 folgen ethische Forderungen an die Gemeinde, die mit kultischen Deutungskategorien ausgedrückt sind: ἁγιασμός [ter], davon einmal in Gegenüberstellung mit ἀκαθαρσία;
-- in 5,23 folgt ein Schlußgruß mit der Mahnung zu einem untadeligen und unversehrten Leben (ἁγιάζειν; ὁλόκληρος; ἄμεμπτος).

Philipperbrief

-- 1,1 und 4,22: ἅγιοι als Gemeindebezeichnung;

-- 2,17: Paulus spricht davon, daß er geopfert werde (σπένδομαι) bei dem Opfer und Gottesdienst (ἐπὶ τῇ θυσίᾳ καὶ λειτουργίᾳ) des Glaubens der Gemeinde;
-- 3,3: Paulus sagt: Wir nämlich sind die Beschneidung (περιτομή), die wir im Geist Gottes dienen und uns Christi Jesu rühmen und uns nicht auf Fleisch verlassen.
-- 3,6 und 4,15 ἐκκλησία;
-- 4,18: Paulus bezeichnet die Gemeindegabe aus Philippi, die er durch Epaphroditus empfangen hat, als einen lieblichen Geruch, ein angenehmes Opfer, Gott gefällig (ὀσμὴν εὐωδίας, θυσίαν δεκτήν, εὐάρεστον τῷ θεῷ).

Erster Korintherbrief

-- ἐκκλησία als Gemeindebezeichnung: 1,2; 10,22.32; 11,16.18; 14,4.5.12.19.23.28.33.34.35; 15,9; 16,1.19. Davon in Verbindung mit τοῦ θεοῦ: 1,2; 11,16; 15,9.
-- ἅγιοι als Gemeindebezeichnung: 6,1.2; 14,33; 16,15.
-- ἡγιασμένοι als Gemeindebezeichnung: 1,2.
-- ναός [τοῦ] θεοῦ oder τοῦ ἁγίου πνεύματος: 3,16.17; 6,19.
-- τὸ ἱερόν: 9,13 (bis) in einer Gegenüberstellung von Tempeldienst und Evangelienverkündigung.
-- Ferner ist eine sakralrechtliche Formel zu nennen in 5,13, die Paulus zur Reinerhaltung der Gemeinde ausspricht: "Verstoßt den Übeltäter aus eurer Mitte!" (vgl. Dtn 17,7 LXX).

Zweiter Korintherbrief

-- ἐκκλησία als Gemeindebezeichnung: 1,1; 8,1.18.19.23; 11,8.28; 12,13.
-- ἅγιοι als Gemeindebezeichnung: 1,1; 9,1.12; 13,12.
-- Die Verse 2,14-16 mit Aussagen über die Verkündigung in Verbindung mit kultischen Deutungskategorien (ὀσμὴ εὐωδία).
-- Der wahrscheinlich nicht paulinische Abschnitt 6,14 - 7,1 mit einem Zitat aus Lev 26,11 und kultischer Terminologie: ναὸς θεοῦ (6,16); ἀφορίζειν (6,17); ἀκάθαρτος (6,17); καθαρίζειν (7,1); ἁγιωσύνη (7,1).

Galaterbrief

-- ἐκκλησία als Gemeindebezeichnung: 1,2.13 (vgl. 1 Kor 15,9); 1,22.
-- Paulus nennt sich in 1,15 "ausgesondert (ἀφορισμένος) von Mutterleib an". In 2,12 kommt das gleiche Verb ἀφορίζειν auch in einem ekklesiologischen Kontext vor, um das Verhalten des Petrus zu qualifizieren.
-- In 1,8.9 findet sich jeweils eine Fluchformel, die an die bereits genannte Formulierung in 1 Kor 5,13 erinnert: "Aber auch wenn wir oder ein Engel vom Himmel euch ein Evangelium verkündigen würden, das anders ist, als wir es euch verkündigt haben, der sei verflucht." (1,8)

Römerbrief

-- Ähnlich wie Gal 1,15 heißt es 1,1: "Paulus, Knecht Christi Jesu, berufen zum Apostel, ausgesondert (ἀφορισμένος), zu predigen das Evangelium Gottes."
-- ἐκκλησία als Gemeindebezeichnung nur im Postskript: 16,4.5.16.23.
-- ἅγιοι als Gemeindebezeichnung: 1,7; (8,27); 12,13; 15,31; 16,2.15.
-- λατρεύειν bezogen auf das Evangelium: 1,9.
-- προσαγωγή: Durch Christus Zugang zur Gnade.
-- ἅγιος: In 11,16: "Ist die Erstlingsgabe vom Teig heilig, so ist auch der ganze Teig heilig; und wenn die Wurzel heilig ist, so sind auch die Zweige heilig."
-- Röm 12,1; darin θυσία, ἅγιος, εὐάρεστος, ἡ λογικὴ λατρεία.
-- Röm 15,16 in einer auf das Evangelium bezogenen Aussage: λειτουργός, ἱερουργεῖν, προσφορά, εὐπρόσδεκτος, ἡγιασμένος.

Philemonbrief

-- ἐκκλησία als Gemeindebezeichnung: V 2 "die Gemeinde in deinem Haus".
-- ἅγιοι als Gemeindebezeichnung: V 5 "deine Liebe zu allen Heiligen" und V 7 "durch deine Liebe zu allen Heiligen ermutigt".

Von den paulinischen Homologumena haben der Erste Thessalonicherbrief und der Galaterbrief οἱ ἅγιοι (noch) nicht als Gemeindebezeichnung verwendet. Der Erste Thessalonicherbrief enthält zudem nicht wie die anderen Briefe des Paulus kultische Kategorien als Interpretamente in ekklesiologischen Aussagen. Solche ekklesiologischen Aussagen stehen in 1Thess in paränetischen Texten mit ethisch-moralischen Forderungen nach einer reinen und untadeligen Gemeinde. Nur in solchen Mahnungen begegnen dann kultische Deutungskategorien. Offensichtlich liegt zwischen der Abfassung des Ersten Thessalonicherbriefes und der anderen Briefe eine gewisse Modifizierung bei den Formulierungen der ekklesiologischen Aussagen vor. Ab dem Philipperbrief zeigt sich ein vermehrter Rückgriff auf kultische Kategorien als Interpretamente in ekklesiologischen wie missionarischen Aussagen.

1.4 Der Aufbau dieser Arbeit

Als Ausgangspunkt dieser Arbeit haben wir Röm 15,14-21 gewählt (s. Kap. 2). Dieser Stelle ist unter ekklesiologischem Gesichtspunkt bisher wenig Beachtung geschenkt worden. Paulus greift in diesem Teil des Römerbriefes auf den Beginn des Briefes zurück (Röm 1,8-17) und kommt auf seine Sendung als Apostel der Heiden zu sprechen (15,15f). Dazu ist hier in auffälliger Anhäufung eine Terminologie verwendet, die, wie genauer zu zeigen sein wird, kultisch konnotiert ist (V 16). Gerade dieser Vers 16 läßt vermuten, daß der Verfasser Paulus die hier behandelte Thematik (Diener Christi Jesu - Verkündigung des Evangeliums - ausdrückliche Zuwendung zu den Heiden) offensichtlich sehr bewußt mit kultischer Terminologie ausgedrückt hat. So bietet sich der Abschnitt Röm 15,14-21 mit der darin verwendeten kultischen Terminologie als Ausgangspunkt der Arbeit an, um von hier aus ähnlich gelagerte Aussagen des Paulus zur Evangeliumsverkündigung an die Heiden bzw. über die Gemeinde zu betrachten. Stets geht es dabei auch um die Frage, wie die Verwendung der kultisch konnotierten Terminologie in diesen ekklesiologischen Kontexten zu verstehen ist.

Da in Röm 15,15f eine Aussage zur Verkündigung des Evangeliums mit Hilfe kultischer Terminologie formuliert ist, werden vergleichbare Stellen zur Evangeliumsverkündigung aus den paulinischen Homologumena in Kapitel 3 betrachtet. In Kapitel 4 werden von Paulus benutzte Gemeindebezeichnungen untersucht, ausgehend vom Begriff ἐκκλησία. Daran schließt sich ein Kapitel an über die "Heiligkeit" der Gemeinde, dargestellt vor allem an 1 Kor 5 u. 6. In den Kapiteln 6 und 7 werden die Tempelaussagen des Paulus und andere kultische Kategorien zur Bezeichnung ekklesiologischer Sachverhalte dargestellt, bevor Kapitel 8 die Fortsetzung der paulinischen Gedankenführung in der paulinischen Tradition untersucht. Kapitel 9 behandelt zusammenfassend die Frage, ob Paulus in seinen Briefen eine "Spiritualisierung" kultischer Begrifflichkeit beabsichtigt. Die Ergebnisse sind in zusammenfassenden Thesen in Kapitel 10 zu finden[22].

---

22 Zur Methode der Kommentierung vgl. H. MERKLEIN, 1Kor I 56-59; K. BERGER, Exegese. Weitere verwendete Literatur ist bei den Textstellen angegeben.

2. RÖM 15,14 - 21: EINE EKKLESIOLOGISCHE AUSSAGE DES PAULUS

Mit Röm 15,14-21 beginnt nach nahezu übereinstimmender Auffassung der Kommentare der Abschluß des gesamten Römerbriefes. Nach einem ersten "verfrühten, vielsagenden Segenswunsch V. 13"[1] folgt wie üblich auf das Briefcorpus ein mehr persönlicher Schlußteil. Paulus kommt in diesem Abschnitt auf die schon zu Beginn seines Schreibens angeschnittenen Fragen nach seiner apostolischen Sendung und der Absicht seines Besuches in Rom zurück. Im Vergleich zu anderen Briefschlüssen überrascht es, daß Paulus hier, "um seine Weisungsbefugnis zu begründen, ziemlich ausführlich und über den besonderen Anlaß hinausgehend V. 15b-21 seine Missionsaufgabe darlegt"[2].

Im Anschluß daran beginnt vom Aufbau her ein neuer Absatz (VV 22-24), in dem Paulus sich nun nach den grundsätzlichen Ausführungen über das, was an missionarischer Leistung schon hinter ihm liegt, der konkreten Zukunft zuwendet, und den Christen von Rom in aller Form seinen Wunsch vorlegt, von ihnen aus und mit ihrer Hilfe das Evangelium bis nach Spanien, seinem eigentlichen Ziel, zu tragen. VV 23ff zeigen, daß er Rom lediglich als Zwischenstation auf der Durchreise (διαπορευόμενος V 24) und Ausgangspunkt zur Weiterreise betrachtet. Weiter berichtet Paulus noch von seinem unmittelbar bevorstehenden Besuch in Jerusalem, und er bittet die Adressaten um ihre Fürbitte, damit er das ihm auf dem Apostelkonzil aufgetragene Werk der Kollekte der Heiden-

---

1 D. ZELLER, Juden und Heiden in der Mission des Paulus, 64.

2 ZELLER, a.a.O. 65; er sieht sich dann zu der thesenhaften Überlegung herausgefordert, ob sich hier nicht "das Umgekehrte wie in der Einleitung (sc. des Römerbriefes) vollzieht: koppelt hier der Apostel nicht wieder an seine Situation als Bote des Ev an, und wird damit nicht der eigentliche Beweggrund des Röm sichtbar?"

christen für Jerusalem glücklich zu Ende bringen kann (15,25-32). In 15,33 schließt Paulus wiederum mit einem Segenswunsch.

Es folgen eine Empfehlung der Phoebe, die den Römerbrief möglicherweise überbracht hat, und eine ausführliche Grußliste an alle, die dem Paulus in Rom bekannt sind (16,1-16), dann eine Warnung vor Irrlehrern (16,17-20) und schließlich Grüße von Mitarbeitern (16,21-23). Der kanonische Römerbrief endet (16,25-27) "mit einem kunstvoll geformten, dem Präskript seines Briefes genau entsprechenden Lobpreis"[3].

2.1 Textkritik

Von den textkritischen Problemen des Abschnitts Röm 15,14-21 sind hier diejenigen Stellen behandelt, an denen eine Variante aus dem Apparat gegebenenfalls Konsequenzen für das Verständnis des Textes erfordern würde. Alle Abweichungen in diesem Abschnitt aus NESTLE-ALAND[26] gegenüber der vorhergehenden Auflage wurden in diese Untersuchung einbezogen.[4]

In V 14 ist die Anrede ἀδελφοί mit dem zugehörigen μου noch persönlicher ausgedrückt. Für die Auslassung von μου sprechen starke Zeugen: P^{46} D^* F G, die wichtigen Minuskeln 1739 und 1881, sowie die altlateinischen Codices. Dagegen haben μου im Text beibehalten der alexandrinische Text (ℵ B), A C D^2 Ψ **M** m vg sy. Die Wortverbindung ἀδελφοὶ μου ist bei Paulus selten zu finden (nur Röm 7,4; 1 Kor 1,11; 14,39; 15,58; Phil 3,1; 4,1) und dürfte an unserer Stelle ursprünglich sein. Denn auch ein weiteres persönliches Wort im gleichen Vers wird

---

3 STUHLMACHER, Röm 208.- Daß die VV 25-27 ein sekundärer Zusatz sind, mit dem ein späterer 'Redaktor' dem Römerbrief einen solennen Abschluß gegeben hat (vgl. zuletzt wieder WILCKENS Röm I 22-24 anhand einer Analyse der uneinheitlichen, schwierigen Textüberlieferung), ist heute Konsens der Forschung zum Römerbrief; vgl. auch Kurt ALAND, Der Schluß und die ursprüngliche Gestalt des Römerbriefes, in: ders., Neutestamentliche Entwürfe, 1979 (TB 63) 284-301, bes. 295.

4 Die folgende Textkritik orientiert sich an NESTLE-ALAND[26] und dem dort zu findenden kritischen Apparat. Als Literatur s. K. ALAND - B. ALAND, Text; B. M. METZGER, Text; H. ZIMMERMANN, Methodenlehre. - Der Mehrheitstext bei NESTLE-ALAND[26] ist mit **M** bezeichnet.

von denselben Zeugen wie im Fall von μου ausgelassen: καὶ αὐτοί[5]. Weiter ist der Artikel τῆς vor γνώσεως in gutbezeugten Lesarten ausgelassen: P^{46} A C D F G und in der Mehrheit von **M**. Für den Text an dieser Stelle sprechen vor allem die alexandrinischen Textzeugen und wenige aus **M**. Wenn auch die äußere Bezeugung so kein klares Bild ergibt, ist die Lesart mit Artikel gegenüber der ohne auffallend pointiert und sicherlich ursprünglich[6].

Im selben Vers ist ἀλλήλους umstritten. Doch spricht nicht nur die äußere Bezeugung deutlich für den Text und gegen die Lesart ἄλλους, sondern auch, daß diese eine Parablepsis darstellt[7]. - In V 15 finden sich drei wichtige textkritische Probleme. Noch NESTLE-ALAND[25] las mit WESTCOTT/HORT τολμηροτέρως, gestützt auf A B 629.1506 pc. Für die Lesart τολμηρότερον spricht vor allem die bessere äußere Bezeugung: P^{46} ℵ C D F G Ψ **M**. Der Komparativ des Adverbs auf -ως ist zudem im Neuen Testament äußerst selten verwendet.[8] Hinter ὑμῖν ist bei einigen gut bezeugten Lesarten (P^{46} $ℵ^2$ D F G Ψ **M** lat sy) ein ἀδελφοί eingefügt. Für den Text ohne ἀδελφοί sprechen der Sinaiticus in seiner ursprünglichen, nicht verbesserten Lesart, der Codex Alexandrinus, der Vaticanus, C, die Minuskeln 81. 630. 1739. 1881. 2495, also wesentliche Vertreter des Mehrheitstextes, sowie einige altlateinische Handschriften (a b). Auch wenn von der inneren Bezeugung das ἀδελφοί in diesem Vers die persönliche Anrede des Paulus hinter τολμηρότερον gut unterstützen würde, ist die äußere Bezeugung so stark, daß eher mit einer späteren Hinzufügung des Wortes, wie im Sinaiticus geschehen, als mit einer späteren Streichung gerechnet werden kann.

---

5 Vgl. WILCKENS, Röm III 117; SCHLIER, Röm 428, merkt hier an: "Der Satz ist in seiner Plerophorie sehr eindrücklich und soll es auch sein."

6 Vgl. WILCKENS, Röm III 117; auch SCHLIER, Röm 428 Anm. 4; CRANFIELD, Rom II 753 Anm. 2.

7 Vgl. SCHLIER, Röm 428: Zusätzlich ist das innere Kriterium zu beachten, daß ἄλλους keinen Sinn ergäbe. Denn es geht nicht darum, daß die römischen Christen "auch andere", sondern sich selber "einander" erkennen.

8 Vgl. BDR 81 § 102,1 Anm. 1.

Zu ὑπὸ τοῦ θεοῦ (15bβ) gibt es eine Variante. Vom Sinaiticus in ursprünglicher Lesart (א*) und vom Vaticanus, also den beiden bedeutenden Zeugen der alexandrinischen Textform, sowie von F, dem Augiensis aus dem 9. Jh., wird ἀπὸ τοῦ θεοῦ gelesen. Noch NESTLE-ALAND^{25}, wie auch TISCHENDORFF und WESTCOTT/HORT übernahmen die Lesart mit ἀπό. CRANFIELD[9] sieht zwar, daß diese Variante eine Assimilation an die Grußformeln (Röm 1,7; 1 Kor 1,3; 2 Kor 1,2) sein könnte, plädiert aber dafür, diese Lesart als die schwierigere vorzuziehen. Trotz dieser Argumentation wird die auch von NESTLE-ALAND^{26} eingesetzte Lesart ὑπὸ τοῦ θεοῦ als die ursprüngliche anzusehen sein. Denn nicht nur die unterstützenden Zeugen sind gewichtig, so P^{46} A Ψ und M, sondern es wird hier tatsächlich eine Assimilation an die angeführten Grußformeln vorliegen.

Zu Beginn von V 17 fehlt der Artikel vor καύχησιν im Sinaiticus, im Codex Alexandrinus, im Athusiensis und in den meisten Zeugen des Mehrheitstextes. Die Textfassung in NESTLE-ALAND^{26}, ἔχω οὖν (τὴν) καύχησιν, wird gestützt durch den Vaticanus, die "westliche" Textgruppe DFG, sowie C und die Minuskeln 81. 365. Ein Blick auf den paulinischen Sprachgebrauch der Worte καύχησις (10 mal in den echten Paulusbriefen) und καύχημα (9 mal ebenda) hilft nicht weiter. Paulus kann diese Nomina mit dem Verb ἔχειν verbinden und dabei den Artikel setzen oder auch nicht (vgl. Röm 4,2; Gal 6,4). NESTLE-ALAND^{26} hat wegen fast gleichwertiger äußerer Bezeugung die beiden erwähnten Möglichkeiten durch Klammersetzung zu Recht offen gelassen.[10]

In V 19 gibt es im Anschluß an ἐν δυνάμει πνεύματος verschiedene Textvarianten: B und im Anschluß daran noch NESTLE^{25} lassen die Wortverbindung ohne Ergänzung; NESTLE-ALAND^{26} stützt sich auf P^{46}, den Sinaiticus, D^1 Ψ M b sy (C illeg.) und fügt θεοῦ ein; stattdessen setzen ἁγίου ein A A^{*2} F G 33. 81. 104. 365. 630. 1739. 1881. pc lat $sy^{h\ mg}$ co. Da die ältesten Textzeugen das θεοῦ enthalten, vor allem P^{46}

9 Vgl. CRANFIELD, Rom II 754 Anm. 3; ebenso SCHLIER, Röm 429; WILCKENS, Röm III 118 Anm. 569 schließt sich CRANFIELD an.

10 WESTCOTT/HORT hatten bereits den Artikel ohne Einschränkung gesetzt, während V. SODEN und VOGELS ihn in ihren Textfassungen ausgelassen hatten.

und der Sinaiticus, kann diese Textvariante als die am besten bezeugte Lesart gelten.[11]

Statt des Partizips φιλοτιμούμενον in V 20 lesen P46 B D* F G b φιλοτιμοῦμαι, so daß dieser Indikativ der 1. Person Singular sehr gut bezeugt ist. Doch die von ℵ A C Ψ **M** belegte Lesart in NESTLE-ALAND26, nach der dann V 20 den Satz 19b fortführt, ist prägnanter und als lectio difficilior ursprünglich.[12]

In V 21 steht ein Zitat aus Jes 52,15, das in verschiedenen Lesarten überliefert wird: B pc Ambst setzen das Verbum ὄψονται an die Spitze der Wortreihe. WESTCOTT/HORT hatten diese Variante als gleichberechtigte im Text, NESTLE25 sah sie noch als ursprünglich an. Für die Textvariante sprechen die Zeugen P46 ℵ A C D F G Ψ **M** latt sy. Auch wenn Paulus sonst oft die freie Handhabung alttestamentlicher Schriftstellen pflegt, spricht an dieser Stelle die Übermacht der Textzeugen dafür, daß in der B-Variante ein einfacher Fehler eines Kopisten vorliegt.[13] So liegt, wie es auch NESTLE-ALAND26 wiedergibt, hier eine wörtliche Zitation aus Jes 52,15 vor.

Auch in 1 Kor 2,9 greift Paulus eventuell auf Jes 52,15 zurück, wo er aber in so freier Form zitiert, daß sogar angenommen wird, er habe für

---

11 LIETZMANN Röm 120f, deutet die Ergänzungen folgendermaßen: Er sieht die Stelle ohne Zusatz als Urtext und die beiden Einschübe jeweils entsprechend der "üblichen Formel".

12 So auch KÄSEMANN, Röm 377; MICHEL, Röm 460 Anm. 24; SCHLIER, Röm 433; WILCKENS, Röm III 120f Anm. 590.- Anders urteilt CRANFIELD, Rom II 763 Anm. 1. - Ein typischer Lesefehler ist WILCKENS unterlaufen, Röm III 120f Anm. 590; er liest die betreffende Stelle als 1. Pers. Plural (φιλοτιμούμεθα) und sagt dann unter dieser falschen Sichtweise natürlich mit Recht, daß diese Lesart (!) "im Kontext aus dem Rahmen fällt". Ein lehrreiches Beispiel eines Abschreibefehlers in heutiger Zeit!

13 Vgl. WILCKENS, Röm III 121 Anm. 592. - Von den Kommentaren sieht m. W. nur CRANFIELD (Rom II 765) die B-Variante als ursprünglich an. - NESTLE-ALAND26 verweist in seiner Einführung (ebd. 15) darauf, daß dem Codex Vaticanus bei den Briefen des Paulus "nicht mehr die Autorität zukommt wie in den Evangelien", weshalb eine lectio difficilior hier auszuschließen ist.

1 Kor 2,9 noch eine andere Vorlage aus einer apokryphen Schrift benutzt.[14]

14 So SCHRAGE, 1Kor I 245; da Paulus in Röm 15,21 wörtlich zitiere, scheide für 1 Kor 2,9 ein "Gedächtnisfehler" aus; SCHRAGE geht der Herkunft des Zitats ausführlich nach (a.a.O. 246).- Vgl. zu 1 Kor 2,9 auch CONZELMANN, 1Kor 88; KLAUCK, 1Kor 29f; vor allem aber MERKLEIN, 1Kor 232f.

2.2.1 RÖM 15,14 - 21 - Text

14a πέπεισμαι δέ, ἀδελφοί μου, καὶ αὐτὸς ἐγὼ περὶ ὑμῶν

14bα ὅτι καὶ αὐτοὶ μεστοί ἐστε ἀγαθωσύνης,

14bβ πεπληρωμένοι πάσης γνώσεως,
δυνάμενοι καὶ ἀλλήλους νουθετεῖν.

15a τολμηρότερον δὲ ἔγραψα ὑμῖν ἀπὸ μέρους

15bα ὡς ἐπαναμιμνήσκων ὑμᾶς

15bβ διὰ τὴν χάριν τὴν δοθεῖσάν μοι ὑπὸ τοῦ θεοῦ

16aα εἰς τὸ εἶναί με λειτουργὸν Χριστοῦ Ἰησοῦ εἰς τὰ ἔθνη,

16aβ ἱερουργοῦντα τὸ εὐαγγέλιον τοῦ θεοῦ,

16bα ἵνα γένηται ἡ προσφορὰ τῶν ἐθνῶν εὐπρόσδεκτος,

16bβ ἡγιασμένη ἐν πνεύματι ἁγίῳ.

17 ἔχω οὖν τὴν καύχησιν ἐν Χριστῷ Ἰησοῦ τὰ πρὸς τὸν θεόν·

18aα οὐ γὰρ τολμήσω

18aβ τι λαλεῖν

18bα ὧν οὐ κατειργάσατο Χριστὸς δι'ἐμοῦ

18bβ εἰς ὑπακοὴν ἐθνῶν, λόγῳ καὶ ἔργῳ,

19a ἐν δυνάμει σημείων καὶ τεράτων, ἐν δυνάμει πνεύματος·

19b ὥστε με ἀπὸ Ἰερουσαλὴμ καὶ κύκλῳ μέχρι τοῦ Ἰλλυρικοῦ
πεπληρωκέναι τὸ εὐαγγέλιον τοῦ Χριστοῦ,

20a οὕτως δὲ φιλοτιμούμενον εὐαγγελίζεσθαι οὐχ

20b ὅπου ὠνομάσθη Χριστός,

20c ἵνα μὴ ἐπ' ἀλλότριον θεμέλιον οἰκοδομῶ,

21a ἀλλὰ καθὼς γέγραπται·

21b οἷς οὐκ ἀνηγγέλη περὶ αὐτοῦ ὄψονται,

21c καὶ οἳ οὐκ ἀκηκόασιν συνήσουσιν.

2.2.2 ÜBERSETZUNG

14a Was mich persönlich in Hinsicht auf euch betrifft,

bin ich aber überzeugt, meine Brüder,

14bα daß auch ihr voll guter Gesinnung seid,

14bβ erfüllt von aller Erkenntnis
und imstande, einander zurechtzuweisen.

15a Ich habe euch zum Teil recht kühn[15] geschrieben

15bα als einer, der euch in Erinnerung rufen will

15bβ kraft der mir von Gott gegebenen Gnade,

16aα um ein Diener Christi Jesu zu sein für die Heiden,

16aβ der das Evangelium Gottes priesterlich verwaltet,

16bα damit die Darbringung der Heidenvölker (Gott) wohlgefällig werde,

16bβ geheiligt im Heiligen Geist.

17 So habe ich den Ruhm in Christus Jesus vor[16] Gott.

18aα Denn ich werde nicht wagen,
18aβ etwas zu sagen,

18bα was nicht Christus durch mich gewirkt hat,

18bβ um die Heiden zum Gehorsam zu führen durch Wort und Werk,
19a in der Kraft von Zeichen und Wundern, in der Kraft des Geistes.

19b So habe ich von Jerusalem aus und ringsum bis nach Illyrien das Evangelium Christi zur Vollendung gebracht,

20a jedoch so, daß ich meine Ehre darin setze,
nicht dort das Evangelium zu verkünden,
20b wo Christus (schon) genannt ist,
20c um nicht auf fremden Grund zu bauen,

21a sondern wie geschrieben steht:
21b Welchen nicht über ihn verkündet wurde, die werden (ihn) sehen;
21c und die (noch) nicht gehört haben, werden Einsicht gewinnen.

---

15 Die Übersetzung ist hier trotz des textkritischen Befundes gewählt. Wörtlich übersetzt müßte es heißen: "recht Kühnes".

16 Das τὰ bezieht sich als adverbieller Akkusativ (BDR § 160[1]) auf das Verb zurück und ist im Deutschen nur schwer wiederzugeben. Es bleibt hier unübersetzt.

2.3 ANALYSE

2.3.1 Syntaktische Analyse

Der Abschnitt Röm 15,14-21 besteht aus sechs in sich abgeschlossenen Sätzen (14 -15.16 - 17 - 18.19.20.21a - 21b - 21c). Zweimal werden sie durch vorangestelltes Verbum eingeleitet (14; 17), wobei nur in 14 das nominale Subjekt ausdrücklich genannt wird. Die VV 14; 15.16 und 18.19.20.21a bestehen aus Hauptsätzen mit davon abhängigen Nebensätzen bzw. Partizipial- oder Infinitivkonstruktionen. Die Nebensätze werden durch ὅτι (14bα), ἵνα (16bα.20c) und ὅπου (20b) eingeleitet. Abhängige Infinitive finden sich in 16aα, eingeleitet mit εἰς, in 19b, eingeleitet mit ὥστε, und in 18aβ (τι λαλεῖν), wo sich in 18bα ein Relativsatz anschließt. Zahlreiche Partizipialkonstruktionen prägen den gesamten Abschnitt (14bβ; 15bα; 15bβ; 16aβ; 16bβ und 20a). Zählt man die über- und untergeordneten Sätze einschließlich ihrer parataktischen Glieder je für sich, ergeben sich 23 Einheiten (14a - 14bα - 14bβ - 15a - 15bα - 15bβ - 16aα - 16aβ - 16bα - 16bβ - 17 - 18aα - 18aβ - 18bα - 18bβ - 19a - 19b - 20a - 20b -20c - 21a - 21b - 21c).

Folgende syntaktische "Gesetzmäßigkeiten" sind festzuhalten:

(1) Der Text enthält nur vier <u>nominale Subjekte</u>: "ich selbst" (14a), "Darbringung" (16bα) und "Christus" (18bα.20b). Das Pronomen αὐτοί in 14bα ist ohne das an dieser Stelle entsprechende Personalpronomen ὑμεῖς verwendet, so daß es kein eigentlich selbständiges nominales Subjekt darstellt. Sechs Sätze sind reine <u>Verbalsätze</u> (15a - 17 - 18aα - 20c - 21a - 21b), darunter die drei übergeordneten Sätze (15a - 17 - 18aα).

(2) Fünf <u>Verben</u> weisen die 1. Person Singular auf (14a - 15a - 17 - 18a -20c). Hinzu kommen zwei Infinitive, die mit dem Personalpronomen der 1. Person Singular als A.c.i. konstruiert sind, so daß sie eindeutig als Ersatz für Verben mit einer 1. Person Singular gelten können (16aα - 19b). So ist eine Dominanz der 1. Person Singular in den Verbformen unverkennbar. Andere Verben weisen die 3. Person Singular (16bα - 18bα - 20b - 21a), die 2. Person Plural (14bα) und die 3. Person Plural (21b.21c) auf. Wenn berücksichtigt wird, daß drei der vier Verben, die die 3. Person Singular führen, passivisch gebraucht sind (16bα - 20b - 21c), ergibt sich, daß als handelnde Subjekte nur "ich" (14a) und "Christus" (18bα) übrigbleiben.

Auffällig ist die Verteilung der <u>Tempora</u>, vor allem bei den Verben, die die 1. Person Singular führen. In 14a findet sich ein konstatierendes Perfekt, in 15a ein komplexiver Aorist zur Bezeichnung der Vergangenheit, in V 17 Präsens und in 18aα Futur, so daß diese Verben von ihren Tempora her aufeinander bezogen sind. Drei weitere Verben haben Vergangenheitsformen, zwei den Aorist (18bα.20b) und ein Verb das Perfekt Passiv (21a). Ein Verb führt den Konjunktiv Präsens (20c), zwei das Futur (21b.21c).

(3) Dieser Abschnitt enthält zahlreiche Präpositionalobjekte, vor allem in den VV 17. 18.19a. Genitiv-Attribute finden sich in den VV 16aα.19b ("Christus"), in 16aβ ("Gott") und in 16bα ("Heiden"). Zwei weitere Genitiv-Attribute in den VV 14bα. 14bß bezeichnen die Art und Weise in Ergänzung des Prädikats. Dativ-Objekte sind die Personalpronomen "euch" (15a) und "mir" (15bβ), Akkusativ-Objekte das Personalpronomen "euch" (15bα) und das "Evangelium" (16aα.19b).

(4) Bemerkenswert sind die Personalpronomina der 1. Person Singular (14a.15bβ. 16aα.18bα.19b) und die der 2. Person Plural (14a.14bα.15a. 15bα).

Syntaktisch ergibt sich insgesamt eine bemerkenswerte Dominanz der 1. Person Singular in den Verben der Hauptsätze und bei den Personalpronomina sowie ein beachtenswerter Aufbau der Tempora in den Verbalsätzen (14a.15a.17.18aα). Diese vier Verbformen haben verschiedene Tempora, nämlich Perfekt (in präsentischer Bedeutung: πέπεισμαι), Aorist (der zurückgreift auf alles vorher Geschriebene: ἔγραψα), konstatierendes Präsens (ἔχω οὖν τὴν καύχησιν) und schließlich Futur, hier auf vergangenes und zukünftiges Handeln bezogen und somit in iterativem Sinn als ein allgemein gültiger Grundsatz (τολμήσω). Eine gewisse Zäsur liegt hinter V 15bα vor, weil bis hierhin ein Verb und Personalpronomina in der 2. Person Plural genannt wurden. Eine weitere syntaktische Zäsur bildet das Schriftzitat in V 21 einschließlich seiner Einleitung in V 21a.

2.3.2 Semantische Analyse

Die bei der Syntax sich andeutende Dominanz der 1. Person Singular läßt sich semantisch weiterführen. Zunächst sind die Verben in der 1. Person Singular in den Hauptsätzen zu beachten. Paulus macht Aussagen von sich (14a.17) und Aussagen, in denen er zurückblickt auf sein vergangenes apostolisches Tun, wie es in schriftlicher Form (15a: ἔγραψα) den Adressaten bereits vorliegt, und solche, in denen er in grundsätzlicher Weise (Futur in 18aα: τολμήσω[17]) seine Verkündigung (τι λαλεῖν) als Resultat des sein Wirken bestimmenden Christus ausdrücklich herausstellt. Eine ausschließlich sachbezogene Aussage liegt in den finalen Aussagen der VV 16bα.16bβ und 18bβ.19a vor.

Die Verben in der 1. Person Singular in diesem Abschnitt weisen demnach Paulus als die handelnde Person aus. Interessant ist, daß in jenen

[17] Das Futur hier ist im Sinne von "ich will nicht" oder "ich werde niemals" zu verstehen; vgl. BDR 363[1].

Versen, wo Paulus Aussagen über sein Handeln in Bezug auf die ἔθνη macht, er zugleich seine Vollmacht durch Gott bzw. seine unmittelbare Bezogenheit (Unmittelbarkeit) auf Christus hervorhebt (16aα.16aβ; 16bα; 18bα.18bβ).

Paulus bleibt in dem gesamten Abschnitt Röm 15,14-21 handelndes Subjekt. Nur in der Aussage von V 16bα wird die "Darbringung der Heiden" in einer passivischen Formulierung Subjekt, um allerdings herauszustellen, welchem Ziel das Handeln des Paulus an den Heiden letztlich dienen will. Wenn Paulus auch durch die Verben des Textes als handelndes Subjekt ausgewiesen wird, ist nicht zu verkennen, wen er selbst als den hinter seinem Handeln Stehenden benennt: In den VV 14-21 ist fünfmal Χριστός (16aα. 17. 18bα. 19b. 20b) genannt, dreimal θεός (15bβ. 16aβ. 17), je einmal πνεῦμα θεοῦ (16bβ) und πνεῦμα (19a), so daß als tiefengrammatisches Subjekt "Gott" aufgewiesen wird.

Schon hier sei ein wichtiges Problem des ganzen Abschnittes angesprochen. In V 16bα können in der Genetivkonstruktion προσφορὰ τῶν ἐθνῶν die Heiden einzig Objekt in dem von Paulus als Subjekt bestimmten Textzusammenhang sein. Gegen einen Genetivus subjectivus und damit gegen einen Wechsel des in dem gesamten Abschnitt VV 14-21 handelnden Subjekt spricht vor allem die textbestimmende 1. Person Singular, in der Paulus sich selber als handelnde Person in aller Deutlichkeit in V 14a durch die Wortstellung des Verbums πέπεισμαι am Satzanfang und durch das betonte Personalpronomen αὐτὸς ἐγώ herausstellt. Ein Genetivus objectivus oder epexegeticus fügt sich harmonischer in den Kontext ein und gibt dem ganzen Vers seine Kohärenz[18].

Der Gen. subj., argumentativ im wesentlichen dargelegt von A.M. DENIS[19], ist gewiß auf den ersten Blick hin eine einfachere Möglichkeit und korrespondiert zudem

18 Vgl. J. PONTHOT, L' expression 259.

19 Vgl. A.M. DENIS, La fonction 403-408, bes. 405f; auch: Otto SCHMITZ, Opferanschauung 233; die Auslegung als Gen. subj. zuletzt aufgenommen von R. DABELSTEIN, Die Beurteilung der "Heiden" bei Paulus, Frankfurt 1981, 113: "Die Völker bringen sich selbst als Opfer dar, indem sie Gott wohlgefällig leben und Gott durch ihren täglichen Gehorsam sowie durch ihren kultischen Lobpreis verherrlichen! Darin besteht das Ziel des paulinischen Missionswirkens . . ." (a.a.O. 114); für einen Gen. subj. und die Bedeutung "materielle Gabe" (sc. der

mit anderen paulinischen Perspektiven, so z.B. Röm 12,1f oder Phil 3,3 (s. Pkt 7.2). Man könnte dann in diesem Opfern der Heiden eine Erfüllung von prophetischen Verheißungen erkennen (Jes 60,3; 66,20; Sach 8,23) und andererseits die eschatologische Verwirklichung von Ex 19,6, da die christliche Gemeinde als "königliches Priestertum" handelt, gemäß auch 1 Petr 2,5.9 und verschiedenen Aussagen der Apokalypse.[20]

Für einen Genetivus objectivus oder epexegeticus sprechen die meisten Kommentare zu Röm 15,16[21]. In dieser Arbeit wird aus den dargelegten Gründen und aus dem Gegensatz "Paulus - Heiden" auch von einem Gen. epex. bei προσφορά ausgegangen. Dem Verkündiger und Apostel in seiner Eigenschaft als Diener Christi Jesu (V 16aα), der das Evangelium Gottes priesterlich verwaltet (16aβ), stehen die Heiden gegenüber, an denen Paulus weisungsgemäß (διά) und zielgerichtet (εἰς) zu handeln hat. Der gesamte Abschnitt VV 14-21 ist geprägt von Paulus als dem handelnden Subjekt - dabei zweimal eingeschränkt von der Begründung, daß das Tun des Paulus auf die Gnade Gottes (V 15bβ) bzw. auf das Wirken Christi (V 18bα) sich stützen kann - und von den Heiden als dem diesem Subjekt entsprechenden Objekt. Doch bleibt dann noch die Deutung der paulinischen Formulierung "Darbringung der Heidenvölker" als Problem bestehen, so daß hierauf auch ein Schwerpunkt der Erörterung dieser Verse liegt.

Fragt man nach dem Sinn der Aussagen, so ist der vorliegende Text wesentlich von dem Gegensatz geprägt, der sich zwischen der Absicht und der Verkündigung des Paulus als Diener Christi und priesterlicher Verwalter des Evangeliums Christi einerseits und dem Gehorsam der Heiden andererseits auftut. An einem Schaubild soll dies dargestellt werden.

Heiden für die wirtschaftliche Notlage in Jerusalem) plädiert S. PEDERSEN, Überlegungen 58.

20 Vgl. J. PONTHOT, a.a.O. 258f, der eine ausführliche Darstellung der beiden unterschiedlichen Positionen zum Genitiv bei προσφορά bietet.

21 Vgl. die entsprechenden Kommentare zur Stelle von ALTHAUS, BARTH, CRANFIELD, KÄSEMANN, LIETZMANN, MICHEL, R. PESCH, SCHLATTER, SCHLIER, H.W. SCHMIDT, STUHLMACHER, WILCKENS, ZAHN u. ZELLER; ebenso die Wörterbücher BAUER u. LSJ jeweils zu προσφορά; ferner ZELLER, Juden und Heiden, 223; ZMIJEWSKI, Paulus 132f; K. WEISS, Priester 357; SCHRENK, ThWNT III 252, 30ff.

SCHAUBILD 2.3.2/1

14a - 15bα Hinführende Explikation

PAULUS		HEIDEN
1. Diener Christi V 16aα	———	an den Heiden
2. Priesterlicher Verwalter des Evangeliums Christi V 16aβ	———	Opfergabe der Heiden V 16bα

├——geheiligt durch den Heiligen Geist——┤

3. Paulus hat Ruhm in Christus Jesus vor Gott (V 17), denn:
4. Christus wirkt durch Paulus ——— Gehorsam der Heiden

└——in der Kraft des Geistes——┘

Konsequenz:

19b ὥστε: Paulus hat (Perfekt!) das Evangelium Christi vollendet.

20a.21: Ein abschließendes Schriftzitat.

Wie das folgende Schaubild zur Textstruktur der VV 14-21 anhand der Konjunktionen zeigt (s. nächste Seite das Schaubild 2.3.2./2), verdichtet sich dieser Textabschnitt, gerade auch unter der Berücksichtigung des angesprochenen Subjekt-Objekt-Gegensatzes "Paulus - Heiden", in den VV 15bβ - 16bβ, so daß hier die zentrale Aussage des Textabschnitts vorliegt ("Spitzenaussage"). Als sprachliche Hilfsmittel zwischen sich und den in Opposition stehenden Heiden benutzt Paulus hier kultische Termini, die sich ihm als eine Art ekklesiologischer Brückenfunktion anbieten, um den auszusagenden Sachverhalt zu verdeutlichen. Die mit der Konjunktion οὖν eingeleitete konstatierende Aussage in V 17 schließt die Aussage in VV 15bβ - 16bβ ab und leitet zur nächsten Texteinheit über. In den VV 18a - 19a wird die Spitzenaussage aus 15bβ - 16bβ in abgeleiteter Form wieder aufgenommen, um offensichtlich die erste Aussage durch diese zweite zu spezifizieren. Wie sehr diese Aussagen sich entsprechen, zeigt folgende Gegenüberstellung:

A: V 15bβ	-----	A': V 18a - 18bα
B: V 16aα (εἰς)+ 16aβ	-----	B': V 19b (ὥστε)
C: V 16bα (ἵνα)	-----	C': V 18bβ (εἰς)
D: V 16bβ	-----	D': V 19a ἐν δυνάμει πνεύματος

Diese Gegenüberstellung läßt sich noch durch das Schaubild zur Textstruktur verdeutlichen (s. Schaubild 2.3.2/2). Darin wird erkennbar, daß die finalen Aussagen in V 16 die Mitte des ganzen Abschnittes bilden. Alle anderen Aussagen dienen als hinführende oder erläuternde Argumentation. Die Partikel und Konjunktionen vor V 16 haben hinführenden Charakter. Die VV 18a - 19a nehmen die VV 15bβ - 16bβ in abgeleiteter Form wieder auf. Die Konjunktionen der VV 17.19b haben konsekutiven Sinn. V 20a führt die konsekutive Aussage aus V 19b weiter, so daß die finale Aussage in V 20c eine andere, geringere Wertigkeit hat als die finalen Aussagen in den VV 16aα.16bα.18bβ.

SCHAUBILD ZUR TEXTSTRUKTUR (2.3.2/2)

	Hinführende Argumentation	Begründende Argumentation	Zielaussagen (funktional)	Konsequenzen
14a	δέ …καί			
14bα	ὅτι…καί			
14bβ	καί			
15a	δέ			
15bα		ὡς		
15bβ		διά		
16aα			εἰς	
16aβ				
16bα			ἵνα	
16bβ				
17				οὖν
18a		οὐ γάρ		
18aα				
18bα				
18bβ			εἰς	
19a				
19b				ὥστε
20a	οὕτως δέ			
20b				
20c			ἵνα	
21	ἀλλὰ καθώς			

2.3.3 Pragmatische Analyse

Pragmatisch lassen sich im Abschnitt Röm 15,14-21 aufgrund der syntaktischen und semantischen Analyse folgende Texteinheiten unterscheiden, wodurch sich zugleich ein rhetorischer Befund ergibt:

(1) In V 14, eingeleitet durch das Verb πέπεισμαι mit resultativem Perfekt im Sinne eines Präsens[22], geht Paulus auf die Adressaten (ἀδελφοί μου; περὶ ὑμῶν) unmittelbar ein und spricht ihnen bestimmte Fähigkeiten zu, formuliert in einem Adjektiv der Fülle und zwei dazu gleichgeordneten Partizipien. In dieser dreimaligen Anrede werden die ἀδελφοί mit verschiedenen Attributen bezeichnet, als "voll guter Gesinnung" (14bα), "erfüllt von aller Erkenntnis" und "imstande, einander zurechtzuweisen" (14bβ). So wird hier gegen Schluß des Römerbriefes mittels einer captatio benevolentiae (V 14b), wie sie durchaus auch in der peroratio einer Rede üblich ist, versucht, die Aufmerksamkeit der Adressaten in der römischen Gemeinde noch einmal zu wecken. Paulus erkennt die Gemeinde als souverän an, da sie nicht seiner (Gründungs-)Autorität unterliegt. Zugleich sind in diesen wenigen allgemein gehaltenen Bemerkungen hier möglicherweise Fakten angedeutet, die dem Paulus aus der Gemeinde in Rom oder aber zumindest über die Gemeinde bekannt sind.[23]

(2) Nachdem Paulus die Fähigkeiten der Gemeinde ausdrücklich herausgestellt hat, macht er noch einmal, in ähnlicher Weise wie am Anfang des Briefes (Röm 1,1-17), den gesamten Römerbrief umschreibende Grundaussagen, nämlich über sein Verhältnis zur römischen Gemeinde und grundsätzlich über seinen apostolischen Auftrag.

Wieder durch ein Verb in der 1. Person Singular eingeleitet, das zurückgreift auf alles vorher Geschriebene (ἔγραψα), gibt Paulus zunächst zu, daß sein Brief eine gewisse Kühnheit darstellt (V 15a), und kennzeichnet durch das illokutive (den Sprechakt bezeichnende) ἐπαναμιμνῄσκειν (V 15bα) rückblickend den Modus seiner Ausführungen. Inhaltlich geht es Paulus in der sich an 15bβ anschließenden finalen Aussage (V 16) um eine pointierte und mittels der verwendeten Termini besonders hervorgehobenen Darstellung seines Verkündigungsauftrages und dessen anvisierten Zieles (V 16bα: ἵνα), nämlich der "Darbringung der Heiden als (Gott) wohlgefällig". So läßt sich dieser V 16 als eine Kurzzusammenfassung der im Römerbrief dargelegten Evangeliumsverkündigung an die Heiden verstehen, eine "recapitulatio" in schlagwortartiger Kürze[24], in der aus dem Brief die Stichworte "Evangelium Gottes" und "die Heiden" genannt sind.

(3) Die VV 17-21 stellen den Versuch dar, die in V 14f eingeleitete und in V 16 ausgeführte rückblickende recapitulatio nun durch verschiedene Einzelaussagen her-

---

22 Vgl. BDR § 341².

23 Das Verb νουθετεῖν, sonst auch für das apostolische Mahnen gebraucht (so z.B. 1 Kor 4,14; vgl. zu νουθετεῖν unten Pkt. 2.3), ist an dieser Stelle für das gegenseitige brüderliche Tun der Gemeindemitglieder aneinander gebraucht, ein Ausdruck, der eventuell auf den Umgang mit Konflikten innerhalb der römischen Gemeinde hindeuten kann; ein solcher Konflikt in der römischen Gemeinde wurde von Paulus in dem unserem Abschnitt vorausgehenden Abschnitt Röm 14,1 - 15,13 über die Starken und Schwachen in der Gemeinde erörtert.

24 Vgl. Herbert MEYER, Art. "Peroratio", in: PRE 19,1 (1937) 879-886, hier 882.

auszustellen: In V 17 steht die Überschrift zu dieser Texteinheit, in der das Stichwort der καύχησις ἐν Χριστῷ bereits die Aussagen von V 18aα ("nicht wagen, etwas zu sagen, was nicht Christus durch mich gewirkt hat") und von V 20a ("jedoch so, daß ich meine Ehre darin setze") vorbereitet werden. Paulus stellt die Bedeutung seines bisherigen Tun heraus, indem er den Ausgangsort des Evangeliums ("Jerusalem") und den Eckpunkt seiner Ausdehnung ("Illyrien") nennt und davon spricht, er habe "das Evangelium Christi zur Vollendung gebracht" (V 19b). Dieses Lob der eigenen Arbeit kommt im rhetorischen Sinn durchaus einem ἐπαινεῖν gleich, und so kann diese dritte Texteinheit als eine "amplificatio" bezeichnet werden.[25]

Aufgrund dieser pragmatischen Analyse ergibt sich ein rhetorischer Befund, dessen Ergebnis unter dem Vorbehalt zu betrachten ist, daß an einem schriftlich abgefaßten Text nicht die einer Rede zugrundeliegenden rhetorischen Stilformen in gleicher Weise ausgewiesen werden können. Es läßt sich sagen, daß dieser Abschnitt Röm 15,14-21 eine ähnliche Funktion erfüllt, wie sie innerhalb einer Rede der peroratio[26] zukommt: er will in verdichteter Form als eine Art Spitzenaussage (s. die semantische Analyse) den im gesamten Brief behandelten Themenkomplex abschließen und dazu noch einmal besondere Aufmerksamkeit gewinnen. In diesem Abschnitt und hier wieder besonders in V 16 fällt die brevitas des Ausdrucks und der fast kunstvolle Gebrauch der kultischen Termini auf, die hier als "Schmuck" im rhetorischen Sinn zu verstehen sind, und deren Bedeutung noch zu untersuchen ist.

Die finalen Aussagen in V 16 werden eingeleitet durch die Begründung mit διά und abgeschlossen durch die mit οὖν eingeführte konsekutive Aussage in V 17, die somit eine Klammer zwischen den beiden Texteinheiten darstellt. Die Aussage "kraft der mir von Gott gegebenen Gnade" begründet (διά c. acc.[27]) das Recht zu seiner erinnernden Mahnung als

---

[25] Vgl. H. MEYER, a.a.O. 882f; hier in V 18 u. 19b kann man unschwer den Versuch des Paulus erkennen, sein Tun aufgrund Christi Wirken ausreichend herauszustellen, so daß wir hier Spuren einer αὔξησις erkennen können.

[26] Vgl. zur peroratio (perorare = einen sermo zu Ende führen) neben dem erwähnten Artikel von H. MEYER noch in ähnlicher Weise J. MARTIN, Rhetorik 148f; vor allem aber H. LAUSBERG, Handbuch 236-240 entsprechend § 431-442: die peroratio verfolge zwei Funktionen (Ziele): Gedächtnisauffrischung und Affektbeeinflussung; sie ist die letzte Gelegenheit, die Hörer für die eigene Sache noch einmal zu beeinflussen; brevitas und Schmuck sind die virtus der recapitulatio: "Der Schmuck ist bereits ein Affektmittel und verbindet somit die beiden Funktionen (s. § 432) der peroratio." (ebd. 238)

[27] Vgl. BDR § 222,2a und § 223,5[9].

Konsequenz aus dem Auftrag, den er als Apostel vom Herrn empfangen hat. In gefüllter Sprache, im Wechsel von je einer finalen Aussage mit folgender Partizipialkonstruktion, folgt die Explikation dieses Auftrages, indem Paulus das Grundthema des Römerbriefes aus 1,16f aufgreift, nämlich das ihm von Christus anvertraute Evangelium als Offenbarung der heilschaffenden Gottesgerechtigkeit für Juden und Heiden, und sein Handeln in Bezug auf dieses Evangelium in verdichteter Terminologie mittels kultischer Deutungskategorien formuliert. In beiden finalen Formulierungen sind Aussagen über die Heiden(-völker) gemacht, was ähnlichen Aussagen im Römerbrief entspricht (vgl. 1,5: εἰς ὑπακοὴν πίστεως ἐν πᾶσιν τοῖς ἔθνεσιν; ähnlich 15,18; vgl. auch 1,16, auch wenn hier die ἔθνη nicht explizit genannt sind: εἰς σωτηρίαν παντὶ τῷ πιστεύοντι). Daß in jedem Versteil von 15bβ bis 17 Gott bzw. Jesus Christus ausdrücklich bzw. durch die passive Formulierung (16bα) implizit genannt ist, zeigt, wie rückbezogen auf Gott Paulus sein Tun versteht. - Wieder (wie in V 15bβ) ist in V 18a eine finale Aussage, hier als Explikation der Aussage aus V 16, mit einer Begründung (γάρ) eingeleitet, die auch wieder (vgl. V 15bβ) das göttliche Wirken im Handeln des Apostels hervorhebt. Die anschließende finale Aussage in V 18bβ.19a nimmt V 16 wieder auf und drückt noch einmal die Intention und "Funktion" des paulinischen Apostolats aus, bevor wiederum (vgl. V 17) eine konsekutive Aussage (ὥστε) den Abschluß bildet, in der die räumliche Ausdehnung der apostolischen Evangeliumsverkündigung umrissen wird. Dabei ist es Paulus offensichtlich wichtig, seinen Missionsgrundsatz anzuschließen, nur dort zu verkündigen, wo der Name "Christus" noch nicht genannt ist. Dies rundet Paulus mit einem Deuterojesaja-Zitat (Jes 52,15) ab.

Die Gesamtstrategie dieses Textes bewegt sich um die finalen Aussagen in den VV 16 und 18bβ, die noch einmal die bereits in Röm 1 angeklungenen Formulierungen des Paulus bezüglich Apostolat und Heidenmission aufgreifen. Die pragmatische Analyse zeigt, daß sich bestimmte Elemente einer peroratio im Abschnitt VV 14-21 wiederfinden lassen, wobei nicht außer Betracht gelassen werden darf, daß diese Verse auch keinen Redeschluß, sondern einen Briefschlußteil einleiten. Die Kommentare, die Übereinstimmungen zwischen Briefeingang und diesem Abschnitt 15,14-21 feststellen und die im Begriff "Parallelisierung" gipfeln, verkennen, daß diese Verse ähnlich der peroratio einer Rede das Grundthema des gesamten Briefes von der im Evangelium sich offenbarenden Gerechtigkeit Gottes für alle Glaubenden aufgreifen und in verdichteter Terminologie wiedergeben.[28]

2.4 EINZELAUSLEGUNG

2.4.1 Einzelauslegung der VV 14-16

In Röm 15,13 ist mit dem Fürbittsegen der paränetische Teil des Römerbriefes, der 12,1 - 15,13 umfaßt, endgültig abgeschlossen, zuletzt die Erörterung des Konfliktes zwischen Starken und Schwachen (14,1 - 15,13). Mit dem deutlichen Neueinsatz in Röm 15,14 durch die in der Satzstellung hervorgehobene 1. Person Singular[29] im Verb πέπεισμαι und im verstärkten Personalpronomen αὐτὸς ἐγώ sowie durch das Nennen der Adressaten in ἀδελφοί μου beginnt Paulus den ersten großen Abschnitt (15,14-33) des ausführlichen Schlußteils seines Briefes, in dem es vor allem darum geht, den Römern nunmehr über die im Eingang zunächst gegebene Motivation seines bevorstehenden Besuchs (1,11 ff) hinaus seine konkreten Anliegen vorzutragen.

Röm 1,1-17 und Röm 15,14-33

Zwischen dem Briefeingang (1,1-17) und dem ersten Teil des Briefschlusses (15,14-33) bestehen sachliche und terminologische Bezüge in Stil und Gedankenführung, so daß von einer Parallelisierung[30] oder einer Klammer[31] zwischen diesen Briefteilen gesprochen worden ist. Röm 15,14-33 stellt dabei durchaus einen gedanklichen Fortschritt gegenüber dem Briefeingang dar, da Paulus nun seine Absichten "viel ausführ-

[28] Vgl. dagegen zum Abschnitt Röm 15,14ff als Peroratio die Aussage von Melanchthon aus seinem Römerbrief-Kommentar [hier zitiert nach: C.J. CLASSEN, Paulus und die antike Rhetorik: ZNW 82 (1991) 1-33, hier 21]: "Peroratio qua primum per rhetoricam licentiam excusat quod liberius scripserit. Deinde multa congerit ut solent in epistola, et es conclusio tocius epistolae epilogi."

[29] Ähnlich beginnt Paulus in seinen Briefen zahlreiche Neueinsätze von beginnenden Abschnitten oder auch von grundsätzlichen Aussagen, vgl.: Röm 1,8.16; 8,18; 9,1; 11,1.11.25; 12,1.3; 15,30; 16,1.17; 1 Kor 1,4.10; 2,1 u.a.m.; 2 Kor 2,1; 10,1; Gal 4,1; Phil 1,3.

[30] Vgl. NABABAN, Bekenntnis 125.

[31] Vgl. MICHEL, Röm 454.

licher, konkreter und entschlossener" bekundet[32]. Wichtig für unsere Untersuchung ist vor allem die Behandlung des Themas "Evangelium". Das Substantiv εὐαγγέλιον begegnet 1,1.9. 16 und 15,16.19 und das Verbum εὐαγγελίζεσθαι begegnet 1,15 und 15,20. Paulus beschreibt dabei seine Aufgabe am Evangelium in liturgisch-kultischer Terminologie (1,1.9 und 15,16) und in ihrer besonderen ekklesiologischen Ausrichtung auf die ἔθνη (1,5.13f. 16; 15,16.18)[33].

In einem Überblick lassen sich die angesprochenen Bezüge gut erkennen:

Bezüge zwischen Briefeingang (1,8-17) und Briefschluß (15,14-33)

Motive:

Paulus hat den festen Willen, nach Rom zu kommen.	1,10	15,22-24.28f.32
Apostel der/an den Heiden u. apostolische Verantwortung[34]	1,5ff; 1,14f	15,15f
Verbundenheit mit der Gemeinde im Gebet	1,9-10	15,30-33
Gnadengabe für die Gemeinde u. Fülle des Segens Jesu Christi	1,11-13	15,29

Terminologische Bezüge:

εὐαγγέλιον	1,1.9.16	15,16.19
εὐαγγελίζεσθαι	1,15	15,20
Kultische Terminologie in Verbindung mit der Aufgabe am Evangelium	1,1.9 (!)	15,16
Bes. Ausrichtung auf die ἔθνη	1,5.13f	15,16.18
δύναμις (in Verbindung mit dem Begriff πνεῦμα)	1,4.16	15,18
ὑπακοή der Glaubenden	1,5	15,18

---

32 Vgl. KÄSEMANN, Röm 372.- Ähnlich ZELLER, Juden 45; ders., Röm 237; ZMIJEWSKI, Paulus 130f.

33 Vgl. ZELLER, Juden 45.

34 Zu dem in diesen beiden Abschnitten des Römerbriefes festzustellenden Gebrauch kultischer Terminologie in Verbindung mit dem apostolischen Auftrag im Dienst am Evangelium (Röm 1,1.9; 15,16; vgl. auch Gal 1,15f mit dem Verb ἀφορίζειν und 1 Kor 9,13f) s. unten Kap. 3.

Wie schon zu Beginn im Präskript (1,5f) stellt Paulus sich zunächst noch einmal als der Heidenapostel vor, "als der er in der Verfolgung des Weges des Evangeliums durch alle Völker 'rund um Jerusalem' (15,19) nach Rom kommen will (15,14-21)"[35]. Dies ist der heilsgeschichtliche Zusammenhang, in dem die Römer seine Reisepläne, seine Bitte um Missionsgeleit und ihre Fürbitte für das Gelingen der Kollekte verstehen sollen (15,22-33). Der Abschnitt 15,14-33 endet mit einem feierlichen Segensgruß in V 33.

Die bereits erwähnte Ausrichtung auf die Heiden in Röm 1,1-17 und 15,14-33 fällt besonders auf. Dies erlaubt einerseits Rückschlüsse auf das ekklesiologische Selbstverständnis des Paulus, in dem die Hinwendung zu den Heiden an erster Stelle steht, andererseits aber auch auf die Zusammensetzung des stadtrömischen Christentums, in der die Judenchristen zur Zeit des Röm offensichtlich bereits in der Minderzahl sind[36].

Entscheidend ist, daß Paulus am Anfang und Ende dieses Briefes auf das ihm entscheidende Thema zurückkommt, nämlich daß das Evangelium Gottes als "Kraft Gottes zum Heil für jeden, der glaubt" (1,16), die volle Gottesgemeinschaft gerade den Heiden zusagt. Dies bestätigt das Ergebnis der pragmatischen Analyse, die gezeigt hatte, daß sich in Röm 15,14-21 Elemente einer Peroratio erkennen lassen[37]. Gegenüber dem Briefeingang stellt der Abschnitt 15,14-21 auch insofern eine gedankliche Weiterführung dar, als hier nun, wie sich zeigen wird, das Zu-Gott-Kommen der Heiden in der vollen Gottesgemeinschaft explizit zur Sprache kommt.

Vers 14

Das herausgestellte Verb πείθω stellt mit 1. Person Singular in Verbindung mit der deutlichen Nennung der Adressaten diesen nun beginnenden Abschnitt als Neuansatz heraus. Das Perfekt Passiv hat hier den Sinn "ich bin überzeugt"[38] und leitet eine unverhohlene captatio benevolentiae ein, die eine Reihe von Komplimenten enthält, wie sie auch 1 Kor 1,4ff begegnen.[39] Mit der auffallenden persönlichen Ausdrucksweise will Paulus sowohl die Aufmerksamkeit seiner Adressaten für die folgenden Ausführungen gewinnen als auch ausdrücklich von seiner Position als Apostel

---

35 WILCKENS, Röm III 116.

36 Vgl. zur Zusammensetzung der stadtrömischen Gemeinde: Peter LAMPE, Die stadtrömischen Christen in den ersten beiden Jahrhunderten (WUNT 2. Reihe 18), Tübingen 1987, bes. 1-123 (Teile 1-3), hier 57.

37 Vgl. Kap. 2.3.3 oben S. 36.

38 Vgl. bei Paulus Röm 8,38; 14,14 (οἶδα καὶ πέπεισμαι); sowie im übrigen NT: Lk 20,6; 2 Tim 1,5.12; Hebr 6,9.- Die adversative Partikel δέ in V 14 hat hier gewiß ein stärkeres Gewicht als in den folgenden Versen 15 und 20 und unterstreicht den Neuansatz.

39 Vgl. KÄSEMANN, Röm 373 u.a..

her anerkennend herausstellen, daß die ganze Fülle der Gnaden Gottes schon jetzt in der römischen Gemeinde vorhanden ist, wie es die konstatierenden Verben des Erfülltseins (μεστοί ἐστε und πεπληρωμένοι) und des Imstandeseins (δυνάμενοι) plerophorisch unterstreichen. Paulus setzt sich hier keineswegs in Widerspruch zur Aussage in V 13, da dort der Gebetswunsch als Ziel das Überströmen (περισσεύειν) und damit die Überfülle an Hoffnung und nicht erst das Erlangen von Hoffnung überhaupt beinhaltet. So gesehen greift in V 14 diese plerophore Ausdrucksweise, die man sonst in Danksagungen und Gebetswünschen findet, in gewisser Weise auf die zuletzt gemachte Aussage zurück. Die Genetiv-Objekte (VV 14bα.14bβ) bezeichnen in Ergänzung des Prädikatsnomens die Art und Weise der Fülle bzw. des Erfülltseins[40]. Der Terminus ἀγαθωσύνη[41] meint hier die "Rechtschaffenheit", die sich "in Gegensatz zur Bosheit in gegenseitiger Aufgeschlossenheit" äußert.[42] Der zweite Terminus γνῶσις meint weder theoretisches Wissen[43] noch "Einsicht in die Heilsgeschichte"[44], sondern die ganze Erkenntnis christlichen Glaubens, also den Inhalt des Evangeliums[45], also schlicht die Erkenntnis Gottes.[46]

---

40 Vgl. dazu BDR § 172[3] und § 182,1.

41 Die Textvarianten ἀγαπῆς (F G latt) und ἁγιωσύνης (629 pc) sind sekundär.

42 Vgl. KÄSEMANN, Röm 374, Zitat ebd.. Ähnlich MICHEL und SCHLIER in ihren Kommentaren; SCHLIER auch Liturgie 169.- Für die Bedeutung "Rechtschaffenheit" im Gegensatz zur "Bosheit" spricht, daß sich ἀγαθωσύνη in der LXX im Gegensatz zur κακία findet (Ps 51,5; 2 Chr 24,16). - Gal 5,22 findet sich ἀγαθωσύνη zwischen χρηστότης und πίστις als "Frucht des Geistes" und Eph 5,9 als "Frucht des Lichts" neben δικαιοσύνη und ἀλήθεια; ferner 2 Thess 1,11 (vgl. Walter GRUNDMANN, Art. ἀγαθωσύνη, in: ThWNT I 17).

43 Vgl. R. BULTMANN, Art. γιγνώσκω κτλ., ThWNT I 688-719, hier 707.

44 So KÄSEMANN, Röm 374 im Anschluß an MICHEL, Röm 455.

45 Vgl. WILCKENS, Röm III 117 Anm. 564 in Anschluß an CRANFIELD, Rom II 753 Anm. 2.

46 Die Aussage von SCHLIER, Erkenntnis 332, trifft hier zu: "Gotteserkenntnis kann ein umfassender Ausdruck dafür sein, daß die Heiden Christen geworden sind." Unpassend im Textzusammenhang ist wohl eine andere Deutung von SCHLIER, Röm 428, der in γνῶσις "die charismatische Heilserkenntnis" sieht.- Es sei wenigstens darauf hingewiesen, daß im Wortfeld γιγνώσκειν/ἐπίγνωσις der Terminus γνῶσις auch als Begriff in kultischem Kontext gebraucht ist, so

Interessant ist in diesem Zusammenhang das Verständnis der Offenbarungserkenntnis[47], wie es uns in den Gemeindeliedern von Qumran (so u.a. 1QH 10,20; 11,17) und anderen Qumranschriften (u.a. 1QS 11,2b-9a) begegnet[48]. Man konnte der gegenwärtigen Offenbarungserkenntnis den Sinn eines eschatologischen Geschehens im strengen Sinn geben. Das für die Gemeinde charakteristische Verständnis der Offenbarungserkenntnis zeigte sich gerade im Gegensatz zum apokalyptischen Wissensbegriff[49]: "Die mit dem Eintritt in die Gemeinde verbundene Gabe der Erkenntnis ist keine bloße Wissensmitteilung im apokalyptischen Sinn (etwa um auf die Zukunft zu vertrösten), sondern ein Geschehen, das den Frommen in die Situation des Heils versetzt." Inhalt der Offenbarungserkenntnis konnte deshalb das gegenwärtige göttliche Heilshandeln in der Gemeinde sein.[50]

Die beiden genannten Begriffe zeigen die Grundlage dazu auf, daß die Gemeinde sich untereinander ermahnend zurechtweisen kann. Das Verb νουθετεῖν umfaßt die Bedeutungen "zurechtweisen, (er-)mahnen, warnen", auch "ans Herz legen". Im NT findet sich νουθετεῖν, wie auch das entsprechende Substantiv νουθεσία, (außer Apg 20,31) nur im Corpus Paulinum, wo das Verb das zurechtweisende Mahnen des Apostels an die Gemeinde (so 1 Kor 4,14; ähnlich 1 Thess 5,12; Kol 1,28) oder das der Christen in der Gemeinde untereinander (so wie hier Röm 15,14 auch 1 Thess 5,14; 2 Thess 3,15; Tit 3,10) bedeuten kann.

VV 15/16

Durch die Partikel δέ ist V 15 vom vorhergehenden Vers abgesetzt. Nach der einleitenden überschwenglichen Hinwendung zu seinen Adressaten kommt Paulus nun in V 16 zur Sache, zum eigentlichen Ziel des Ab-

---

z.B. Ex 29,42.43 zur Bezeichnung der Selbstoffenbarung Gottes und Hos 4,4.6; 6,6 zur Bezeichnung jenes "Wissens", das die Priester hätten vermitteln sollen. Die Bedeutung der Hosea-Stellen für das Verständnis unserer Stelle könnte nicht uninteressant sein.

47 Vgl. H.W. KUHN, Enderwartung 168-175; auch KLINZING, Umdeutung 61f.

48 Vgl. dazu KUHN, a.a.O. 172f: Die hier genannten Stellen verbinden die Rede von der "Erkenntnis" mit der Schau des göttlichen Bereichs; die Schau ist dabei kein mystischer oder ekstatischer Zustand, sondern "die neue Seinsweise des Frommen, die *mit* dem Eintritt in die Gemeinde . . . gegebene Gegenwart der Heilsgüter und Gemeinschaft mit den Engeln." (Zitat ebd. 173)

49 Vgl. KUHN, a.a.O. 169: "Hierin wird das Neue gegenüber der Apokalyptik sichtbar: Es handelt sich nicht um künftige Geheimnisse, die erst noch aus ihrer Verborgenheit hervortreten müssen, sondern darum, daß sich das Heilshandeln schon jetzt in der Gemeinde auftut."

50 KUHN, a.a.O. 175; Zitat ebd.

schnittes 15,14-21. Dabei dient V 15 der Hinführung, indem mit dem Verb im Aorist (ἔγραψα) auf das gesamte Briefcorpus zurückgeblickt wird. Das komparative zugehörige Adverb τολμηρότερον hat hier umschreibenden Charakter, "recht kühn", und wird sofort eingeschränkt durch "zum Teil". In Kühnheit ist der Brief "zum Teil", nicht überall geschrieben. Das ἀπὸ μέρους bezieht sich hier am Anfang des Schlußteils wie das Verb ἔγραψα auf den gesamten Brief[51]. Diese vorsichtigen Äußerungen zeigen, daß Paulus mit Kritik an seinem Brief rechnet, zumal er die Gemeinde in Rom weder gegründet hat, noch, abgesehen von einzelnen Gliedern, näher kennt. Auch das ὡς ἐπαναμιμνῄσκων liegt auf der Linie dieser bedächtigen Formulierungsweise, wobei ἐπαναμιμνῄσκειν hier Verkündigungsterminus ist: "Wer die Gemeinde erinnert, bezeugt das Evangelium."[52]

Paulus begründet sein Recht zu solcher Erinnerung (διά c. acc.) mit der ihm von Gott gegebenen Gnade des Apostelamtes (vgl. 1,5) und geht nun nahezu unvermittelt von der Sprache der Entschuldigung weg dazu über, sein Recht und seinen Auftrag herauszustellen. Indem Paulus sein "Erinnern" der römischen Gemeinde auf die "ihm von Gott gegebene Gnade" zurückführt, verweist er auf den eigentlichen Grund seines apostolischen

---

51 So MICHEL, Röm 456; KÄSEMANN, Röm 374; SCHLIER, Liturgie 170. Zuletzt ZMIJEWSKI, Paulus 131.- Nach ZELLER, Röm 237, bezieht sich die Formulierung "teilweise recht kühn" lediglich auf den paränetischen Teil, also "auf Kap. 12ff zurück, wie auch der Anklang an 12,3 beweist". WILCKENS, im Anschluß an CRANFIELD, Rom II 753, bezieht das Wort "teilweise" nur auf 14,1-15,13, so auch SCHMITHALS, Problem 165f.- Gut begründet ZMIJEWSKI, Paulus 131: "Jedoch entspricht es dem Kontext (Briefschluß!) und dessen Inhalt (Zurücklenkung auf den Briefeingang!) eher, wenn man hier eine Bemerkung über den gesamten Römerbrief gegeben sieht." Vgl. die Hinweise zur peroratio (Kap. 2.3.3 oben S. 36f). - ἀπὸ μέρους bezieht sich also nicht auf das Adverb (so daß der Sinn wäre "doch nicht ganz so kühn"), geg. SCHLIER, Röm 428.

52 So MICHEL, Art. μιμνῄσκομαι κτλ., in: ThWNT IV 678-687, hier 681. ἐπαναμιμνῄσκων ist biblisches Hapaxlegomenon; klassische Belege nennt CRANFIELD, Rom II 754 Anm. 1.- Zur Sache vgl. 1 Kor 4,17; 2 Tim 1,6; 2 Tim 2,14; Tit 3,1; 2 Petr 1,12.- In seinem Kommentar schreibt MICHEL zu diesem Wort (Röm 456 Anm. 7): "Das Verbum ist typisch für die Weitergabe einer bestimmten Halacha, einer Homologie oder einer sonstigen Tradition." Zur Praxis des Wiederholens als Lernübung, das sogenannte "Tanna", vgl. G. STEMBERGER, Talmud 28ff.- SCHMITHALS, Röm 528, schließt aus diesem Verb, daß die wiederholte Erinnerung in einem späteren Brief B (Kap. 12 - 15) gegenüber der ersten Erinnerung in Brief A (1 - 11) gemeint ist.

Tuns in der Form der Erinnerung und zugleich auf den Grund seiner Berufung zum Apostel überhaupt. An unserer Stelle ist eine öfter von Paulus wiederholte Formel benutzt, vgl. Röm 12,3; 1 Kor 3,10 und Gal 2,9 (vgl. auch Eph 3,2), wo jeweils χάρις mit Aussagen zur Verkündigung des Evangeliums und zur οἰκοδομή sowie mit Aussagen über das Apostelamt verbunden ist. Hierhin gehören auch die Stellen, wo das Verb ἀφορίζειν von Paulus mit dem ausdrücklichen Ziel "Evangelium" ausgesagt ist, vgl. Röm 1,1 und Gal 1,15f (vgl. auch Röm 1,9). An all diesen Stellen (s. unten Pkt. 3) nutzt Paulus derartige Formulierungen, um seinen Auftrag an den Heiden in besonderer Weise herauszustellen. Als Apostel repräsentiert er geradezu den, der ihm Gnade gegeben, oder, wie Paulus auch sagen kann, der ihn ausgesondert hat ins Evangelium (Röm 1,1.5; Gal 1,15f), so daß so die eigentliche Autorität angegeben ist, die es in den Worten des Apostels zu beachten gilt.

Die Gnade des Apostelamtes ist Paulus gegeben mit dem Ziel (εἰς finale)[53], daß er zu einem "Diener Christi Jesu für die Heidenvölker" werden soll. Vers 16 enthält in dichter Aussageweise kultische Terminologie, die von den Kommentaren, wie wir sehen werden, nur wenig behandelt wird:

16aα	εἰς τὸ εἶναί με λειτουργὸν Χριστοῦ Ἰησοῦ εἰς τὰ ἔθνη,
16aβ	ἱερουργοῦντα τὸ εὐαγγέλιον τοῦ θεοῦ,
16bα	ἵνα γένηται ἡ προσφορὰ τῶν ἐθνῶν εὐπρόσδεκτος,
16bβ	ἡγιασμένη ἐν πνεύματι ἁγίῳ.

V 16 besteht aus vier eng aufeinander bezogenen Aussagen, wobei zweimal eine Partizipialkonstruktion einer finalen Aussage angeschlossen ist. Der zweite Finalsatz mit ἵνα ist vom ersten abhängig, wie Paulus mehrfach ἵνα und εἰς τό im Wechsel verwenden kann.[54] Diese doppelte For-

53 Vgl. BDR 402,2, auch Anm. 2: "εἰς τό zur Bezeichnung des Zwecks oder der Folge, vorwiegend bei Paulus und Hb".

54 ἵνα . . . εἰς τό: Röm 1,11; 1 Kor 9,18; Phil 1,9f.- Oder εἰς τό . . . ἵνα: Röm 7,4; 2 Kor 8,6 (vgl. 2 Thess 2,11f; 3,9; Hebr 2,17).

mulierung[55] bewirkt eine Verstärkung der Aussage, wobei das zweite Element eine Weiterführung[56] und Konkretisierung des ersten ist. Neben dieser auffälligen Konstruktion ragt diese Stelle durch die verwendete Terminologie aus dem Zusammenhang des Textes heraus. Nur an wenigen Passagen findet man in den Briefen des Paulus kultische Termini in einer solchen Dichte (vgl. Röm 12,1ff; 1 Kor 3,16f; 6,19; 9,13; Phil 2,17; 3,3; 4,18).[57] Um diese Terminologie eingehender zu untersuchen, soll jedes einzelne Wort auf seine Verwendung und seine Bedeutung hin betrachtet werden.

2.4.2 Die kultischen Termini in Röm 15,16

λειτουργός

Paulus nennt sich V 16a "einen Diener Christi Jesu an den (für die) Heiden". Für sich allein genommen ist die Bezeichnung λειτουργός, wie z.B. Röm 13,6 erkennen läßt, nicht unbedingt kultisch bestimmt.[58] In Phil 2,25, der dritten Stelle neben Röm 15,16

---

55 Vgl. dazu Ernst von DOBSCHÜTZ, Zum Wortschatz und Stil des Römerbriefes: ZNW 33 (1934) 51-66, hier 56f: "Wiederholt findet sich doppelte Zweckangabe . . . Diese Zweckbestimmungen stehen in der Regel an entscheidender Stelle, am Satzende oder so, daß sie eine ganze Periode bestimmen."

56 Vgl. dazu die Feststellung von E. STAUFFER, "Ινα und das Problem des theologischen Denkens bei Paulus: ThStKr 102 (1930) 232-257, hier 236: bei Doppelung von Finalsätzen steigert der zweite den ersten und führt ihn weiter.

57 Vgl. als Literatur vor allem WENSCHKEWITZ, Spiritualisierung 192f; A. M. DENIS, La fonction 403-408 (zu Röm 15,16); R. M. COOPER, Leitourgos Christou Iesou; SCHÜRMANN, Marginalien, bes. 304-309; W. Radl, KULT; auch zu den kultischen Termini, speziell zu Röm 15,16: J. PONTHOT, L' expression cultuelle; KLAUCK, Symbolsprache.

58 In Röm 13,6 erscheint λειτουργός als ein "profan-politischer Begriff", so SCHLIER, Röm 392. Ähnlich WILCKENS, Röm III 37.- PONTHOT, a.a.O., bietet eine ausführliche Erörterung der kultischen Terminologie von Röm 15,16. Er weist daraufhin (254.256), daß λειτουργός in Röm 15,16 ungewöhnlich ist und offensichtlich von Paulus bewußt benutzt worden ist. Sonst kann Paulus auch ἀπόστολος oder κλητὸς ἀπόστολος (vgl. Röm 1,1; 11,13; 1 Kor 1,1; 2 Kor 1,1; Gal 1,1) sagen, oder sich δοῦλος Χριστοῦ Ἰησοῦ nennen (vgl. Röm 1,1; Phil 1,2; δοῦλος sonst bei Paulus in einem auch ekklesiologisch wichtigen Kontext in 1 Kor 12,13 und Gal 3,28); oder er spricht von seinem Dienst (διακονία: vgl. Röm 11,13; 15,31; 2 Kor 5,10; 6,3); auch διάκονος kann durchaus in ekklesiologischem Kontext (Röm 16,1; 1 Kor 3,5; 2 Kor 6,4) stehen; λειτουργεῖν im NT Apg 13,2, hier bezogen auf die gemeinsamen Gebete der Propheten und Lehrer der antiochenischen Gemeinde (vgl. Weish 18,21; Dan 7,10); Röm 15,27, bezogen auf das Dienen mit materiellen Gütern im Sinne einer Hilfeleistung; u. Hebr 10,11, bezogen auf das Diensttun des Priesters.

in den Paulusbriefen, bezeichnet der Terminus den Epaphroditus als einen, der allgemein Dienst tut, hier speziell für die Bedürfnisse des Apostels.[59] Im Neuen Testament findet sich λειτουργός außer an den drei genannten Stellen noch zweimal im Hebräerbrief. Im Vergleich zwischen dem Sohn und den Engeln heißt es: "Und zu den Engeln sagt er: Er macht seine Engel zu Winden und seine **Diener** zu Feuerflammen" (Hebr 1,7). In diesem Zitat aus Ps 103,4 meint λειτουργοί die Engel im Sinne von Diener. In Hebr 8,2 bezieht sich λειτουργός auf Jesus Christus den Hohenpriester, der als Diener im himmlischen Heiligtum ist. Diese Stelle benutzt den Terminus also zur Beschreibung der Funktion Christi im himmlischen Kult. Beide Stellen fügen sich in das Bild ein, das sich aus anderen Schriften ergibt.

λειτουργός bezeichnet im Griechisch-Hellenistischen den, der im Auftrag einer öffentlichen Dienstleistung steht, die dem Gesamtinteresse dient. Der λειτουργός verrichtet einen Dienst für die πόλις, z.B. die Sitonia, den Getreideankauf bzw. die Getreideanlieferung, die Agronomia, die Markt- und Preisaufsicht, Choregia, Gymnasiarchia u.a.m.[60] In der späteren hellenistischen Zeit ist die Reihe der Liturgien im strengen Sinn des Wortes um viele vermehrt worden, und diese kamen als verwaltungsmäßig geregelte Leistungen bestimmter Zwangsdienste in die Nähe öffentlicher Ämter, die als regelmäßige ἀρχαί, als liturgische Magistrate, galten[61]. Daneben taucht der Begriff λειτουργός im sakralen Bereich auf und kann dort sogar gelegentlich ein Titel werden[62].

Interessant ist der Gebrauch des Wortes in den frühjüdischen Apokryphen und Pseudepigraphen (fünfmal), bei Josephus (zweimal) und Philo (11mal). In den frühjüdischen Schriften ist λειτουργός nicht nur jeweils in kultischem Textzusammenhang, sondern zudem in äußerst bemerkenswerter Weise verwendet. Zwei Stellen aus dem Testamentum Levi umschreiben mit diesem Begriff das "Stehen vor dem Herrn" (2,10) bzw. den "λειτουργὸν τοῦ προσώπου αὐτοῦ" (4,2). Die beiden zitierten Textstellen stehen innerhalb des Testamentum Levi in unmittelbarem Zusammenhang und behandeln die Thematik der himmlischen Liturgie.[63] In TestLevi 2,10 ist λειτουργός verbunden mit einem Verkündigungsauftrag[64]:

59 GNILKA, Phil 162, sieht in der Tat des Epaphroditus als Überbringer der Gabe und Repräsentant der Gemeinde "einen Dienst, der über eine gewöhnliche Dienstleistung hinausgeht. Seine Funktion hat religiösen Wert, und so kann er als λειτουργός bezeichnet werden."

60 Vgl. SCHLIER, Liturgie 171f.

61 Vgl. Michael ROSTOVTZEFF, Gesellschafts- und Wirtschaftsgeschichte II (1955) 491f.- Vgl. auch H. STRATHMANN, Art. λειτουργέω κτλ., ThWNT IV 221-238, bes. 236f.

62 Vgl. CIG 3,1005; vgl. STRATHMANN, a.a.O. 237.

63 Vgl. J. BECKER, Testamente 47-50; ders., Untersuchungen 260f.

64 Übersetzung nach J. BECKER, Testamente 48; er weist zur Stelle daraufhin, daß der Verdacht christlicher Interpolation bestehen würde, da dies schon für den folgenden Vers 11 gelten würde.

> Und seine Geheimnisse (μυστήρια αὐτοῦ ἐξαγγελεῖς) wirst du den Menschen kundtun, und über die Errettung Israels wirst du verkündigen.

Eine ähnliche Formulierung wie in TestLevi 4,2 liegt in FJos 190 vor:

> "Ich bin keineswegs Israel, der erste Diener in Gottes Angesicht (ὁ ἐν προσώπῳ θεοῦ λειτουργὸς πρῶτος), und werde angerufen in unvergänglichem Namen."

Im Testamentum Abrahae A/15,1 wird λειτουργός auf den Archistrategen Michael als Anrede angewandt (Μιχαὴλ ὁ ἐμὸς λειτουργός). In Aristeasbrief 95,3 ist das Wort an Stelle von "Priester" verwendet (παρεῖναι πρὸς τοὺς ἑπτακοσίους παρόντων τῶν λειτουργῶν).

Von den zwei Belegstellen bei Josephus ist Ant 13,55 gewiß eine Konjektur, so daß hier eher die Verbform zu berücksichtigen ist. In Bell 2,417 bezeichnet λειτουργοί die diensttuenden Priester. Josephus gebraucht auch λειτουργεῖν (8mal) und λειτουργία (14mal) nur vom priesterlichen Kultus, so z.B. Ant 20,218: λειτουργεῖν κατὰ τὸ ἱερόν; Ant 3,107: λειτουργία ἕνεκα τοῦ θεοῦ; Bell 2,409: οἱ κατὰ τὴν λατρείαν λειτουργοῦντες u.a.m. Der häufigste Ausdruck für Kultus ist freilich bei Josephus ἱερουργία, ein Begriff, der in der LXX[65] und auch im NT fehlt.

Philo hat λειτουργός in kultischem Texthorizont verwendet. Dies ist um so auffälliger, weil Philo als Bewohner Alexandriens λειτουργία und auch λειτουργεῖν im Sinne öffentlich-rechtlicher Leistungen kennt. In der Regel benutzt Philo das Verbum (bei ihm insgesamt 9mal) wie auch Josephus im Sinne des Priesterdienstes, aber auch in übertragenem Sinn. Ebenso ist das Substantiv (bei ihm insgesamt 25mal) wie in der LXX (s.u.) terminus technicus für den priesterlichen Kult und gleichfalls übertragen "vom geistigen Gottesdienst" gebraucht, so z.B. Post 185: das Menschengeschlecht wird Frieden genießen, ὑπὸ νόμου φύσεως διδασκόμενον, ἀρετῆς, θεὸν τιμᾶν καὶ τῆς λειτουργίας αὐτοῦ περιέχεσθαι. Das sei die πηγὴ εὐδαιμονίας. Bemerkenswert ist, daß Philo mit λειτουργός alle Diener im Tempel, darunter auch die Priester, bezeichnen kann, so z.B. VitMos 2,276: τῶν περὶ τὸν νεὼν λειτουργῶν δύο τάξεις εἰσίν, ἡ μὲν κρείσσων ἱερέων, ἡ δ' ἐλάττων νεωκόρων; das Wort kann auch an der Stelle von ἱερεύς verwendet werden, so z.B. SpecLeg 4,191: οἱ γὰρ λειτουργοὶ θεοῦ γνήσιοι, hier bezogen auf die Priester und ihre Vorsteher, so auch SpecLeg 1,152 und VitMos 2,94. Schließlich kennt Philo auch die Wortverbindung ἄγγελοι λειτουργοί, diensttuende Engel (Virt 73).

In der LXX steht λειτουργός 14mal, davon mehrfach in der allgemeinen Bedeutung von "Diener" oder "Arbeiter" eines anderen, irgendwie übergeordneten, so des Mose (Jos 1,1A von Josua ausgesagt), des Amnon (2 Sam 13,18), des Salomo (1 Kön 10,5; 2 Chr 9,4), des Elischa (2 Kön 4,43; 6,15), des κριτὴς τοῦ λαοῦ (Sir 10,2) und des Ptolemaios (3 Makk 5,5). In Ps 102,21 und 103,4 sind mit den λειτουργοί Gottes die Engel gemeint. An drei Stellen hat es kultischen Sinn, d.h. es kommt neben und für ἱερεύς vor. Neben 2 Esr 20,40 (=Neh 10,40) ist dies einmal Jes 61,6:

> ὑμεῖς δὲ ἱερεῖς κυρίου κληθήσεσθε λειτουργοὶ θεοῦ ἰσχὺν ἐθνῶν κατέδεσθε καὶ ἐν τῷ πλούτῳ αὐτῶν θαυμασθήσεσθε.

---

65 Vgl. STRATHMANN, a.a.O. 229.

Die Berufung Israels zu einem priesterlichen Gottesvolk (vgl. Ex 19,3b-6) ist hier mit Hilfe kultischer Termini formuliert. Der Gottesdienst im neugebauten Tempel wird die eigentliche Aufgabe Israels sein, die Völker aber werden im Dienste der Knechte Gottes stehen. Die Bundesformel "Ihr werdet mein Volk sein, und ich will euer Gott sein" (Jer 31,33), mit der beim Propheten Jeremia die Erneuerung des Bundes verkündet wurde, ist abgewandelt. Wer "Priester" genannt ist, dem ist der Weg zum Kult aufgetan, so daß diejenigen dann "heiliges Volk" (Jes 62,12) genannt werden. Die Wortverbindung λειτουργός und ἱερεύς in Jes 61,6 drückt die Qualität der durch diese Wortkomposition ausgesagten neuen Gottesnähe aus und ist eine Heilsverheißung an Israel, die sich universal an allen Völkern erfüllt.

Als weitere Stelle gehört hierzu Sir 7,29f:

7,29: ἐν ὅλῃ ψυχῇ σου εὐλαβοῦ τὸν κύριον καὶ τοὺς ἱερεῖς αὐτοῦ θαύμαζε.

7,30: ἐν ὅλῃ δυνάμει ἀγάπησον τὸν ποιήσαντά σε
καὶ τοὺς λειτουργοὺς αὐτοῦ μὴ ἐγκαταλίπῃς.

Diese Verse zeigen die Verehrung des Autors von Jesus Sirach für den Kult und die Kultdiener. In V 31 folgt die Aufforderung: "Fürchte den Herrn und achte den Priester und ...", so daß die Hochachtung vor dem Priester in Parallele zur Anbetung des Herrn gesetzt wird.[66]

Betrachtet man den Terminus λειτουργός allein, so kommt ihm in Röm 15,16 keinesfalls notwendig eine kultische Konnotation zu. Gerade Röm 13,6 zeigt, daß Paulus den Begriff ohne jede kultische Ausrichtung kennt. So läßt sich als Ergebnis der Betrachtung des Wortes λειτουργός nur festhalten, daß das Wort an den gezeigten Stellen *auch* in kultischem Kontext verwendet wird. Um die Verwendung von λειτουργός in Röm 15,16 genauer bestimmen zu können, müssen die anderen Begriffe im Kontext betrachtet werden.

ἱερουργεῖν

Da der Begriff ἱερεύς bei Paulus und in der nachpaulinischen Tradition fehlt, ist das Verb ἱερουργεῖν[67] in Röm 15,16 um so auffälliger. Es fehlt im übrigen Neuen Testament und auch in der LXX, wo es allerdings in vl 4 Makk 7,8 in einer Verbindung mit τὸν νόμον zu finden ist. Wegen ihrer unsicheren Bezeugung ist diese Stelle zur Deutung von Röm 15,16 wenig hilfreich.[68] Das Wort ἱερουργεῖν ist dem klassi-

66 Die einzige hier nicht behandelte Septuagintastelle ist Esr 7,24, wo es in einer Aufzählung nicht sicher zu klären ist, ob hier mit λειτουργοὶ οἴκου θεοῦ τούτου nur "Diener" gemeint sind (so STRATHMANN, a.a.O. 237) oder doch eine kultische Funktion vorauszusetzen ist (nur hier steht im MT פלח).

67 Vgl. zu ἱερουργεῖν: G. SCHRENK, ThWNT III 252f; BALZ, EWNT II 440; ausführlich Claude WIÉNER, Ἱερουργεῖν (Rm 15,16), in: SPCIC II (1961), 399-404; KLAUCK, Das 4. Makkabäerbuch 719, zu 4 Makk 7,8.

68 In einer Variante zu 4 Makk 7,8 heißt es: "Solche sollen sein, die das Gesetz priesterlich verwalten (ein Gewerbe treiben am), dadurch nämlich, daß man mit eigenem Blut und edlem Schweiß dieses gegen die Affekte bis in den Tod beschützt."- SCHRENK, ThWNT III 252, weist darauf hin, daß nur FRITZSCHE diese Lesart zu 4 Makk 7,8 aufführt, "Swete und Rahlfs erwähnen die vl in ihren

schen Griechisch unbekannt; die heidnischen Belege sind alle spät zu datieren und verlieren deshalb einen großen Teil ihrer Bedeutung.[69] Sie seien dennoch hier genannt, da in ihnen wie in allen anderen Belegen von Josephus und Philo ἱερουργεῖν als kultischer Terminus benutzt ist. Eine profane Verwendung des Wortes läßt sich nicht nachweisen.[70]

Bei Lukian (Pseudolog 12) ist das Wort passivisch verwendet: τὰ ἱερὰ ἱερουργῆται; ebenso bei Herodian (Hist V 5,9): τὰ σπλάγχνα τῶν ἱερουργηθέντων. Jeweils sind heilige Handlungen beschrieben, in denen Priester am Geschehen teilhaben. Vier Stellen führen aktive oder mediale Formen des Verbums, davon eine bei Plutarch, zwei wieder bei Herodian. Alexander konsultiert vor der Schlacht einen Wahrsager und ἱερουργίας τινὰς ἀπορρήτους ἱερουργούμενος (Plut, Alex 31,4; I 683b). Wie in Röm 15,16 ist ein Objekt zum Verb gesetzt. In Herodian V 5,6 ist Elagabal als ein προιών τε καὶ ἱερουργῶν beschrieben; hier tritt also ein weiterer Terminus der Opfersprache parallel zu ἱερουργεῖν hinzu. Weiter heißt es (ebd. V 6,1), daß sie immer χορεύειν καὶ ἱερουργεῖν. In allen Fällen ist eine kultische Handlung beschrieben, in der ein römischer Kaiser eine Art priesterliche Rolle innehat. Fraglich bleibt, ob er auch speziell priesterliche Funktionen übernimmt.[71]

In den frühjüdischen Apokryphen und Pseudepigraphen zum AT fehlt das Verb ἱερουργεῖν. So sind die zahlreichen Belege bei Josephus (11mal) und Philo (31mal)[72] um so wertvoller, zumal diese beiden Autoren Paulus zeitlich sehr nahe stehen. Bei ihnen ist ἱερουργεῖν auch oft ohne Objekt verwendet, so JosAnt 7,333; 14,65; 17,166; Bell 5,14.16; Philo Cher 96; Ebr 138; Migr 98; Plant 164. Wenn das Verb ein Objekt bei sich führt, so bezeichnet dieses stets dasjenige, was geopfert wird, vgl. JosAnt 5,263 (relativisch τί, "was ihm zuerst begegnen werde"); 9,43: τῶν υἱῶν τὸν πρεσβύτατον; Philo Conf 124: τὰ πρωτότοκα; Migr 67: θυσίας, 140: υἱόν; Som II 72: ψυχήν u.a. Zu erwähnen sind jene Stellen, wo ein anderes Subjekt als "Priester" mit dem Verb ἱερουργεῖν verbunden ist, vor allem bei Josephus Bell 5,14.16. Dort wird der Mord nicht nur an Soldaten beschrieben, sondern auch an denen, die opferten (5,14: πολλοὺς τῶν ἱερουργούντων). Und Bell 5,16: "Die von den Wurfmaschinen geschleuderten Geschosse flogen dank ihrer Wucht bis zum Altar und zum Tempelgebäude und trafen die Priester (τοῖς ἱερεῦσι) und die

---

Ausgaben der LXX nicht".- KLAUCK, a.a.O. 719, sieht es an dieser Stelle zudem als fraglich an, ob τὸν νόμον überhaupt Objekt zu ἱερουργεῖν ist.

69 Vgl. WIÉNER, a.a.O. 401.

70 Vgl. außer der genannten Literatur bes. LSJ 823.

71 Vgl. WIÉNER, a.a.O. 401.

72 Interessant ist zum Substantiv ἱερουργία die Bemerkung von I. HEINEMANN, Philons griechische und jüdische Bildung, 66: "Denn was ist die wahre ἱερουργία anderes als die Frömmigkeit einer gottgefälligen Seele?- Der Gedanke ist schlechterdings untrennbar von seiner griechischen Sprachform; nur wenn der Ausdruck für 'Opferhandlung' wörtlich 'heiliges Tun' bedeutet, kann geschlossen werden, daß das echte Opfer das der Gesinnung ist; aber es wirkt in ihm unzweifelhaft eine rein geistige, nicht nur das Opfer, sondern jede besondere Kulthandlung verwerfende Auffassung nach, die im hellenistischen Judentum zwar auf einen so treuen Anhänger des Opferkultes, wie der Verfasser des Aristeasbriefes es ist, gelegentlich wirken konnte, im rabbinischen Judentum aber ganz undenkbar ist."

Opfernden (καὶ τοῖς ἱερουργοῦσιν)"; an dieser Stelle werden also die Opfernden neben den Priestern gesondert genannt. Ähnlich verhält es sich Ant 14,65.67, wo der trotz der Belagerung durch Soldaten stattfindende Vollzug der Opferhandlungen beschrieben ist und das handelnde Subjekt ungenannt bleibt.

Da das Verb nicht ausschließlich mit "Priester" als Subjekt verbunden begegnet (ebenso Philo Cher 96; Plant 164) bzw. der Urheber der Opferhandlung nicht präzise benannt ist, sind diese Stellen für Röm 15,16 von Interesse, um die Frage zu klären, ob Paulus sich unbedingt als Priester verstanden hat. Allerdings legt die Verbindung von ἱερουργεῖν mit dem Objekt τὸ εὐαγγέλιον ein priesterliches Verständnis dieses Verbums nahe (s. u. die Ausführungen zum Verständnis von ἱερουργεῖν in Röm 15,16). Für die Termini in Röm 15,16 stellt ἱερουργεῖν einen Schlüsselbegriff dar. Da das Verb sich an allen Belegstellen als ein ausschließlich in kultischem Sprachgebrauch verwendeter Terminus erwiesen hat, muß dies für die anderen Begriffe im Kontext von Röm 15,16 Konsequenzen haben. Paulus benutzt mit Absicht das eindeutig kultisch bestimmte Verb ἱερουργεῖν und ordnet so die anderen Begriffe, die nur bedingt kultische Konnotation haben, dieser Bestimmung im Kontext zu.

Das Wortfeld προσφορά / προσφέρειν

Auch bei der Betrachtung des Nomens προσφορά soll zunächst untersucht werden, inwieweit das Wort in kultischem Texthorizont verwendet wird. Im klassischen Griechisch schließt sich die Grundbedeutung von προσφορά an das Verb an[73], doch findet sich beim Nomen in der klassischen Literatur nicht die Bedeutung Opfer(-gabe), die erst seit der LXX (Ps 39,7) als Übersetzung von מִנְחָה zu finden ist. In der LXX heißt προσφορά immer Opfer(-gabe) oder Darbringung.[74]

Im NT ist Röm 15,16 die einzige Stelle aus den Paulusbriefen, an der das Wort προσφορά verwendet ist. Im Corpus Paulinum finden sich noch im Epheser- und Hebräerbrief entsprechende Belege. In Eph 5,2 ist προσφορά mit θυσία verbunden:

> Werdet also Nachahmer Gottes als seine geliebten Kinder und wandelt in der Liebe, wie auch Christus uns geliebt und sich selbst hingegeben hat für uns als Gabe und Opfer zu einem Wohlgeruch. (Eph 5,1.2)

---

73 Vgl. Konrad WEISS, Art. φέρω κτλ., in: ThWNT IX 57-89, bes. 67-71; LSJ zu προσφορά 1530 und προσφέρειν 1529f; vgl. THESAURUS GRAECAE LINGUAE VI 2025-2030.2033f.

74 In der Grundbedeutung bedeutet προσφορά aktivisch "Hinzutragen", "Darbringen", "Beibringen" im eigentlichen wie übertragenen Sinn (vgl. Plat Leg VII 792a; I 638c); passivisch bezeichnet προσφορά das, was hinzugebracht wird, so die Gabe oder das Geschenk (Soph OedCol 1270; 581) oder das Hochzeitsgeschenk (Theophr Char XXX,40). - Auch Josephus und Philo (s.u.) kennen die kultische Bedeutung des Wortes nicht. - Das Nomen προσφορά ist ein Beispiel dafür, wie ein Wort in Lexika vorschnell als "kultisch" qualifiziert wird: Vgl. F. THIELE, Art. Opfer, in: TBLNT 993-997, hier 995, προσφορά eigne "das Merkmal geschenkweiser Darbringung zu völliger Hingabe im Kultakt"; die angeführten klassischen Autoren Platon und Aristoteles oder die angeführte Stelle Theophr Char XXX stellen aber dafür keine Belege dar. - Richtig: J. WEISS, a.a.O. 71.

"Der 'alttestamentlich-liturgische' Charakter" der ganzen Formulierung verbietet eine nähere Differenzierung von προσφορά und θυσία[75], vgl. Ps 39,7 oder Dan 3,38 LXX; auch Barn 2,4. Ähnlich ist Hebr 10,5f, wo wie Hebr 10,8 προσφορά mit θυσία verbunden ist. Hebr 10,5f ist Aufnahme von Ps 39,7ff:

> Opfer und Gaben hast du nicht gewollt, einen Leib hast du mir geschaffen. Brandopfer und Sündopfer gefallen dir nicht. (Hebr 10,5.6)

In Hebr 10,10.14 ist jeweils mit προσφορά das Opfer Jesu bezeichnet, in 10,18 heißt es, daß "kein Opfer mehr für die Sünden" geschieht. Die fünf Stellen des Hebräerbriefes stehen jeweils in kultischem Kontext, insofern προσφορά mit anderen kultisch verwendeten Termini verbunden ist (θυσία; ἁμαρτία; προσφέρειν; ὁλοκαύτωμα)[76]. Zudem liegt in Hebr 10 ein Zitat aus Ps 39,7 und so eine bewußte Anlehnung an alttestamentliche Formulierungen vor.

In der Apostelgeschichte ist προσφορά zweimal in Zusammenhang mit Reinigungsriten gebraucht (Apg 21,26; Apg 24,17), also jeweils in einem kultischen Textzusammenhang, so daß alle neutestamentlichen Belege neben Röm 15,16 einen kultische Sprachgebrauch des Wortes anzeigen. Interessant an den beiden Stellen der Apostelgeschichte ist, daß der Kontext von den Schwierigkeiten zwischen Juden- und Heidenchristen spricht.

In der LXX findet sich προσφορά außer in der bereits erwähnten Stelle aus Ps 39,7 noch an zahlreichen Stellen im Buch Jesus Sirach und an einer Stelle im Danielbuch, nämlich 3,38 LXX, wo προσφορά in einer sonst im AT häufigen Aufzählung von verschiedenen Opferarten verwendet ist.[77] Bemerkenswert ist der Textzusammenhang aus Dan 3,38:

> Es gibt weder Brand- noch Schlachtopfer, weder Speiseopfer noch Räucherwerk. (39) Aber laß uns (auch nur) mit zerknirschtem Herzen und demütigem Sinn bei dir Aufnahme finden, genauso, als kämen wir mit Brandopfern von Widdern und Stieren und Tausenden fetter Lämmer.

Da die üblichen Opfer nicht möglich seien, möge Gott das zerknirschte Herz in gleicher Weise wie ein Brandopfer (ὁλοκαύτωμα) annehmen.

In Sir 14,11; 34,18.19; 38,11; 46,16; 50,13.14 ist mit προσφορά jeweils das Opfer für den Herrn bezeichnet, das sowohl aus den Händen des Gerechten (auch 35,5) oder den Söhnen Aarons (50,13) wie auch aus denen des Frevlers (34,19) dargebracht wird. Der jeweilige Textzusammenhang weist auch hier auf kultischen Sprachgebrauch des Wortes hin. Ein ausführlicher Blick soll auf Sir 35,1.2 geworfen werden:

---

75 Vgl. H. SCHLIER, Epheser 232; Zitat ebenda.

76 Vgl. K. WEISS, a.a.O., hier 69: In der Häufigkeit der zahlreichen kultischen Begriffe, wie auch bei προσφέρειν und προσφορά, komme die "für das Neue Testament einzigartige Intensität" zum Ausdruck, "mit der der Hebräerbrief von der Opfertheologie und -praxis des Alten Bundes zur Entfaltung des Christus-Zeugnisses Gebrauch macht".

77 Im AT steht in solchen Opferreihen das hebräische מנחה (Speiseopfer), vgl. Ex 30,9; Lev 7,37; 9,4; 23,13.18.37; Num 4,16; 6,15; 7,87; 15,24; 29,39 u.a..

> Wer das Gesetz befolgt, bringt viele Opfer (προσφοράς) dar, ein Gemeinschaftsopfer, wer die Gebote beobachtet. Wer Liebe übt, bringt (προσφέρων) ein Speiseopfer dar, und wer ein Almosen gibt, spendet ein Dankopfer (θυσιάζων αἰνέσεως).

Hier findet sich wie in Dan 3,38 ein übertragener Gebrauch des Wortes προσφορά, indem ein bestimmtes Verhalten gegenüber dem Gesetz oder in einer bestimmten Gesinnung als "Gottesdienst" charakterisiert wird. Entscheidend für diese Untersuchung ist aber zunächst, daß auch an dieser Stelle ein kultischer Gebrauch des Wortes vorliegt. So läßt sich zusammenfassend zu den Belegstellen der LXX festhalten, daß diese alle in relativ jungen Texten zu finden sind. Nur zu der Stelle aus Ps 39 gibt es mit מנחה ein hebräisches Äquivalent, das aber in seiner Bedeutung nicht hoch einzuschätzen ist, da מנחה in der LXX nur an dieser Stelle durch προσφορά, sonst 142mal durch θυσία, zweimal durch θυσιάσμα und einmal durch ὁλοκαύτωμα wiedergegeben wird.[78] Alle Stellen mit προσφορά in der LXX zeigen aber wie im NT einen kultischen Sprachgebrauch des Wortes an.

Wenige Belege von προσφορά finden sich in frühjüdischen Texten, dem TestLev und dem Aristeasbrief, und in Texten von Philo und Josephus. Im TestLev findet sich προσφορά an drei Stellen, 3,6; 14,5 und 18.2B030, einem möglicherweise christlichen Zusatz zu Kapitel 18. TestLev 3 ist ein Kapitel, in dem über die himmlische und irdische Liturgie gesprochen wird:

> (5) Im nächsten (Himmel) (darunter) sind die Erzengel, die Dienst tun und zum Herrn Sühne darbringen für alle (unwissentlichen) Verfehlungen der Gerechten. (6) Sie bringen dem Herrn Wohlgeruch des Räucherwerks als ein vernünftiges und unblutiges Opfer dar.[79]

Der Text verwendet προσφορά in einem kultischen Sprachzusammenhang, in dem das Thema der himmlischen Liturgie beachtenswert und die Spezifizierung der προσφορά als ein "vernünftiges und unblutiges Opfer" (λογικὴν καὶ ἀναίμακτον προσφοράν) auffällig ist. Die Tätigkeit "darbringen" ist mit προσφέρειν beschrieben. Der Dienst der Erzengel ist mit λειτουργεῖν beschrieben (vgl. zum Bezug von λειτουργεῖν auf den Dienst der Engel auch Dan 7,10).

Die zweite Stelle mit προσφορά steht in Kapitel 14, das eine Priesterpolemik enthält, die ihren Ursprung in der alttestamentlichen Prophetie hat.[80]

---

78 Vgl. H.-J. FABRY, Art. מנחה, in ThWAT IV 987-1002, hier 990. Ein Indiz für kultischen Gebrauch von προσφορά ist ferner darin zu sehen, daß מנחה vornehmlich außerhalb von Opfertexten durch δῶρον wiedergegeben wird (30mal) (vgl. ebd.).

79 Übersetzung aus: J. BECKER, Testamente.

80 Vgl. a.a.O. 57. BECKER weist auf Jes 28,7; Jer 5,31; 8,10f; 13,13; 23,9ff; Ez 22,26; Hos 4,4ff; Mi 3,9ff und Zeph 1,4; für das Judentum auf PsSal 2; 8; 17; AssMos 6; für Josephus auf Ant 13,13f; Bell 1,4 hin. "Angesichts der Typik der Aussagen wird man zu TL 14 eine konkrete Historisierung kaum vertreten können. Sicher ist nur, daß allgemein Hellenisierungstendenzen angegriffen werden." (ebenda)

> (14,5) Die für den Herrn bestimmten Opfergaben werdet ihr rauben, und von seinen Anteilen werdet ihr (ihm) Vorbehaltenes stehlen. Und ihr werdet es (sogar) unter Verachtung (Gottes) mit Dirnen verzehren. ... (7) Und ihr werdet euch aufblähen wegen eures Priestertums und euch gegen die Menschen erheben; nicht nur das, sondern auch gegen die Gebote Gottes. (8) Ihr werdet das Heilige verachten mit Scherz und Spott.

Die Belegstelle in Kap. 18 findet sich in einem stark (christlich) bearbeiteten Text:

> Und alle deine Verrichtungen sollen in Ordnung geschehen und alle deine Opfer zum Wohlgefallen und Wohlgeruch vor dem höchsten Gott. (18.2B030)

Diese drei Stellen aus dem Testamentum Levi zeigen eindeutig einen kultischen Sprachgebrauch von προσφορά an, ebenso die folgende einzige Stelle aus dem Aristeasbrief. Der Verfasser des Briefes sieht in der Aussonderung der Opfertiere aus zahmen Herden einen Hinweis darauf, "daß die Opfernden, der Mahnung des Gesetzgebers folgend, keine übermütigen Gedanken im Herzen trügen" und fährt dann fort:

> Denn der Opfernde (ὁ τὴν θυσίαν προσάγων) bringt seine ganze Seelenrichtung zum Opfer (προσφοράν) dar (Arist 170,7).

Hier findet sich der ausdrückliche Hinweis darauf, daß im Opfer der Opfernde sich selbst darbringt und nicht nur etwas Äußerliches von sich weggibt.

Eine nicht ausschließlich kultische Verwendung ist bei Flavius Josephus und Philo anzutreffen. Die einzige Belegstelle bei Philo spricht davon, daß "das Neugeborene nicht leide unter dem Mangel, der ... droht, sondern durch die stets gleiche Zuführung (προσφορά) der doppelten Nahrung sofort den lästigen Herren, Hunger und Durst, entfliehe" (Virt 130). Hier ist das Wort in profanem Sinn als "Zuführen von Nahrung" verwendet. Diese Art des Wortgebrauchs läßt sich bei Philo am Verb προσφέρειν häufig beobachten (s.u.). Auch bei Josephus liegt an einer der beiden Stellen, an denen προσφορά vorkommt, eine profane Bedeutung vor. In Ant 19,352 liegt die Bedeutung "Einkünfte" vor:

> Er zog aus seinem Reich die größtmöglichen Einkünfte, nämlich zwölf Millionen, dennoch mußte er viele (Tausende) leihen.

In Ant 11,77 liegt eindeutig ein kultischer Sprachgebrauch des Wortes vor, wenn προσφορά in einer Opferaufzählung in der Bedeutung von "Brandopfer" vorkommt. In der Darstellung des Tempelneubaus in Jerusalem nach der Rückkehr aus Babylon heißt es, daß die "Brandopfer und die täglichen Morgen- und Abendopfer und die Sabbatopfer und alle heiligen Feste" wieder eingerichtet werden (καὶ προσφορὰς μετὰ ταῦτα καὶ τοὺς καλουμένους ἐνδελεχισμοὺς καὶ τὰς θυσίας τῶν σαββάτων καὶ πασῶν τῶν ἁγίων ἑορτῶν).

Für weitere Aussagen zum Sprachgebrauch von προσφορά soll das zugehörige Verbum προσφέρειν untersucht werden. Das Wort dient in der LXX vor allem zur Wiedergabe von קרב hif (MT), dem gewöhnlichen Terminus für das Darbringen von Opfern, dem als Objekt Opfer oder Personen, die zum heiligen Dienst befähigt werden, beigeordnet sind. Die Bewegung des Priesters an den Altar (qal: Lev 9,7f) und seine Darbringung des Opfers (hif: Lev 9,15) sind zwei Aspekte desselben Vorgangs, das erstere ist der Anfang des Aktes, letzteres die Widmung der Gabe an Jahwe. Offenbar beinhaltet קרב hif einen Akt der Bewegung.[81]

Zwei Stellen können dies genauer aufzeigen, Lev 1,3 und 9,2:

> Will einer als Brandopfer ein Rind darbringen, so muß er ein männliches, fehlerloses Tier darbringen. (Lev 1,3)
>
> Und (Mose) sprach zu Aaron: "Nimm dir ein Kalb zum Sündopfer und einen Widder zum Brandopfer, beide fehlerlos, und bringe sie vor Jahwe." (קרב hif - LXX: προσένεγκε)

K. WEISS bemerkt, daß lediglich die προσφέρειν-Stellen des Ezechielbuches (Ez 43,23.24; 44,7.15.27; 46,4) Opferbestimmungen in der Art der Leviticus-Belegstellen enthalten[82], wobei zu beachten ist, daß an diesen Stellen des Ezechielbuches προσφέρειν in der LXX jeweils קרב aus dem MT wiedergibt.

Bei Flavius Josephus finden wir das Verb προσφέρειν im profanen Sinn für das Darbringen von Gaben oder Gastgeschenken (Ant 6,67; 13,101) oder das Darreichen von Getränken (Ant 11,188); im Medium bedeutet es das Zusichnehmen von Speisen und Getränken (Ant 2,66; 4,72; 6,337; 20,106 u.a.m.).[83] Diese Verwendung von προσφέρειν entspricht dem Gebrauch des Nomens (vgl. oben; in Ant 19,352 "Einkünfte"; in Ant 11,77 "Brandopfer").

In den Schriften Philo von Alexandriens begegnet das Verbum 90mal, davon in kultischer Verwendung[84] nahezu ausschließlich in Schriftzitaten, so als Zitat von Num 28,2 (Imm 142; Migr 142; Cher 84) oder von Lev 2,14 (Sacr 76). Im Anschluß an die Wiedergabe von Gen 4,3 ist in einer Aussage über Kains Opfer das Verbum zur Beschreibung des Vorgangs "Früchte darbringen" (Conf 124) benutzt. Übertragen ist

---

81 Vgl. GANE/MILGROM, Art. קרב, in: ThWAT VII 147-161, hier 154f; dort heißt es 160: "Es ist z.B. kein Zufall daß *hiph* oft durch προσφέρειν wiedergegeben wird, da das griech. Verb sowohl 'darbringen=opfern' als auch 'bringen' bedeuten kann." Statt קרב hif in der LXX 91mal προσφέρειν. Ähnlich K. WEISS, a.a.O. (s. Anm. 76), hier 67/25ff, wo WEISS vom "Hinzubringen zur Gottheit" spricht, das im Begriff προσφέρειν ausgedrückt ist.- An anderer Stelle (Pkt. 7.1) wollen wir das Wort קרב und den mit diesem Terminus eng verbundenen Vorstellungszusammenhang des priesterlichen Hinzutretens zu Gott näher betrachten.

82 Vgl. K. WEISS, a.a.O. 67 Anm. 2: "Hi 1,5 u 1.2 Makk gehören in den historischen Zshg. Prv 21,27 redet von dem nichtigen Opfer der Gottlosen. Ähnlich beurteilt Sir 7,9 das Opfer des Schuldbeladenen. Sir 35,2 vertritt einen vergeistigten Opferbegriff. Am 5,25 lehnt wohl die Schlachtopfer ab. Mal 1,13 wendet sich gegen den Opferbetrug. Jer 14,12 lehnt das Opfer grundsätzlich ab."- Beachtenswert ist, daß an den von WEISS angeführten Stellen das Verb προσφέρειν in der LXX niemals Äquivalent für קרב im MT ist.

83 Vgl. K. WEISS, a.a.O. 68.

84 K. WEISS, a.a.O. 68, hat bei Philo zumindest die Schriftzitate nicht beachtet, da er den kultischen Gebrauch bei ihm als "nicht nachgewiesen" bezeichnet.

das Wort All II gebraucht ("der Gottheit die Nacktheit darbringen") und Imm 7 ("sein Eigentum ihm darbringen").

In den übrigen frühjüdischen Schriften findet sich das Verb προσφέρειν vor allem in den Testamenten der zwölf Patriarchen (15mal), davon 9mal im TestLev. Zweimal drückt προσφέρειν in TestLev 3,6-8 im Abschnitt über die himmlische Liturgie "darbringen" aus (zu TestLev 3,6 s.o.), wobei das Wort im Kontext im übertragenen Sinn gebraucht wird; TestLev 3,8 heißt es, "im nächsten (darunter) gelegenen (Himmel) sind Throne und Gewalten. In ihm werden beständig Hymnen Gott dargebracht." Hier ist mit Hilfe von προσφέρειν die Darbringung von Hymnen als kultische Handlung dargestellt. Diese Art der Verwendung des Verbums liegt ganz auf der Linie der Spätschriften der LXX (vgl. Sir 7,9; 35,2).- An den übrigen Stellen des TestLev ist προσφέρειν in solchen Zusammenhängen verwendet, in denen von der Darbringung von Opfern vor dem Altar bzw. vor dem Herrn gesprochen wird (TestLev 9,13.14; 18 2B 020.021.023.034.051). Ein übertragener Wortsinn ähnlich wie TestLev 3,8 liegt in TestGad 7,2 vor: ". . . Bringt Lob dem Herrn, der allen Menschen Nützliches und Gutes reicht." Im TestIss ist προσφέρειν wieder in der Bedeutung "darbringen" (von Opfern) verwendet; 3,6 heißt es: "All die Erstlingsfrüchte gab ich durch den Priester dem Herrn, dann meinem Vater"; hier ist die Mittlerfunktion des Priesters zum Herrn hin ausgesagt.- In einem profanen Sinn "darreichen" ist das Wort in TestRub 4,9 (bezogen auf "Liebestränke") und TestSeb (bezogen auf Speisen) gebraucht.

In JosAs 12,6 ist mit προσφέρειν die Darbringung von Gebeten formuliert. In der Apokalypse des Baruch (griech.) heißt es, daß Michael die Tugenden der Menschen vor Gott bringt (grBar 14,2).- Unterschiedlich ist der Gebrauch im Testament des Hiob: im profanen Sinn "darreichen" TestHiob 7,9; 21,2; 22,1.3; 23,11; 24,4 (Objekt: Brot) und TestIob 44,5 (Objekt: ein Lamm und eine goldene Bierdrachme) und im kultischen Sinn "darbringen" (Objekt: ὁλοκαυτώματα) TestIob 3,3. Auch in den Sprüchen Menanders findet sich einmal die Bedeutung "darbringen" mit Objekt: θυσία (Men 5,119/2), wie auch im Aristeasbrief zweimal (Arist 170,2.5; Objekt sind verschiedene Tiere).

In den griechischen Fragmenten zum Jubiläenbuch bedeutet προσφέρειν an der einzigen bekannten Stelle "gebären" (4,1). - Weiter findet sich jeweils einmal die Wiedergabe in der Bedeutung von "behandeln" (Artapanus 9,27/2) und "veranlassen" (Aristobulus 13,12/2).

Im NT findet sich für προσφέρειν die auch in der LXX und den frühjüdischen Schriften festzustellende Bedeutung "darreichen/überreichen/anreichen", sofern das Wort in profanem Sinn gebraucht wird; in kultischem Sinn kann es auch hier "darbringen" bedeuten. In profanem Sinn steht das Verbum bei Matthäus anders als bei Markus, der das Simplex benutzt, um das Hinzuführen der Kranken und von einem Dämon Besessenen zu Jesus auszusagen (Mt 4,24; 8,16; 9,2.32; 12,22; 14,35; 17,16). In Lk 23,14 drückt προσφέρειν die Übergabe Jesu durch das Synedrium in die Hände des Pilatus aus. In Mk 10,13 (par Mt 19,13; Lk 18,15) bezeichnet das Wort jeweils den Vorgang, daß man Kinder Jesus zuführt, damit er sie segne. Am Kreuz wird Jesus Essig gereicht (Lk 23,36; Joh 19,29); Geldbeträge werden gereicht (von der Steuermünze an Jesus Mt 22,19; im Gleichnis Mt 25,20). In Mt 2,11 ist προσφέρειν benutzt, um das Überreichen der Gaben durch die Weisen auszusagen.

Für unsere Arbeit ist die Bedeutung "darbringen" von besonderem Interesse, da sich von hier dann möglicherweise Rückschlüsse für die Stelle Röm 15,16 ziehen lassen.[85] In den Evangelien spiegelt sich in der Verwendung des Verbums zum Teil die Haltung Jesu zur üblichen jüdischen Opferpraxis, so Mk 1,44 par, wo Jesus den geheilten Leprakranken auffordert, sich dem Priester zu zeigen und für seine Reinigung zu opfern gemäß Lev 14,2ff. In Mt 5,23f ist mit προσφέρειν der Vorgang bezeichnet, wenn der Opfernde seine Gabe zum Altar bringt: "Wenn du deine Gabe zum (ἐπί m. Akk.) Altar herbringst und dir da einfällt . . .". Hier in V 23 ist der Prozeß des Hinbringens zum Altar mit προσφέρειν beschrieben, während in V 24 das Verb wieder "darbringen" bedeutet. Da Jesus sowohl in der Weisung an den Geheilten (Mk 1,44 par) wie auch in der Bergpredigt (Mt 5,23f) sein Wort nicht an einen Priester richtet, kann προσφέρειν an beiden Stellen nur die Übergabe der Opfergabe an den Priester besagen. Für unsere Untersuchung ist die Weisung aus Mt 5,23f auch deshalb bedeutsam, weil hier die rechte Weise der Opferpraxis angemahnt wird. Das rechte, im Opfer angestrebte Verhältnis zu Gott setzt die Bereinigung des Verhältnisses zum Bruder voraus: "die Einheit von Kult und Ethos" und nicht der korrekte Vollzug des Opfers wird angemahnt.[86] So liegt Mt 5,23f auf der Linie der prophetischen Kultkritik (Am 5,21-25; Jes 1,10-17; Hos 6,1-6 u.a.m.).

Zusammenfassend läßt sich festhalten, daß προσφορά und προσφέρειν an den behandelten Stellen nicht unbedingt kultisch konnotiert sind. Die Stellen der LXX entstammen alle relativ jungen nachexilischen Texten und zeigen in Zusammenhang mit den anderen außerbiblischen Belegen eine bestimmte Verwendung der beiden Begriffe im Frühjudentum an. Denn häufig stellen sie im Kontext die rechte Einstellung des Opfernden heraus (vgl. Ps 39,7; Dan 3,38; Sir 35,1.2 u.a.). Zudem kann προσφορά das "vernünftige und unblutige Opfer" (TestLev 3,5f) bezeichnen oder die "ganze Seelenrichtung", die als Opfer dargebracht wird (Arist 170,7). So geht es in den Stellen mit προσφορά - ähnliches, zum Teil noch deutlicher gilt für das Verbum - um die

---

85 Vgl. K. WEISS, a.a.O. 68: "Da die neutestamentliche Gemeinde keinen Opferkult mehr kennt, ist die Opferterminologie auf die wenigen Stellen beschränkt, wo auf den zeitgenössischen jüdischen oder den alttestamentlichen Opferkult oder auf einzelne alttestamentliche Opferberichte Bezug genommen wird, wo Leben und Sterben Jesu als Opfer beschrieben und wo das Verhalten und bestimmte Handlungen der Christen im übertragenen Sinn Opfer genannt werden."

86 Vgl. zu Mt 5,23f U. LUZ, Das Evangelium nach Matthäus I (EKK I/1), Neukirchen-Vluyn 1985, 259: Zunächst lehnt Luz es ab, als "nächstliegenden jüdischen Hintergrund" rabbinische Vorschriften zum Opfervollzug oder Aussagen Philos über die Selbstprüfung vor dem Opfer (SpecLeg 1,167) heranzuziehen. Dann schreibt LUZ: "Wichtig sind vielmehr die vor allem in weisheitlicher Tradition stehenden Aussagen über die Einheit von Ethos und Kult: Opfer von Gottlosen sind Gott ein Greuel; wer Barmherzigkeit erweist, spendet Opfer (Spr 15,8; 21,3.27; Sir 31[34],21-24; 35,1-3 etc.). Auch in diesen Texten tritt der Kultus hinter dem Ethos zurück, ohne in irgendeiner Weise abrogiert zu werden. Im rabbinischen Judentum hat sich solches Denken etwa in dem bekannten Grundsatz, daß der Versöhnungstag gegen Mitmenschen nicht sühne (Joma 8,9), Raum geschaffen. Für Matthäus sind wohl prophetische Traditionen, die er selber mit Hos 6,6 formuliert, wichtig." Zu Joma 8,9 und weiteren Belegen s. Bill. I 287f.- Hos 6,6 wird in Mt 9,13 und 12,7 aufgenommen; vgl. auch das Wort Jesu gegen die Schriftgelehrten und Pharisäer zur äußeren und inneren Reinheit in Mt 23,25.- In der angeführten Stelle Sir 35,1f ist neben dem Verb προσφέρειν auch das Nomen προσφορά verwendet (s.o.).

rechte Einstellung des Opfernden und damit um das rechte Opfer schlechthin (vgl. die Priesterpolemik TestLev 14,5). - Wichtig für Röm 15,16 ist die Feststellung, daß προσφορά in frühjüdischen Schriften in solchen Kontexten begegnet, in denen das Thema der Nähe zu Gott behandelt wird.

εὐπρόσδεκτος

Wie das synonyme Simplex δεκτός haben εὐπρόσδεκτος und auch ἀπόδεκτος[87] die Grundbedeutung "das, was man annehmen kann".[88] Diese Wortgruppe ist in der LXX meist Übersetzung von רצה, mit Ausnahme von Spr 10,24. In der LXX stehen δεκτός κτλ. in Verbindung mit dem Opferkult, wie allein die zahlreichen Belege in der Priesterschrift belegen (vgl. Ex 28,38; Lev 1,3.4; 17,4; 19,5; 22,19; 22,20 u.a.m.).

Im NT kommt εὐπρόσδεκτος viermal vor, davon in 1 Petr 2,5 ähnlich wie Röm 15,16. Auf diese Stelle aus dem ersten Petrusbrief soll wegen der beachtenswerten Terminologie noch ausführlich eingegangen werden (s. unten Kap. 8.2). Wie sehr das Wort εὐπρόσδεκτος dem Simplex δεκτός entsprechen kann, zeigt auch 2 Kor 6,2, wo beide Worte abwechselnd in gleicher Bedeutung verwendet sind:

> λέγει γάρ· καιρῷ δεκτῷ ἐπήκουσά σου καὶ ἐν ἡμέρᾳ σωτηρίας ἐβοήθησά σοι. ἰδοὺ νῦν καιρὸς εὐπρόσδεκτος, ἰδοὺ νῦν ἡμέρα σωτηρίας.

Im Prophetenzitat aus Jes 49,8 ist δεκτός übernommen (vgl. entsprechend Lk 4,18ff). Paulus selbst hat in der Deutung des Zitates stattdessen εὐπρόσδεκτος gesetzt und deutet der Korinthergemeinde das Geschehen, in das sie hineingestellt ist, als Erfüllung dessen, was der Prophet einst verheißen hat (Jes 48,8ff) durch das zweifache ἰδοὺ νῦν. - Wie in Röm 15,16 und 1 Petr 2,5 kann Paulus δεκτός auf das Tun der Gemeinde, also in einem ekklesiologischen Kontext anwenden, wenn er den Dienst der Philippergemeinde in kultischen Kategorien als ὀσμὴν εὐωδίας, θυσίαν δεκτήν, εὐάρεστον τῷ θεῷ bezeichnen kann (Phil 4,18; vgl. Kap. 7.5). - Schließlich begegnet εὐπρόσδεκτος in 2 Kor 8,12 bezogen auf die προθυμία. Hier ist der ursprüngliche kultische Zusammenhang des Wortes nicht mehr zu erkennen, ebenso nicht in Apg 10,35 und Lk 4,24.

In Röm 15,16 ist εὐπρόσδεκτος also als ein Terminus verwendet, der die Annahme bzw. Wohlgefälligkeit einer (Opfer-) Handlung durch Gott aussagt.

---

[87] Das Wort ἀπόδεκτος, in dieser Betonung in der ntl. Überlieferung, sonst ἀποδεκτός z.B. bei Plut, CommNot 6,2 (= II 1061a), kann hier unerörtert bleiben, da es im NT nur in 1 Tim 2,3; 5,4 in "abgeleiteten" kultischem Zusammenhang auftaucht: τοῦτο καλὸν καὶ ἀπόδεκτον ἐνώπιον τοῦ σωτῆρος ἡμῶν θεοῦ (1 Tim 2,3); τοῦτο γάρ ἐστιν ἀπόδεκτον ἐνώπιον τοῦ θεοῦ (1 Tim 5,4c).

[88] Vgl. zum folgenden: W. GRUNDMANN, Art. δεκτός κτλ., in: ThWNT II 57-59; in den frühjüdischen Pseudepigraphen und Apokryphen, bei Philo und Josephus fehlt εὐπρόσδεκτος (wie auch δεκτός bei Philo und Josephus fehlt). - Die zu εὐπρόσδεκτος bei LSJ 728 angeführten Stellen aus dem klassischen Griechisch bezeugen für das Wort kultische (Plut mor 801c [= PraecGerReip 4,16]; Porp Marc 24; Aristoph Pax 1052 [1054]) wie nicht-kultische Kontexte (Phld Rh Supp p. 7).

ἁγιάζειν

Das Wort findet sich im Römerbrief nur an dieser Stelle, allerdings in dem bei Paulus häufigen passivischen Sprachgebrauch (vgl. 1 Kor 1,2; 6,11; 7,14; aktivisch bei Paulus nur 1 Thess 5,23).[89]

ἁγιάζειν gehört fast ausschließlich dem biblischen und biblisch beeinflußten Griechisch an[90]. Das Wort ist ein kultisch geprägter Terminus, wie der LXX-Sprachgebrauch des Wortes als fast regelmäßige Wiedergabe der hebräischen Wurzel קדש anzeigt, sowohl im Qal (Ex 29,21; 30,29 u.a.) und Niphal (Ex 29,43; Lev 10,3; Ez 28,22.25 u.a.)[91], wie im Kausativstamm (Ex 28,34; Lev 22,2f; Zef 1,7; Jer 1,5 u.a.) und Steigerungsstamm aller drei Genera (Gen 2,3; Ex 13,2; u.a.). Der Bedeutungswandel schwankt entsprechend zwischen "heiligen/sich heiligen" im Qal/Nifal, überwiegend "weihen" im Kausativstamm und im Steigerungsstamm überwiegend "heiligen".- Zwei Stellen aus dem Pentateuch sollen herausgehoben werden, weil sie für die weitere Betrachtung von ἁγιάζειν, vor allem für die Aufnahme in den frühjüdischen Schriften, besonders bei Philo, von Bedeutung sind, nämlich Gen 2,3 und Ex 29,43ff[92]:

> Und Gott **segnete** (ηὐλόγησεν/ויברך) den siebten Tag und **heiligte** ihn (ἡγίασεν / ויקדש), denn an ihm ruhte er von seinem ganzen Schöpfungswerk. (Gen 2,3)
>
> "Dort (am Eingang des Offenbarungszeltes) will ich den Israeliten begegnen und mich als heilig erweisen, in meiner Herrlichkeit soll es **geheiligt** (ἁγιασθήσομαι/ונקדשׁ) werden. Das Offenbarungszelt und den Altar will ich **heiligen** (ἁγιάσω/וקדשתי); auch Aaron und seine Söhne will ich **heiligen** (ἁγιάσω/אקדש), damit sie mir als Priester **dienen** (ἱερατεύειν μοι/לכהן). Ich will mitten unter den Israeliten wohnen und ihr Gott sein." (Ex 29,43-45)

---

89 Vgl. MICHEL, Röm 458 Anm. 14.

90 LSJ (ebd. 9f) führt nur Belege des Wortes aus biblischen oder biblisch beeinflußten Texten an. Doch vgl. Karl Georg KUHN/Otto PROCKSCH, Art. ἅγιος κτλ., in: ThWNT I 87-116, zu ἁγιάζειν 112-114 (PROCKSCH), hier 112; dort Hinweis auf die Mithrasliturgie, überliefert in den sogenannten griechischen Zauberpapyri (K. PREISENDANZ, Papyri 523): Im Kontext geht es um die Gottesschau; der Redende sieht sich instandgesetzt, zu "erschauen . . . den unsterblichen Aion und Herrn der feurigen Diademe, rein gesühnt durch heilige Reinigungen" (ἁγίοις ἁγιασθεὶς ἁγιάσμασι).

91 Vgl. W. KORNFELD/H. RINGGREN, Art. קדש, in: ThWAT VI, 1179-1204, hier 1185: קדש niph. "hat ausschließlich Gott zum Subjekt, der 'sich als heilig erweist', d.h. seine keiner Änderung unterworfene göttliche Heiligkeit in Israel (Ex 29,43) und vor den Heidenvölkern (Ez 20,41; 28,22.25; 36,23; 38,16; 39,27) zur Selbstdarstellung bringt". (ebd. 1185)

92 Vgl. a.a.O., 1189: P gebrauche קדש "vornehmlich im kultischen Sinne, vor allem in Bezug auf Heiligtum, Kultgerät, Priester und Opfer. Er entwickelt eine förmliche Heiligtumstheologie, die alles genau regelt."

Diese zweite Stelle Ex 29,43-45, zum "Herzstück der Sinaiperikope"[93] gehörig, ist durch ihren Ort "an der Nahtstelle zwischen Anweisung (25,1 -29,42) und Ausführung (35,1 - 40,35) besonders ausgezeichnet" und bietet "ein Konzentrat priesterlicher Heiligtumstheologie"[94].

Ähnlich wie das Heiligtum werden die Priester geweiht; nach Ex 28,41 sollen Aaron und seine Söhne gesalbt und geweiht werden, damit sie priesterlichen Dienst verrichten können (vgl. Ex 28,3; Lev 8,12 von Aaron; Ex 29,1.33.44; 30,30; Lev 8,30; 21,8 von den Priestern)[95]. Die Begründung dazu ("Sie sollen ihrem Gott geheiligt sein", vgl. Lev 21,6; vgl. Lev 20,26; Num 6,5.8; 15,40)[96] erweist קדש als Relationsbegriff.[97] Diese Heiligkeit der Priester stellt sie in ein besonderes Verhältnis zu JHWH, sie gehören der göttlichen Sphäre an, was für sie selbst "Verpflichtung zur kultischen Reinheit mit sich bringt und die Gemeinde zu besonderer Achtung verpflichtet". Diese Heiligkeit wird dann gewissermaßen auf die Kultgemeinde erweitert (vgl. Num 16,3), in deren Mitte JHWH gegenwärtig ist und die als das ganze Volk (ihm) heilig ist.[98] Hierhin gehört Lev 11,44f: "Heiligt euch (קדש hitp.; LXX: ἁγιασθήσεσθε), damit ihr heilig werdet, denn ich bin heilig" mit der Begründung "Ich habe euch aus Ägypten heraufgeführt, um euer Gott zu sein"[99]. Lev 19 (H) zieht daraus in V 2 die Folgerung: "Ihr sollt heilig sein, denn ich, JHWH, euer Gott, bin heilig." Merkwürdigerweise folgen hier keine kultischen Reinheitsvorschriften, "sondern ethische Gebote, was im AT ziemlich eigenartig ist"[100]. Darin geht es zunächst

---

93 M. KÖCKERT, Leben 35.

94 Ebd. 58.- Zu Ex 29,42b-46 vgl. bes. JANOWSKI, Sühne 317-328.- HANSSEN, Heilig 145, spricht an Stellen wie Ex 29,44; 30,30; 40,9f.13; Lev 8,11f.30 von der Heiligung als einem "konstitutiven Akt, durch den etwas oder jemand ein für alle Mal Jahwe geweiht wird". Insofern sei "'Heiligung' hier also ein statusrechtlicher Akt" (ebd.). Diese Beobachtungen deuten für HANSSEN daraufhin, daß ἁγιάζειν "einen statusrechtlichen (Neben-)Sinn durch den Bezug auf die Taufe jedenfalls nicht völlig überraschend gewinnen kann". Doch die Rede von der "statusrechtlichen Bedeutung" von ἁγιάζειν ist einseitig und zu juridisch gedacht; das Verb ist m.E. als ein Relationsbegriff von einem auf kultischer Konnotation basierenden Erwählungsdenken bestimmt (s. die weiteren Ausführungen zum Verb).

95 An diesen Stellen entspricht dem קדש in der LXX eine Verbform von ἁγιάζειν (mit Ausnahme von Ex 28,3).

96 An diesen Stellen entspricht dem קדש in der LXX das Adjektiv ἅγιος mit einer Form von εἶναι.

97 Vgl. KORNFELD/RINGGREN, a.a.O. 1191; auch in Num 16,3 entspricht dem קדש das Adjektiv ἅγιος mit einer Form von εἶναι.

98 Vgl. a.a.O. 1191f; Zitat ebd. 1191.

99 Im Kontext geht es um das Abstandnehmen von unreinen Tieren, die kultunfähig machen.

100 KORNFELD/RINGGREN, a.a.O. 1192.- Hier treffen wir eine Verbindung von Heiligkeitsaussage und -forderung, wie sie in ähnlicher Weise in den Indikativ-Imperativ-Aussagen des Paulus in 1 Kor 5 u. 6 wiederum begegnet.

einfach um das JHWH gemäße Verhalten, wobei eine gewisse inhaltliche Bestimmung zweifellos mitschwingt[101]. Diese Vorschriften dienen zum Teil (Lev 19,27f) dazu, sich von den Nachbarvölkern zu unterscheiden. Im Anschluß an Lev 20,8 ("Beobachtet meine Vorschriften und tut nach ihnen. Ich, JHWH, bin es, der euch heiligt [ἐγὼ κύριος ὁ ἁγιάζων ὑμᾶς].") folgen Strafandrohungen für kultische Vergehen. Festzuhalten ist, daß die von JHWH verheißene Heiligkeit hier mit der Forderung verbunden ist, Profanes und Heiliges streng zu unterscheiden.

Neben den bereits erwähnten Stellen aus den Prophetenbüchern (Zef 1,7; Jer 1,5) ist vor allem der Gebrauch des Wortes im Buch Ezechiel bemerkenswert, da dieser sich auf bestimmte Verwendungsarten eingrenzen läßt. In Ez 20,41 und 36,22-28 begegnet ἁγιάζειν in kultischen Bildern, in denen es jeweils um die Annahme des Volkes durch Gott und so um seine Gottesgemeinschaft geht:

> "Wie lieblichen Opferduft (ἐν ὀσμῇ εὐωδίας) werde ich euch aufnehmen, wenn ich euch aus den Völkern herausgeführt und euch aus den Ländern gesammelt habe, in die ihr zerstreut wart, **und werde mich an euch als heilig erweisen vor den Augen der Heiden** (ἁγιασθήσομαι)." (Ez 20,41)[102]

Diese Stelle verdient auch aus einem anderen Grund unsere Aufmerksamkeit: Die Wortverbindung ὀσμὴ εὐωδίας[103] ist hier verwendet, um die Annahme des Volkes Israel bei Gott auszusagen, wobei Israel hier, ähnlich wie die Heiden in Röm 15,16, als Opfer dargestellt ist.

> (36,22) Darum sage zum Haus Israel: "So spricht der Herr Jahwe: Nicht um euretwillen tue ich es, sondern um meines heiligen Namens willen, den ihr unter den Völkern, zu denen ihr gekommen seid, entweiht habt. (23) Ich will meinen großen Namen **heiligen** (ἁγιάσω), der unter den Völkern entweiht ist, den ihr in eurer Mitte entweiht habt, auf daß die Völker erkennen, daß ich Jahwe bin, spricht Jahwe, der Herr, wenn ich mich an euch vor ihren Augen **als heilig erweise** (ἁγιασθῆναι).(24) Ich werde euch aus den Völkern wegnehmen, euch aus allen Ländern zusammenbringen und euch in euer Land zurückbringen. (25) Dann werde ich reines Wasser über euch sprengen, daß ihr rein werdet von aller Unreinheit, und von allen euren Götzen werde ich euch reinigen. (26) Und ich werde euch ein neues Herz geben und einen neuen Geist in euer Inneres geben, euer steinernes Herz wegnehmen und euch ein Herz von Fleisch geben. (27) Ich will meinen Geist

---

[101] Vgl. Karl ELLIGER, Das Buch Leviticus (HAT I/4), Tübingen 1966, 255; daß dennoch "heilig" keine ethische Kategorie sei, "zeigt die selbstverständliche Mischung mit kultisch-rituellen Geboten. Heilig ist Jahwe als der spezifisch andere, als der wirkliche Gott, und heilig ist sein Volk, wenn es dem göttlichen Willen gemäß lebt und damit sein Ausgesondertsein aus den Völkern bestätigt" (ebd. 256).

[102] Vgl. H.-J. KRAUS, Volk 48: "Das ist eine auf den Kultus bezogene Aussage, der der Hinweis zur Seite zu stellen wäre, daß der Sabbat für Israel das Erkennungszeichen der heiligenden Aussonderung sein soll (Ez. 20,12; Ez. 31,13)." KRAUS weist daraufhin, daß "bei Ezechiel jede Heiligkeitsaussage streng auf die Offenbarungsformel 'ani jhwh" und damit auf den göttlichen Namen bezogen" ist (a.a.O. 47).

[103] Vgl. zu dieser Wortverbindung die Ausführungen in Kap. 3.4 zu 2 Kor 2,14-16.

in euer Inneres geben und bewirken, daß ihr nach meinen Satzungen wandelt und meine Vorschriften beobachtet und danach handelt. (28) Dann sollt ihr im Lande wohnen, das ich euch gegeben habe, und ihr sollt mein Volk sein, und ich werde euer Gott sein." (Ez 36,23-28)

An diesen beiden Stellen des Ezechielbuches ist in kultischen Kategorien die Annahme und Aufnahme des gereinigten Volkes Israel durch Gott ausgesagt. Vor allem in Ez 36,23ff wird das sühnende Tun Gottes in der Gabe des Wassers und des Geistes deutlich. Obwohl der Text hier den Terminus "Bund" vermeidet, ist es interessant, daß die Bundesformel (V 28) genannt ist. Der Text in Ez 36,22-28 erweist sich seinen Inhalten nach als eine enge Parallele zu der Perikope Jeremias vom neuen Bund (Jer 31,31ff). Das Ziel des Heilshandelns Gottes ist auch hier die Neuschöpfung eines Volkes, das imstande ist, den Geboten Gehorsam zu leisten. Auch bei Jeremia verbindet sich damit "ein reinigendes, vergebendes Abtun der bisherigen Sünde (Jer 31,34b = Ez 36,25)".[104]

Eine andere Gruppe von Texten spricht davon, daß Jahwe sagt, "sich als heilig zu erweisen vor den Völkern (ἔθνη)", so neben Ez 20,41 und 36,23 noch 28,22 (ohne "Völker"); 28,25; 38,16.23 und 39,27 (meistens formuliert mit ἁγιασθήσομαι). Zwei Stellen des Ezechielbuches fordern in Anlehnung an Gen 2,3 zur Heiligung des Sabbats auf (Ez 20,20; 44,24). Zwei andere Stellen formulieren in der 1. Person Singular, "daß ich, Jahwe, es bin, der sie heiligt" (Ez 20,12; 37,28). Der Kontext in Ez 37,26-28 ist die Verheißung eines ewigen Bundes und das Wohnen Gottes mitten unter Israel, "wenn mein Heiligtum auf ewig in ihrer Mitte ist" (V 28).

Zwei weitere Stellen warnen die Priester, beim Verlassen des Heiligtums durch ihre Kleider das Volk zu heiligen (Ez 44,19; 46,20). - Eine letzte Stelle aus dem Ezechielbuch verdient Beachtung, weil hier das Partizip Perfekt Passiv von ἁγιάζειν mit ἱερεύς verbunden ist:

> τοῖς ἱερεῦσι ἡγιασμένοις υἱοῖς Σαδδουκ τοῖς φυλάσσουσι τὰς φυλακὰς τοῦ οἴκου . . . (Ez 48,11)

Die genannten Schriftstellen aus Ezechiel, die auf Israel bzw. die Völker bezogen sind, stimmen darin überein, daß sie der Tradition und Theologie des Heiligkeitsgesetzes entsprechen, wenn hier der "heilige Gott" als der אני יהוה der unmittelbar Handelnde ist. Sein Name und damit seine machtvolle Selbstoffenbarung setzen sich in Israel durch und werden "den Völkern erkennbar. Damit ist durch den Propheten Ezechiel der priesterliche Ansatz geschichtlich-eschatologisch rezipiert worden."[105] Im Buch Ezechiel zeigt sich das Anliegen, Israel als das erwählte Volk Gottes durch den Begriff der "Heiligkeit" positiv nach innen und außen zu charakterisieren: Nach innen gilt es, sich die von Gott geschenkte Heiligkeit zu bewahren, nach außen dient sie zur Abgrenzung von den Völkern. Hier kommt ein Aspekt zum Vorschein, der für die paulinische Anwendung von "Heiligkeit" bezogen auf die Ekklesia Gottes äußerst bemerkenswert ist[106].

---

[104] Vgl. v. RAD, Theologie II 243ff, Zitat ebd. 245.

[105] Vgl. H.-J. KRAUS, a.a.O. 49; Zitat ebenda.

[106] Vgl. dazu unten die Kap. 4 - 6 dieser Arbeit, wo vor allem die Heiligkeit der Ekklesia Gottes behandelt wird.

Die Betrachtung des Verbums ἁγιάζειν in den alttestamentlichen Schriften hat ergeben, daß sich in der Verwendung des Verbums im Anschluß an die priesterschriftliche Forderung "Ich bin Jahwe, der euch heiligt" (Lev 20,8) eine der beiden Ausformungen der Heiligkeitsaussage über Israel, nämlich priesterschriftliche Überlieferung, erkennen läßt. Ist im Deuteronomium die Heiligkeit Israels das vorausgesetzte, in Erinnerung gerufene Faktum (Dtn 7,6, 14,21; 26,17-19), "so ist in priesterschriftlicher Gesetzgebung die Heiligkeit der Israeliten eine Hauptforderung", die ihrerseits vom "Faktum der Heiligkeit Jahwes her begründet und bestimmt wird". Neben die genannte auf das heiligende Wirken Jahwes hinweisende Selbsterklärung und Zusage Gottes von Lev 20,8 tritt die Aufforderung: "Heiligt euch, daß ihr heilig werdet." (Lev 20,7). "Es sind also im Heiligkeitsgesetz actio Dei und reactio und actio hominum aufs engste zusammengefaßt und zusammengeschlossen."[107]

In den frühjüdischen Schriften findet man sechs Belege des Wortes ἁγιάζειν. Im aramäischen Fragment des TestLev heißt es (in der griechischen Übersetzung):

> . . . Denn du bist ein heiliger Same, und dein Same ist geheiligt (ἁγίασον) wie ein heiliger Ort. Heiliger Priester (ἱερεὺς ἅγιος) wirst du genannt werden unter Abrahams Samen. (TestLev 18,2 B 017)

Im Jubiläenbuch[108] gibt es zwei Stellen, in denen die Heiligung des siebten Tages mit der des Volkes in Parallele gesetzt ist:

> Er sagte zu uns: "Siehe ich will schaffen und erwählen mir ein Volk mitten aus meinen Völkern. Und sie werden mir Sabbat halten. Und ich werde sie heiligen mir zu einem Volk. Und ich werde sie segnen. Wie ich geheiligt habe den Tag des Sabbats und ihn mir heiligen werde, so will ich es segnen." (Jub 2,19)

> Und es wurde diesem [Jakobs Stamm] gegeben, daß er war alle Tage als Gesegnete (ηὐλογήθη) und Geheiligte (ἡγιάσθη) des Zeugnisses und des ersten Gesetzes, wie er geheiligt und gesegnet wurde am Tag des Sabbats, dem siebenten. (Jub 2,24)

In priesterschriftlichen Texten des AT (s. o. die entsprechenden Belege aus dem Pentateuch und aus Ezechiel) ist die Wortverbindung "segnen/ heiligen" (εὐλογεῖν/ ἁγιάζειν) mit dem Sabbat verbunden (vgl. Gen 2,3; Ex 20,11 u.a.).[109] Im Frühju-

---

[107] Vgl. H.-J. KRAUS, a.a.O. 41f, Zitate ebenda.- Vgl. auch H.F. FUHS, Heiliges Volk Gottes.

[108] Im folgenden ist die Übersetzung von BERGER, Jubiläen, zitiert; zur Frage der Datierung des Jubiläenbuches siehe zuletzt A. M. SCHWEMER, Gott als König 52f Anm. 26, dort weitere Literatur; vor allem die Zusammenstellung bei O. CAMPONOVO, Königtum 237 Anm. 4.

[109] Vgl. dazu ZENGER, Bogen 101.170ff; ZENGER schreibt zum Verb "heiligen": "Von der Semantik her meint 'heiligen' gewiß 'aussondern' - doch wofür, wozu? Die Antwort darauf gibt P^g in ihrer Sinaigeschichte. Der *Sinn* und das *Ziel* der Schöpfung, die Gott ein für allemal als 'Lebenshaus' vollends ausgestattet hat (Gen 2,2), werden Israel erst aufgehen, wenn es das schöpfungstheologische Geheimnis des siebten Tages entdeckt und annimmt: die Schöpfung ist darauf angelegt, daß das 'Lebenshaus' von einem Volk, ja von einer Menschheit bewohnt

dentum wird sie auch auf Menschen übertragen (Sir 33 [36] 12; 1 QSb 3,25f; Eph 1,4). Für das Jubiläenbuch charakteristisch ist die Übertragung typischer Sabbatattribute auf Israel selbst. Die Heiligkeit Israels ist im Sabbat, in seiner Bewahrung, gegründet.[110] Weiter zu beachten ist der Kontext, in dem ἁγιάζειν im Jubiläenbuch auftaucht: "Weil alles, was im Himmel gilt, auch auf Erden gelten soll" (Jub 2,18-21)[111] - die Verbindung zwischen himmlischem und irdischem Geschehen war schon bei der Betrachtung des Wortes προσφορά aufgefallen. Offensichtlich handelt es sich bei beiden Termini um solche, die in frühjüdischen Texten zu finden sind, die von der Verbindung von himmlischem und irdischem Geschehen reden.

In den Psalmen Salomos finden wir ἁγιάζειν viermal an drei Stellen, jeweils als Partizip Perfekt Passiv: In PsSal 8,22 ist damit "das dem Namen Gottes Geheiligte" bezeichnet (καὶ τὰ ἡγιασμένα τῷ ὀνόματι τοῦ θεοῦ). Weitere Belege stehen in PsSal 17, zunächst in V 26, wo auf die Konstituierung und Regierung des heiligen Volkes ausgeblickt wird, auf die Sammlung der Stämme und auf die Richtertätigkeit des David-Königs über sie (κρινεῖ φυλὰς λαοῦ ἡγιασμένου ὑπὸ κυρίου θεοῦ αὐτοῦ). Gleich zweimal ist in V 43 im selben Psalm ἁγιάζειν wiederum zu "Volk" bzw. "Völker" gestellt:

> ἐν συναγωγαῖς διακρινεῖ λαοῦ φυλὰς ἡγιασμένου, οἱ λόγοι αὐτοῦ ὡς λόγοι ἁγίων ἐν μέσῳ λαῶν ἡγιασμένων.

wird, in deren Mitte der Schöpfergott selbst gegenwärtig wird. Das 'Tor' zu dieser Wirklichkeit ist der siebte Tag." (a.a.O. 101)- Vgl. zuletzt M. KÖCKERT, Leben 51-53: zweimal erscheine im Zentrum der Sinaiperikope, ohne feste Verankerung im Kontext so doch an kompositorisch hervorgehobener Position, "ein Sabbatgebot: am Ende der Anweisungen zum Bau des Heiligtums und seiner Geräte (Ex 31,12-17) und zu Beginn der Ausführung (Ex 35,1-3)". Die kompositorische Einbindung wolle "das Sabbatgebot als Komplement zur Verheißung der zugesagten Gegenwart Gottes inmitten seines Volkes zu verstehen geben (vgl. Ex 25,8; 29,45f; 40,34). So gerät der Sabbat bei P in den Bereich des Kultus, zu dem er von Haus aus nicht ohne weiteres gehörte." (KÖCKERT, a.a.O. 53)

110 Vgl. BERGER, a.a.O. 322, wo es weiter heißt (über Jub 2): "a) V.15-24: Die 22 Arten der Schöpfung (V.15) entsprechen den 22 Häuptern der Menschheit bis auf Jakob (V.23). Sabbat und Israel ragen daher gleichermaßen hervor. Tendenz: 1. Der Sabbat ist zunächst den Engeln gegeben und wurde von ihnen gehalten (V 17f), Israel feiert dann den Sabbat mit den Engeln (V 21), vgl. XV 27. 2. Weil alles, was im Himmel ist, auch auf Erden gelten soll, heiligt sich Gott ein Volk zur Sabbatfeier (V.19-21, Leitworte: Volk, Samen Jakobs, erwählt aus allen Völkern). 3. Von Israel wie vom Sabbat gelten daher gemeinsame Prädikate: Heiligkeit und Gesegnetsein (V.23-24). 4. Der Sabbat hat kult. Opfercharakter: V.22. b) V.25-30a: Regeln zur Bewahrung des Sabbats, zumeist in Form von Geboten. Leitworte: Werk verrichten, bewahren, verunreinigen, entweihen. Tendenz: Gegenüber dem Abschnitt V.15-24 nun konkrete Anweisungen. V.28 'wie wir' weist auf die Engel. c) V.30b-33: Zusammenfassende Motivation (Himmel/Erde; nur Israel darf den Sabbat feiern; Autorität des Schöpfers; Verheißungen: Segen, Heiligkeit, Herrlichkeit; Ewigkeit des Gesetzes)."

111 Vgl. A. M. SCHWEMER, a.a.O. 53f: "Die Teilnahme an der kultischen Heiligung des Sabbats, die sich im Himmel und auf Erden vollzieht, wird *'heiliges Königreich'* genannt. . . . Die Feier des *Sabbats* geschieht in der Befolgung der Gebote Gottes und durch Opfer in Gemeinschaft mit den *Engeln*, die priesterlich vor Gott dienen."

Das Partizip Perfekt Passiv ist hier auf das neue, heilige Volk bezogen, so daß von einem "ekklesiologischen Kontext" für ἁγιάζειν gesprochen werden kann. Eine ähnliche Verwendung wie in Röm 15,16 ist erkennbar.

Während Flavius Josephus ἁγιάζειν[112] nicht verwendet, gebraucht es Philo vor allem in Schriftzitaten aus priesterschriftlichen Texten:

All 1,17: Gen 2,3 aufgenommen (ἡγίασεν αὐτήν)
All 1,18: Gen 2,3 frei zitiert (εὐλόγησέ τε καὶ ἡγίασεν)
Sacr 118: Num 3,12.13 frei zitiert (ἡγίασα ἐμοὶ πᾶν πρωτότοκον ἐν Ἰσραήλ)
Sacr 134: wiederum Num 3,13 aufgenommen
Post 64: Gen 2,3 zitiert (καὶ εὐλόγησεν ὁ θεὸς τὴν ἡμέραν τὴν ἑβδόμην καὶ ἡγίασεν αὐτήν)
Her 117: Ex 13,1f zitiert (ἁγίασον μοι πᾶν πρωτότοκον . . .)
Fug 59: Lev 10,3 zitiert (ἐν τοῖς ἐγγίζουσί μοι ἁγιασθήσομαι)
SpecLeg 1,167: Hier redet Philo davon, die Seele ganz und gar fehlerlos Gott zu weihen.

Von den sieben Schriftzitaten bei Philo nehmen drei Gen 2,3 auf, was ein Indiz dafür ist, wie sehr ein Jude der Zeit und ein Zeitgenosse des Paulus diese Schriftstelle bevorzugt aufnehmen konnte. Die vier anderen Schriftzitate sprechen von der Erwählung und Weihe der Leviten (Ex 13,1f; Lev 10,3; zweimal Num 3,13). Dies ist wieder ein Indiz dafür, daß das Motiv der Levitenweihe dem Judentum seiner Zeit durchaus vertraut war.

Da in der LXX ἁγιάζειν fast regelmäßig Wiedergabe der Wurzel קדשׁ ist, läßt sich auch in den Texten von Qumran nach dieser hebräischen Wurzel suchen (vgl. dazu unten unter Pkt. 4.2.1).

Etwas ausführlicher soll auf die neutestamentlichen Belege geblickt werden, da der Sprachgebrauch von ἁγιάζειν in den verschiedenen Schriften des NT aufschlußreich ist. In den Evangelien (außer Mk) steht ἁγιάζω zur Bezeichnung der Gott geltenden Heiligung, so in Mt 6,9 und Lk 11,2 zur Heiligung des Namens, von der Heiligung des Sohnes in Joh 10,36; 17,17.19. Das "Geheiligtsein der Jünger in der Wahrheit" geschieht so auch nur als Ergebnis der Selbstheiligung Jesu (Joh 17,19). Zwei Stellen verwenden den Terminus annähernd an seinen ursprünglichen Bedeutungsgehalt in kultischem Textzusammenhang, wenn es um die Heiligung durch den Tempel oder den Altar geht (Mt 23,17.19). In der Apostelgeschichte ist ἡγιασμένος zweimal in Reden dem Apostel Paulus in den Mund gelegt (Apg 20,32: δοῦναι τὴν κληρονομίαν ἐν τοῖς ἡγιασμένοις πᾶσιν und Apg 26,18: κλῆρον ἐν τοῖς ἡγιασμένοις). An beiden Textstellen ist das Partizip Perfekt Passiv im Sinn einer ekklesiologischen Bezeichnung verwendet. Man hat für Apg 20,32 auf 1 QS 11,7f verwiesen: "Welche Gott erwählt hat, denen hat er sie [die Stätte der Herrlichkeit] zu ewigem Besitz gegeben, und Anteil hat er ihnen gegeben am Los der Heiligen." In 1 QS 11,7f sind die himmlischen Wesen, die Engel, gemeint, in Apg 20,32 sind aber sehr wahrscheinlich mit den "Geheiligten" die Christen gemeint, denen jetzt schon das eschatologische Erbe verliehen ist.[113] Auch für Apg 26,18 hat man Ähnlichkeiten zu einer

---

112 Josephus ersetzt das Verb durch ἁγνάζειν (vgl. Ant 3,262; 9,272).

113 Vgl. MUSSNER, Apg 126.

Textstelle aus Qumran sehen wollen, nämlich zu 1QH 11,10-14.[114] Interessant ist, daß in den Textstellen aus Qumran, die als Vergleichstexte zu den beiden Belegen aus der Apostelgeschichte herangezogen werden, mit "Heiligen" jeweils die Engel gemeint sind.[115] - In 1 Petr 3,15 werden die Christen aufgerufen, in der Bedrängnis durch Standhaftigkeit Christus zu heiligen. In ähnlicher Weise richtet Apk 22,11 an den Heiligen die Mahnung, sich weiter zu heiligen.

Die übrigen Belege im NT finden sich im Corpus Paulinum, sieben allein im Hebräerbrief, wo die Verwendung von ἁγιάζειν in klar kultisch bestimmten Kontexten auffällt. In 2,11; 10,14 und 13,12 ist Jesus Christus Subjekt der Heiligung. In 2,11 ist mit dem Verb ausgesagt, daß alle von einem kommen, "der heiligt, und die geheiligt werden". In 10,10 heißt es ähnlich: "Nach diesem Willen sind wir geheiligt durch das Opfer des Leibes Jesu Christi ein für allemal." Wie in 13,12 ist auch in 9,13 "heiligen" im Sinne von "sühnen" verstanden, nur daß hier "das Blut von Böcken und Stieren und die Asche von der Kuh" als Subjekt das Verb regiert. In 10,29 ist es das Blut des Bundes, in dem der Mensch geheiligt wurde. Der Sprachgebrauch des Hebräerbriefes zeigt keine ekklesiologische Verwendung des Wortes, sondern fast immer eine Verbindung zum Opfer Jesu Christi, "das ein für allemal heiligt" (Hebr 10,10). Eine solche Verbindung von ἁγιάζειν mit dem Opfertod Christi findet sich auch Eph 5,26: ". . . wie auch Christus die Gemeinde geliebt und sich selbst für sie dahingegeben hat, um sie zu heiligen." Allerdings klingt hier, anders als im Hebräerbrief, ein ekklesiologischer Zusammenhang an. - Auch in 1 Tim 4,5 und 2 Tim 2,21 begegnet ἁγιάζειν, davon zumindest in 2 Tim 2,21 in einem weitgefaßten ekklesiologischen Zusammenhang, wenn von der Reinhaltung der Gemeinde gesprochen wird. In 1 Tim 4,4f heißt es, daß "alles, was Gott geschaffen hat", geheiligt wird durch Gottes Wort und Gebet.

Wie oben schon erwähnt, findet sich ἁγιάζειν in den Paulusbriefen fünfmal in passivischer Formulierung (neben Röm 15,16 noch 1 Kor 1,2; 6,11; 7,14 [bis]); nur in 1 Thess 5,23 in aktivischem Gebrauch. Die passivische Formulierung ἁγιάζεσθαι gehört zur Taufsprache und bezeichnet die durch Gott selbst bewirkte Teilhabe des in der Taufe von der Sünde "gereinigten" Christen an Gottes Heiligkeit (vgl. 1 Kor 1,2; s. auch 1 Petr 1,15f), die durch die Gabe des Geistes bewirkt wird (1 Kor 6,11; vgl. 2 Thess 2,13; 1 Petr 1,2) und im Wandel nach dem Geist bewährt werden soll (Röm 6,19.22; 1 Thess 4,3). Auch an diesem Sprachgebrauch in den Briefen des Paulus ist die Verwendung des Wortes in ekklesiologischem Kontext ähnlich wie in Röm 15,16 bemerkenswert. Hierhin gehört selbstverständlich 1 Kor 1,2[116], wo das Partizip Perfekt Passiv ganz deutlich eine ekklesiologische Kennzeichnung der Christen in Korinth darstellt.

Für das paulinische Verständnis von ἁγιάζειν ist noch 1 Kor 7,14 zu beachten:

---

[114] Vgl. R. DEICHGRÄBER, Gotteshymnus 78-87, bes. 82f; anders BURCHARD, Zeuge 115; s. auch WEISER, Apg II 653.

[115] Siehe unten Kap. 4.2.1 den Exkurs "Zusammenhang von irdischem und himmlischen Kult" und Kap. 5.2 den Exkurs "Der Begriff βασιλεία τοῦ θεοῦ bei Paulus".

[116] Siehe zu 1 Kor 1,2 die Ausführungen unter Pkt. 4.2; zu 1 Kor 6,11 s. unter Pkt. 5.2 (zu 1 Kor 6,9-11).

> Denn der ungläubige Mann ist durch die Frau geheiligt (ἡγίασται), und die ungläubige Frau ist durch den Bruder geheiligt (ἡγίασται); denn sonst sind eure Kinder unrein (ἀκάθαρτος), nun aber sind sie heilig (ἅγιος).

In diesem Vers, mit dem Paulus seine vorausgehenden Aussagen aus den Versen 12f begründet (γάρ), fallen neben ἁγιάζειν zwei weitere kultische Deutungskategorien auf, "unrein" und "heilig". Diese werden von Paulus genutzt, um die Macht der mit der christlichen Taufe erworbenen Heiligkeit, die hier fast dinglich gedacht ist, auszusagen. In der Heiligung des einen ist die des anderen mitvollzogen[117]. Es geht Paulus um die durch diese kultischen Kategorien gekennzeichnete Sphäre der Gottesgemeinschaft, die durch keine andere Macht gemindert werden kann. Diese Gottesgemeinschaft ist durch die Termini "geheiligt" und "heilig" bestimmt, während hier ἀκάθαρτος Antonym zu ἅγιος ist.

Die Betrachtung des Verbums ἁγιάζειν zeigt, daß dieses Wort einen *Relationsbegriff* darstellt, der von einem auf kultischer Konnotation basierenden Erwählungsdenken bestimmt ist. Besonderes Kennzeichen des Verbums ist, daß Gott es als Subjekt regiert[118]. Zunächst galt die von Gott geschenkte Heiligung den Priestern (s.o.) mit einer gleichzeitigen Verpflichtung zur kultischen Reinheit. Diese Heiligkeit wird auf die ganze Kultgemeinde erweitert, so daß in nachexilischen Schriften der LXX und anderen frühjüdischen Texten ἁγιάζειν als ein "ekklesiologischer" Begriff zu verstehen ist, der exklusive Erwählung durch und Gemeinschaft mit Gott beinhaltet. Paulus geht es in der Verwendung des Wortes eben um diese Inhalte: "Geheiligtsein", das als besondere Erwählung unmittelbar Gottesgemeinschaft impliziert und zugleich Kennzeichen dieser Gottesgemeinschaft ist.

Aus der Betrachtung der kultischen Terminologie läßt sich folgendes festhalten: (1) Da ἱερουργεῖν sich nur in kultischen Kontexten belegen läßt, ist mit Sicherheit anzunehmen, daß das Wort auch in Röm 15,16 in kultischem Sinn verwendet wird. Wenn die Untersuchung des Sprachgebrauchs der übrigen Begriffe aus V 16 für diese auch nur bedingt eine kultische Verwendung aufweisen konnte, ist die gemeinsame semantische Sinnlinie fraglos die kultische Konnotation, die vom Verfasser Paulus bewußt gewollt ist. Dies ist weiter zu untersuchen. (2) Die von Paulus in V 16 verwendeten Begriffe sind in anderen frühjüdischen Schriften, in der

---

117 Vgl. J. WEISS, 1Kor, zur Stelle. Nach WEISS handelt es sich hier nicht um Ethik oder subjektive Religiosität, "sondern um objektive Heiligkeit, Gottgeweihtheit und damit um Aufhebung der dämonischen Unreinheit der Heiden" (181). Ausdrücklich wendet sich WEISS gegen Behauptungen, das ἐν γυναικί "sei bewußt oder unbewußt dem paulinischen ἐν Χριστῷ nachgebildet und meine eine ähnliche persönliche Verschmelzung wie sie zwischen Christus und den Gliedern an seinem Leibe stattfindet" (181); ἐν γυναικί sei vielmehr Brachylogie.

118 Auch Lev 11,44 ist Gott das dieses Verbum (ἁγιασθήσεσθε) regierende Subjekt, da unmittelbar die Begründung folgt (11,45), die auf die Herausführung aus Ägypten als Ursprung dieser Heiligung verweist.

LXX oder auch, in entsprechenden hebräischen Äquivalenten, in einigen Qumranschriften in solchen Kontexten gebraucht, die als "ekklesiologisch" bezeichnet werden können. Dabei sind wir auf die priesterliche Überlieferung des Heiligkeitsgesetzes gestoßen; der priesterliche Ansatz ist durch den Propheten Ezechiel geschichtlich-eschatologisch rezipiert und so bereits modifiziert worden. (3) Die Begriffe λειτουργός und προσφορά sind in frühjüdischen Schriften auch in solchen Kontexten verwendet, in denen als Thema die himmlische Liturgie behandelt wird. (4) Das Verb ἁγιάζειν zeigt sich als ein Relationsbegriff, der von einem auf kultischer Konnotation basierenden Erwählungsdenken bestimmt ist, und dabei eine doppelte Aussagerichtung besitzt. ἁγιάζειν unterstreicht die exklusive Erwählung durch Gott und zugleich die Abgrenzung nach außen gegenüber der (heidnischen) Umgebung. Kontinuität und Diskontinuität zu diesem Sprachgebrauch der LXX und des Frühjudentums kennzeichnen die Aufnahme des Verbs durch Paulus. Auch bei ihm bleibt ἁγιάζειν ein Begriff, der die Erwählung durch Gott bezeichnet. Doch in Diskontinuität zum bisherigen jüdischen Sprachgebrauch kann Paulus mit diesem Verb die besondere Erwählung der *Heiden* durch Gott aussagen. Damit läßt sich hier gegenüber der LXX und frühjüdischen Schriften eine bemerkenswerte Modifikation durch Paulus feststellen. (5) In Röm 15,16 hat Paulus die kultischen Termini mit einer Aussage über den Geist Gottes verbunden (V 15,16bβ). Auch in Phil 3,3f (vgl. Pkt. 7.4) kann Paulus eine ähnliche Aussage machen, daß die Christen die wahre Beschneidung sind, weil sie Gott "im Geiste Gottes dienen" (λατρεύειν), und nicht auf die σάρξ vertrauen.[119] In 1 Kor 3,16 und 6,19 ist ebenso die Gabe des Geistes hervorgehoben: Der Geist (Gottes) wohnt in der Gemeinde bzw. im einzelnen.[120] KLINZING meint zu Recht, daß dieser Gedanke, "daß der neue Gottesdienst seinen Grund und seine Überlegenheit in der Ver-

119 Zum Begriff σάρξ s. A. SAND, Begriff; zu Phil 3,3f ebd. 134.

120 Vgl. Eph 2,22: "Durch ihn (Christus) werdet auch ihr miterbaut zu einer Wohnung Gottes im Geist."- Zum Begriff πνευματικός in 1 Petr 2,5 vgl. unten zu Pkt. 8.2.

leihung des Geistes hat", sich "in den Qumrantexten so nicht findet".[121] In der Betonung des Geistes Gottes drückt sich das eschatologisch bestimmte Denken des Paulus aus. Das Heilsgeschehen qualifiziert für Paulus die Zeit als das Eschaton, dessen Kennzeichen die Gabe des Geistes ist.

Für die Klärung der inhaltlichen Aussage von Röm 15,16 bedarf es einer Einordnung der Stelle in den Gesamtkontext des Kultverständnisses der damaligen Zeit. Dabei gehen wir hier, um nicht zu weit ausholen zu müssen, von der exilisch-nachexilischen Zeit aus, da sich für Israel in dieser Epoche als Folge des Zusammenbruchs von Staat und Kult in den Ereignissen der babylonischen Überwältigung unter Einfluß prophetischer Theologie ein neues Denken für den gesamten Kultus durchsetzte. "Man weiß jetzt, daß Kult nur als Sühnegeschehen möglich ist und daß darum Sühne den Bereich des Kultischen grundsätzlich prägen muß. Diese Erkenntnis des sühnenden Kultes, und das damit verbundene vertiefte Sündenverständnis, verursacht eine Neuorientierung des Kultes."[122]

Kultus ist dabei zu verstehen als "Gottesdienst in rituellen Vollzügen", die abbildende Funktion haben, da menschlicher Kult "das Verhältnis zur Transzendenz nur im Zeichenhaften abbilden kann"[123], wobei der Begriff "im Zeichenhaften abbilden" wichtig ist. Für den biblischen Menschen war Kult in solchem Sinn immer schon von der bloßen Abbildfunktion des Göttlichen geprägt, da wiederum jeder Bezug zur Transzendenz nur in zeichenhafter Weise möglich war.

B. JANOWSKI definiert Sühne als "*die von Gott her ermöglichte*, im kultischen Geschehen Wirklichkeit werdende und hier dem Menschen zugute kommende *Aufhebung des Sünde-Unheil-Zusammenhangs*"[124]. Die kultische Sühne vollzieht sich in der *"Identifizierung des Opfernden mit seinem Opfertier"* und darum geschieht "in der Le-

---

[121] Vgl. KLINZING, Umdeutung 217; gegen SCHNACKENBURG, BZ 3 (1959) 88-94, hier 91; KLINZING wendet gegen SCHNACKENBURG ein, in 1 QS 9,3 sei "nicht von einem 'Tempel heiligen Geistes' die Rede, der mit 1 Kor 3,16; 2 Kor 6,16; 1 Pt 2,5 vergleichbar wäre. Die Wendung 'Fundament des heiligen Geistes' (1 QS 9,3) besagt nicht, daß der heilige Geist in dem neuen Tempel wohnt, sondern nur, daß der dem Geist entsprechende Gesetzesgehorsam das Fundament für den Tempel bildet" (KLINZING, a.a.O. 217 Anm. 31).- S. zu der Frage "Gemeinde" und "Geistbesitz" auch unter Pkt. 5.1 zu 1 Kor 5.

[122] GESE, Sühne 91.

[123] GESE, Sühne 91; zum folgenden vgl. ebd..

[124] Vgl. B. JANOSKI, Sühne 359 (Hervorhebungen von JANOWSKI); zur Sache ebd. 215-221.

benshingabe des Opfertieres eine den Opferer einschließende Stellvertretung"[125], also nicht im bloßen Tod des Opfers, sondern in der Lebenshingabe an das Heilige, im Kontakt mit dem Heiligen. "In der (einschließenden) Stellvertretung durch das Sühneopfer tritt Israel bei der kultischen Sühne in den Kontakt mit Gott. Dieser neue, positive Aspekt der Sühne findet seinen Ausdruck in den Blutriten."[126] Es geht also bei der kultischen Sühne nicht primär um die Übertragung von Sünden und Sündenfolgen, vielmehr übernimmt der Ersatzträger selbst die Identität des Sünders. Der Kult war die von Gott selbst geschaffene Institution zur ständigen Heiligung Israels.

Im Kult aber geht es keineswegs nur um den Vollzug des Todesgerichts, sondern letztlich darum, daß darin dem Sünder ein neuer Zugang zu Gott eröffnet wird, durch Sühne also Kontakt mit dem Heiligen, Kontakt mit Gott: "Die kultische, die heiligende Sühne ist alles andere als nur ein negativer Vorgang einfacher Sündenbeseitigung oder bloßer Buße. Es ist ein Zu-Gott-Kommen durch das Todesgericht hindurch."[127] Es geht um die Eröffnung neuen Lebens. Damit ist das eigentliche und höchste Ziel des Kultes angesprochen. Denn: "Höchstes Ziel und Vollendung priesterlichen Handelns ist also der Zugang zur göttlichen Majestät, das Eintreten in die himmlische Versammlung der Gott dienenden Engelwesen, der Zutritt zum göttlichen Thron. Ziel des Kultes in nachexilischer Zeit ist der Zugang zu Gott: Die Gottesgemeinschaft Israels, die Verbindung Jahwe-Israel, der Ursinn der alttestamentlichen Offenbarung soll im priesterschriftlichen Kult zeichenhaft Erfüllung finden, nachdem schon vorher Israel als Priestertum, als heiliges Volk, verstanden worden war (Ex 19,6 D)."[128] Letztlich geht es dabei um die Heiligung Israels: " Ihr sollt heilig sein, denn ich JHWH, euer Gott, bin heilig" (Lev 19,2). "Dieser Sicht voller Gottesgemeinschaft entspricht ebenso entschieden, daß der Mensch nur vor Gott treten kann als der dem Tod Verfallene. Die Begegnung mit dem Heiligen vernichtet das Unheilige. Die Konsequenz des Gedankens der vollen Gottesgemeinschaft ist die Sühne, und zwar die Sühne in einem neuen positiven Verständnis der Hingabe an das Heilige. Für P kann der Kult, in dem der Mensch Gott begegnet, nur sühnender Kult sein. So führt dieses letzte und höchste Kultverständnis Israels, das Gottesdienst als Gottesgemeinschaft in vollem Sinn, als Partizipation an Gottes Doxa versteht, die das »Begegnungszelt«, die »Wohnung« Gottes erfüllt (Ex 30,43), zur tiefsten Sündenauffassung: Der Mensch als solcher, in seiner Gottferne, ist angesichts der Offenbarung der göttlichen Doxa dem Tod verfallen. Aber Gott eröffnet ihm einen Weg zu sich hin in der zeichenhaften Sühne, die sich in dem von ihm offenbarten Kult vollzieht."[129]

In Röm 15,16 hat Paulus Evangelium und Kult miteinander verbunden[130], indem er vom Evangelium Gottes spricht, das er priesterlich verwaltet, damit die Heiden eine (Gott) wohlgefällige Opfergabe werden. Wie be-

125 JANOWSKI, a.a.O. 220 im Anschluß an GESE, Sühne 97.

126 GESE, Sühne 97.

127 Vgl. GESE, ebd. 97-106; Zitat 104.

128 Vgl. GESE, ebd. 99f.

129 Vgl. GESE, ebd. 100.

130 Vgl. den Aufsatztitel von W. RADL: "Kult und Evangelium bei Paulus".

reits oben in der Analyse dargelegt, kommt Paulus in Röm 15,14-21 in der Art einer Peroratio auf das in Röm 1,16f angesprochene Grundanliegen des Briefes zurück. Das von Paulus verkündigte Evangelium ist Grund der Ekklesia aus Juden und Heiden in gleicher Weise, da es jedem gilt, der glaubt, "zuerst dem Juden, aber ebenso dem Griechen" (Röm 1,16f). Da das Evangelium Grund der Ekklesia ist, gründet die Existenz der Gemeinde im Kreuzestod Christi, durch den Gott die Menschen unterschiedlicher Herkunft in Gemeinschaft zusammenschließt. Konstitutivum dieser Gemeinschaft ist das gemeindebegründende Evangelium Gottes, in dem das Heilsgeschehen gegenwärtig ist, durch das sich die Gemeinde immer wieder neu bestimmen lassen muß. Gemeinde ist für Paulus nicht ohne das Evangelium möglich, seine Ekklesiologie nur auf der Basis der Soteriologie. Den Heiden kann er sich nur deshalb zuwenden, weil im Kreuz Christi die eschatologische Sühne geschehen ist und so die Heilsteilhabe für alle eröffnet ist, für Juden, aber auch und gerade für die bisher ausgeschlossenen Heiden.

Nur unter der Prämisse, daß das Kreuz Christi für Paulus das entscheidende Heilsgeschehen ist, in dem Gott Sühne für jeden wirkt, der glaubt, können auch seine Aussagen in kultischer Terminologie richtig eingeordnet werden. Hermeneutisch ist "zu beachten, daß nicht einfach kultische Vorstellungen auf Jesus *übertragen* werden"; die paulinische Deutung des Kreuzestodes Jesu geschieht "mit Hilfe kultischer Vorstellungen, die bei der deutenden oder verstehenden Applikation selbst modifiziert werden"[131]. Der eschatologisch bestimmte Horizont des urchristlichen wie paulinischen Denksystems erlaubt "nurmehr eine typologische Rezeption kultischer Vorstellungen".[132] Wenn Paulus eine typologische Deutung des Kreuzestodes Jesu Christi mit Hilfe kultischer Vorstellungen durchführen kann, soll im folgenden gefragt werden, wie die Nutzung

---

[131] Vgl. MERKLEIN, Bedeutung 31; Zitate ebenda.

[132] Vgl. MERKLEIN, a.a.O.; Zitat ebenda. - Zur "Typologie" bzw. zur "typologischen Gegenüberstellung" vgl. D.-A. KOCH, Schrift 218f, wo es u.a. heißt: "Typologische Gegenüberstellungen beziehen sich also, soweit sie bei Paulus vorliegen, nicht auf Texte, sondern auf Überlieferungsinhalte . . . 'Typologie' ist also nur im weiteren Sinne als Verfahren der Schriftinterpretation zu bezeichnen, insofern in ihr bestimmte Inhalte der Schrift aktualisierend aufgenommen und interpretiert werden." (ebd. 219)

kultischer Kategorien in ekklesiologischen Kontexten bezeichnet werden kann.

Wenn im Kreuzestod Christi eschatologische Sühne geschehen ist, bedarf es keiner weiteren kultisch-rituellen Reinigung und Heiligung der Glaubenden. Kulttypologisches Denken verrät Röm 5,1f, wenn die Rechtfertigung aus Glauben als durch Christus ermöglichter "Zutritt (προσαγωγή) . . . zur Gnade" erläutert wird. Auf einer ähnlichen Linie liegt die Aussage von der "Darbringung (προσφορά) der Heiden" in Röm 15,16. Hier versteht Paulus seine Evangeliumsverkündigung an die Heiden als priesterliches Tun (ἱερουργεῖν), das er als Diener Jesu Christi (λειτουργὸς Χριστοῦ Ἰησοῦ) an den Heiden vollzieht, so daß diese ein wohlgefälliges und im heiligen Geist geheiligtes Opfer (προσφορά) werden. Im Kontext des Römerbriefes muß diese Aussage in Beziehung zum Kreuzestod Jesu gesetzt werden, in dem (stellvertretend) das sündige Fleisch auch und gerade der Heiden vernichtet wird, so daß diese durch das Kreuzesgeschehen neue Lebensmöglichkeit vor Gott gefunden haben. Auch der Begriff προσφορά weist auf den Kreuzestod Christi hin (vgl. Eph 5,2), in dessen Sterben und Opfer die durch die Evangeliumsverkündigung des Paulus zum Glauben gekommenen Heiden einverleibt sind (vgl. Gal 2,19f; Röm 6,3f; 2 Kor 5,20f). Der von Christus (in unserer Identität erlittene) Sühnetod ist also ein unmittelbar heilsames Geschehen, ganz besonders für die bisher vom Heil wie auch und gerade vom (Heil vermittelnden) Kult ausgeschlossenen Heiden. In der Verkündigung des Evangeliums ermöglicht Paulus den Heiden, sich aufgrund des Sühnetodes des in ihrer Identität gestorbenen Christus im Glauben mit diesem zu identifizieren. Zugleich kann er ihr Zu-Gott-Kommen infolge der gläubigen Annahme seiner (des Paulus) Evangeliumsverkündigung mit dem Terminus προσφορά als kultische Realität beschreiben: "Da Christus als Repräsentant aller gestorben ist, sind - im Sinne kultischer Identität - tatsächlich alle gestorben . . . , so daß sie, sofern sie im Glauben diese Realität (an-)erkennen, Lebende sind, allerdings nicht mehr in eigener (sarkischer) Lebensmächtigkeit, sondern in der vom stellvertretenden Sterben Christi eröffneten und in seiner Auferweckung dokumentierten Lebensmöglichkeit."[133] Die Heiden werden von Paulus durch die Evangeliumsverkündigung dem Kreuzesgeschehen inkorporiert und sind insofern προσφορά. Dies vollzieht sich mit der Konsequenz, daß die ganze Ekklesia aus Juden und Heiden für den priesterlichen Dienst vor Gott bereitgestellt wird.[134] Das Ziel des nachexilischen Kultes, Zugang zu Gott und Gottesnähe zu ermöglichen, hat sich somit in Christus *für Juden und Heiden* erfüllt.

Wenn hier gesagt wird, daß der Kult in Christus erfüllt wird, so ist auf die Diskontinuität in aller Kontinuität des Kultes hinzuweisen. Der Kult wird in Christus erfüllt und überboten[135] und so gerade in dem vollendet, was er zwar intendierte, letztlich aber nicht leisten konnte, nämlich die Möglichkeit des Zugangs zu Gott in der Weise des Immediatverkehrs. Wenn nach der kulttypologischen Deutung des Todes Jesu nicht mehr der Tempel in Jerusalem, sondern Jesus *der* Ort der heilsamen Begegnung mit Gott ist, wenn nicht der, der in Jerusalem opfert, gerettet wird, sondern "wer den Namen des Herrn anruft" (vgl. Röm 10,13; Apg 2,21), ist es die logische Folge, in der Verkündigung eben dieser heilbringenden Botschaft des Evangeliums die Grenzen Israels hin zu den Heiden zu überschreiten[136]. Dann zielt die kulttypologische Deutung des Todes Jesu "letztlich auf eine neue Bestimmung der (theologischen) Grenzen des Gottesvolkes"[137].

Paulus nutzt den Rückgriff auf kultische Bezüge auch in präsentischer Heilszusage, wenn er die konkrete Ausformung des erreichten Heils im Empfang des Geistes in Röm 15,16 mit Hilfe eines Begriffs beschreibt, der kultisch konnotiert ist: "*geheiligt* im heiligen Geist" (V 16bβ); oder auch 1 Kor 6,11: "Ihr seid *reingewaschen*, ihr seid *geheiligt*, und ihr seid

---

133 MERKLEIN, a.a.O. 53.

134 So klingt möglicherweise in dieser Formulierung von Paulus Jes 61,5.6 an, "wo Jes 60,4ff in einer Weise abgewandelt und konkretisiert wird, die unmittelbar an Ex 19,6 und sein an sich naheliegendes Verständnis vom Priestertum Israels für die Völker erinnert" (DEISSLER, Priestertum 71).

135 Vgl. MAIER, Beobachtungen 173.213.

136 Vgl. MERKLEIN, Sühnetod Jesu 165f.

137 MERKLEIN, Der Tod Jesu 186; vgl. ders., Bedeutung 101.

gerechtfertigt im Namen des Herrn Jesus Christus."[138] Für die Gemeinde aus Juden und Heiden kann auf dieser Basis gelten: Sie *sind* die heilige Gemeinde Gottes (1 Kor 1,2), der Tempel Gottes, in dem der Geist Gottes wohnt (1 Kor 3,16f).

Paulus begreift "die Erlösung bzw. die Rechtfertigung des Sünders als Sterben des Sünders. Der Sünder muß sich im Glauben mit dem gekreuzigten Christus identifizieren." Das eschatologische Heil wird also nicht im Kultvollzug als solchem, sondern dadurch verwirklicht, "daß Christus als Sühnopfer fungiert".[139] Wenn Paulus den sühnenden Tod Christi mit kultischen Kategorien beschreiben kann, dann ist die Verwendung solcher kultischer Terminologie zur Beschreibung ekklesiologischer Sachverhalte von anderer Qualität. Da die paulinische Verwendung kultischer Terminologie in ekklesiologischen Kontexten den sühnenden Tod Christi voraussetzt, steht das eigene Tun des Paulus in der Verkündigung des Evangeliums zu dem in Korrespondenz, was Christus als Voraussetzung und Ermöglichung solchen Handelns gewirkt hat.

Kultische Terminologie zur Aussage ekklesiologischer Sachverhalte

Hermeneutisch ist festzuhalten, daß ähnlich wie bei der paulinischen Verwendung von kultischen Kategorien zur Deutung des Kreuzestodes Jesu auch bei der Deutung ekklesiologischer Sachverhalte nicht einfach kultische Vorstellungen auf ekklesiologische Inhalte *übertragen* werden. Ebenso wie in anderen ähnlich gelagerten Aussagen zur Ekklesiologie unter Nutzung kultischer Kategorien ist in Röm 15,16 keine "Spiritualisierung" beabsichtigt. Denn der Abschnitt Röm 16,14-21 faßt als Peroratio die Aussagen des ganzen Briefes pointiert zusammen, speziell die Grundaussage aus Röm 1,8-17, wo Paulus seine besondere Sendung zur Verkündi-

---

[138] Dazu E. P. SANDERS, Paulus 426: "Pauli Betonung von Reinigung und 'Heiligung' mag mit seinem Heidenapostolat in Zusammenhang stehen, haftete doch den Heiden (von seinem Standpunkt aus gesehen) sittliche Unreinheit an." Diese Aussage geht an der Frage vorbei, wie den Heiden diese Kategorien und das darin Ausgesagte zuteil werden. Die Erklärungsversuche dieser paulinischen Begriffe über den Gedanken der Teilhabe allein sind nicht ausreichend (vgl. ebd. 427); auch ist die von SANDERS gewählte Bezeichnung "Transfer-Terminologie" (ebd. 438) m. E. nur ansatzweise treffend.

[139] Vgl. MERKLEIN, a.a.O. 30 Anm. 87 und 89; Zitate ebenda.

gung des Evangeliums unter den Heiden (1,5.13.16f) herausstellt. Indem Paulus die kultischen Kategorien ekklesiologisch auf die Heiden beziehen kann, betreibt er keineswegs eine "Spiritualisierung" des Kultes, sondern äußert sich gerade über den *Kult* und die *Heiden* in *einem* Sachzusammenhang. In Christus ist das Anliegen des nachexilischen Kultes zur Erfüllung gekommen: Nicht nur die gerade auch kultisch definierten Grenzen zwischen Israel und den Heiden sind nun in Christus aufgehoben, sondern Sinn und Ziel des Kultes überhaupt, nämlich Gottesnähe zu schenken, sind in Christus für Juden *und* Heiden erfüllt. Alles, was der Kult exklusiv für Israel verheißen (Gottesnähe) und geboten hat (Absonderung von allem Unreinen, also auch von den Heiden), ist nun in Christus erfüllt bzw. neu definiert. Am Ende seines Briefes will und muß Paulus die ekklesiologische Dimension des Evangeliums Gottes, zu dessen Verkündigung unter den Heiden er sich berufen sieht, betonen. Die Ekklesiologie erweist sich als Funktion der Soteriologie, da im Christusgeschehen für Paulus das entscheidende Heilsdatum gegeben ist. Nach der im Römerbrief von Paulus dargelegten Botschaft von der im Kreuzesereignis geschehenen Rechtfertigung für jeden, der glaubt, zeitigt die Soteriologie eine kollektive Konsequenz. Insofern sich aus der kulttypologischen Deutung des Kreuzestodes Jesu Konsequenzen für ekklesiologisches Reden ergeben, hat die Soteriologie für Paulus notwendig eine kollektive Dimension. Paulus baut seine Deutung ekklesiologischer Sachverhalte mit Hilfe kultischer Terminologie auf der Basis seiner kulttypologischen Deutung des Kreuzestodes Jesu auf.

EXKURS 1: Paulus als Priester? - Das Verständnis von ἱερουργεῖν

Wie bereits gesagt, ist der Begriff ἱερουργεῖν in Röm 15,16 um so auffälliger, da in den Briefen des Paulus und in der nachpaulinischen Tradition der Begriff ἱερεύς fehlt. So wurde diese Römerbriefstelle wegen des Verbums ἱερουργεῖν von den Exegeten dazu benutzt, Paulus hier als Priester zu sehen. Da Paulus das Substantiv ἱερεύς jedoch meidet, muß sorgfältig danach gefragt werden, wie er das Verbum "priesterlich handeln" an unserer Stelle versteht und welche Rückschlüsse dies auf ein priesterliches Selbstverständnis des Apostels zuläßt. Bisher können wir aufgrund von Röm 15,16 lediglich sagen, daß dem paulinischen Denken ein gewisses kultisches Verständnis des Verkündigungswerkes nicht fremd gewesen ist[140]. Tatsache ist, daß Paulus hier in Röm 15,16 von seinem *priesterlichen* Dienst am Evangelium spricht. Wenn man aufgrund der in Röm 15,16 und in anderen Stellen vorliegenden Termino-

140 Vgl. J. PONTHOT, L'expression 258.

logie zu dem Schluß kommt, daß Paulus sein Handeln als Priester versteht, muß man erklären, wie der Begriff "Priester" dann zu verstehen ist.

Noch ganz vorexilischen Gegebenheiten entspricht es, wenn der "Verfassungsentwurf Ezechiels" (Ez 44,15.23) den sadoqidischen Priestern die Aufgabe zuweist, "vor Jahwe zu stehen, ihm Fett und Blut darzubringen" und das Volk "über den Unterschied zwischen Heilig und Profan, zwischen Rein und Unrein zu belehren". Hier sind wir bei der priesterschriftlichen Darstellung des alttestamentlichen Priestertums, die wie die unter Einfluß des Deuteronomiums stehenden Texte die Verbindung des Priesters mit der "Lehre/priesterlichem Wissen" kennt[141]. Ausführlich ist von den Priestern und ihren Diensten "in den gewöhnlich der Priesterschrift zugewiesenen Ritualtexten" die Rede. Die priesterliche Tradition begründet die Mittlerstellung des gesamten Kultpersonals, dessen Zugehörigkeit zum Stamm Levi sie voraussetzt, in Num 4 und 8,5-22. Die Leviten sind darin als aus der Mitte der Israeliten ausgesondert geschildert und werden für Jahwe als Webegabe dargebracht (Num 8,13).[142]

Der Abschnitt Num 8,5-22 verdient wegen des darin enthaltenen Motivs von der "Darbringung der Leviten als Webegabe" besondere Beachtung. Nach Diether KELLERMANN gliedert sich der Abschnitt[143] in eine Grundschrift, bestehend aus Num 8,5-9a.12-16a.21.22aαβ, und eine Ergänzungsschicht, bestehend aus Num 8,9-11.20. 22aγb, die beide nicht zu P^g gehören. Der Grundschicht Num 8,5-22* P^s geht es um die Levitenweihe, bei der Mose als der allein Handelnde Subjekt der Handlung ist und die Leviten nur Objekt seines Tuns sind. Für unsere Fragestellung ist die Formulierung interessant, daß Mose die Leviten vor Aaron und seine Söhne hinstellen (V 13a) und sie als Webegabe (תנופה, LXX: ἀπόδομα) darbringen soll (VV 13b; 15c; 21c). Während KELLERMANN die Frage, ob sich "hinter הניף תנופה ein de facto praktizierter symbolischer Übergaberitus verbirgt oder ob der Ausdruck ohne realen Hintergrund im übertragenen Sinn gebraucht ist", als nicht eindeutig zu entscheiden offen lassen will[144], vermutet JANOWSKI wohl mit Recht einen übertragenen Sinn. "Auf diese Weise sind die Leviten aus den Israeliten auszusondern, weil sie Jahwe gehören (v.14)."[145] - Der genannten Ergänzungsschicht "kommt es vor allem darauf an, die Gemeinde der Israeliten und Aaron an der Feier zu beteiligen", indem hier das Subjekt משה gegen אהרן ausgetauscht wird. Der Verfasser der VV 9b-11.20.22aγb

141 Vgl. zu den deuteronomisch-deuteronomistischen Aussagen zum Priestertum GESE, Gesetz 56-58; DEISSLER, Priestertum 30f; ders., Zwölf Propheten. Hosea - Joel - Amos (NEB.AT), Würzburg 1981, 25; vgl. SCHARBERT, Heilsmittler 275.

142 Vgl. JANOWSKI, Sühne 202f Anm. 91. Die LXX beschreibt den Weihevorgang an den Leviten mit dem Verb ἁγιάζειν (Num 8,17; vgl. 3,13), den Dienst der Leviten mit der Bezeichnung λειτουργεῖν τὴν λειτουργίαν (Num 8,22).

143 Vgl. D. KELLERMANN, Priesterschrift 115-124, bes. die Zusammenfassung 122-124; auch JANOWSKI, Sühne 151 Anm. 232 und 202f Anm. 91.

144 Vgl. KELLERMANN, a.a.O. 122, Zitat ebenda; vgl. aber auch 117, wo er ein wörtliches Verständnis von הניף mit Menschen als Objekt, also ein Hin- und Herschwingen der Leviten, als "praktisch undurchführbar" bezeichnet, so "daß תנופה wie Ex 35,22 38,24.29 im übertragenen Sinn zu verstehen ist".

145 JANOWSKI, a.a.O. 203; dort weitere Literatur.

sieht also die Leviten von der Gemeinde an Jahwe übergeben an.[146] - In Röm 15,16 spiegelt sich somit in der Aussage von der "Darbringung der Heiden" möglicherweise priesterschriftliche Tradition wider, eben anknüpfend an das Motiv von der Levitenweihe.

Für das paulinische Verständnis von ἱερουργεῖν ist auch Ex 19,6 heranzuziehen, jenes erste Gotteswort der Sinaiperikope, das "'den Bund', der Israel aus den Völkern heraushebt, als Priestertum gegenüber allen diesen Völkern" deutet.[147] Die quellenmäßige Einordnung dieser Stelle ist weiter umstritten, doch ist hier die alte Überlieferung bezeugt, "die Israel zum unantastbaren Besitz seines Gottkönigs erklärt, eine Aussage über die objektiv-seinsmäßige Heiligkeit und Gottzugehörigkeit des Volkes, die tiefer liegt als nur dinglich-rituell erworbene kultische Reinheit und auf der dann die Forderung nach der dieser Heiligkeit und Gottzugehörigkeit entsprechenden sittlichen Tat aufbauen konnte".[148] Jahwe hat sein Volk aus allen Völkern ausgesondert zu seinem priesterlichen Dienst an den Völkern, der "im sorgfältigen Hören auf das, was Jahwe im jeweiligen 'Jetzt' der konkreten geschichtlichen Stunde sagt und in der Vermittlung seines Segens, der alle Völker umschließt (V.5a)"[149], besteht. Mit dieser Ausdehnung auf alle Völker berührt sich Ex 19,3b-6 mit Aussagen aus Gen 12,2 und 17,9-14. Auf der gleichen theologischen Linie wie Ex 19,3b-6 liegt das Wort aus Jes 61,6, in dem wir auch den gleichen Begriff λειτουργός[150] wiederfinden, mit dem Paulus in Röm 15,16 seinen Dienst an den Heiden bezeichnet:

> Ihr aber werdet Priester Jahwes (ἱερεῖς κυρίου) heißen, Diener (λειτουργοί) unseres Gottes wird man euch nennen, den Reichtum der Völker werdet ihr genießen, und mit ihrer Pracht werdet ihr euch schmücken.

Dieses Wort will auf dem Kontext von Jes 60-62, der in seinem Grundbestand TrJes zugehört, verstanden werden.[151] Der Prophet im Jerusalem der nachexilischen Zeit, konfrontiert mit erbärmlichen wirtschaftlichen und sozialen Verhältnissen, versucht, seine im Glauben angefochtene Gemeinde bei Jahwe zu halten und verkündet ihr "in

---

146 Vgl. KELLERMANN, a.a.O. 123, Zitat ebenda.

147 Vgl. N. LOHFINK, Der Begriff "Bund" in der biblischen Theologie: ThPh 66 (1991) 161-176, Zitat 173; dort auch ein Überblick der Literatur zu Ex 19,3-6.- Zu Ex 19,6 vgl. auch Kap. 8.2 zu 1 Petr 2,9.

148 Vgl. BECK, Existenz 21; es ist bei der quellenmäßigen Einordnung umstritten, ob mit Ex 19,6 innerhalb von 19,3b-6 (oder 3b-8) nun ein integrierender Bestandteil der Sinaiperikope vorliegt oder ob die Stelle innerhalb derselben Sondergut darstellt und zu jener Erwählungstradition des Volkes gehört, die ihren Sitz im Leben in einer kultischen Begehung am Heiligtum in Gilgal hatte (vgl. BECK, a.a.O. 21). Vgl. auch H. WILDBERGER, Jahwes Eigentumsvolk bes. 80-99 u. 182f; H.-J. KRAUS, Das heilige Volk 46f; E. SCHÜSSLER-FIORENZA, Priester 82-108 u. 148-166; O. CAMPONOVO, Königtum 81f u. 384-386.

149 Hans F. FUHS, Heiliges Volk Gottes 158.

150 Zu λειτουργός vgl. oben.

151 Vgl. FUHS, a.a.O. 159; zum folgenden vgl. ebenda; zum Zusammenhang von Ex 19,6 und Jes 61,6 vgl. SCHÜSSLER-FIORENZA, a.a.O. 155-160.

seinem Auftrag wider alle Hoffnung eine umfassende Wende zum Heil, die alle Erwartungen sprengt. Dieses neue Heil erfaßt allerdings nicht nur Israel, vielmehr sind alle Völker darin einbezogen". In diesem Horizont ist Jes 61,6 zu sehen. Es geht darum, "das aufeinander bezogene Dienstamt für alle in der neuen Gemeinde anschaulich zu machen". Eine spätere Schicht in TrJes stützt dies, "allen partikularistischen und chauvinistischen Mißverständnissen und Engführungen vorbeugend", indem sie "der Erwartung Ausdruck gibt, daß Jahwe alle Völker sammelt und sie seine Herrlichkeit sehen läßt, ja sogar aus ihnen 'Priester und Leviten' erwählen wird (Jes 66,18.21)".[152]

Für Paulus, der sich "als Liturge Jesu Christi" versteht, tritt nun "als Folge der im Kreuz Christi vollzogenen Aufsprengung der Grenzen Israels der missionarische und dynamische Charakter" seines Tuns hervor, nämlich daß das letzte Ziel allen priesterlichen Dienstes es ist, "die Welt als ganze zum Tempel und zur Opfergabe für Gott zu machen, das heißt die ganze Welt in den Leib Christi einzubeziehen, damit Gott alles in allem sei (vgl. 1 Kor 15,28)"[153]. Paulus ist sich gewiß, daß sich in Christus das Anliegen des nachexilischen Kultes erfüllt, nämlich Gottesnähe zu vermitteln, gerade den bisher vom Kult ausgeschlossenen Heiden. Diese werden durch die Verkündigung des Evangeliums dem Kreuzesgeschehen inkorporiert und sind insofern προσφορά. *Allein auf dieser abgeleiteten Ebene kann analog davon gesprochen werden, daß Paulus Priester ist.*

Wenn Paulus sich selbst und sein Tun mit dem Verb ἱερουργεῖν im Kontext von Röm 15,16 umschreiben kann, klingen hier möglicherweise verschiedene Momente aus den angeführten alttestamentlichen Kontexten an:

(1) Wenn Paulus an den Heiden(-völkern) priesterlich handelt, könnten in seinem Selbstverständnis Momente aus Ex 19,3-6 anklingen, wie es oben skizziert worden ist. Für ihn ist entscheidend, daß sein Tun mit dem Evangelium verbunden ist, durch das er selbst wie auch seine Adressaten in Christus vor Gott gelangen, weil sich in diesem Evangelium Gottes Ge-

---

[152] Vgl. FUHS, a.a.O. 159f; Zitate ebd. 160. FUHS schreibt weiter, es gehe in Jes 61,6 nicht darum, "daß die neue Heilsgemeinde eine Klassengesellschaft bildet, zu der die anderen Völker zwar zugelassen, aber minderen Rechts sind, da sie in größerer Entfernung stehen - so sehr nicht auszuschließen ist, daß manche damals und in ihrem Gefolge viele nach ihnen das gerne herausgehört haben".- Vgl. CONGAR, Mysterium 65-83; er betont, daß man im Alten Testament den Zugang zum wahren Gott nur im Rahmen des Kultes Israels für möglich erachtete; zugleich gibt er Beispiele aus den prophetischen Schriften für einen Universalismus, der an den Tempel geknüpft ist (vgl. ebd. 80-83).

[153] Vgl. RATZINGER, Zur Gemeinschaft berufen. Kirche heute verstehen, Freiburg 1991, 118f, Zitate ebenda 118.- RATZINGER bietet zwar einige der relevanten ntl. Stellen dar, zieht aber aufgrund seiner apologetischen Ausrichtung nur Schlüsse über "das mit den Aposteln beginnende Dienstamt in der Kirche" (ebenda 118f).

rechtigkeit dem Menschen schenkt.[154] Als λειτουργός Jesu Christi übt er priesterlichen Dienst am Evangelium aus, damit die Opfergabe der Heiden, die im heiligen Geist geheiligt ist, Gott wohlgefällig werde. Eschatologisch verwirklicht sich die Aussage aus Jes 61,5-6: Euch aber nennt man 'Priester des Herrn', 'Diener unseres Gottes' heißt man euch.

(2) Wenn Paulus die Heiden als προσφορά darstellt, ist bei ihm hier möglicherweise auch ein dem priesterschriftlichen Priestertum entsprechendes Verständnis zu erkennen, wie es sich vor allem in Num 3,12f und Num 8,5-22 widerspiegelt. Wie die Leviten eine Opfergabe sind, die Gott dargebracht wird, so sieht Paulus hier ähnlich die Heiden als die dargebrachte Opfergabe mit dem Ziel der Aussonderung für Gott. Das Verständnis auch seines eigenen Tuns als Aussonderung (Röm 1,1; Gal 1,15)[155] liegt auf derselben Linie des sich in Num 3,12f und Num 8,5-22 widerspiegelnden priesterschriftlichen Priestertums. Es geht Paulus auch in seiner Evangeliumsverkündigung an die Heiden um deren Aussonderung für Gott, indem ihnen die in Christi Sühnetod realisierte Möglichkeit der Gottesnähe zuteil wird.

(3) Dies hat eine weitere Konsequenz: Wenn Paulus in Röm 15,16 die Aussonderung der Heiden aussagt, kehrt er in dieser Aussage alttestamentliche Formulierungen wie Jes 61,6; 62,10 und Ex 19,5f geradezu um. Nicht mehr Israel allein "soll Gott 'sich nahen' dürfen, wie es das besondere Vorrecht der Priester ist, und soll für alle Welt den 'Gottes-Dienst' tun"[156], sondern auch und gerade den Heidenvölkern kommt diese Würde zu, für Gott ausgesondert zu sein.[157]

---

[154] Vgl. KÄSEMANN, Gottesgerechtigkeit 189: Die Gottesgerechtigkeit "stellt uns durch das Evangelium auf den durch sie bestimmten Platz 'im Angesicht Christi'. In diesem nie anders als durch das Evangelium zu erlangendem Stande besteht die uns geschenkte Gerechtigkeit. Sie ist die Möglichkeit des Zuganges zu Gott, in welcher wir nach Röm. 5,1f. Frieden haben, nach 2.Kor. 5,19ff. mit Gott versöhnt sind".

[155] Vgl. dazu unten Kap. 3.1 den Exkurs zum Verb ἀφορίζειν.

[156] Vgl. L. ROST, Die Bezeichnungen für Land und Volk im Alten Testament: Das kleine Credo (1965), 126.

[157] Vgl. hier die Aussage von MERKLEIN, Begriff 289, zum Motiv der Völkerwallfahrt bei Paulus, das von Paulus "gleichsam umgedreht" werde. "War es ur-

(4) Wichtig für das Verständnis des Begriffs ἱερουργεῖν ist der Kontext des Wortes, in dem es die Heiden sind, denen der priesterliche Dienst am Evangelium zugute kommt. Paulus kommt es weniger darauf an, sich und seinen Dienst rein terminologisch als Priester zu beschreiben, sonst hätte er den Terminus ἱερεύς in seinen Briefen verwendet; er versteht sich eben nicht als Priester oder kultischer Mittler. Seine Evangeliumsverkündigung ist für ihn in erster Linie ein Dienst an den Heiden. Indem sie Gott dargebracht werden, erlangen sie in der Ekklesia Gottes Zugehörigkeit zu Gott. Die kultische Rolle der Heiden erscheint hier am Ende des Römerbriefes wie die Vollendung und die letzte Epiphanie der Heilsgeschichte[158]. So ist der Begriff ἱερουργεῖν an unserer Stelle in seiner Funktionalität zu sehen. Paulus beschreibt die Evangeliumsverkündigung in ihrer Auswirkung auf die Heiden mit Hilfe kultischer Kategorien. Der als eschatologische Sühne verstandene Tod Christi ermöglicht und nötigt dazu, kultische Vorstellungen in Aussagen über ekklesiologische Sachverhalte zu verwenden. Wie ein (dem priesterschriftlichen Bild entsprechender[159]) Priester sieht sich Paulus handeln, wenn er den Heiden das Evangelium darbringt, "das Gottes Kraft ist zum Heil für jeden, der glaubt" (Röm 1,16), damit die Heiden ein Gott wohlgefälliges Opfer werden. Diese Rede *vom priesterlichen Tun am Evangelium* ist analog zu verstehen: Da die Heiden durch die Evangeliumsverkündigung dem Kreuzesgeschehen inkorporiert werden, sind sie insofern προσφορά, und Paulus ist auf dieser abgeleiteten Ebene Priester.

(5) Ein weiterer wichtiger Gesichtspunkt für das paulinische Selbstverständnis im Kontext der Verwendung des Begriffs ἱερουργεῖν ist in seinem eschatologisch geprägten Denken zu sehen. Auf dem Hintergrund

sprünglich die Rettung Israels, welche die Wallfahrt der Heiden zum Zion auslöste und damit ihre Rettung bewirkte, so ist es jetzt die Rettung der Heiden, die schließlich zur Rettung Israels führt." - Ähnlich auch RADL, Kult 66.

158 Vgl. PONTHOT, a.a.O. 261. Vgl. die zahlreichen Anspielungen auf die Heiden in Schriftzitaten im Abschnitt Röm 15,7-13, der dem hier behandelten Abschnitt unmittelbar vorausgeht; in den VV 9-12 sind in nicht weniger als vier Schriftzitaten die Heiden angesprochen, die Gott loben sollen "um der Barmherzigkeit willen, wie geschrieben steht: 'Darum will ich dich loben unter den Heiden und deinem Namen singen" (Röm 15,9 unter Aufnahme von ψ 17,50; 2 Sam 22,50; vgl. Dtn 32,43 in Röm 15,10; ψ 116,1 in Röm 15,11; Jes 11,10 in Röm 15,12).

159 Vgl. JANOWSKI, Sühne 249-265.358f.

des Endes der Zeiten ist das paulinische ἱερουργεῖν, nämlich seine Verkündigung des Evangeliums Gottes als "eine Kraft Gottes für jeden, der glaubt" (Röm 1,16), seine einmalige, eschatologische Aufgabe, die er durchführt, um die ganze Welt (Röm 15,19) zu erreichen. Von daher erklärt sich, daß er keinerlei Interesse hat, die Art und Weise seines Tuns mehr als in seinen Augen notwendig zu beschreiben. Ebenso wird er nicht daran gedacht haben, grundlegende Äußerungen über eine "Amtsstruktur" zu machen[160]. Auch wenn Paulus nicht nur in Röm 15,16 seinen Dienst am Evangelium mit kultischen Kategorien als priesterliches Tun herausstellt[161], sondern auch in anderen Formulierungen über sein apostolisches Tun andeutet, daß die Verkündigung des Evangeliums von der Hingabe Jesu und die Aufforderung, in sein Opfer einzugehen (Phil 2,17; auch Röm 6,19), gleichsam "das neue priesterliche Amt" sind[162], sollte doch eine solche Bezeichnung in Zusammenhang mit den Briefen des Paulus nur mit Vorsicht verwendet werden. Überlegungen, in Aussagen wie Röm 15,16 oder Phil 2,17; 4,18 "das Phänomen des kirchlichen Amtes"[163] zu erkennen, sind m.E. in diese paulinischen Aussagen solange hineininterpretiert, solange sie lediglich ein bestehendes Verständnis stabilisieren, anstatt es aufgrund des exegetischen Befundes zu hinterfragen[164]. Es sollte weniger nach dem "Ort des Amtes in der Ekklesiologie

---

[160] Vgl. H. SCHÜRMANN, Marginalien 306: "Die Übernahme von Sakralbezeichnungen für die kirchlichen Dienste hätte eine wichtige Wahrheit verundeutlicht: daß nämlich nun die verheißene eschatologische Zeit angebrochen ist, in der die ganze Gemeinde der 'Heiligen' 'durch Christus' priesterlichen Zugang zu Gott hat" (ebd.); vgl. ebd. Anm. 52.

[161] Vgl. in Kap. 3.3 (Seiten 112-117) die Erörterungen zu 1 Kor 9,13 mit dem Vergleich von alttestamentlichem Tempeldienst und Dienst am Evangelium; Kap. 7.2 (S. 290ff) zu Röm 12,1f; Kap. 7.3 (S. 307ff) zu Phil 2,17.

[162] Vgl. A. VANHOYE, Prêtres 300.

[163] K. KERTELGE, Der Ort des Amtes 185.

[164] Damit soll nicht völlig ausgeschlossen werden, in den paulinischen Briefen nach Anhaltspunkten für spätere Konkretisierungen zur Frage des kirchlichen Amtes zu suchen.- Zur Frage des priesterlichen Amtes und seiner Herleitung aus dem Neuen Testament s. die Kritik am Buch von Paul HOFFMANN, "Priesterkirche" (Düsseldorf 1987) durch Hermann-Josef LAUTER: "Priesterkirche"? : Pastoralblatt für die Diözesen Aachen, Berlin, Essen, Hildesheim, Köln, Osnabrück 39 (1987) 368-374, hier bes. 368f.

des Paulus"[165], als nach der Stellung des Paulus gegenüber seinen Gemeinden und nach seinem Selbstverständnis aufgrund seiner Beziehung zum Evangelium Gottes gefragt werden. Denn in diesem Evangelium offenbart sich für den Apostel Gottes Heilswille, und so erweist sich eben dieses Evangelium als Rettung "für jeden, der glaubt", für Juden und Heiden ohne Unterschied (Röm 1,16; vgl. 3,22).

Eine Beobachtung bei der Betrachtung des paulinischen Selbstverständnisses ist noch zu erwähnen.[166] In 1 Kor 12,4-13 kommt in der Liste der Gaben des Geistes in der Gemeinde der Priester oder priesterliches Tun explizit nicht vor. Offensichtlich gab es in der Gemeinde von Korinth (noch) nicht, was sich später erst als spezifische Aufgabe des Priester herausgebildet hat. So konnte und mußte in der Aufzählung der Geistesgaben der Priester und seine Aufgabe gar nicht genannt werden. Zur Zeit des Paulus entsprach sein Tun als Verkündiger des Evangeliums und die Art, wie er seinen apostolischen Auftrag am Evangelium durchführte, dem neuen eschatologischen Verständnis des Priesterseins in überbietender Kontinuität und so zugleich Diskontinuität zu alttestamentlichen Vorbildern.

2.4.3 Einzelauslegung der VV 17 - 21

Vers 17

Die Aussage in V 17 ist durch das einleitende Verbum in der 1. Person Singular (ἔχω) ähnlich pointiert herausgestellt wie in V 14a (πέπεισμαι). Wie dort hat er auch hier eine Aussage über sich selbst gemacht. In V 17 hat diese Aussage konsekutiven Charakter (οὖν) und rundet die Aussage des vorigen Verses ab. Dies belegt auch das Tempus (konstatierendes Präsens). Paulus kann sich in allem, was er tut, nur Gottes rühmen (vgl. Röm 4,2; 5,11; 1 Kor 1,31; 2 Kor 10,17; Gal 6,14; Phil 3,3). So wird V 16 von zwei Aussagen umrahmt, in denen Paulus ausdrücklich auf die seinem Handeln zugrundeliegende Beziehung zu Gott zu sprechen kommt: Zunächst führt er sein Tun auf die ihm von Gott gegebene Gnade zurück (15bβ) und hebt dann seinen Ruhm in Christus Jesus vor Gott[167] hervor. Das in V 16 geschilderte Handeln des Paulus als λειτουργὸς Χριστοῦ

---

[165] So der Titel eines Aufsatzes von K. KERTELGE.

[166] Vgl. dazu N. LOHFINK, Der Priester und die Gerechtigkeit in der Welt: GuL 54 (1981) 323-337, hier 332f.

[167] Das τὰ πρὸς τὸν θεόν ist hier wie Hebr 2,13 und 5,1 adverbial gebraucht (vgl. BDR § 160,1[1]).

Ἰησοῦ εἰς τὰ ἔθνη, der ein ἱερουργῶν τὸ εὐαγγέλιον τοῦ θεοῦ ist, erfährt so eine auffällige Qualifizierung, indem es ausdrücklich in Relation zu Gott gesetzt wird.

VV 18.19a

Die zuvor gemachte Aussage von V 17 wird in V 18 begründet (γάρ). Noch einmal betont Paulus, daß er nichts in seiner Verkündigung zu sagen[168] wage, was nicht Christus selbst durch ihn bewirkte[169], so daß es allein Christi Werk ist, wenn die Heiden zum Glaubensgehoram kommen. Im präpositionalen Ausdruck εἰς ὑπακοὴν ἐθνῶν drückt sich das Ziel des paulinischen Handelns aus. Die Übersetzung "um die Heiden zum Gehorsam zu führen" drückt schon aus, daß die Heiden das passivische Subjekt sind, an denen in der Verkündigung gehandelt wird. "In solchem Gehorsam werden die Völker Gott als wohlgefälliges Opfer dargebracht."[170] So ist der präpositionale Ausdruck εἰς ὑπακοὴν ἐθνῶν eine parallele und ergänzende Formulierung zu der schwierigen Aussage ἡ προσφορὰ τῶν ἐθνῶν. Dieses zum Gehorsam Kommen der Heiden ereignet sich in "Wort und Werk" des Apostels, begleitet von "Zeichen und Wundern", die ἐν δυνάμει πνεύματος geschehen, in der Kraft des Geistes (Gen. epexeg.)[171]. Eine Verkündigung mit der Kraft wunderbarer Machttaten

---

[168] Dazu SCHLIER, Röm 431: "Das λαλεῖν meint im Zusammenhang nichts anderes als das εὐαγγελίζεσθαι (V 20), das ἱερουργεῖν τὸ εὐαγγέλιον τοῦ θεοῦ (V 16), πληροῦν τὸ εὐαγγέλιον τοῦ Χριστοῦ (V 19) oder auch das ἀναγγέλλειν im Prophetenzitat (V 21)." Im Sinne von "verkündigen" steht λαλεῖν auch 1 Kor 3,1; 2 Kor 2,17; 4,13 (vgl. auch 1 Kor 2,6f.13; 1 Thess 2,2.4.16; Eph 6,20; Kol 4,3f; Hebr 1,1f; 2,3; 3,5). Anders KÄSEMANN 376, der wie LIETZMANN 120 , für λαλεῖν die Bedeutung "berichten" annimmt.

[169] ὧν οὐ κατειργάσατο ist nicht "eine kühne Attraktion", wie MICHEL 459 Anm. 19 behauptet. Vielmehr entspricht es klassischem Gebrauch, daß das Relativum das Demonstrativum einschließt und dann im Kasus dieses zu ergänzenden Demonstrativums steht (vgl. BDR § 294,4).

[170] SCHLIER, "Liturgie" 178; seine anschließende Deutung setzt sich in eine bestimmte Richtung fort: "Dieser durch das Andringen des Opfers Christi im Evangelium geschenkte und ergriffene Gehorsam ist der Opfermut des Opfers, das Gott wohlgefällig ist, weil es die Annahme seines Opfers darstellt." ("Liturgie" 179). Nach SCHLIER ist Paulus der Überzeugung, daß "die große priesterliche Endliturgie auf Erden begonnen" hat (ebd.).

[171] C. WOLFF, 2Kor 253, hebt hervor, daß Paulus nie formuliere "Ich habe . . . gewirkt"; er gebrauche das Passiv (wie in 2 Kor 12,12), da eigentlich aktiv dabei

gehört nach 2 Kor 12,12[172] zum apostolischen Wirken als dessen Kennzeichen und läßt nach 1 Thess 1,5 das Evangelium als machtvoll erscheinen. Zugleich weisen die "Zeichen und Wunder" als eschatologische Machttaten auf den eschatologischen Charakter des Evangeliums selbst hin[173].

V 19b

Mit ὥστε[174] in V 19b wird die Folge der Wirkung der göttlichen Kraft in der Mission des Apostels beschrieben.[175] Diese zeigt sich in den beiden Ortsangaben "von Jerusalem bis nach Illyrien". Paulus will die Grenzen seiner Missionstätigkeit[176] nennen, ohne damit geographisch zu beschrei-

---

Gott bzw. Christus gewesen ist (vgl. ebd.); auch in Röm 15,18f ist Subjekt der Wundertaten Christus selber, der durch Paulus wirkt (V 18bα).

172 In 2 Kor 12,12 findet sich ein ähnliches Wortfeld wie in Röm 15,18: τὰ μὲν σημεῖα τοῦ ἀποστόλου κατειργάσθη ἐν ὑμῖν ἐν πάσῃ ὑπομονῇ, σημείοις τε καὶ τέρασιν καὶ δυνάμεσιν. Offensichtlich nimmt Paulus in derartigen Äußerungen für sich in Anspruch, Wundertaten vollbracht zu haben, die für ihn Kennzeichen des Apostels sind. Ob und wie Paulus diese unterschiedlichen Ausdrücke für Wundertaten differenziert hat, ist kaum zu bestimmen. Die Mannigfaltigkeit der Formulierungen spricht für die Tatsache, daß Paulus solche Wundertaten gewirkt hat.

173 Vgl. zur Wendung "Zeichen und Wunder" C. WOLFF, 2Kor 252: Hier liege dtr. Terminologie vor. Man könne auf Grund des atl. Befundes vermuten, "daß das Urchristentum mit der Übernahme dieser Wendung den *eschatologischen* Charakter der in der Gemeinde anzutreffenden Wunder aussagen wollte"; gerade Röm 15,19 gebe "einen wichtigen paulinischen Verstehenshinweis" durch die Wendung ἐν δυνάμει πνεύματος, nämlich "daß es sich um Wirkungen des heiligen Geistes, der die eschatologische Heilsordnung prägt (2 Kor. 3,6.17f.), handelt" (ebd. 252).

174 Gewiß hat ὥστε hier konsekutiven Sinn, wie auch das Perfekt in πεπληρωκέναι zeigt. Interessant allerdings ist der Hinweis von D.F.D. MOULE, An Idiom Book of the New Testament Greek, Cambridge ²1975 (= 1959), 142-146, daß Finalsätze konsekutive Bedeutung und Konsekutivsätze finale Bedeutung haben können. Paulus hat nämlich auch das Evangelium Gottes verkündigt, damit es, als Zielangabe gedacht, in den beschriebenen Grenzen vollendet ist. Ein solcher finaler Nebensinn ist nicht auszuschließen.

175 Richtig I. KITZBERGER, Bau 60: "ὥστε V.19b bezieht sich auf VV. 18f. zurück und besagt: der gesamte Erfolg der paulinischen Missionstätigkeit konnte sich ereignen aufgrund der Wirksamkeit Christi in ihm, Paulus."

176 Vgl. CRANFIELD, Rom II 762; KÄSEMANN, Röm 377; LIETZMANN, Röm 121; MICHEL, Röm 460; SCHLIER, Röm 432. - Zu Illyrien siehe die Angaben bei MICHEL, Röm 460 Anm. 22.

ben, wo er selber Mission betrieben habe. Die Einschränkung von U. WILCKENS mag zutreffen, daß die Bezeichnung "äußerster Grenzpunkt" zwar für Illyrien, nicht aber für Jerusalem zutreffe, da mit dem Namen dieser Stadt der Ausgangspunkt der Ausbreitung des Evangeliums bezeichnet sei, das Paulus "bis nach Illyrien hin" durch den ganzen Bereich des Ostens hindurch "vollstreckt" hat.[177] Das κύκλῳ ist zum Adverb erstarrter lokativer Dativ und beschreibt den weiten Bogen zwischen den angegebenen Grenzen.[178]

Für πληροῦν gibt es zwei unterschiedliche Deutungen[179]. Eine Mehrheit der Exegeten versteht das Verb im Sinn von "vollauf ausführen", wie das Wort in Kol 1,25; Apg 12,25; 14,26; 19,21 im Kontext der missionarischen Wirksamkeit vorkommt[180]. Aufgabe des Apostels ist es demnach,

---

177 Vgl. WILCKENS, Röm III 119f; der Gegensatz, den er zu KÄSEMANN sehen möchte, ist allerdings nicht vorhanden, denn auch dieser (Röm 377) spricht von Jerusalem als dem "Ausgangsort des Evangeliums".- WILCKENS weist (120) zu den Ortsangaben auf Apg 1,8 hin, wo, unabhängig von Röm 15,19, die gleiche geographische Vorstellung anzutreffen ist; "Doch umfaßt der Blick dort mit dem 'äußersten Rand der Erde' (ἕως ἐσχάτου τῆς γῆς) die gesamte Ökumene von Ost bis West:" WILCKENS sieht die konkrete geographische Vorstellung universaler Mission in nachpaulinischer Zeit in verschiedenen Überlieferungsbereichen (auch Mt 28,19) bereits selbstverständlich zum Gemeingut urchristlicher Mission geworden und kommt im Anschluß daran zu der Frage, "wieweit sie zur Zeit von Röm 15 auf Paulus allein beschränkt war. Zwar nennt er in V 19b sich selbst (με) als das Subjekt des 'Vollstreckens'; doch nach V 18-19a liegt der Ton so stark auf der Wirksamkeit Christi und des Geistes, daß das logische Subjekt in V 19b eigentlich das Evangelium selbst ist." Doch dagegen gilt (vgl. oben 2.1): Ist dann nicht aber Christus selber handelndes Subjekt?

178 Vgl. BAUER-WB[5] 903; KÄSEMANN, Röm 377; MICHEL, Röm 460, der in Anm. 22 auf eben diese Art der Auslegung bei den griechischen Kommentatoren hinweist; H.-W. SCHMIDT, Röm 245. - Die Deutung der Kommentare von ALTHAUS, LIETZMANN und ZAHN zur Stelle, daß mit κύκλῳ ein von Jerusalem ausgehender Kreis beschrieben werde, ist wohl allgemein als überholt anzusehen.

179 Zum Verb πληροῦν s. Josef ERNST, Pleroma und Pleroma Christi. Geschichte und Deutung eines Begriffs der paulinischen Antilegomena (BU 5), Regensburg 1970; ERNST bietet zum Verb die Zusammenstellung zahlreicher Belege für die Bedeutungen des Wortes.

180 Vgl. Kol 1,25 (πληροῦν τὸν λόγον) und 2 Tim 4,17 (ὁ δὲ κυριός μοι παρέστη καὶ ἐνεδυνάμωσέν με, ἵνα δι' ἐμοῦ τὸ κήρυγμα πληροφορηθῇ καὶ ἀκούσωσιν πάντα τὰ ἔθνη).

"durch sein Wirken die Wirkung des Evangeliums zu 'vollstrecken'"[181]. Von wenigen anderen wird πληροῦν τὸ εὐαγγέλιον als Erfüllung des apostolischen Auftrages angesehen,[182] obwohl εὐαγγέλιον nirgendwo sonst den "Verkündigungsauftrag" bedeutet, sondern "die Verkündigung selbst als die Macht göttlichen Sprachgeschehens"[183]. Paulus beschreibt mit der Formulierung με . . . πεπληρωκέναι τὸ εὐαγγέλιον τοῦ Χριστοῦ das "völlige Durchführen" des Evangeliums, jenes Evangeliums nämlich, das er zu Beginn des Römerbriefes als "Gottes Kraft zum Heil für jeden, der glaubt" vorgestellt hat. Die Aussage in Röm 15,19b stellt eine syntaktisch-semantische Parallele zu 15,16aβ dar (vgl. oben Kap. 2.3), also zur Aussage ἱερουργοῦντα τὸ εὐαγγέλιον τοῦ θεοῦ. In den VV 16aβ und 19b wird jeweils eine Aussage über das Tun des Paulus am Evangelium gemacht. Paulus verkündet das Evangelium Gottes, um den Heiden die sich im Evangelium selbst gerade für sie realisierende Nähe und Gegenwart Gottes zuzusagen. Die Aussage von V 19b könnte in paraphrasierter Form lauten: Paulus hat das Evangelium Gottes im Raum von Jerusalem bis ringsum nach Illyrien zur vollen Wirksamkeit gebracht.[184] In diesen beiden Ortsangaben schwingt zugleich das "Erfüllen eines Raumes" mit. Möglicherweise zu Recht weisen einige Kommentare auf die eschatologische Konzeption von Mk 13,10 als Horizont der Aussage von

---

[181] Vgl. WILCKENS, Röm III 119, Zitat ebd.; dort Verweis auf G. FRIEDRICH, Art. εὐαγγελίζομαι κτλ., in: ThWNT II 705-735, 729; STUHLMACHER, Erwägungen 430 Anm. 15; SCHLIER, Röm 432; KÄSEMANN, Röm 377. - Vgl. zuletzt auch STUHLMACHER, Röm 210: "Paulus hat den ihm in Gottes endzeitlichen Heilsplan mit der Welt zuerkannten Auftrag, das Evangelium Gottes zur vollen Entfaltung zu bringen (vgl. Kol 1,25), wahrgenommen . . . "; auch CRANFIELD, Rom II 762; DUNN, Rom II 863, schließt sich hier zunächst an, läßt aber die Meinung ("Erfüllung des apostolischen Auftrages") als bessere Möglichkeit gelten.

[182] Vgl. G. DELLING, Art. πλήρης κτλ., in: ThWNT VI 283-309, hier 296/2ff; zuletzt ZELLER, Juden und Heiden 68 Anm. 127; ZELLER wendet sich zugleich gegen andere Deutungsversuche.

[183] WILCKENS, Röm III 119 Anm. 581.

[184] Vgl. die treffende Aussage von KÄSEMANN, Röm 377: "Indem die Welt vom Evangelium durchdrungen wird, gelangt dieses selbst zur Vollendung. Es gehört zu seinem Wesen, daß es nicht bloß verkündet wird, sondern der Herrschaft Christi irdischen Geltungsbereich verschafft."

Röm 15,19b hin.[185] Paulus wirkt seine Verkündigung in Gottes heilsgeschichtlichem Plan mit Juden und Heiden, um "die von Gott vorherbestimmte 'Vollzahl der Heiden' noch vor der Erlösung ganz Israels der endzeitlichen Heilsgemeinde zuzuführen (vgl. Röm 11,25)"[186].

VV 20.21

Mit adversativem δέ angeschlossen folgt in V 20 eine Einschränkung, da οὕτως sich auf die VV 18-19b zurückbezieht[187]. Φιλοτιμεῖσθαι ("seine Ehre darin suchen"[188]) ist im NT nur von Paulus verwendet, außer hier noch 2 Kor 5,9 und 1 Thess 4,11. Funktional gesehen bezweckt Paulus mit V 20, "der römischen Gemeinde ihre Selbständigkeit zuzugestehen, anzuerkennen, daß sie bereits Gemeinde ist, in der Christus bekannt ist, und nicht erst durch sein Kommen wird"[189]. In gewisser Weise verstärkt diese Formulierung des Paulus die zu Beginn des Abschnitts Röm 15,14-21 geäußerte captatio benevolentiae (V 14). Diese Aussage und der abschließende ἵνα - Satz sind bewußt klar formuliert, "damit ein für allemal klargestellt ist, daß Paulus sich in Rom selbstverständlich seiner *Gast*rolle bewußt ist"[190].

---

185 Vgl. WILCKENS, Röm III 119 mit Anm. 582; er schließt sich KÄSEMANN, Röm 377, und CRANFIELD, Rom II 762 an. - Zu Mk 13,10 als Horizont von Röm 15,19b vgl. J. MUNCK, Paulus und die Heilsgeschichte, 1954 (AJut XXVI,1 T 6), 48-55.301.

186 STUHLMACHER, Röm 210. - Vgl. den Hinweis von MERKLEIN, Begriff 289, daß das Motiv der Völkerwallfahrt von Paulus umakzentuiert werde, damit "die *Bekehrung der Heiden Israel* 'reizen' soll" (Hervorhebungen von MERKLEIN).

187 Vgl. WILCKENS, Röm III 120 Anm. 589.- Anders B. WEISS z. Stelle, der οὕτως als "vorausweisend" ansieht; KÄSEMANN, Röm 377, hebt das Eigengewicht des Partizips hervor, auf das sich οὕτως δέ beziehen würde.- Michel, Röm 460 Anm. 24; SCHLIER, Röm 433 und Zahn, Röm 600 Anm. 34 beziehen das οὕτως auf den folgenden Infinitiv εὐαγγελίζεσθαι.

188 So auch die meisten Kommentare. Anders sieht das Wort ZELLER, Juden und Heiden 69 (im Anschluß an LAGRANGE); er versteht das Partizip als "es ist Ehrensache", was zeige, daß Paulus den Stil des "Sich-Rühmens" beibehalte; ebenso MICHEL, Röm 460 Anm. 24.

189 KITZBERGER, Bau 60; Unterstreichung durch die Verfasserin.

190 WILCKENS, Röm III 121.

Paulus will das Evangelium nur dort verkündigen, wo der Name "Christus" noch nicht genannt ist, also noch nicht verkündet worden ist.[191] Sein Ziel ist es, mit seiner Evangeliumsverkündigung Grund für die ἐκκλησία zu legen und diesen aufzubauen, nicht aber nachträglich durch sein Wort zu ermahnen und so auf fremdem Grund weiterzubauen.[192]

In unserem Abschnitt Röm 15,14-21 gibt es verschiedene Arten, die Verkündigung des Evangeliums auszusagen, die im folgenden einander gegenübergestellt werden sollen:

[με λειτουργὸν Χριστοῦ Ἰησοῦ εἰς τὰ ἔθνη]		V 16aα
	ἱερουργοῦντα τὸ εὐαγγέλιον τοῦ θεοῦ	V 16aβ
ὥστε με . . .	πεπληρωκέναι τὸ εὐαγγέλιον τοῦ Χριστοῦ	V 19b
οὐ γὰρ τολμήσω	τι λαλεῖν . . .	V 18aα-aβ
οὕτως δὲ φιλοτιμούμενον	εὐαγγελίζεσθαι οὐχ	V 20a
ἵνα μὴ ἐπ' ἀλλότριον θεμέλιον	οἰκοδομῶ	V 20c
οἷς οὐκ	ἀνηγγέλη περὶ αὐτοῦ	V 21b

In den meisten Aussagen zur Evangeliumsverkündigung (in V 16aβ 19b; 18aβ; 20a; 20c) werden die entsprechenden Verben von der 1. Person Singular regiert, also dem Zusammenhang nach vom Sprechenden, von Paulus. Nur V 21b mit dem Deuterojesaja-Zitat ist passivisch formuliert. Aus dem Kontext des Abschnitts wird deutlich, daß in allen Verkündigungsaussagen nicht Paulus selbst der eigentlich Handelnde ist, sondern aufgrund der ihm von Gott gegebenen Gnade, die ihn zum Diener Christi Jesu machte, dieser selbst es ist, der in ihm wirkt. Auch die passivischen Formulierungen des Textes, vor allem ἡγιασμένη (V 16), deuten als Um-

---

[191] So auch richtig SCHLIER, Röm 433 zur Stelle: ". . . noch nicht genannt, d.h. durch Proklamation bekannt ist".- Ähnlich MICHEL, Röm 461; WILCKENS, Röm III 120f. - KÄSEMANN, Röm 377, vermutet: "Die feierliche Wendung 'Christus mit seinem Namen zu nennen' meint, den Kyrios zu proklamieren, und könnte der Missionssprache entstammen."

[192] KITZBERGER, Bau a.a.O. 60-63, gliedert V 20 zwar richtig, kommt aber zu dem auch im Kontext von Röm 15,14-21 unpassenden Ergebnis, daß mit οἰκοδομεῖν hier das Verkündigen des Evangeliums gemeint sei, "und zwar im Sinne der Erstverkündigung, des θεμέλιον τιθέναι (vgl. 1 Kor 3,10)" (a.a.O. 62); vgl. zu οἰκοδομεῖν in Röm 15,20 VIELHAUER, Oikodome 82f.

schreibungen des göttlichen Handelns Paulus als Werkzeug Christi bzw. Gottes[193]; auch im Wort λειτουργός ist der Aspekt enthalten, daß Gott der Wirkende ist.

Den Abschluß des Abschnitts Röm 15,14-21 bildet das Schriftzitat aus Jes 52,15, das eingeleitet wird mit den Worten ἀλλὰ καθὼς γέγραπται, einer typischen Formulierung in den Briefen des Paulus, um alttestamentliche Zitate einzuleiten[194]. Das hier in V 21 vorliegende Jesaja-Zitat ist wörtlich ohne Abänderung der LXX entnommen[195], wo es bereits, anders als es der MT tut, auf die Heiden bezogen ist.

Von den Kommentatoren wird der Sinn des Deuterojesaja-Zitates unterschiedlich gedeutet. Für SCHLIER hat in den Augen des Paulus "die große priesterliche Endliturgie auf Erden begonnen"[196]. Das Gewicht des prophetischen Schriftwortes liege für Paulus einzig und allein in der Aussage, daß sich durch seine apostolische Verkündigung die Verheißung für die Heiden erfüllt habe. Jetzt sei die eschatologische Stunde hereingebrochen, in der die "sehen" sollen, denen bisher nichts über Christus verkündigt worden ist, und die verstehen sollen, die nicht gehört haben. Paulus nehme ihre Verheißung für sich "als Weisung" an und sei "ihr

---

193 Vgl. VIELHAUER, a.a.O. 3: "Christologischen Charakter trägt die Tätigkeit des Apostels vor allem insofern, als Christus der eigentlich Handelnde im apostolischen Wirken ist (Röm 15,18f.!)."- Der Terminus εὐαγγέλιον ist gerade in diesem Abschnitt durch die Genitive τοῦ θεοῦ bzw. τοῦ Χριστοῦ ergänzt (s. dazu die Ausführungen zur Semantik oben Pkt. 2.2.2 und unten unter Pkt. 3.1 die zu Röm 1,1).

194 Vgl. dazu D.-A. KOCH, Schrift 25f: allein 29mal bei Paulus der Gebrauch von γέγραπται ausgesprochen formelhaft; καθὼς γέγραπται in Röm 1,17; 2,24 (nachgestellt); 3,4; 9,13.33; 10,15; 11,8,26; 15,9; 2 Kor 8,15; 9,9; καθὼς γέγραπται ὅτι: Röm 3,10; 4,17; 8,36; ἀλλὰ καθὼς γέγραπται: Röm 15,3.21; 1 Kor 2,9; ἵνα καθὼς γέγραπται: 1 Kor 1,31.- Durch diese Einleitung werden die nachfolgenden Schriftzitate häufig bereits als Abschluß einer Gedankenfolge eingeführt.

195 Vgl. D.-A. KOCH, a.a.O. 102: Röm 15,21 gehöre zu den 29 von insgesamt 90 verschiedenen Schrifttexten, die Paulus in seinen Briefen zitiere, die mit dem überlieferten Wortlaut der LXX in seiner ältesten erreichbaren Gestalt übereinstimmen.

196 SCHLIER, "Liturgie" 179.

Werkzeug".[197] WILCKENS deutet das Zitat nicht eschatologisch, sondern sieht es im Duktus der Argumentation von V 20 für Paulus als passend an, da dieser nämlich nicht auf "fremdem", also von anderen Verkündigern bereits gelegtem (vgl. 2 Kor 10,15f) Fundament bauen will (ἵνα).[198] - Nach MICHEL ist Jes 52,15 ursprünglich ein Verheißungswort, das auf die Botschaft vom Gottesknecht bezogen ist, "und das Paulus zur Norm seines Amtes macht; in seiner Mission sieht er die Erfüllung dieser Verheißung"[199].

In den Kommentaren ist die Frage nach dem Kontext des Deuterojesaja-Zitates nur en passant behandelt. Um das Zitat in seiner Bedeutung an dieser Stelle zu verstehen, darf es nicht für sich isoliert betrachtet werden[200]. Daher soll versucht werden, den Horizont von Jes 52,15bα.bβ zu betrachten, auf dem eine solche Formulierung und das gesamte vierte Lied vom Gottesknecht entstehen konnte.

EXKURS 2: Jes 52,15 in Röm 15,21

Die heilsgeschichtliche Verankerung von Jes 52,15 ist zu beachten: Erst mit der Aufrichtung der Stiftshütte am Sinai wird nach der Priesterschrift Sühne möglich.[201] Nachdem der Abrahamsbund unter Mose erfüllt und Jahwe für Israel zum Gott geworden ist (Ex 29,43-46), wird die Abkehr des Menschen von Gott in der Sünde und zugleich seine entschiedene Hinwendung zu Gott in der Sühne möglich. Diese Umdeutung des kultischen Handelns nimmt ihren Ausgang bei den Priestern im Exil, die,

---

197 SCHLIER, Röm 433.- Ähnlich KÄSEMANN, Röm 378: "Wohl erfüllt sich aber die eschatologische Verheißung in der gegenwärtigen Proklamation des Evangeliums (NABABAN, Bekenntnis 133) . . . Einzig apokalyptisches Selbstverständnis kann die Richtschnur des eigenen Verhaltens derart in der Schrift vorgezeichnet finden, daß deren Weissagung sich an den Apostel persönlich richtet und ihn zu ihrem Vollstrecker, also zum prädestinierten Instrument der Heilsgeschichte macht."

198 Vgl. WILCKENS, Röm III 121; vgl. die Ausführungen zu V 20. Ähnlich wie WILCKENS bereits KÄSEMANN, Röm 378.

199 MICHEL, Röm 461, im Anschluß an NABABAN, Bekenntnis 133.

200 Auch an anderen Stellen der Briefe des Paulus "zeigt sich ein deutlicher Zusammenhang zwischen dem Kontext von Zitaten und dem Gedankengang des Apostels" (G. SASS, Noch einmal 50 Anm. 75a; mit Hinweis auf R.B. HAYS, Echoes); vgl. zuletzt auch O. HOFIUS, Gottesknechtslied 425.- Zur gegensätzlichen Position von D.-A. KOCH, Schrift, s. Anm. 213.

201 Vgl. zum folgenden: K. KOCH, Sühne und Sündenvergebung, bes. 233ff; JANOWSKI, "Ich will in eurer Mitte wohnen".

"arbeitslos geworden", sich gedanklichen Aufgaben und grundsätzlicher Besinnung zuwenden. Nur so ist der Umbruch auf der ganzen Linie, von der Priesterschrift über den Verfassungsentwurf bei Ezechiel bis hin zu den nachexilischen Propheten zu erklären.

Hier ist auf die sogenannte "Schekina-Theologie" hinzuweisen, die in vorexilischer Zeit immer Tempeltheologie gewesen ist.[202] "Als Stätte der kultisch repräsentierten Gottesgegenwart ist der Tempel - so die Grundkonzeption der Jerusalemer Kulttradition - der Ort, an dem himmlischer und irdischer Bereich ineinander übergehen und die Kultordnung mit ihrer komplexen Symbolik in Relation zum Weltganzen steht. . . . Auch in den exilischen Belegen Ez 43,7-9 - 'siehe, den Ort meines Thrones und den Ort meiner Fußsohlen . . .' (V 7aβ) - und 1 Kön 6,11-13 - 'Was dieses (Tempel-) Haus betrifft . . . ' (V 11aα) - ist der Heiligtumsbezug unübersehbar und für das Verständnis konstitutiv: Als 'Gott in der Mitte seines Volkes' wohnt Jahwe am erwählten Ort seines (zukünftigen) Heiligtums in Israel."[203] Aufgrund der Ereignisse von 587 v.Chr. konnte die Jerusalemer Tempeltheologie allerdings nicht ungebrochen weitertradiert werden. Die Schekina-Theologie, die in vorexilischer Zeit auf das Heiligtum auf dem Gottesberg Zion bezogen war (Jes 8,18; vgl. Ps 74,2, und aus nachexilischer Zeit Joel 4,17.21; Ps 135,21), wurde modifiziert. Dies zeigte sich "einmal in dem kritischen Abstand zu einer allzu konkreten Vorstellung von der Gegenwart Gottes im irdischen Heiligtum, wie sie etwa der alte Tempelweihspruch 1 Kön 8,12f MT mit der Qualifizierung des Tempels als 'Stätte der ständigen Anwesenheit Gottes' tradierte; und dann - damit zusammenhängend - in dem steigenden Interesse am Volk Israel, wie es sich in der Vorstellung vom Wohnen Jahwes 'inmitten der Israeliten' bekundet (Ez 43,7.9; Ex 25,8; 29,45 P^g; 1 Kön 6,13 DtrN, vgl. Jes 33,5 [spätexilisch]; Ps 78,60 [dtr])."[204]

Seit der Exilszeit kommt es somit verstärkt zu einer Übertragung des in vorexilischer Zeit dem Gottesberg Zion und seinem Tempel zugesagten Heils auf das Volk Israel; anders ausgedrückt: Die Schekina-Theologie erhält jetzt eine nationale, auf die Restitution Israels als Gottesvolk bezogene, geradezu ekklesiologische Komponente. Dieser explizite Israel-Bezug sei "das Novum der exilischen Schekina-Theologie". Sowohl Ezechiel als auch der spätdeuteronomistische Redaktor von 1 Kön 6 haben ihre Schekina-Theologie angesichts des in Trümmern liegenden ersten Tempels formuliert. In diese Linie ist auch Deuterojesaja einzuordnen: Die von Paulus wiedergegebenen Worte stehen innerhalb von Deuterojesaja zu Beginn des vierten Liedes vom Gottesknecht (Jes 52,13 - 53,12)[205] und sagen aus, "daß das Leiden und die Erhöhung des Knechtes vor Völker und Könige kommen und sie in Erstaunen versetzen wird"[206].

---

202 Vgl. hierzu und zum folgenden JANOWSKI, a.a.o.; hier 189.

203 Ebd. 189.

204 Vgl. JANOWSKI, a.a.O. 189f; Zitat ebd.

205 Zu Jes 52,13 - 53,12 s. vor allem Herbert HAAG, Der Gottesknecht bei Deuterojesaja (Erträge der Forschung 233), Darmstadt 1985, bes. 188-195; Literatur aus jüngerer Zeit u.a.: Odil Hannes STECK, Aspekte des Gottesknechtes in Jes 52,13-53,12: ZAW 97 (1985), 36-58; H.-J. HERMISSON, Deuterojesaja-Probleme. Ein kritischer Literaturbericht: VuF 31 (1986) 53-84; R. SYRÉN, Targum Isaiah 52:13-53:12 and Christian Interpretation: JJS 40 (1989) 210-212; K. KIESOW, Die Gottesknechtslieder - Israels Auftrag für die Menschheit: BiLi 63 (1990) 156-159; J. MARBÖCK, Exodus zum Zion. Zum Glaubensweg der Ge-

In diesem letzten der Gottesknechtslieder schildert Deuterojesaja, so Klaus KOCH, "einen gewaltigen *eschatologischen Sühneritus*, der nicht nur Israel, sondern die Vielen und also die Völker (Jes 52,15) betrifft"[207]. In Form der Weissagung ist Völkern und Königen in Aussicht gestellt, daß sie das messianische Heil Israels schauen werden. Mit dieser Aussage von K. KOCH ist ein wichtiges Problem im Zusammenhang des vierten Gottesknechtsliedes und damit für den von Paulus zitierten Vers benannt. Die von KOCH gemachte Feststellung, daß in Jes 53 ein Sühnegeschehen geschildert werde, ist in der Exegese umstritten und soll hier nicht eingehender erörtert werden.[208]

---

meinde nach einigen Texten des Jesajabuches, in: J. ZMIJEWSKI (Hg.), Die alttestamentliche Botschaft als Wegweisung (FS H. REINELT), Stuttgart 1990, 163-179; F. MATHEUS, Singt dem Herrn ein neues Lied. Die Hymnen Deuterojesajas (SBS 141), Stuttgart 1990; Bernard GOSSE, Isaïe 52,13 - 53,12 et Isaïe 6: RB 98 (1991) 537-543.

206 C. WESTERMANN, Prophetenzitate.- Vgl. H.W. WOLFF, Jes 53 im Urchristentum, Gießen ^{4}1984, bes. 93ff; dort heißt es (93): "Nicht nur scheint sich Paulus überhaupt von Deuterojesaja leiten zu lassen (. . .), sondern vermutlich hat er eben dies Wort [hier: Jes 53,1 in Röm 10,16] in diesem Zusammenhang gebracht, weil er Christus in Jes. 53 'gepredigt' fand . . .". Und ein wenig weiter fragt WOLFF (mit Bezug auf Otto MICHEL, Paulus und seine Bibel, Gütersloh 1929, 8, 126, 129): "Daß Deuterojesaja im allgemeinen zu den von ihm [sc. Paulus] bevorzugten Büchern gehört, ist bekannt. Sollte nur die vielfache Beziehung zur Heidenmission ihn daran gefesselt haben, und nicht auch der Inhalt von Jes. 53?"- Zur gegensätzlichen Position von D.-A. KOCH, Schrift 234, s. dazu Anm. 213.

207 K. KOCH, Sühne 235; Hervorhebung von KOCH.- Paulus zitiert mit Vorliebe Deuterojesaja, vgl: Jes 49,1 in Gal 1,15; Jes 49,4 in Phil 2,16; Jes 50,8 in Röm 8,33; Jes 53,5.6 in Röm 4,25 u. Gal 3,13; Jes 53,7 in 2 Kor 5,21; Jes 53,11 in Röm 3,26. Vgl. dazu auch H. W. WOLFF, a.a.O. 93-99.

208 Entscheidend für diese Frage ist wesentlich das Verständnis des Terminus אשם ("Schuldopfer"), nämlich ob אשם, als welches der Gottesknecht sein Leben hingibt, direkt oder indirekt auf einen kultischen Hintergrund verweist oder nicht. Eine Mehrzahl der Exegeten plädiert für kultischen Hintergrund. - Zur Frage, ob in diesem vierten Gottesknechtslied der Ebed durch Leiden und Tod für die Sünden der Mitmenschen (Juden oder Heiden) Sühne leistet, gibt H. HAAG (a.a.O. 191, Zitat ebd.) die Literatur bis 1979 wieder.- Für kultischen Hintergrund plädieren u.a. Josef SCHARBERT, Stellvertretendes Sühneleiden in der Ebed-Jahwe-Liedern und in altorientalischen Ritualtexten: BZ 2 (1958) 190-213, hier 210-213; Walther ZIMMERLI, Zur Vorgeschichte von Jes 53, in: ders., Studien zur alttestamentlichen Prophetie. Gesammelte Aufsätze II (= ThB 51), München 1974, 213-221, hier 217; Rolf RENDTORFF, Studien zur Geschichte des Opfers im Alten Israel (WMANT 24), Neukirchen-Vluyn 1967, 207-212; K. KOCH, a.a.O. 235; vgl. Diether KELLERMANN, Art. אשם, in: ThWAT I (1973) 463-472, hier 470.- Dagegen skeptisch: Odil Hannes STECK, a.a.O., 53; Cilliers BREYTENBACH, Versöhnung. Eine Studie zur paulinischen Soteriologie (WMANT 60), Neukirchen-Vluyn 1989, 212, führt als Beleg gegen einen kultischen Bezug den LXX-Text an, in dem "sich die Wendung (53,10) nicht mehr auf den Gottesknecht" beziehe; vgl. dazu H. MERKLEIN, Gericht und Heil. Zur heilsamen Funktion des Gerichts bei Johannes dem Täufer, Jesus und Paulus:

Unabhängig von der Klärung dieses Problems ist es allerdings für unseren Text Röm 15,14-21 sehr gut denkbar, daß Paulus mit der Zitation von Jes 52,15 in Röm 15,21 einen kultischen Bezug des zitierten Textes bewußt herausstellen wollte. Da sich Röm 15,16 als Schlüsselvers des Abschnitts 15,14-21 erwiesen hatte[209], hat die eindeutig kultische Konnotation der Terminologie von V 16 Folgerungen für die Einordnung des Kontextes.

Vorchristliche Deutungen von Jes 52,14 finden sich im äthiopischen Henochbuch: Hen 46,4-5 bezieht die Vielen aus Jes 52,15a auf die Könige, Mächtigen, Starken und Sünder, Hen 48,8 auf "die Könige der Erde und die Starken, die das Festland besitzen" (ähnlich 55,4, 62,1.3.6.9; 63,1-11); hier ist also sicher bei den Vielen an die Heiden gedacht.[210] Unabhängig davon, ob Jes 52,15 selbst als Drohung oder als Verheißung gedacht ist, ist diese Ankündigung im Frühjudentum als Gerichtsansage an die Völker gedeutet worden.[211] Die spätere jüdische Deutung sieht die Gestalt des vierten Gottesknechtsliedes durchgehend als Messias, nun aber ohne alle Aussagen vom Leiden des Gottesknechtes. Daneben wird noch auf vielerlei Weise auf das Volk Bezug genommen, so daß Joachim JEREMIAS zu dem bemerkenswerten Ergebnis kommt: "Schritt für Schritt wird TgJes 52,13-53,12 die glanzvolle Aufrichtung der messianischen Herrschaft über Israel geschildert."[212]

So ist nicht auszuschließen, daß Paulus das Zitat in seinem Text so angeführt hat, wie es in seinem alttestamentlichen Zusammenhang in der LXX gemeint ist, nämlich bezogen auf die Heiden, und es für sich im Blick auf

JBTh 5 (1990) 71-92, hier 87 Anm. 51.- Zuletzt ebenfalls ablehnend O. HOFIUS, Gottesknechtslied 417.

209 Vgl. oben die Textanalyse.

210 Vgl. J. JEREMIAS, Die Abendmahlsworte Jesu, Göttingen [4]1967, 220.

211 Man sah in Jes 52,15 "den letzten Kampf Israels mit den Völkern, den Sieg Israels durch seinen Messias und das Gericht des Messias über die Völker" so W. GRIMM, Die Verkündigung Jesu und Deuterojesaja (ANT 1), Frankfurt [2]1981, 119; GRIMM verweist auf TgJes 52,13-15 (vgl. auch Hen 62,1-4).- Zu TgJes 52,13-15 s. J. JEREMIAS, Art. παῖς θεοῦ, in: ThWNT V, 653-713, hier 690f.691 Anm. 290.: Auch wenn das Alter der heute vorliegenden Fassung wohl nicht älter als das 5.Jhd. n.Chr. sein dürfte, dürfe angenommen werden, daß die Geschichte der mündlichen Übersetzungstradition, deren Ergebnis Tg darstellt, bis in die vorchristliche Zeit zurückgehe; zum TgJes 52,13-53,12 zuletzt R. SRÉN, a.a.O.. - GRIMM vermutet weiter (a.a.O. 120 Anm. 262; auch 194f), daß in der Exegese von Jes 52,13ff im Frühjudentum (so in Lk 10,23f), die Abrahamsverheißung von Gen 17,5f.16 eine Rolle gespielt hat. Für Paulus läßt dies zwar keine hinreichenden Schlüsse zu, ist aber dennoch als Möglichkeit auch für ihn nicht außer acht zu lassen.

212 J. JEREMIAS, Art. παῖς θεοῦ, in: ThWNT V 653-713, [= neubearbeitet und veröffentlicht: ders., παῖς (θεοῦ) im Neuen Testament, in: ders., **ABBA**, Studien zur neutestamentlichen Theologie und Zeitgeschichte, Göttingen 1966, 191-216] hier 693; s. auch M. SAEBO, Vom Individuellen zum Kollektiven. Zur Frage einiger innerbiblischer Interpretationen, in: R. ALBERTZ u.a. (Hgg.), Schöpfung und Befreiung (FS C. WESTERMANN), Stuttgart 1989, 116-125, hier 120.

Fragen seines missionarischen Einsatzes hin fruchtbar gemacht hat. Für die Zitation im Kontext von Röm 15,14-21 wird es Paulus willkommen gewesen sein, daß Jes 52,15 nicht nur von den ἔθνη spricht, sondern auch am Beginn des vierten Liedes vom Gottesknecht steht, eines Abschnittes, in dem ein kultisches Bild, das angesprochene "Sühnegeschehen", auf diese Heiden bezogen ist. Vielleicht ruft Paulus also mit der Zitation von Jes 52,15c.d auch den entsprechenden Zusammenhang in Erinnerung, in dem dieser Vers steht.[213] Das Schwergewicht liegt für Paulus bei dem zitierten Vers nicht auf der gegebenen christologischen Deutung (περὶ αὐτοῦ), sondern auf der Besonderheit seiner missionarischen Aufgabe, die er in dieser Deuterojesaja-Stelle vorgezeichnet findet.[214] Dennoch ist die Christologie für Paulus auch bei der Aufnahme von Jes 52,15c.d in Röm 15,21 implizit angesprochen. Die paulinische Christologie ist nicht so sehr ein eigenes Thema neben anderen, ebenfalls wichtigen Sachfragen, sondern sie ist in allen anderen Themen "als Grundlage und Regulativ wirksam und entfaltet sich für Paulus im Durchdenken dieser Sachbereiche".[215]

Jes 52,15c.d bot sich demnach für Paulus als abschließendes Zitat für die Thematik des Abschnitts Röm 15,14-21 aus zwei Gründen an: (1) Für ihn ist der Kontext von Jes 52,15 interessant gewesen, daß nämlich das Heil Gottes vor den Augen *aller* Völker enthüllt werde und *alle* Enden der Erde das Heil Gottes schauen (Jes 52,7-10). (2) Dieses eschatologische Schriftwort konnte als Ankündigung des schon geschehenen christologi-

---

[213] Anders urteilt hier D.-A. KOCH, a.a.O. 234: "Voraussetzung für die Verwendung dieses Zitats ist lediglich das Verfahren als solches, Schriftstellen isolierend heranzuziehen und dabei personale Aussagen (messianische oder auch direkt auf Gott bezogene), soweit sie dazu geeignet waren, auf Christus zu beziehen." KOCH sieht in der christologischen Verwendung von Jes 53,15c.d in Röm 15,21 "keinen Hinweis auf eine besondere, bereits traditionelle Rolle dieses Textes. Ein Bezug auf die Passion oder gar den Sühnetod Christi liegt völlig fern. Auch gibt es keine Anzeichen, daß Paulus ein derartiges Verständnis dieses Textes bereits voraussetzt."

[214] Vgl. J. JEREMIAS, a.a.O. 203, s. auch 200.

[215] Vgl. D.-A. KOCH, a.a.O. 285-288, Zitat 287; er behandelt allerdings die Stelle Röm 15,21 unter dem Thema "Christologie" und sieht Röm 15,21 als Beispiel für Schriftzitate an, "deren Verwendung eine christologische Interpretation als selbstverständlich impliziert" (287).

schen Heilsereignisses auf die Gegenwart bezogen werden, um die sich aktuell vollziehende Berufung der Gemeinde gerade auch ἐξ ἐθνῶν in der Schrift angekündigt zu finden.[216]

Von W. ZIMMERLI stammt eine Aussage, die auf die Katastrophe von 587 bezogen ist, und die vielleicht auch für Paulus Gültigkeit haben könnte: "Zeiten radikalen Zusammenbruchs können für den, der sie zu überstehen vermag, Zeiten neuer Möglichkeiten werden."[217] Man darf fragen, ob Paulus nicht in einer ähnlichen "kultischen Umbruchphase" steht, wie es die Zeit eines Deuterojesaja gewesen ist. Der visionäre Ausblick des Deuterojesaja auf "die Vielen und die Völker" hat sich für Paulus in Christus erfüllt. Es gilt nun, diese Botschaft, im Evangelium gegenwärtig, allen Völkern zu bringen und ihren Gehorsam zu erwirken. Die kultische Terminologie konnte für Paulus nur deshalb in Beziehung zum Evangelium gesetzt werden, weil das Anliegen des Kultes in Christus zur Erfüllung gekommen ist. Alle Völker haben nun "durch ihn Zugang zu der Gnade, in der wir stehen" (Röm 5,2).

2.5 Zusammenfassende Beobachtungen zu Kapitel 2

Bei der Untersuchung des Abschnitts Röm 15,14-21, hier besonders Röm 15,15f, haben wir festgestellt, daß mehrere Faktoren bei der Verwendung der kultischen Terminologie zur Deutung eines ekklesiologischen Sachverhalts für Paulus wichtig sind:

(1) "Kult" war und ist für Paulus nicht etwas Negatives, sondern das, was mit dem Kult zusammengehangen hat und zusammenhängt, ist für ihn positiv besetzt, wie die Verwendung der kultischen Kategorien in seinen

---

[216] Vgl. zum dritten Punkt bei D.-A. KOCH, a.a.O. 316. Für ihn (a.a.O. 299f) zeigt sich die Schriftverwendung durch Paulus dort besonders dicht, "wo er sich theologisch in direktem Widerspruch zur bisherigen (und d.h. im wesentlichen: jüdischen) Schriftauslegung begibt und dieser seine eigene Schriftauslegung entgegenstellt. Dies tritt in besonderer Weise für die Themenbereiche des Gesetzes und der Erwählung Israels zu, denen für Paulus die der δικαιοσύνη θεοῦ und der Berufung der Gemeinde aus Juden und Heiden komplementär zugeordnet sind."

[217] Walther ZIMMERLI, Planungen für den Wiederaufbau nach der Katastrophe von 587, in: ders., Studien zur alttestamentlichen Theologie und Prophetie. Gesammelte Aufsätze (TB 51), München 1974, 165-191, hier 165.

Briefen fraglos bezeugt. Besonders in Röm 15,15f, wo kultische Kategorien auf das Evangelium bezogen sind, wird dies deutlich. Die positive Intention, die im Sinne des Paulus der Kult für Israel hatte, ist in Christus zur Erfüllung gekommen, nämlich Zugang zu Gott[218] und ein "Leben in Gottes Gegenwart"[219] zu ermöglichen. Wo sich diese Gegenwart Gottes "ereignet", kommt der Gemeinde "Heiligkeit" zu, wie auch der Sabbat und in der Heiligung dieses Tages Israel selber geheiligt[220] ist (s.o. zu ἁγιάζειν). In den Augen des Paulus besitzt die christliche Gemeinde Heiligkeit, wie Israel Heiligkeit besitzt, weil es Gott gehört; die christliche Gemeinde ist in diesem Sinne das neue Israel, weil Gott in ihr wohnt.

(2) Die Verwendung der kultischen Termini drückt für Paulus in eindeutiger Weise die *Gottesgemeinschaft der Heiden* aus, denen seine Evangeliumsverkündigung in besonderer Weise gilt. Begegnung und Gemeinschaft mit Gott bedeutet Teilhabe an der Heiligkeit. Diese Heiligkeit ist in der dem Kult entlehnten Terminologie ausgesagt. Die Heiden standen bisher aufgrund ihrer kultischen Unreinheit und der kultischen Grenzziehung

---

218 Vgl. Y. CONGAR, Mysterium 65-83, hier 82: Man hält "den Zugang zu dem wahren Gott nur im Rahmen des Kultes Israels für möglich".

219 Vgl. Matthias KÖCKERT, Leben 60: "Der Kult verbürgt aller Versündigung Israels zum Trotz Gottes gnädige Zuwendung; seine Gesetze sind deshalb nicht schwere Forderung und untragbare Last, sondern Gottes Gabe für Sünder, um in der Gegenwart Gottes leben zu können."- Auch: G. BRAULIK, Spuren einer Neubearbeitung des deuteronomistischen Geschichtswerkes in 1 Kön 8,52-53.59-60: Bib. 52 (1971) 20-33, hier 32f: "Israel zeichnet sich aus durch seine Weisheit und seine Gottesnähe. Die Weisheit besaß es in seinem König Salomo, die Gottesnähe in dem von ihm erbauten Tempel. Hier setzt nun die reinterpretierende Korrektur der Exilszeit an. Die Weisheit besitzt Israel immer, auch wenn es keinen Salomo mehr hat, in seinem Gesetz, und Gott ist seinem Volke nahe, wann und wo immer es zu ihm ruft, auch wenn kein Tempel mehr besteht. Die Zerstörung des Tempels bot die Gelegenheit, alles Verwirrende abzustreifen und die unmittelbare Nähe Gottes zu bekennen, der sein Volk hört, sobald es zu ihm fleht."

220 Vgl. zur Heiligung des Sabbats KÖCKERT, a.a.O. 52: "Nun ist gar nicht zu übersehen, daß Gen 2,2-3 zwar mit Sabbat-Terminologie gesättigt sind, aber das Nomen nicht nennen. Es fehlt mit Bedacht, denn der Sabbat gilt Israel, nicht der Menschheit, obwohl der Wochenrhythmus von 6+1 Tagen der Schöpfung eingestiftet ist. So enthält der siebte Tag im Schöpfungsbericht ein unausgesprochenes Plus, das erst noch von denen entdeckt werden muß, denen es zugute kommen soll."

gegenüber allem Unreinen in Opposition zu allem Kultischen. Daß nun das Heil der Heiden mit kultischen Termini formuliert werden kann, setzt voraus, daß das Ziel des Kultes, Gottesnähe zu vermitteln, in Christus für Israel *und* die Heiden erfüllt ist. Innerhalb der Ekklesia sind die vom Kult in Jerusalem gesetzten Grenzen nun in Christus eschatologisch aufgehoben, so daß die Heiden "Geheiligte im Geist" (Röm 15,16bβ) sind.

(3) Das Verständnis des Todes Christi als Sühnetod in seiner universalen Geltung ist für Paulus Grundlage dafür, daß in Christus das Ziel des nachexilischen Kultes für Juden *und* Heiden erfüllt ist. Deshalb *kann* und *muß* Paulus mit Hilfe kultischer Kategorien die Evangeliumsverkündigung in ihrer Auswirkung auf die Heiden beschreiben. Diese werden durch die Evangeliumsverkündigung dem Kreuzesgeschehen inkorporiert und sind insofern προσφορά. Auf dieser abgeleiteten Ebene allein ist Paulus Priester. - Darüber hinaus kehrt Paulus alttestamentliche Formulierungen wie Jes 61,6; 62,10 und Ex 19,5f geradezu um. Nicht mehr Israel allein soll in Gottes Gegenwart leben dürfen, sondern auch den Heiden kommt die Würde zu, für Gott ausgesondert zu sein.

(4) In Aussagen über ekklesiologische Sachverhalte mit Hilfe kultischer Terminologie hebt Paulus den Geist Gottes hervor (vgl. neben Röm 15,16 auch 1 Kor 3,16; 6,19; Phil 3,3f). In dieser Betonung des Geistes Gottes drückt sich das eschatologisch bestimmte Denken des Paulus aus. Die Verheißung des Geistes Gottes für die Endzeit hat sich nun in der Anwesenheit Gottes im Geist für die Ekklesia erfüllt.

3. AUSSAGEN DES PAULUS ÜBER SEINE EVANGELIUMSVERKÜNDIGUNG

Bei der Untersuchung von Röm 15,14-21 sind wir mehrfach auf Stellen aus den Paulusbriefen gestoßen, in denen er Aussagen über sein Apostelamt, seinen Missionsauftrag an die Heiden und seine Verkündigung des Evangeliums gemacht hat. Einige dieser Stellen sollen noch einmal im Überblick dargestellt werden, um ihre Gemeinsamkeiten und Unterschiede leichter erkennen zu können. Dabei kann auf manches, das bereits im vorigen Punkt zu Röm 15,14-21 erörtert worden ist, zurückgegriffen werden.

3.1 Röm 1,1.5: Aussonderung zum Evangelium Gottes

Im Präskript des Römerbriefes stehen mehrere, sich steigernde Aussagen[1] des Paulus über seine Person und seinen Auftrag. Dabei hält sich Paulus wie in seinen Briefen üblich auch im Römerbrief an das Grundschema des orientalisch-jüdischen Briefpräskripts: Im ersten Satz stehen die Angaben über Absender und Empfänger (Röm 1,1: Paulus . . . , 7a: an alle Geliebten Gottes . . .); in einem zweiten Satz folgt die Grußformel mit dem Segen (7b: Gnade sei mit euch . . .). Die Absenderangabe ist im Präskript des Römerbriefes stark ausgedehnt, weil Paulus sich ausführlich der ihm unbekannten römischen Gemeinde als Apostel vorstellen will, indem er seine Autorität mit dem Evangelium begründet. So folgt unmittelbar auf die eigentliche Absenderangabe, verbunden mit erweiterten Aussagen zu

1 Vgl. PESCH, Röm 25: "Pls stellt sich der ihm unbekannten Gemeinde klimaktisch als 'Knecht Christi Jesu' (Phil 1,1), als Christ unter Christen und Christi heilsgeschichtliches Werkzeug, als Missionar, *und* als 'berufener Apostel' (1 Kor 1,1), vom Auferstandenen beauftragter Autoritätsträger, vor, der wie ein Prophet (Jer 1,5; Jes 49,1) von Gott 'auserwählt' ist zur Verkündigung des 'Evangeliums Gottes'."

seiner Person und mit diesen eigentümlich verknüpft, eine Kennzeichnung seines Evangeliums (1,2-4) und des eigenen Auftrags (1,5-6)[2]:

1a Παῦλος δοῦλος Χριστοῦ Ἰησοῦ,
1b κλητὸς ἀπόστολος
1c ἀφωρισμένος εἰς εὐαγγέλιον θεοῦ,

(V 2 - 4 a-c)

4d Ἰησοῦ Χριστοῦ τοῦ κυρίου ἡμῶν,
5a δι' οὗ ἐλάβομεν χάριν καὶ ἀποστολὴν
5b εἰς ὑπακοὴν πίστεως ἐν πᾶσιν τοῖς ἔθνεσιν
5c ὑπὲρ τοῦ ὀνόματος αὐτοῦ,

6 ἐν οἷς ἐστε καὶ ὑμεῖς κλητοὶ Ἰησοῦ Χριστοῦ,

7a πᾶσιν τοῖς οὖσιν ἐν Ῥώμῃ
ἀγαπητοῖς θεοῦ, κλητοῖς ἁγίοις,
b χάρις ὑμῖν καὶ εἰρήνη ἀπὸ θεοῦ πατρὸς ἡμῶν
καὶ κυρίου Ἰησοῦ Χριστοῦ.

Anders als in den übrigen Briefen des Paulus steht zu Beginn die Bezeichnung "Sklave Christi Jesu" und erst an zweiter Stelle die Selbstbezeichnung "berufen zum Apostel". Dies hat gewiß damit zu tun, daß Paulus an eine Gemeinde schreibt, die er nicht selbst missioniert hat. So führt er mit den Worten δοῦλος Χριστοῦ Ἰησοῦ sein Tun ausdrücklich als einen Sklavendienst ein, von Jesus Christus unmittelbar ausgehend und in dessen Dienst genommen. Zugleich stellt er sich mit dem Wort δοῦλος in eine Reihe mit Moses, Josua, David und den Propheten, die in der LXX mit dem gleichen Terminus als Gottes Knechte bezeichnet werden (vgl. Jos 14,7; 24,30; 1 Kön 8,53; 2 Kön 17,23; Ps 89,4.21 u.a.m.)[3]. Wenn Paulus also hier eine alttestamentliche Bezeichnung bestimmter einzelner Männer, die von Gott in besonderer Weise als seine heilsgeschichtlichen Werkzeuge erwählt wurden, für sich selbst in Anspruch nimmt, stellt dies im Kontext mit den anderen Selbstbezeichnungen Gott als den heraus, der

---

2 Vgl. SCHLIER, Röm 18, im Anschluß an E. SCHWEIZER, Die Kirche als Leib Christi in den paulinischen Antilegomena, in: ThLZ 86 (1961) 252f.

3 Vgl. dazu ausführlich LIETZMANN, Röm 22f; SCHLIER, Röm 19; auch STUHLMACHER, Röm 21; WILCKENS, Röm I 60 z.St. verweist auf den Titel "Sklave" bzw. "Sklave Christi" als in der urchristlichen Mission geläufigen Titel für den Missionar, den Paulus so auch für sich selbst gebraucht (vgl. Gal 1,10; 2 Kor 6,4; vgl. in Röm 15,16 λειτουργός); auch K. H. RENGSTORF, Art. δοῦλος κτλ., in: ThWNT I,264-283, hier 270.279f.

hinter seinem Handeln steht. Ähnliches läßt sich für die Bezeichnung κλητὸς ἀπόστολος[4] sagen, mit der sich Paulus als jemand einführt, der seine Legitimation und Delegation unmittelbar durch Jesus Christus bzw. durch Gott hat, wodurch er sich unausgesprochen an die Seite der Apostel "'vor ihm' stellt (Gal 1,17ff; 1 Kor 9,5; 15,2f)".[5] Eventuell rechnet Paulus damit, daß seine Berufung durch Gott in Rom bekannt ist. Möglicherweise will er sogar "negative Rückwirkungen auf sein Ansehen in der römischen Gemeinde", die sich aus dem gerade überstandenen "galatischen Konflikt" ergeben könnten, vorbeugen.[6]

EXKURS 3: Das Verbum ἀφορίζειν

Das Verb ἀφορίζειν[7] begegnet im Neuen Testament zehnmal an neun Textstellen, bei Paulus in den Briefpräskripten zur Kennzeichnung seines Apostolats (Röm 1,1; Gal 1,15f) und in 2 Kor 6,17 (s.u.) als Zitat von Jes 52,11. In den synoptischen Evangelien ist das Wort entsprechend dem alttestamentlichen Sprachgebrauch als "voneinander scheiden/trennen" (Mt 25,32 [bis]; auch Apg 19,9; vgl. Gen 1,4.6 u.ö.) oder im Sinne von "aussondern /ausstoßen" (Mt 13,49; Lk 6,22) gebraucht. Dabei ist das Verb in der vierten Seligpreisung der sogenannten "Feldrede" (Lk 6,22) ohne Angabe des Ortes verwendet, aus dem ausgestoßen wird. Es ist anzunehmen, daß hier die Synagoge und ihre Gemeinde gemeint ist.[8] So wird das Wort hier, wenn auch in

4 κλητός ist hier nicht erörtert; siehe unter Pkt. 4.3.

5 Vgl. SCHLIER, Röm 20, Zitat ebenda; WILCKENS, Röm I 62.

6 Vgl. WILCKENS, Röm I 63, Zitat ebd.

7 Vgl. zu ἀφορίζειν: U. KELLERMANN, Art. ἀφορίζω, in: EWNT I 442-444; K.L. SCHMIDT, Art. ὁρίζω κτλ., in: ThWNT V 453-457.

8 Vgl. die Kommentare zur Stelle; so G. SCHNEIDER, Das Evangelium nach Lukas (ÖTK 3/1), Würzburg 1977, 152f: "Die konkrete Formulierung läßt schon in Q eine akute Verfolgungssituation erkennen. . . . Der Haß der Menschen wird sich steigern bis zum Ausschluß aus der Synagogengemeinschaft . . .". - Daß der Ausschluß (aus der Synagogengemeinschaft) schon in der Logienquelle Q gestanden hat, wird von der Forschung mehrheitlich nicht geteilt, da Lk 6,22 so nicht bei Mt 5,3-12 zu finden sei; vgl. dazu u.a. H. FRANKEMÖLLE, Die Makarismen (Mt 5,1-12; Lk 6,20-23). Motiv und Umfang der redaktionellen Komposition: BZ.NF 15 (1971) 52-75, hier 54-58; H. MERKLEIN, Gottesherrschaft 48-53; A. POLAG, Fragmenta Q. Textheft zur Logienquelle, Neukirchen 1979, 32f; W. SCHENK, Synopse zur Redenquelle der Evangelien. Q-Synopse und Rekonstruktion in deutscher Übersetzung mit kurzen Erläuterungen, Düsseldorf 1981, 24f; S. SCHULZ, Q. Die Spruchquelle der Evangelisten, Zürich 1972, 76-78. - SCHULZ bemerkt (452) zu ἀφορίζειν, es sei lukanisch, da es auch "Apg 2mal; allerdings in anderer Bedeutung" verwendet sei (452 Anm. 370); er sieht zwar richtig, daß die Bedeutung zwischen Lk 6,22 und Apg 13,2; 19,9 wechselt, verkennt aber, daß an allen drei Stellen der kultische Hintergrund des Wortes für

anderer Weise als in alttestamentlichen Stellen (s.u.), im Kontext einer auf Gemeinde bezogenen Aussage benutzt. Mt 13,49 ist das Wort in der Interpretation des Gleichnisses vom Fischnetz zur Scheidung der Bösen und Gerechten durch himmlische Boten im eschatologischen Gericht benutzt.[9]

Apg 13,2 kommt den Aussagen des Paulus in Röm 1,1 und Gal 1,15 nahe, denn auch hier ist eine zielgerichtete Aussonderung formuliert, wenn der heilige Geist spricht: "Sondert mir aus Barnabas und Saulus zu (εἰς) dem Werk, zu dem ich sie berufen habe." Für die Beobachtung der genannten Briefstellen des Paulus ist an Apg 13,2 gleich mehreres interessant: (a) die Verbindung des Wortes mit einem weiteren kultischen Terminus (λειτουργεῖν τῷ κυρίῳ)[10], (b) Subjekt der Aussonderung ist der heilige Geist, also Gott selber, und (c) die Aussonderung für das von Gott vorgesehene Werk hat als Ziel die Mission bis hin zu den Heiden, "besonders auch das Missionswerk des Paulus", die Lukas hier als "von Gott selbst in Gang gesetzt und getragen" herausstellen will[11].

Der Terminus ἀφορίζειν, "aussondern", "absondern", "abgrenzen", "auswählen" u.ä., steht in der LXX in der Nähe von ἁγιάζειν im Sinne kultisch-ritueller Aussonderung bzw. Heiligung für Jahwe, als ein "Absondern zu heiligem Zweck"[12], von daher übertragen in Aussagen von der Aussonderung Levis zum Priesterstamm (Num 8,11 u.a.) sowie von der Erwählung Israels aus allen Völkern (Lev 20,24-26; vgl. Jes 29,22). Im Präskript des Römerbriefes scheint Paulus mit seiner Rede von der Aussonderung εἰς εὐαγγέλιον θεοῦ auf der sprachlichen Linie des priesterschriftlichen Priesterbildes zu liegen, wie es sich zunächst in Lev 19,2; Ex 19,6 u.a. ausdrückt. Gott sondert sich im Sinai-Bund Israel aus und macht es zu seinem heiligen Besitz (Jer 2,3), zu einem geweihten oder heiligen Volk (Dtn 7,6; 26,19), wie das hebräische Wort קדש eben beides bezeichnen kann.[13] Für die Betrachtung des Begriffes ἀφορίζειν ist besonders seine synonyme Verwendung mit ἁγιάζειν in der LXX wichtig, wie Lev 20,26 aufzeigt: "Ihr sollt mir heilig sein, denn ich, Jahwe, bin heilig, und ich

---

seinen jeweiligen Bedeutungsgehalt wesentlich ist. Zudem ist der Unterschied zwischen "ausgestoßen werden" (Lk 6,22) und "sich trennen" gar nicht so gravierend, hat doch die "Aussonderung", mag sie nun erzwungen oder freiwillig erfolgen, jeweils die Konsequenz der Gemeindegründung nach Absonderung von der Synagoge.

9 Vgl. zu Mt 13,49 die Bemerkung von E. SCHWARZ, Abgrenzung 152: "Die Aussonderung wird hier demnach ausdrücklich dem Endgericht Gottes vorbehalten und damit indirekt für die Gegenwart selbst vorzunehmen untersagt. Den gleichen Sachverhalt treffen wir in der großen Rede vom künftigen Endgericht an (Mt 25,31-46) . . ."

10 Vgl. H. STRATHMANN, Art. λειτουγέω κτλ., in ThWNT IV 221-238; s. auch oben Kap. 2.4.1 zu den kultischen Begriffen in Röm 15,16.

11 Vgl. A. WEISER, Apostelgeschichte II (ÖTK 5/2) 306f, Zitate ebd.

12 Vgl. LIETZMANN, Römer 25. - H.D. BETZ, Galaterbrief 141 Anm. 122, weist darauf hin, daß das Verb auch in der griechischen Literatur dazu gebraucht wird, "das Aussondern als 'heilig' im Gegensatz zum Profanen" auszudrücken (so z.B. Plato Tim 24A; Aristoteles Pol 1322b26).

13 Vgl. zu ἁγιάζειν / קדש O. PROKSCH, ThWNT I 87-116, hier 112.

habe euch von den Völkern abgesondert (MT: ואבדל; LXX: ὁ θεὸς ὑμῶν ὁ ἀφορίσας ὑμᾶς), daß ihr mir gehört."[14]

Das Verb בדל[15], das an zahlreichen Stellen im MT steht, wo die LXX es mit ἀφορίζειν wiedergibt, verdient eine genauere Beachtung. "Die dominierende Vorstellung von בדל ist so zu beschreiben, daß durch das Ab- und Aussondern eine räumliche oder ideelle Ordnung zustande kommt. Beides kann ineinander übergehen."[16] Es begegnet im priesterschriftlichen Schöpfungsbericht (Gen 1,4.6.7.14. 18)[17], um die einzelnen Phasen der Schöpfung als eine Scheidung verschiedener Elemente zu beschreiben. Dieser Gebrauch des Wortes "will einen Hauptgedanken des priesterschriftlichen Schöpfungsberichtes unterstreichen: der Schöpfergott ist eher ein Gott des Ordnens als ein mythologisch gefaßter Hervorbringer"[18]. Neben diesem priesterlichen Lehrstück ist der Terminus in zwei Texten aus dem kultischen Bereich gebraucht. Nach Ex 26,33 soll im Inneren des heiligen Zeltes der Vorhang das Allerheiligste vom Heiligen trennen. Ebenso "schied" nach Ez 42,20 die Mauer das Heiligtum vom profanen Boden.

In priesterschriftlichen Texten und darüber hinaus (vgl. außerhalb priesterschriftlicher Texte 1 Chr 25,1; Ez 39,14; Esra 8,24; 10,16 u.a.m.) ist das Wort "ordnend aussondern" in eher verwaltungstechnischem Sinn benutzt, als "zum Dienst einteilen", wobei "abordnen"/"absondern" in einigen Texten (Num 8,5-19) auf die Errichtung des levitischen Kultdienstes überhaupt ausgeweitet ist. Wahrscheinlich ist die Bedeutung von בדל im Sinne des Ausschlusses aus der Heilsgemeinde priesterlicher Herkunft. Diese Bedeutung liegt (neben der genannten Esr 10,8) Neh 13,3 sowie Dtn 29,20 und Jes 56,3 vor. Jes 56,3 lautet[19]:

---

14 Auf die Beziehung von Lev 20,26 und Dtn 7,6 hat W. PASCHEN, Rein und Unrein, 47ff hingewiesen: (48f) "Ebenfalls wird man bei Lev 20,26 an eine Applikation denken müssen, und zwar an eine Modifizierung des Deut 7,6 ausgesprochenen Gedankens. Der Vergleich beider Texte ergibt nicht nur weitgehende inhaltliche Übereinstimmung, sondern Ähnlichkeiten in Aufbau und Wortbestand . . . . Es scheint also, daß in Vs.26 wie in Vs.24 der priesterliche Terminus eingeführt worden ist, um durch ihn die kultischen Reinheitsvorstellungen und -forderungen mit der Erwählungstradition im Sinne von Deut 7,6 theologisch zu verklammern."

15 Vgl. zu בדל neben der zu ἀφορίζειν genannten Literatur: B. OTZEN, בדל, in: ThWAT I,518-520; G. KLINZING, Umdeutung, 108f; W. PASCHEN, a.a.O. 44-51; E. SCHWARZ, Identität, bes. 63-84 und 131ff.

16 Vgl. PASCHEN, a.a.O. 45, Zitat ebd.

17 Das Wort dient dazu, die kosmische Ordnung durch die Trennung von Licht und Finsternis (VV 4.18), Tag und Nacht (V 14) und oberem und unterem Wasser zu umschreiben. Dabei wird durch diese Ordnung die Ordnung der Menschenwelt mit ihren Festzeiten, Tagen und Jahren beschrieben (V 14), ein für kultische Belange nicht unwichtiger Faktor.

18 B. OTZEN, a.a.O. 519.

19 Auch Jes 52,11, eine Stelle, die 2 Kor 6,17 aufgenommen worden ist, steht ἀφορίζειν: "Fort! Fort! Zieht weg von dort! Rührt nichts Unreines an! Zieht hinweg aus ihrer Mitte! **Reinigt euch** (ἀφορίσθητε), die ihr tragt die Geräte

Nicht spreche der Fremde, der sich Jahwe angeschlossen hat: Jahwe wird mich gewiß aus seinem Volk ausschließen (MT: בדלhi; LXX: ἀφοριεῖ). Nicht sage der Verschnittene: Ach, ich bin ein dürrer Baum!

An dieser Stelle ist das Wort in Bezug auf die Reinheit des Volkes angewendet. Eine weitere wichtige Belegstelle für בדלhi findet sich am Ende des deuteronomistischen Tempelweihgebets Salomos (1 Kön 8,22-53), einer Stelle, die an Lev 20,24-26 erinnert:

Du hast sie ja als Eigentum dir ausgesondert (MT: הבדלתם; LXX: διέστειλας) aus allen Völkern der Erde, wie du es verheißen hast durch den Mund deines Dieners Mose, als du unsere Väter aus Ägypten führtest, Herr Jahwe. (1 Kön 8,53)

Wahrscheinlich handelt es sich bei dieser Stelle um einen sekundären Zusatz zu diesem Gebet, der aus exilisch-nachexilischer Zeit stammt.[20] - In einem anders gelagerten Textzusammenhang, nämlich in dem Abschnitt über die Teilung des Landes und den Erbbesitz der Priester, begegnet das Wort Ez 45,4:

Das (Allerheiligste) soll der heilige Teil des Landes sein; er soll den Priestern gehören, die am Heiligtum Dienst tun (λειτουργοῦσιν), die sich nahen, um Jahwe zu dienen (λειτουργεῖν); es soll ein Platz sein für Häuser und abgesondert (ἀφορισμένους) für ihr Heiligtum.

Im Buch Jesus Sirach wird gesagt (Sir 47,2):

Denn wie Fett herausgenommen (ἀφωρισμένον) wurde für das Opfer (vgl. Lev 4,8), so David aus den Söhnen Israels.

In den frühjüdischen Schriften findet sich das Verb bei Flavius Josephus an sechs Stellen in jeweils nicht-kultischer Bedeutung. Philo benutzt das Wort allein siebenmal zur Wiedergabe von Gen 2,10f bzw. dort, wo er sich auf diese Stelle bezieht. Nur einmal

---

Jahwes." Allerdings gibt ἀφορίζειν im MT ברר wieder. Diese Stelle fordert die Absonderung mit dem Ziel der Reinerhaltung.

20 Vgl. SCHWARZ, Identität 63.74, wo er feststellt, "daß die Texte, die die Absonderung Israels mit בדל formulieren, allesamt aus der Zeit nach dem Zusammenbruch von 587 vChr stammen"; bei den Texten handelt es sich neben Lev 20,24.26 und 1 Kön 8,53 um Esr 6,21; 9,1; 10,11 sowie um Neh 9,2 und 10,29. - SCHWARZ stellt drei Verwendungsarten von בדל besonders heraus (a.a.O. 83f): (a) Belege, die die Sonderstellung der Leviten gegenüber dem Volk als Aussonderung bezeichnen mit Gott als dem Subjekt der Aussonderung (Num 8,14, wo Gott das eigentliche Subjekt der Aussonderung ist; Num 16,9; Dtn 10,8); (b) Belege, die בדל im Zusammenhang des Begriffspaares "rein-unrein" gebrauchen; dabei handle es sich um eine Reihe von Texten, die als Aufgabe der Priester die Erteilung der Tora nennen, zu der als ein wesentliches Gebiet eben diese Unterscheidung von rein und unrein gehört (Lev 10,10; vgl. auch 11,47; 20,25; Ez 22,26; auch Ez 44,23). "Hinter dieser Unterscheidung steht die Vorstellung einer sowohl räumlich wie auch personal sich auswirkenden Zweiteilung der Wirklichkeit. Dies ließe sich unschwer für die Priesterschrift und den sog. Verfassungsentwurf Ezechiels nachweisen" (a.a.O. 83f). (c) Schließlich der Gebrauch des Wortes בדל im priesterlichen Schöpfungsbericht Gen 1.

benutzt er es in kultischem Sinn, wenn er von der Aussonderung eines Tieres zur Weihegabe spricht (SpecLeg 2,35). Im Gegensatz zu Flavius Josephus verwendet Philo also, wenn auch nur an einer Stelle, durchaus den kultischen Sprachgebrauch des Wortes.

Im Jubiläenbuch 22,16 heißt es: "Trenne dich von den Völkern und iß nicht mit ihnen und handle nicht nach ihrem Tun und sei nicht ihr Genosse." An dieser Stelle ist das Wort ἀφορίζειν zwar nicht verwendet[21], das Synonym ist aber hier mit den "Völkern" verbunden und so in einem im weiten Sinne "ekklesiologischen" Zusammenhang gebraucht. Einschränkend muß aber zu Jub 22,16 gesagt werden, daß das Jubiläenbuch wenig geeignet sein dürfte, das Geschiedensein von Juden und Heiden beim Mahl darzustellen. Das Jubiläenbuch steht sicherlich in Verbindung mit der Literatur von Qumran und ist deshalb in vielfacher Hinsicht als extrem anzusehen, da es wohl nicht anzunehmen ist, "that Jews in general accepted its admonitions about Gentiles than to suppose that they accepted its solar calendar"[22].

Ähnlich wie Jub 22,16 lautet die Stelle aus den Paraleipomena Jeremias 6,13, wo ἀφορίζειν gebraucht ist:

> Ein Fremder soll **ausgesondert** werden (ἀφορισθήτω) aus den Söhnen Israels.

In den **Qumranschriften** finden wir das Verb בדל[23], das im MT u.a. Lev 20,25; Num 8,14; Dtn 4,41 und Jes 56,3 im Sinne von "absondern" (LXX: ἀφορίζειν) gebraucht ist, allein an 24 Stellen in der Sektenregel und der Damaskusschrift[24]. Im Gebotskatalog CD 6,11-7,6 begegnet der Terminus viermal. Eine der Vorschriften gebietet, "zwischen unrein und rein zu unterscheiden (בדלhi) und zwischen dem Heiligen und dem Profanen erkennen zu lehren" (6,17f vgl. 12,19). Dabei wird eine priesterliche Aufgabe auf die ganze Gemeinde übertragen.[25] Die Gemeinde richtete auch gegen die Jerusalemer Priester den Vorwurf, ihr Amt in diesem Punkt zu vernachlässigen: mangelnde Unterscheidung (בדלhi) auf dem Gebiet der Reinheit und Verunreinigung des Heiligtums (CD 5,6f; vgl. 6,12f). - Eine zweite Vorschrift des Katalogs aus CD 6,11-7,6 befaßt sich mit der Reinheit:

> **CD 7,3f:** . . . sich fernzuhalten (בדלni) von allen Unreinheiten ihrem Gebot gemäß; daß keiner verunreinige (4) seinen heiligen Geist, wie Gott die Unterscheidung (בדלhi) für sie getroffen habe. Für alle, die darin wandeln . . .

---

21 Jub 22,16 ist nicht in den griechischen Fragmenten überliefert und liegt nur in äthiopischer bzw. lateinischer Fassung vor. Zur Textüberlieferung s. BERGER, Jubiläen, Einleitung 285f.

22 Vgl. E. P. SANDERS, Jewish Association 177; Zitat ebd.

23 Im folgenden ist wesentlich Bezug genommen auf KLINZING, a.a.O. 108f.

24 Dazu je einmal an folgenden Stellen: 1 QH 7,12 u. 1 QSb 5,2 (die Textüberlieferung ist jeweils nicht eindeutig); 4 Q 266,1; 4 Q 280,1.2; 11 QPsAp[a] 1,11.

25 Vgl. KLINZING, a.a.O. 108; es sei sicher nicht zufällig, "daß Ez 22,26 zitiert wird, denn hier wird den Priestern die Vernachlässigung gerade dieses Amtes vorgeworfen" (ebenda).

Die Begründung, daß Gott selbst den Unterschied zwischen unrein und rein festgesetzt habe, bezieht sich wahrscheinlich auf Lev 20,25[26]. Von hier aus läßt sich auch das ebenfalls mit בדל(ni) gebildete Absonderungsgebot verstehen, das die Gemeinde aus der Gemeinschaft des übrigen Volkes herausführte. In unserem Kontext steht es sofort nach dem Opferverbot (CD 6,14f), in der Gebotsreihe 1 QS 5,1ff gleichfalls am Anfang (5,2); nach 1 QS 5,10 ist die Absonderung Inhalt der Eintrittsverpflichtung:

> **1 QS 5,1:** (1) Dies ist die Ordnung für die Männer der Einung, . . . sich abzusondern von der Gemeinde (2) der Männer des Unrechts und zur Einung in (Bezug auf) Gesetz und Besitz zu werden. . . . (7) . . . Jeder, der in die Gemeinschaft der Einung eintritt, trete vor den Augen aller Willigen in Gottes Bund ein. Und er soll sich eidlich verpflichten, umzukehren zum Gesetz des Mose, gemäß allem, was Er hat befohlen . . . (10) . . . Er soll sich durch den Bund(esschluß) verpflichten, sich abzusondern von allen Männern des Unrechts, die (11) auf dem Wege der Bosheit wandeln . . .

Diese Stelle zeigt beispielhaft, daß das Verb בדל in der Qumranliteratur zunächst immer die negative Trennung von etwas (konstruiert mit מן) ausdrückt; das positive Ziel der Absonderung als Absonderungsgebot zu etwas (konstruiert mit ל) ist nur selten ausgesagt (hier in 5,1f mit להיות ליחד). Ähnlich wie 1 QS 5,1f sprechen von der Absonderung als Inhalt der Eintrittsverpflichtung 1 QS 8,10 und 9,5, jeweils sogar ohne Angabe der negativen Abgrenzung und 9,5 nur mit der positiven Zielangabe (konstruiert als Objekt zu בדל). In den Qumrantexten fehlt die Verwendung des Verbums בדל mit Gott als Subjekt der Aussonderung; vielmehr ist mit dem Verb stets ein Handeln der Gemeindemitglieder in unterschiedlicher Weise eingefordert.

> **1 QS 8,11.13:** (10) . . . Wenn man diese [Männer] auf der Grundlage der Gemeinschaft zwei Jahre lang in vollkommenem Wandel gefestigt hat, (11) sollen sie **abgesondert** werden in Heiligkeit inmitten des Rates der Männer der Gemeinschaft. Und keine Angelegenheit, die verborgen war vor Israel, aber gefunden worden ist von dem Mann, (12) der forscht, soll er vor diesen verbergen aus Furcht vor einem abtrünnigen Geist. Wenn dies für die Gemeinschaft in Israel geschieht, (13) so sollen sie entsprechend diesen Festsetzungen **ausgesondert** werden aus der Mitte des Wohnsitzes der Männer des Frevels, um in die Wüste zu gehen, dort den Weg des "Er" zu bereiten.

> **1 QS 9,5f:** (5) . . . In jener Zeit sollen die Männer (6) der Gemeinschaft ein heiliges Haus für Aaron **absondern** (בדלni)[27], um vereint zu sein als Allerheiligstes, und ein Haus der Gemeinschaft für Israel, die in Vollkommenheit wandeln.

---

26 Vgl. KLINZING, a.a.O. 109 Anm. 22, mit ergänzendem Hinweis auf Ch. RABIN, The Zadokite Documents, Oxford ^{2}1958, z.St., der die Stelle ähnlich verstehe: "God taught them to distinguish."

27 Vgl. hierzu KLINZING, a.a.O. 66: "Die Errichtung des Tempels geschieht durch Absonderung und Vereinigung der Gemeinde."

1 QS 9,20: (12) Dies sind die Gebote für den Unterweiser, damit er in ihnen wandle mit allem Lebendigen . . . (20) . . . und sie über alles zu belehren, was es gibt, was zu dieser Zeit getan werden muß, und sich **abzusondern** von allen Menschen und nicht seinen Weg zu ändern (21) infolge irgendeines Frevels. Das sind die Bestimmungen des Weges für den Unterweiser . . .

Dieser technische Gebrauch von בדל[28] hat sein Vorbild im AT (s.o.). Es ist festzuhalten, daß in den zitierten Qumranstellen Gott nicht Subjekt der Aussonderung ist, daß das Absonderungsgebot vorwiegend der negativen Abgrenzung und so der Reinerhaltung der Gemeinde dient und nur in wenigen Fällen positiv als Aussonderung *zu* etwas (s.o.) formuliert ist.

Das Verb ἀφορίζειν bzw. ein mögliches hebräisches Äquivalent ist also in der LXX und in frühjüdischen Schriften auch in einem weitgefaßten "ekklesiologischen" Sinnzusammenhang verwendet worden, also bezogen auf das Volk (die Völker) oder Gruppen des Volkes. Dabei bedeutet ἀφορίζειν, ausgehend von Lev 20,26, die Aussonderung zu heiligem Zweck. Subjekt der Aussonderung ist dabei Gott. Auf diesem alttestamentlichen Hintergrund ist auch der paulinische Sprachgebrauch in Röm 1,1 zu verstehen, der sich von frühjüdischen Belegen darin unterscheidet, daß die passivische Formulierung (ἀφωρισμένος) in besonderer Weise das Tun Gottes herausstellt: Paulus sieht sich ausgesondert εἰς τὸ εὐαγγέλιον τοῦ θεοῦ, d.h. das Evangelium Gottes ist in dieser Formulierung der heilige "Zweck" (εἰς finale), das heilige Ziel, dem die Aussonderung durch Gott dient. Die "Aussonderung von Gott ist also zunächst Zuordnung zum Evangelium. Zuordnung zum Evangelium heißt aber Zuordnung zu Gott"[29], die gerade hier in Röm 1,1 durch den Genitiv bei εὐαγγέλιον deutlich wird. Paulus sieht seine eigene Aussonderung zielgerichtet, mit der Intention auf das Evangelium und so auf Gott hin, der im Evangelium gegenwärtig ist. Da das Verb ἀφορίζειν in der LXX ähnlich wie ἁγιάζειν im Sinne kultisch-ritueller Aussonderung bzw. Heiligung durch

---

28 Noch nicht genannt: 1 QS 5,18ff: "alle, die nicht zu Seinem Bund gerechnet werden, sind **abzusondern**, (sie) und alles, was ihnen gehört . . . und Unreinheit (haftet) an all ihrem Reichtum"; dazu bemerkt J. MAIER, Texte II 23: "Hier liegt der Grund für die sog. 'Gütergemeinschaft' von Qumran: alles, was draußen (sic!), ist unrein!" - KLINZING (a.a.O. 109 Anm. 24): "Daneben gibt es auch die 'Absonderung' (hi) als Strafe innerhalb der Gemeinde: 1 QS 6,25; 7,1.3.5.16; 8,24; CD 9,21.23. - CD 8,8f wirft den Gegnern vor, sich nicht vom Volk getrennt (נזר) zu haben."

29 MICHEL, Röm 68.

Jahwe gebraucht wird, ist anzunehmen, daß Paulus seine Aussonderung zur Verkündigung des Evangeliums in vergleichbarer Weise verstanden hat. Dafür spricht auch, daß in Anlehnung an den priesterschriftlichen Sprachgebrauch von Lev 20,26 Gott das Subjekt der passivischen Aussonderungsaussage in Röm 1,1 (vgl. Gal 1,15) ist. Dies weist auf ein besonderes Verständnis seines Dienstes am Evangelium hin. Die Evangeliumsverkündigung hat für Paulus als dynamisches Geschehen heiligende Funktion, weil im Evangelium Gottes Kraft begegnet, "die jeden rettet, der glaubt" (Röm 1,16f).

Wie sich bisher feststellen ließ, hat Paulus in den Formulierungen des Briefpräskriptes Jesus Christus als den herausgestellt, dessen Sklave er ist, und der ihn zum Apostel berufen hat (1,1). Ebenso umschreibt das passivische Partizip ἀφωρισμένος das Handeln Gottes am Apostel. Um den Begriff εὐαγγέλιον hier in Röm 1,1 und an den anderen Stellen der Briefe des Paulus besser im Zusammenhang betrachten zu können, wird in einem weiteren Exkurs der Begriff als Verkündigungsterminus bei Paulus betrachtet.

Exkurs 4: εὐαγγέλιον als Verkündigungsterminus bei Paulus

Die Hauptzahl der εὐαγγέλιον-Stellen im NT[30] steht in den Briefen des Paulus (48mal), für den der Begriff offensichtlich eine feste Größe ist, wie sich am absoluten Gebrauch des Wortes als τὸ εὐαγγέλιον bei nahezu der Hälfte sämtlicher Belege (22mal) erkennen läßt. Hinzu kommt noch das Verbum εὐαγγελίζεσθαι mit 19 Belegstellen. "Evangelium" ist "bei Paulus der zentrale, theologisch gefüllte Begriff für die Missionsverkündigung" und "kann den Vollzug der Verkündigung wie auch ihren Inhalt bezeichnen". Entscheidend in den Aussagen des Paulus zu "Evangelium" als Inhalt wie als Akt der Verkündigung ist aber, daß Gott bzw. Christus Subjekt und Urheber des Evangeliums ist und Paulus nur Werkzeug.[31] Im Blick auf einige markante

---

30 Zum Begriff "Evangelium" vgl.: G. FRIEDRICH, εὐαγγελίζομαι κτλ., in: ThWNT II 705-735; SCHLIER, "Evangelium" 70-87; P. STUHLMACHER, Evangelium; ders., Röm 24-27 (Exkurs: Evangelium bei Paulus); WILCKENS, Röm I 74f (Exkurs "Evangelium"); MERKLEIN, Zum Verständnis des paulinischen Begriffs "Evangelium", in: ders., Studien 279-295; H. FRANKEMÖLLE, Evangelium. - Die Untersuchung der Herkunft des Begriffs wird in dieser Arbeit vernachlässigt; s. dazu vor allem die Arbeiten von MERKLEIN, STUHLMACHER u. WILCKENS.

31 Vgl. WILCKENS, a.a.O. 74; Zitate ebd.; er sieht "τὸ εὐαγγέλιον im Sinne von εὐαγγελίζεσθαι Röm 1,9; vgl. 1 Thess 3,2; 2 Kor 2,12; vgl. 8,18; Phil 4,3; 2 Kor 4,3" (ebenda Anm. 50); εὐαγγέλιον im Sinne der Verkündigung sei

Stellen aus den Briefen des Paulus soll der paulinische Bedeutungsgehalt des Wortes für das Anliegen dieser Arbeit betrachtet werden.

In Phil 1,5 ist τὸ εὐαγγέλιον wie in Röm 1,1 mit der Präposition εἰς verbunden, allerdings dem Substantiv κοινωνία zugeordnet, so daß mit dieser Aussage ein "aktives Anteilnehmen der Gemeinde, ihre Beteiligung am Evangelium, ihr Mitwirken an der Evangeliumsverkündigung anvisiert"[32] ist. Im Vergleich mit 2 Kor 9,13 (δοξάζοντες τὸν θεὸν ἐπὶ τῇ ὑποταγῇ τῆς ὁμολογίας ὑμῶν εἰς τὸ εὐαγγέλιον τοῦ Χριστοῦ καὶ ἁπλότητι τῆς κοινωνίας εἰς αὐτοὺς καὶ εἰς πάντας) ist hier die Gemeinschaft zum Evangelium herausgestellt und eine Aussage darüber gemacht, daß die Gemeinschaft in der durch dieses Evangelium eröffneten Sphäre Raum hat. Im Evangelium des Paulus erstrahlt die Herrlichkeit Christi (2 Kor 4,4: τὸν φωτισμὸν τοῦ εὐαγγελίου τῆς δόξης τοῦ Χριστοῦ, ὅς ἐστιν εἰκὼν τοῦ θεοῦ). "Das Evangelium ist die Offenbarung göttlicher Herrlichkeit in der Geschichte, ist Erscheinungsform der δόξα τοῦ Χριστοῦ auf Erden, ist Gegenwart Christi."[33] Entsprechend kann Paulus auch wechseln in der Ausdrucksweise: ἀξίως τοῦ θεοῦ περιπατεῖν (1 Thess 2,12) oder ἀξίως τοῦ εὐαγγελίου τοῦ Χριστοῦ πολιτεύεσθαι (Phil 1,27). Dabei ist in der zweiten Formulierung das Wort πολιτεύεσθαι von Paulus "bewußt gewählt, um die Philipper an die neue Basis der Gemeinschaft, die sie durch das Evangelium in der Gemeinde gewonnen haben, zu erinnern".[34]

Im Philemonbrief ist Paulus Gefangener in Christi Jesu (Phlm 1.9: δέσμιος Χριστοῦ Ἰησοῦ) wie auch um des Evangeliums willen in Fesseln (Phlm 13: ἐν τοῖς δεσμοῖς τοῦ εὐαγγελίου). Evangelium und Christus sind dabei nicht einfach Synonyme, sondern im Evangelium ist Christus gegenwärtig. Durch das Evangelium und in ihm ist die Sphäre Gottes auf Erden aufgetan. So könnte für die von Paulus selten gebrauchte Wortverbindung βασιλεῖα τοῦ θεοῦ in 1 Kor 4,20 auch τό εὐαγγέλιον [τοῦ θεοῦ] stehen.[35]

In 1 Kor 9,13f kann Paulus in einem Vergleich den Dienst an Heiligtum oder Altar und die Verkündigung des Evangeliums aufeinander beziehen. Hat Paulus sich und seinen Dienst am Evangelium demnach in solcher Weise verstanden? Am Anfang und im Schlußteil des Römerbriefes (1,1ff; 15,15f) ist kultische Begrifflichkeit benutzt, um Aussagen über die Evangeliumsverkündigung an die Heiden zu machen, die doch vom Jerusalemer Kult ausgeschlossen waren. Während die "Heiden" und die kultische Begrifflichkeit von der Semantik her in Opposition zueinander stehen, scheinen sie in Röm 15,16 als zugeordnete Begriffe einer Ebene, der des Evangeliums, eine Verbindung einzugehen. Denn die Heiden haben durch das Evangelium und im Evangelium Gottesnähe gewonnen, die προσαγωγή zur Gnade (Röm 5,2), zu Gott selber. Auch Röm 1,9 ist mit εὐαγγέλιον mehr ausgesagt als ein bloßes "Verbum actionis"[36]: ὁ

besonders in den Formulierungen εὐαγγελίζεσθαι τὸ εὐαγγέλιον anzutreffen (1 Kor 15,1f; Gal 1,11; 2 Kor 11,7) (ebd. Anm. 51).

32 J. GNILKA, Philipperbrief 45.

33 FRIEDRICH, a.a.O. 730.

34 GNILKA, a.a.O. 98; siehe dort auch die weiteren Ausführungen zum Wort πολιτεύειν; vgl. auch STRATHMANN, πόλις κτλ., in: ThWNT VI 516-535.

35 So FRIEDRICH, a.a.O. 730.

36 So u.a. WILCKENS Röm I 78 Anm. 76.

θεὸς, ᾧ λατρεύω ἐν τῷ πνεύματί μου ἐν τῷ εὐαγγελίῳ τοῦ υἱοῦ αὐτοῦ. Der mit ἐν eingeleitete präpositionale Ausdruck bezeichnet zugleich den Ort des apostolischen Dienstes, also "im Evangelium seines (Gottes) Sohnes", das heißt dann: "im Bereich des Evangeliums seines Sohnes"[37].

In diese Linie läßt sich auch 1 Kor 15,1f einordnen, wo Paulus das Evangelium durch Relativsätze in vierfacher Weise qualifiziert: als die Botschaft, (1) die er, Paulus, den Korinthern verkündigt hat, und (2) die sie angenommen haben; zugleich (3) als das Evangelium, in dem die Korinther "stehen" (ἑστήκατε); schließlich (4), so sagt Paulus, werden sie durch dieses Evangelium gerettet (σῴζεσθε). Die dritte Formulierung dieser Aussagereihe, wo die Präposition ἐν verbunden mit dem Perfekt des Verbums ἵσταμαι auf das Evangelium bezogen ist, ist interessant, weil das Verbum ἵσταμαι dazu benutzt wird, um das "Stehen vor Gott" auszusagen (s. unten zu Kap. 7.1).

Wenn Paulus kultische Begriffe auf das Evangelium beziehen kann, hat dies für ihn eine nicht zu unterschätzende Bedeutung. Beachtenswert ist, daß die Verbindung von kultischer Terminologie mit dem Evangelium in Röm 1,1ff und 15,15f gerade in Aussagen über die Verkündigung an die Heiden (1,5; 15,16b) begegnet. Um das durch die Evangeliumsverkündigung bzw. durch den mit ihr hervorgerufenen Glaubensgehorsam erreichte Ergebnis adäquat auszudrücken, greift Paulus zur kultischen Terminologie: Das Ergebnis, das er durch sein Tun erreicht hat, ist das Zu-Gott-Kommen der Heiden.

3.2 Gal 1,15f: Aussonderung zur Evangeliumsverkündigung

Eine ähnliche Formulierung wie in Röm 1,1 liegt zu Beginn des Galaterbriefes vor. Der Galaterbrief und besonders die Kapitel 1-2 zeigen deutlich, wie Paulus in diesem Schreiben bemüht ist, seine Autorität als Apostel und, damit eng verbunden, die Wahrheit seines Evangeliums gegen Angriffe von Irrlehrern zu verteidigen[38]. Es kommt ihm dabei darauf an,

---

[37] Vgl. SCHLIER, "Evangelium" 76; die beiden Zitate ebd. - Ob hier λατρεύειν den "gottesdienstlichen Vollzug" bezeichnet oder lediglich ein "religiöses Tun" im Sinne des im gleichen Vers angesprochenen Gedenkens in Form des Gebetes, ist hier nicht zu entscheiden. Für den Sprachgebrauch des Verbums, speziell auch bei Paulus (außer Röm 1,9 noch Röm 1,25; Phil 3,3), gilt, daß der kultische Sinn des Wortes überall durchscheint; vgl. BALZ, EWNT II 849; WILCKENS, Röm I 78; anders WENSCHKEWITZ, Spiritualisierung 191, zu Röm 1,9 und Phil 3,3: "An beiden Stellen wird also der Begriff λατρεύειν von Paulus völlig umgedeutet und zur Bezeichnung eines Gottesdienstes in der Form des Gebetes und des rechten Handelns verwandt."

[38] Wer diese Irrlehrer sind, bleibt letztlich unklar (vgl. die Kommentare zu dieser Problematik; vor allem MUSSNER, Gal 11-29; BORSE, Gal 17-24). Paulus

seine Apostolizität und das von ihm gepredigte Evangelium unmittelbar auf Jesus Christus, und zwar auf den von Gott Auferweckten, zurückzuführen und so ihren göttlichen Ursprung aufzuzeigen. In diese Richtung zielt Gal 1,15f[39]:

V 15a ὅτε δὲ εὐδόκησεν [ὁ θεὸς]

V 15b ὁ ἀφορίσας με ἐκ κοιλίας μητρός μου

καὶ καλέσας διὰ τῆς χάριτος αὐτοῦ

V 16a ἀποκαλύψαι τὸν υἱὸν αὐτοῦ ἐν ἐμοί,

V 16b ἵνα εὐαγγελίζωμαι αὐτὸν ἐν τοῖς ἔθνεσιν . . .

Das Verbum εὐδόκησεν ist mit dem doppelten Partizipialsubjekt ὁ ἀφορίσας . . . καὶ καλέσας verbunden, und der Infinitiv ἀποκαλύψαι ist von ihm abhängig.[40] Εὐδοκεῖν kennzeichnet wie Lk 12,32; 1 Kor 1,21; Kol 1,19 (auch LXX Ps 39,14; 67,17) den freien göttlichen Beschluß[41]; zugleich soll in diesem Wort auch das Gnadenhaft-Geschenkhafte des Vorgangs zum Ausdruck gebracht werden.[42] An unserer Stelle ist wie Röm 1,1 (auch Apg 13,2) "die Verkündigung des Evangeliums als das mit der Aussonderung ins Auge gefaßte Ziel gedacht"[43]. Ebenfalls wie Röm 1,1 tritt neben ἀφορίζειν das καλεῖν[44] Gottes, das ebenso die Tat Gottes

selbst nennt seine Gegner in Gal 1,7 τινες und beläßt sie so in der Anonymität.- Die Beantwortung der Frage, wer diese Gegner des Paulus im Galaterbrief sind, kann für diese Arbeit unberücksichtigt bleiben.

39 Vgl. zu Gal 1,15f neben den Kommentaren auch: Werner STENGER, Biographisches und Idealbiographisches in Gal 1,11 - 2,14, in: Paul-Gerhard MÜLLER und Werner STENGER (Hgg.), Kontinuität und Einheit (FS Franz MUSSNER), Freiburg-Basel-Wien 1981, 123-140.

40 Vgl. MUSSNER, Gal 81.

41 Vgl. SCHLIER, Gal 53.

42 Vgl. G. SCHRENK, εὐδοκέω κτλ., in: ThWNT II 736-748, 739; S. LÉGASSE, EWNT II 187ff; BLANK, Paulus 223 Anm. 60; ZMIJEWSKI, Paulus 99.

43 Vgl. SCHLIER, Gal 53f.

44 Wo Paulus von seinem Apostolat (vgl. Röm 1,5), von seiner Berufung durch Gott oder von seiner Evangeliumsverkündigung an die Heiden spricht, führt er häufig einen Hinweis auf die Gnade (Christi oder Gottes) an, vgl. Röm 15,15; 1 Kor 3,10; Gal 2,9; Phil 1,7.

hervorheben soll. Im Unterschied zum Präskript des Römerbriefes sind die Verben hier aktivisch formuliert und führen "Gott"[45] als regierendes Subjekt. Diese Hervorhebung des göttlichen Handelns wird verstärkt durch die attributive Bestimmung zu καλέσας: διὰ τῆς χάριτος.

Wichtig für unsere Behandlung dieser Stelle ist, daß die "Aussonderung" und "Berufung" des Apostels einem bestimmten, von Gott gewollten Ziel dient: ἵνα εὐαγγελίζωμαι αὐτὸν ἐν τοῖς ἔθνεσιν (vgl. wiederum Röm 1,1 ff). Das αὐτόν bezieht sich zurück auf τὸν υἱὸν αὐτοῦ. Deutlich ist hier zu erkennen, wie Paulus seine Beauftragung in der Berufung durch Gott und in der Selbstoffenbarung Jesu Christi unmittelbar mit der Verkündigung des Evangeliums verbindet, die sich für ihn in der Heidenmission konkretisiert. Indem Paulus Christus unter den Heiden verkündet, gewinnen diese im Vollzug der Evangeliumsverkündigung im Gehorsam des Glaubens Zugang zu dem, der selber Inhalt des Evangeliums ist und in diesem begegnet. In der Verkündigung des Evangeliums an die Heiden verwirklicht sich das, was Paulus in Röm 1,16f über dieses Evangelium dargelegt hat: "Es ist eine Kraft Gottes zum Heil für jeden, der glaubt, für den Juden zuerst, aber ebenso für den Griechen" (1,16b.c.d).

Über die im Exkurs zu ἀφορίζειν genannten Textstellen hinaus ist für die Stellen Röm 1,1 und Gal 1,15 als Hintergrund Jer 1,5 zu nennen, wo das Verb ἁγιάζειν mit der Sendung zum Propheten an den Völkern verbunden ist[46]:

> Bevor du hervorgingst aus dem Mutterleib, habe ich dich **geheiligt** (MT: הקדשתיך; LXX: ἡγίακά σε), zum Propheten an den Völkern (ἔθνη) habe ich dich bestellt.

In den Texten von Qumran gibt es dazu zwei Stellen, an denen ähnliche Motive wie in Jer 1,5 verwendet sind:

> **1 QH 9,29f:** . . . Denn von meinem Vater her (30) hast du mich erkannt und vom Mutterschoß her [mich geheiligt und von] Mutter[leib] an mir Gutes getan. . . .

45 Dabei ist es in der Sache unerheblich, ob ὁ θεός, in NESTLE-ALAND[26] jetzt in eckigen Klammern, im Text steht oder nicht; im Text haben es **ℵ A D K P Ψ** und weitere Minuskeln. - Falls das Subjekt im Text nicht ausdrücklich genannt wäre, ist es als selbstverständlich mitzudenken.

46 Zum weiteren Gebrauch des Wortes ἁγιάζειν s.o. unter Pkt. 2.4.1.

1 QH 15,15f: Nur du [hast gesch]affen (15f) den Gerechten und ihn von Mutterleib an bestimmt für die Zeit des Wohlgefallens, damit er in deinem Bund bewahrt werde . . . Und du richtest (17) aus dem Fleisch seine Herrlichkeit auf, aber die Gottlosen hast du geschaffen für [die Zeit] deines [Zor]nes, u. von Mutterleib an hast du sie geweiht für den Schlachttag.

Während die erste Stelle Jer 1,5 in abgeänderter Form widerspiegelt, sind in 1 QH 15,16f die Motive, die in Jer 1,5 verwendet sind, auf die Gruppe der Gerechten oder der Gottlosen bezogen. Es zeigt sich an diesen Qumranbeispielen, daß im zeitgenössischen Judentum Palästinas der Rückgriff auf prophetische Berufungstraditionen belegt ist. Anders als bei Paulus wird hier das Motiv der Berufung bzw. der Heiligung durch Gott nicht zur Hervorhebung einer einzelnen Person benutzt und nicht mit einer konkreten Sendung oder Beauftragung verbunden. Der Gedanke der Aussonderung, durch die der Erwählte eine Sonderstellung oder Sonderaufgabe erhält, begegnete aber in den LXX-Stellen (vgl. Num 8,11; 15,20; Jes 29,22; Ez 45,1.4.9; s.o. den entsprechenden Exkurs zu ἀφορίζειν). In den Qumranschriften konnte, anders als bei Paulus, das Wortfeld "aussondern" mit der ganzen Gemeinde verbunden werden (vgl. 1 QS 8,11.13; 9,6.20). Der Terminus "heiligen" (ἁγιάζειν; vgl. Röm 15,16; vgl. bes. Kap. 2.4.1), in der LXX durchaus nahezu synonym mit ἀφορίζειν gebraucht[47], kann von Paulus aber wohl mit den Christen (Röm 15,16) und so mit der Gemeinde verbunden werden und sogar im Partizip Perfekt Passiv synonym für Gemeinde stehen[48].

Zusammenfassend läßt sich festhalten: In Gal 1,12.15f lassen sich die drei für Paulus konstitutiven Momente seines apostolischen Selbstverständnisses[49] feststellen: (1) Die Berufung und Bestimmung durch Gott, die sich traditionsgeschichtlich an prophetische Vorgaben anlehnt (Gal 1,15); (2) die Selbsterschließung Jesu Christi (vgl. 1,12) und (3) die Beauftragung zur Verkündigung, die sich bei Paulus in der Heidenmission konkretisiert (vgl. 1,16). Darüberhinaus muß Paulus um den kultischen Ursprung des Wortes ἀφορίζειν gewußt haben, wie Gal 2,12 belegt[50]. So ist es möglich, daß er in der Verwendung des Begriffs, in Anlehnung an prophetischen Sprachgebrauch, den kultischen Ursprung des Wortes mitbedacht hat. Dann ließe die Formulierung mit ἀφορίζειν erkennen, daß Paulus sein prophetisch bestimmtes Apostelverständnis in kultischen Dimensionen definieren kann.

---

47 Vgl. oben S. 100.

48 Vgl. 1 Kor 1,2: ἡγιασμένοι in Substitution für ἐκκλησία τοῦ θεοῦ.

49 Vgl. MERKLEIN, 1Kor I 67; er weist darauf hin, daß auch in 1 Kor 1,1f diese drei Momente wenigstens skizzenhaft anklingen.

50 Vgl. zu Gal 2,12 Kap. 5.3.

3.3 1 Kor 9,13f: Ein Vergleich: Tempeldienst - Verkündigung des Evangeliums

In 1 Kor 9,7-14[51] führt Paulus drei Beispiele an, um das Recht auf Entlohnung darzustellen, von dem er selber aber gar keinen Gebrauch gemacht habe (1 Kor 9,12.15): aus dem militärischen Bereich (V 7a); aus dem Ackerbau (V 7b); aus der Viehzucht (V 7c). Ein Schriftzitat in V 9 (Dtn 25,4) überbietet diese Beispiele; dann folgt eine Explikation des Schriftwortes, daß die Erwartung von Lohn von vornherein mit der Arbeit verbunden ist (VV 10/11), und die Übertragung dieser Deutung auf das Verhältnis des Paulus und seiner Mitarbeiter zur korinthischen Gemeinde (V 12). In VV 13f ist die Verkündigung des Evangeliums (V 14) mit dem Tempeldienst (V 13b) und dem Altardienst (V 13c) verglichen, indem diese beiden Kultdienste mit der Evangeliumsverkündigung in Parallele gesetzt werden. Die VV 13f stehen innerhalb des exkursähnlichen Kapitels 9, in dem das Thema der christlichen Freiheit behandelt wird (vgl. V 1a: Bin ich nicht frei?), dargelegt am Beispiel des Apostels (s. V 1b.c: Bin ich nicht Apostel? Habe ich nicht Jesus, unseren Herrn, gesehen?), provoziert durch den Konflikt zwischen Starken und Schwachen in der Gemeinde (vgl. 1 Kor 8).[52] Wieder also ist eine Aussage des Paulus zur Evangeliumsverkündigung, die in größerem Zusammenhang mit apologetischen Aussagen über sein Apostolat steht, in Verbindung mit kultischen Deutungskategorien formuliert:

Text 1 Kor 9,13f

13a Οὐκ οἴδατε

13b ὅτι οἱ τὰ ἱερὰ ἐργαζόμενοι [τὰ] ἐκ τοῦ ἱεροῦ ἐσθίουσιν,

13c οἱ τῷ θυσιαστηρίῳ παρεδρεύοντες

---

51 Vgl. zum Aufbau der Verse 1 Kor 9,7-14 bes. C. WOLFF, 1Kor 16-27, hier 24.

52 Die Einheitlichkeit von 1 Kor 8 - 10, auch speziell von 1 Kor 9,1-23, wird gelegentlich angezweifelt (vgl. dazu WOLFF, 1Kor 16f). Doch selbst Exegeten, die sonst für den 1Kor Teilungshypothesen vertreten, halten am Zusammenhang von Kapitel 8 und 9,1-23 fest (vgl. ebd. mit Anm. 92). Die Einheitlichkeit von 1 Kor 9 unter der auch in den VV 13f behandelten Thematik "Verzicht auf ihm Zustehendes/Apostolat/Dienst am Evangelium" dürfte sachlich m.E. zutreffend sein. Diese Arbeit geht nicht nur von der Einheit von 1 Kor 8 - 10 aus, sondern sieht auch den gesamten 1. Korintherbrief als Einheit an (s. auch Kap. 5 mit den Ausführungen zu 1 Kor 5 u. 6).

τῷ θυσιαστηρίῳ συμμερίζονται;

14a οὕτως καὶ ὁ κύριος διέταξεν

τοῖς τὸ εὐαγγέλιον καταγγέλλουσιν ἐκ τοῦ εὐαγγελίου ζῆν.

Übersetzung

13a Wißt ihr nicht,
13b daß die, die Heilige Dienste tun, vom Tempel leben,
13c und die am Altar dienen, vom Altar ihren Teil erhalten?

14a So hat auch der Herr für die, die das Evangelium verkünden, befohlen, vom Evangelium zu leben.

In V 13 weist οὐκ οἴδατε als rhetorische Frage darauf hin, daß das folgende Beispiel den Korinthern bekannt ist.[53] Auch das in V 14 zitierte Herrenwort[54] scheint den Korinthern geläufig zu sein, da Paulus hier "nur eine ungefähre Inhaltsangabe"[55] des Wortes bietet. Paulus kennt das apostolische Unterhaltsprivileg und beansprucht es, wie 1 Kor 9 zeigt (vgl. 2 Kor 11,13), für sich nicht.[56] Zur Klärung der vorliegenden Relation zwischen den kultischen Deutungskategorien und der Formulierung zur Evangeliumsverkündigung an dieser Stelle soll die hier verwendete Terminologie betrachtet werden.

---

53 Vgl. J. WEISS, 1Kor 238. Diese Frageeinleitung findet sich in 1 Kor häufig: 1 Kor 3,16; 5,6; 6,2.3.9.15.16.19; 9,13.24. Vgl. auch unten in Kap. 6.2 zu 1 Kor 6,12-19.

54 Zur Bedeutung des Herrenwortes vgl. W. SCHRAGE, Die konkreten Einzelgebote in der paulinischen Paränese, Gütersloh 1961, 239-243: "Gerade der gekreuzigte und auferstandene Jesus ist in der Gemeinde gegenwärtig, gerade der gekreuzigte ist der Herr der Herrlichkeit (1 Kor 2,8) und gerade der geschichtliche Jesus kann Herr genannt werden" (ebd. 239); Paulus hat, was die Zitation solcher Herrenworte betrifft, offenbar die Freiheit zu Modifizierungen und Zusätzen: "nicht der Wortlaut, sondern die Sache ist entscheidend" (ebd. 243).

55 J. WEISS, 1Kor 239. Derartige Herrenworte gebraucht Paulus außer an dieser Stelle noch in 1 Kor 7,10.

56 Vgl. dazu U. LUZ, Das Evangelium nach Matthäus (EKK I/2), Zürich-Neukirchen-Vluyn 1990, 95. In der sogenannten Aussendungsrede Jesu begegnet in Mt 10,10b (par Lk 10,7) das Wort "Denn der Arbeiter ist sein Essen wert". Auch in 1 Tim 5,18 ist der Spruch (als γραφή) zitiert, unter Verwendung des Wortes μισθός, das Mt gegenüber seiner Vorlage durch τροφή ersetzt hat. In 1 Kor 9 tauchen die Stichworte ἐργάζομαι (V 6.13) und μισθός (V 17f) auf. LUZ hält es für "gut möglich, daß Pls den Spruch in seiner Q-Form kannte" (a.a.O. 95).

Lev 6,7-11 sagt über das Speiseopfer, das die Söhne Aarons vor Jahwe an den Altar bringen sollen: "(8) Dann soll er davon . . . nehmen und es auf dem Altar (θυσιαστήριον) in Rauch aufgehen lassen zu lieblichem Wohlgeruch (ὀσμὴ εὐωδίας) als Duftteil für den Herrn. (9) Was davon übrig ist, sollen Aaron und seine Söhne verzehren." In Num 18,31b heißt es: "Denn es ist euer Lohn (μισθός) für euren Dienst am Offenbarungszelt." Die hier zitierten alttestamentlichen Stellen könnten den Hintergrund der paulinischen Formulierung bilden.

ἱερός/ἱερόν[57]: Die Bedeutung des Wortes in 1 Kor 9,13 ist nicht ganz zu klären:

(a) τὸ ἱερόν (Sg. o. Pl.) kann seit der Antike (Hom, Il 1,147) "das Opfer" bedeuten, bzw. im Plural auch "heilige Dinge und Handlungen" und in diesem Sinn auch Kultus (JosAnt XIV 237.240: ἱερὰ Ἰουδαικὰ ποιεῖν). In diesem Sinn könnte τὰ ἱερά in einem umfassenderen Sinn das Ganze des Priesterdienstes bezeichnen.[58] So wäre [τὰ] ἐκ τοῦ ἱεροῦ ἐσθίουσιν[59] in 1 Kor 9,13b "vom Heiligen Essen" im Sinne von "vom Ertrag des Tempeldienstes leben" zu verstehen;

(b) τὰ ἱερά könnte auch "Tempel" bedeuten; im Singular (τὸ ἱερόν) findet sich diese Bedeutung z.B. in den frühjüdischen Apokryphen und Pseudepigraphen häufig (Aris 40,4; 42,8; 52,4; 84,1; 89,5; 100,5; 104,5; FJub 3,11.13 u.a.m.). Für diese Bedeutung, so führt G. SCHRENK an, spricht das sich anbietende "Wortspiel", da τὰ ἱερά ἐργάζεσθαι genau dem ἐκ τοῦ ἱεροῦ ἐσθίουσιν entspreche.

Für die Möglichkeit (a) spricht der lexikalische Befund, daß τά ἱερά (als Neutrum Plural) in der Bedeutung "Tempel/Heiligtum" nicht belegt ist.[60] Eine eindeutige Abgrenzung von ἱερόν gegenüber ναός und τόπος ist wohl nicht möglich.[61]

---

57 Zu ἱερόν s. G. SCHRENK, Art. ἱερός κτλ., in: ThWNT III 221-284; U. BORSE, Art. ἱερόν, in: EWNT II 429-431; A. SAND, Art. ἱερός, in: EWNT II 431f; H. SEEBASS/I. BRASE, Art. Heilig, in: TBLNT II 645-657, bes. 653.

58 Vgl. SCHRENK, a.a.O. 231; hier versucht er die "eigenartige" Verbindung von τὰ ἱερά mit ἐργάζεσθαι zu erklären u. verweist auf Num 3,7; 8,15: ἐργάζεσθαι τὰ ἔργα τῆς σκηνῆς, vom priesterlichen Dienst, ähnlich 8,11.19 vom Levitendienst. "Diesen Sprachgebrauch der LXX mit ἐργάζεσθαι hat Paulus verbunden mit dem allgemein üblichen τὰ ἱερά für Kult, wie ihm das seine Umwelt anbot." (a.a.O. 231). BAUER-WB[5] Sp. 607 übersetzt "gottesdienstliche Handlungen verrichten". C. WOLFF (1Kor 26) erklärt zum Vers, daß die, die den Kult besorgen, davon ihren Teil zum Lebensunterhalt bekommen.

59 In der Formulierung [τὰ] ἐκ τοῦ ἱεροῦ ἐσθίουσιν ist die Lesart mit τά umstritten und dürfte sekundär sein (mit BORSE gegen CONZELMANN).

60 Vgl. LSJ 822; im NT ist ἱερόν in den Evangelien und der Apg belegt (Mt 11mal; Mk 9mal; Lk/Apg 39mal; Joh [einschl. Joh 8,2] 11mal). Das Adjektiv ἱερός begegnet Kol 4,13 u. 2 Tim 3,15, nicht aber in den Evangelien u. der Apg.

61 H. SEEBASS, Art. ἱερός, in: TBLNT II 651-654, hier 653, sieht den wichtigsten Unterschied von ἱερόν zu ναός darin, "daß τὸ ἱερόν niemals spiritualisiert wird, sondern stets das Bauwerk mit seinen Mauern, Toren, Hallen, Vorhöfen und Gebäuden meint".

παρεδρεύω: Das Verb[62], im NT Hapaxlegomenon, fehlt in der LXX, begegnet aber in der heidnischen Kultsprache, hier vor allem in Inschriften, wo sich ein kultischer Sprachgebrauch zeigt: DiodSic IV, 3,3; SiG 695,27 (Inschrift von Magnesia: παρεδρευέτωσαν ἐν τῷ ἱερῷ, τὴν ἐπιβάλλουσαν τιμὴν καὶ παρεδρείαν ποιούμεναι ρῆς θεοῦ). In den Apokryphen und Pseudepigraphen findet sich παρεδρεύω nur TestDan 5,6 ("daß alle Geister der Bosheit und des Übermuts den Söhnen Levis dienen, damit sie sündigen vor dem Herrn") und Arist 81,3 (Der König "beaufsichtigt" die Künstler: τοῖς τεχνίταις παρήδρεθεν ἐπιμελῶς).[63] Hier in 1 Kor 9,13 beschreibt das Verb das Handeln der Priester, die im Tempel am Brandopferaltar Dienst taten und denen Anteile am Opfer zustanden (vgl. Num 18,8f; Dtn 18,1-3).

θυσιαστήριον[64]: In der LXX[65] reicht die Bedeutungsbreite vom Altar schlechthin (so der Altar des Noach in Gen 8,20) über den tragbaren Altar des Bundeszeltes (Ex 27,7) hin zum Brandopferaltar (2 Reg 16,10-15) und zum Räucheraltar (1 Chr 6,49) im Jerusalemer Tempel, umgreift aber auch den verbotenen Altar zu Bethel (1 Reg 13,1-5), die Altäre der Höhenheiligtümer (2 Reg 18,22), "fremde" Altäre (2 Chr 14,3), Götzenaltäre (Hos 4,19) und den Altar des Baal (1 Reg 16,32; 18,26; 2 Chr 23,17 u.a.m.).

In den Apokryphen und Pseudepigraphen u.a. Arist 87; ApkMos 33; ApkEsr 31,20; ParJer 2,10 u.a.m.; PsSal 2,2 u. 8,12; TestLev 18 2B 025 [bis]. 18 2B 053 u.a.m.; Josephus benutzt das Wort (24mal) nur für den jüdischen Kult; Philo (19 Belege) verwendet θυσιαστήριον in alttestamentlichen Zitaten (so All 1,48; Ebr 127.138; Conf 160; Her 182.251; Fug 53; Mut 234; Som 2,71). Von den frühchristlichen Autoren ist das Wort relativ häufig gebraucht[66]; neben den alttestamentlichen Reminiszenzen

---

62 In ursprünglicher Bedeutung heißt παρεδρεύειν "sich auf etwas setzen", so Diodorus 14,71: οἱ τοῖς κάμνουσι παρεδρεύοντες; Polybius 29,10.11: παρήδρευσαν ἕως ἀπέπλευσαν αἱ δύναμεις ἐπὶ Συρίας. - Vgl. LS-JONES 1332.

63 Die Vermutung, παρεδρεύειν könnte darauf hindeuten, daß Paulus nicht nur an alttestamentlich-jüdisches Denken anknüpfe, sondern auf heidnisches Gedankengut zurückgreife, das seinen korinthischen Adressaten aus ihrer Umwelt vertraut gewesen sei, dürfte schon durch den Sprachgebrauch des Wortes θυσιαστήριον widerlegt sein.

64 Zu θυσιαστήριον vgl. J. ROLOFF, Art. θυσιαστήριον, in: EWNT II 405-407; J. BEHM, Art. θύω κτλ., in: ThWNT III 180-190, bes. 182f; H.-J. KLAUCK, Θυσιαστήριον - eine Berichtigung: ZNW 71 (1980) 274-277; der Verfasser weist hier auf, daß es sich bei dem oft als Beleg angeführten einzigen vorchristlichen und nichtjüdischen klassischen Beleg um einen Irrtum handele, der mit der mittelalterlichen Handschriftenüberlieferung des in Frage kommenden Textes zusammenhänge. - Ders., Thysiasterion in Hebr 13,10 und bei Ignatius von Antiochien, in: ders., Gemeinde 359-372 (Erstveröffentlichung in: C. BOTTINI [Hrsg.] Studia Hierosolymitana III [SBF.CMa 30], Jerusalem 1982, 147-158).

65 Über 410mal in der LXX, davon ca. die Hälfte der Belege im Pentateuch: vgl. HATCH/REDPATH, Concordance I 666-668.

66 Vgl. H. KRAFT, Clavis 218: 15 Belege bei den Apostolischen Vätern; G.W.H. LAMPE, Lexicon I 660.

in 1 Clem 32,2; 41,2 und Barn 7,3.9 ist Ignatius von Antiochien von besonderem Interesse, "weil er sich von der biblischen Vorgabe löst und θυσιαστήριον (darin der notorisch schwierigen und strittigen Stelle Hebr 13,10 vergleichbar) übertragen auf die christliche Gemeinde anwendet"[67], vgl. Eph 5,2: "Befindet sich jemand nicht innerhalb des Altarraumes (ἐντὸς θυσιαστηρίου), so geht er des Brotes Gottes verlustig", oder Magn. 7,2: "Strömt alle zusammen zu einem Jesus Christus, wie zu *einem* Tempel Gottes, wie zu einem Opferaltar".

Im NT begegnet das Wort 23mal, durchweg in alttestamentlich gefärbten Zusammenhängen mit Schwerpunkten bei Mt (6mal) und Apk (8mal): Mt 5,23.24; 23,18.19.20. 35 (par Lk 11,51); Lk 1,11; Röm 11,3; 1 Kor 9,13bis; 10,18; Hebr 7,13; 13,10; Jak 2,21; Apk 6,9; 8,3[bis].5; 9,13; 11,1; 14,18; 16,7. H.-J. KLAUCK kommt zu dem Ergebnis, daß θυσιαστήριον eine Vokabel der jüdisch-christlichen Sondersprache ist und daß als Vorlage für θυσιαστήριον vielleicht θυμιατήριον gedient habe.[68]

συμμερίζεσθαι: Das Verb findet sich in der LXX nur Spr 29,24[69] und fehlt in den frühjüdischen Pseudepigraphen und Apokryphen, bei Philo und Flavius Josephus. Im NT begegnet das Wort nur hier in 1 Kor 9,13; das Verb scheint in dieser Bedeutung "sich mit jemandem in etwas teilen" Hapaxlegomenon zu sein.[70]

Die Stelle 1 Kor 9,13f unterscheidet sich von den anderen bisher behandelten Stellen. Paulus vergleicht in einer Gegenüberstellung seinen Dienst am Evangelium mit dem Dienst am Altar, so daß er die kultischen Kategorien zur reinen Illustration[71] in diesem Vergleich benutzt. Doch ist nicht zu verkennen, daß er so die kultischen Kategorien nutzt, um seinen jetzigen Dienst am Evangelium mit dem der Priester am Altar zu vergleichen: Wie deren Dienst am Altar das Recht auf Unterhalt miteinschloß, so hat auch der Verkündiger des Evangeliums vom Herrn selbst das Recht auf solchen Unterhalt erhalten. Aus dem Bezug von 1 Kor 9,13f zu den bereits erörterten Stellen der Paulusbriefe (Röm 1,1.5; 15,16; Gal 1,15f) kann die Aussageintention des Paulus erschlossen werden: Seinem

---

67 KLAUCK, a.a.O. 275.

68 Vgl. a.a.O. 277.

69 Allerdings als vl nur in einer Lesart des Sinaiticus: συμμερίζεται κλέπτῃ; A. RAHLFS hat das Simplex μερίζεται.

70 Vgl. J. WEISS, 1Kor 238. - συμμερίζεσθαι sonst bei Diodorus Siculus, Diogenes Laertius und Dionysius Halicarnassensis, sowie in Inschriften (vgl. Inschr. von Hierapolis 336,11).

71 Vgl. KLAUCK, Gemeinde 350.

Dienst als Verkündiger des Evangeliums kommt eine neue, dem alttestamentlichen Priestertum vergleichbare Qualität zu.[72]

3.4 2 Kor 2,14-16: Die Verkündiger als Gottes Wohlgeruch

3.4.1 Einleitende Beobachtungen

Der zweite Korintherbrief wirft vor allem Probleme in der Behandlung der Literarkritik[73] auf. Bei der Betrachtung der verschiedenen Lösungsansätze zeigt sich, daß zahlreiche Ausleger zumindest in der Dreiteilung in Apologie (2,14 - 7,4), Tränenbrief (10 - 13) und Versöhnungsbrief (1,1 - 2,13; 7,5-16) übereinstimmen. Die Zuordnung der beiden Kollektenkapitel kann variieren, ist aber für die Grundaussagen des zweiten Korintherbriefes und auch für die zeitliche Einordnung der ursprünglichen (Teil-)Briefe nicht ausschlaggebend.

Die VV 2 Kor 2,14-16 finden sich zu Beginn eines größeren Abschnittes, der bis 6,13 und weiter von 7,2 - 7,4 reicht, die sogenannte "Apologie des apostolischen Amtes"[74]. Der Zusammenhang des 2Kor bricht nach

---

[72] Dazu CONZELMANN, 1 Kor 193 Anm. 15, "Anschauungsmaterial liefert jede antike Opferschilderung. Die Übernahme kultischer Terminologie zur Bezeichnung des kirchlichen 'Dienstes' (vgl. Röm 12,1f.) führt noch nicht zur Verselbständigung dieser Sprache und zu einer Phänomenologie eines christlichen Kultes mit Priestertum und Opfer." Diese Bemerkung ist zwar zutreffend, doch geht es Paulus um die Dynamik seiner Evangeliumsverkündigung, die als wirksames Geschehen Heiligung und Heiligkeit bewirkt.

[73] Als einer von wenigen verteidigt KÜMMEL (Einleitung 248ff; vgl. auch LIETZMANN, Korinther 139; DIBELIUS 103f; PRÜMM, Theologie 276 u.ö.) trotz aller Einwände die Integrität des 2 Kor "als ursprünglicher brieflicher Einheit" unter Ausklammerung der Verse 6,14-7,4. Neuerdings hält auch G. LÜDEMANN, der sich aber mit der Frage der Literarkritik nur am Rande beschäftigt, "mangels besserer Lösungen an der Einheitlichkeit des 2Kor fest" (LÜDEMANN, Paulus, der Heidenapostel. Bd. 1 134); zur Stellung von 2 Kor 2,14ff im gesamten 2Kor auch GRÄSSER, Paulus, bes. 7f. Eine Zusammenstellung der verschiedenen Probleme des 2Kor bietet R. BIERINGER, Der 2. Korintherbrief in den neuesten Kommentaren: EThL 67 (1991), 107-130.

[74] Vgl. zum Ganzen BORNKAMM, Die Vorgeschichte des sogenannten Zweiten Korintherbriefes 31. - Zum Abschnitt 2 Kor 6,14ff, von Bornkamm wie von vielen Exegeten als unpaulinisch beurteilt, von annähernd allen Exegeten als zumindest nicht ursprünglich an dieser Stelle stehend angesehen, s. unten die Erörterung der Frage in Kap. 6.3.

2,13 ab. Die Reisenotiz 2,12f wird unvermittelt abgelöst von dem mit τῷ θεῷ χάρις[75] einsetzenden Dank für Gottes Führung im apostolischen Dienst.

Text von 2 Kor 2,14-16:

14a τῷ δὲ θεῷ χάρις

14b τῷ πάντοτε θριαμβεύοντι ἡμᾶς ἐν τῷ Χριστῷ

14c καὶ τὴν ὀσμὴν τῆς γνώσεως αὐτοῦ φανεροῦντι

δι' ἡμῶν ἐν παντὶ τόπῳ

15a ὅτι Χριστοῦ εὐωδία ἐσμὲν τῷ θεῷ

15b ἐν τοῖς σῳζομένοις καὶ ἐν τοῖς ἀπολλυμένοις,

16aα οἷς μὲν ὀσμὴ ἐκ θανάτου εἰς θάνατον,

16aβ οἷς δὲ ὀσμὴ ἐκ ζωῆς εἰς ζωήν.

16b καὶ πρὸς ταῦτα τίς ἱκανός;

Übersetzung von 2 Kor 2,14-16

14a Dank (sei) Gott aber,

14b der immer uns in Christus im Triumphzug herumführt

14c und den Geruch seiner Erkenntnis

durch uns offenbart an jedem Ort,

15a denn wir sind Christi Wohlgeruch für Gott

15b unter denen, die gerettet werden

und unter denen, die verloren gehen,

16aα den einen Geruch vom Tod zum Tod

16aβ den anderen aber Geruch vom Leben zum Leben.

16b Und wer ist dazu fähig?

---

75 Die Formel τῷ θεῷ χάρις ist an anderen Stellen auf vorausgehende Aussagen bezogen (vgl. 1 Kor 15,57 auf 15,55). Daß dieser Bezug hier fehlt, ergibt sich aus den zuvor angedeuteten literarkritischen Anfragen an den jetzt vorliegenden Brief, so daß für 2 Kor 2,14 von einem Neueinsatz auszugehen ist.

3.4.2 Syntaktische Analyse von 2 Kor 2,14-16

Die VV 2,14-16a haben in hymnischem Stil die eschatologisch-soteriologische Bedeutung Christi zum Inhalt; die daran anschließende Frage V 16b leitet den diatribenhaften Teil 2,16b-3,3 ein, der durch eine antithetische Struktur geprägt ist. Mit der elliptischen Wendung τῷ δὲ θεῷ χάρις, in der das antithetische δέ aufgrund des betonten Einschnittes im Briefzusammenhang besonderes Gewicht erlangt, ist den folgenden Versen sowohl syntaktisch als auch inhaltlich ein Leitmotiv gegeben. Der knappe Ausdruck ohne ein Verb bestimmt die Konstruktion der VV 14-16a. Zunächst folgen in Versteil 14b zwei erweiterte Attribute, die, durch καί parataktisch verbunden, chiastisch zueinander stehen. Das verallgemeinernde Zeitadverb πάντοτε und die verallgemeinernde Ortsbestimmung ἐν παντὶ τόπῳ umschränken zwei Partizipien, die vom Dativ τῷ θεῷ regiert werden. Ihnen beigeordnet sind Objekte, die durch einen präpositionalen Ausdruck bzw. einen Genitivus Objectivus ergänzt sind. Der Bezug des Personalpronomens αὐτοῦ[76] ist auf der syntaktischen Ebene nicht zu klären und in der Literatur auch umstritten.

Durch die kausale Konjunktion ὅτι ist V 15 hypotaktisch dem Vorhergehenden zugeordnet.[77] V 15a ist herausgehoben, da hier die 1. Person Plural der ersten finiten Verbform ἐσμέν neben den beiden syntaktisch untergeordneten Bestimmungsgliedern Χριστοῦ und θεῷ erscheint. Der Genitiv Χριστοῦ wird durch die Stellung am Satzanfang für den ganzen Satz, andererseits in Hinsicht auf das folgende εὐωδία nachdrücklich betont. So stellt sich εὐωδία syntaktisch als ein Schlüsselwort des Verses heraus, da es (1) als klassifizierendes Prädikatsnomen zu ἐσμέν (2) durch den Genitiv Χριστοῦ näher bestimmt ist, (3) auf den Dativ τῷ θεῷ verweist und (4) durch die Verseinheiten 15b und 16a mit einer ausdrücklichen Zielrichtung verbunden ist. Diese ist wiederum in einer kunstvollen mehrschichtigen syntaktischen Konstruktion formuliert: in den Versteilen 15b und 16a findet sich jeweils ein streng durchgehaltener Parallelismus:

---

76 Möglich ist der Rückgriff sowohl auf θεῷ als auch auf Χριστῷ.

77 BDR § 456,1: "bei lockerer Subordination empfiehlt sich die Übersetzung mit 'denn'."

15b	16a
ἐν τοῖς σῳζομένοις	οἷς μὲν ὀσμὴ ἐκ θανάτου εἰς θάνατον
ἐν τοῖς ἀπολλυμένοις	οἷς δὲ ὀσμὴ ἐκ ζωῆς εἰς ζωήν

Zunächst dienen zwei partizipiale Wendungen (Präsens Passiv) als Adressatenangabe innerhalb präpositionaler Wendungen, dann folgen in V 16a zwei knappe Relativsätze, die jeweils durch auf V 15b zurückverweisendes οἷς eingeleitet sind. Die beiden Satzglieder von V 16a sind durch antithetisches μέν - δέ voneinander abgegrenzt. In beiden findet sich mit ὀσμή ein Substituens zu dem Prädikatsnomen εὐωδία von V 15a. Mit Versteil 16b ändert sich der Stil: der bisher vorherrschende hymnisch-kunstvolle Charakter geht über in eine direkte Frage[78] mit dem Fragepronomen τίς[79].

Das emphatisch dem Fragepronomen vorgezogene πρὸς ταῦτα, das anaphorisch zumindest auf die Verbindung ἐσμέν + Prädikatsnomen der VV 15-16a, möglicherweise auch auf den gesamten Zusammenhang VV 14-16a zurückverweist, und der syndetische Anschluß durch καί, das den Fragecharakter noch verstärkt, unterstreichen die Zusammengehörigkeit der VV (14)-15-16b.

3.4.3 Semantische Analyse und Einzelauslegung

Mit dem Neueinsatz von V 14 äußert Paulus zunächst bis V 16a einen ausführlichen Dank, der den besonderen Dienst des Apostels qualifiziert. Er beginnt mit χάρις und greift damit zurück auf den zentralen "Begriff, der am klarsten sein Verständnis des Heilsgeschehens ausdrückt"[80]. Hier

---

78 Dazu R. MARTIN, 2Cor 45: "Climaxing in a rhetorical question"; FURNISH, IICor 190: "16b the focus from the generalized affirmation of VV 14-16a"; ähnlich BULTMANN, Kommentar 72.

79 Zur typischen Auslassung der Kopula ἐστίν in Fragen vgl. BDR § 127,3[4].

80 CONZELMANN, χάρις κτλ., in: ThWNT VIII 363-366 u. 377-393, hier 383.- Der Begriff begegnete uns zuvor schon in Röm 15,15; Röm 1,5; Gal 1,15. Interessant ist die Wortstatistik des Begriffs im NT: Von 156 Vorkommen finden sich 66 Stellen bei Paulus und 30 weitere innerhalb der Deuteropaulinen Kol, Eph und Pastoralbriefe.

ist χάρις nicht in der bei aller Vielschichtigkeit des Begriffs doch zu erkennenden typischen Bedeutung zu verstehen, die er innerhalb der paulinischen Gnadenlehre als "geschenkter, nichtverdienter Gunsterweis" in Anlehnung an das alttestamentliche חסד einnimmt. Doch wird auch diese Intention nach Aussagen wie 1 Kor 3,10 und 15,10 bei den Briefempfängern bewußt sein. Stattdessen meint χάρις hier eindeutig "Dank" und stellt ebenso wie 1 Kor 15,57; 2 Kor 8,16; 9,15 oder Röm 6,17; 7,25 den Apostel in eine Beziehung zu Gott. An all diesen Stellen bezieht sich der Ausdruck χάρις [δέ] τῷ θεῷ zurück auf eine unmittelbar vorher geschilderte Aussage, so daß auch im ursprünglichen Kontext der VV 2,14ff eine solche Aussage zu vermuten ist.

Der Dativ commodi θεῷ wird im folgenden durch zwei Partizipien wiederaufgegriffen. Beide setzen θεός als handelndes Subjekt in Beziehung zum apostolischen "Wir", sind aber in der Interpretation von unterschiedlicher Problematik: das den Ton angebende θριαμβεύειν bereitet nämlich eine große Schwierigkeit, da man nach χάρις ein Wort für die Erfolge des Apostels erwartet. Dem widerspricht scheinbar der sprachliche Befund von θριαμβεύειν.

Der Terminus θριαμβεύειν

Zweifellos ist θριαμβεύειν dem römischen Kulturkreis entlehnt. Es ist nachbildende Übersetzung des lateinischen triumphare - neben einer intransitiven Bedeutung wird es transitiv als "triumphieren über" oder als "im Triumphzug aufführen, erbeuten" übersetzt - und spielt so auf die römischen Triumphzüge an, die einzig bekannten der Antike[81]. Kommentare führen in der Regel zahlreiche Übersetzungsmöglichkeiten für den im NT nur noch in Kol 2,15 verwendeten Begriff an:[82]

(a) "jemand (als Besiegten und Gefangenen) im Triumphzug aufführen". Diese ursprünglich passivische Bedeutung wird meist für Kol 2,15 angenommen; sie findet sich bei Plutarch (Coriolanus [bis: aktivisch u. passivisch]; Thes 4,2 [aktivisch]; Anton 84,7 [passivisch]).[83]

---

81 Vgl. LSJ 806; PASSOW, II 1428; G. DAUTZENBERG, Art. θριαμβεύω κτλ., in: EWNT II 384-386, hier 385.

82 Vgl. zum folgenden: LIETZMANN, Korinther 108.198; FURNISH, IICor 174f; WENDLAND, Korinther 96f; DAUTZENBERG, a.a.O..; vor allem James I.H. MCDONALD, Paul and the Preaching Ministry 35-39.

83 Auch in Kol 2,15 ist Gott Subjekt des Partizips θριαμβεύσας, demnach wie ein Bild eines Triumphzuges, "in dem Gott die besiegten Mächte hinter Christus wie

(b) "einen Verbrecher öffentlich herumführen"; dafür gibt es Parallelen lediglich bei Anastasius Sinaita, In Hexaemeron XII[84] (Ende des 7. Jh.) und in der Vita Amphilochii[85], jeweils in aktivischer Formulierung.
(c) ohne das Moment der Bewegung: "jemand beschämen, der Verachtung aussetzen"; eine Parallele dazu findet sich bei Gregor von Nazianz (Or 40,27 p. 712d) und bei Leontios von Neapolis[86].
(d) unter Betonung des öffentlichen Einherführens übersetzt LIETZMANN: "Überall herumführen". Dabei schließt LIETZMANN die unter (a) angegebene Übersetzungsmöglichkeit nicht ganz aus, wehrt sich aber gegen den Gedanken des Überwundenseins[87].
(e) obwohl lexikographisch nicht weiter nachgewiesen, vertritt WINDISCH die Bedeutung "in der Kraft Christi triumphieren lassen"[88].

Schwierigkeiten bei allen Übersetzungsversuchen bereitet eine richtige Anlehnung an die Verwendung des Begriffs in den zahlenmäßig begrenzten lateinischen und griechischen Belegstellen. Schon deswegen ist der Vorschlag von DAUTZENBERG sehr kritisch zu prüfen, der aufgrund der Diskrepanz zu den "aus der Antike bekannten Paradigmen" für beide neutestamentlichen Stellen die Wortbedeutung "bekannt machen" vorschlägt[89]. Eine überzogene Parallelisierung zu zeitgenössischen Aussagen führt jedoch ebenso wenig weiter.[90]

---

der römische Kaiser die Kriegsgefangenen hinter dem Triumphator her marschieren läßt", so E. SCHWEIZER, Kolosser 117.

84 Migne PG 89, 1052b.

85 Migne PG 39,25c.

86 Leontios von Neapolis (hrsg. von Heinrich GELZER), Freiburg i.Br./ Leipzig 1893 (= Sammlung ausgewählter Kirchen und dogmengeschichtlicher Quellenschriften Heft 5), Das Leben des Johannes des Barmherzigen S. 35; Leontios lebte wie dieser im 7. Jh.); an dieser Stelle ist θριαμβεύειν neben καταισχύνειν gebraucht.

87 So LIETZMANN, a.a.O. 108 u. 198; er entschließt sich so aufgrund der Interpretation Theodorets und der patristischen Exegese, ohne dazu allerdings die entsprechenden Belege anzuführen. Für LIETZMANN käme also θριαμβεύειν einem πάντοτε περιάγειν gleich.

88 Vgl. WINDISCH, 2Kor 97; als Alternative schlägt er vor: "in der Kraft Christi im Triumph herumführen", "d.i. zur Kundmachung des Triumphes Christi über die Welt, vgl. Kol 2,15" (s.o.). Das Hauptmoment der Aussage sei jedenfalls "Christus der Sieger und Paulus der Zeuge dieses Sieges".

89 Vgl. DAUTZENBERG, a.a.O. 385; er sieht das "Bild des Triumphzuges" hinter dem Wort θριαμβεύειν in 2 Kor 2,14 auch deshalb im Kontext als unpassend an, weil Paulus "nicht auf seine Überwindung durch Gott, sondern auf seine Mittlerrolle" hinweise; im Anschluß an DAUTZENBERG auch GRÄSSER, Paulus 21.- Zur Kritik an DAUTZENBERG s. DE OLIVEIRA, Diakonia 37 Anm. 121.

90 Vgl. bei WINDISCH, a.a.O. 97, zum Teil mit Verweis, wo er auf die ausufernde Spekulation eingeht, ob Paulus Gott durch eine Flucht oder durch ein Aufbäumen Veranlassung dazu gegeben habe, ihn gleichsam zurückzuwerfen und so als

Vorsichtiger ist die Analyse von MARSHALL[91], die aber, zugleich mit einer eingehenden Betrachtung des Kontextes in 2 Kor 2,14, in der Sache weiterführt. MARSHALL betont - ebenfalls unter Verweis auf zeitgenössische Parallelstellen - den metaphorischen Charakter der Aussage, sieht aber die Möglichkeit, daß es sich bei der Verwendung des Begriffs in dem hier gegebenen Zusammenhang um ein schöpferisches Werk des Paulus selbst handelt.

Für ein metaphorisches Verständnis spricht auch der Kontext. Subjekt des transitiv konstruierten Partizips ist Gott; es wird also zunächst ein Handeln Gottes an dem Apostel (ἡμᾶς)[92] beschrieben. Dieses Handeln wird in vierfacher Weise qualifiziert: (1) Das Partizip steht im Präsens, es beschreibt keine punktuelle Erfahrung, sondern ein duratives Handeln Gottes, das (2) durch das πάντοτε bewußt zeitlich entgrenzt wird. (3) Sein eigentlicher Ort ist mit ἐν τῷ Χριστῷ genannt, das hier in einer betont apostolischen Aussage trotz der Hinzufügung des Artikels den Ort der "Heilstat Gottes in Christo Jesu"[93] bezeichnet. (4) Als wichtige vierte Näherbestimmung ist die parataktische Anbindung der zweiten Vershälfte V 14c durch καί zu nennen. Sie unterstreicht die Relation von Vers 14b und 14c zueinander, die Relation des θριαμβεύω zum φανερόω. Die eschatologisch-soteriologische Dimension, die angesichts der Einmaligkeit des Christusgeschehens dem φανερόω, das zu ἀποκαλύπτω fast synonym gebraucht wird[94], zukommt, ist zu Recht auch in der Aussage von V 14b zu sehen.

In Anbetracht dieser textimmanenten Ergänzungen ist auch im "θριαμβεύοντι durch Gott" eine Aussage zu sehen, die sich innerhalb des Apostolatsverständnis des Paulus verstehen läßt und ihm nicht diametral entgegensteht. Sie entspricht zahlreichen Aussagen, in denen Paulus sich als δοῦλος (Χριστοῦ) bezeichnet[95]. In diesem Wortfeld zeigt sich eine herausgehobene Relation des Apostels zu Gott, ähnlich in Gal 1,10: " . . . Wenn ich noch Menschen zu gefallen suchte, wäre ich kein Knecht Christi."[96]

"Besiegten" im Triumphzug mitzuführen, oder aber als "Träger seiner Trophäen, . . . der Weihrauchfässer, als Herold, . . . Unterführer oder Soldat".

91 Vgl. bei P. MARSHALL, A Metaphor of social shame: ΘΡΙΑΜΒΕΥΕΙΝ in 2 Cor. 2:14: NovTest 25 (1983), 302-317, hier 309-11; bes. 317.

92 Zum "wir" in 2 Kor vgl. KLAUCK, 2Kor 12f, der sich "zwischen einer exklusiven Deutung (Paulus allein) und einer apostolischen Deutung (Paulus und die Apostel allgemein)" prinzipiell für die erste entscheidet. Paulus gehe es darum, "die Allgemeingültigkeit von Aussagen, die ihn betreffen, hervorzuheben" (vgl. KLAUCK, a.a.O. 12f; Zitate ebd.).

93 F. NEUGEBAUER, In Christus. Eine Untersuchung zum paulinischen Glaubensverständnis, Göttingen 1961, 120-123, hier 123. Der Kontext rechtfertigt diese Interpretation, obwohl in der Regel mit der Formel "in Christo" die Autorität des Apostels begründet wird.

94 Vgl. P.-G. MÜLLER, Art. φανερόω κτλ., in: EWNT III 988-991, 988.

95 Vgl. H. BAUM, Mut zum Schwachsein - in Christi Kraft. Theologische Grundelemente einer missionarischen Spiritualität anhand von 2 Kor, Sankt Augustin 1977, 77.

96 Vgl. auch Röm 1,1; Phil 1,1 (Selbstbezeichnungen des Paulus); 1 Kor 9,19; 2 Kor 4,5; Phil 2,22; Röm 6,16-20; 1 Kor 7,21-23.

Paulus steht nicht in einem mit beiderseitigem Einverständnis geschlossenen Dienstverhältnis zu Gott, sondern ist als Berufener zugleich zum Dienst Verpflichteter[97].

Als Parallelstelle für einen solchen eher metaphorischen Gebrauch, der einen Anklang an persönliche Scham und soziale Schande intendiert, gilt eine Stelle bei Seneca. Es handelt sich um die Anrede eines erniedrigten Hilfeempfängers an den stolzen Wohltäter: "Nihil tibi debeo, si me servasti, ut haberes, quem ostenderes. Quousque me circumducis? Quousque oblivisci fortunae meae non sinis? Semel in triumpho ductus essem." (de ben 2,11.1)[98] Das "in triumpho ductus esse" entspricht dem "circumducere" und dem "ostendere". In bildhafter Rede können diese Begriffe Ehrverlust, soziale Erniedrigung und Schande ausdrücken. Die Verkündigung in der Gemeinde kann dabei auch persönliche Demütigung und Verletzung zur Folge haben. In einem solchen Sinn ist auch das θριαμβεύειν von 2 Kor 2,14 zu verstehen: Paulus will stärker als das von DAUTZENBERG (s.o.) bevorzugte neutrale "bekannt machen" ein von Gott bestimmtes Geschehen darstellen, das seine Persönlichkeit ganz fordert, ihn in Beschlag nimmt und so in Dienst nimmt[99]. Nicht zuletzt ist dies an unserer Stelle durch das dieses Partizip θριαμβεύοντι regierende Nomen, nämlich θεῷ, ausgedrückt. Gott selbst ist Subjekt des Geschehens, hier und im Partizip φανεροῦντι. Paulus wirkt in der Verkündigung also nicht aufgrund eigener Entscheidung und Verantwortung, sondern als ein im Handeln Gottes Stehender (vgl. im 2. Korintherbrief ferner 2,17; 3,4-6; 4,1.5; auch 5,17-21; vgl. oben unsere Beobachtungen zu Röm 15,15f; Röm 1,1; Gal 1,15). In der schwachen Existenz des Apostels vergegenwärtigt sich ständig das Ereignis seiner Bekehrung und Berufung, "die ja nichts anderes war als die Anerkennung und Übernahme der Kreuzesbotschaft durch Gottes Gnade und in Glaubensgehorsam (vgl. 5,14ff)".[100]

Während die erste partizipiale Wendung mit dem Handeln Gottes am apostolischen "Wir" eine Relation "Gott - Apostel" zum Inhalt hatte, die allein durch πάντοτε überschritten wird, ist bei der zweiten partizipialen Wendung schon aufgrund der syntaktischen Struktur die Relation "Gott -

---

97 Vgl. zu dieser Deutung des Terminus θριαμβεύω auch DE OLIVEIRA, Diakonia 36-39.

98 Den Hinweis auf diese Stelle und ihre ungewöhnliche Metaphorik gab 1983 erstmals MARSHALL (a.a.O. 305f); aufgenommen wurde seine Überlegung von FURNISH, IICor 174f, der in Anlehnung an 1 Kor 4,9 die Bedeutung "der uns zu Schau stellt" vorschlägt; ebenfalls rezipiert u.a. bei MARTIN, 2Cor 47, KLAUCK, 2Kor 32f und WOLFF, 2Kor 55.

99 Vgl. dazu DE OLIVEIRA, a.a.O. 37.

100 Vgl. DE OLIVEIRA, a.a.O. 39; Zitat ebd.; Paulus erlebe und vermittle zugleich in seiner Leidensexistenz die Botschaft vom Kreuz; so ist er in seinem Leiden völlig auf die Gnade Gottes angewiesen und setzt sein Vertrauen nicht mehr auf sich, sondern allein "auf Gott, der die Toten auferweckt" (2 Kor 1,9; vgl. 4,8ff; 11,10; 13,4). So tragen die Leiden "zur Realisierung der ὑπακοὴ πίστεως bei, die der Apostel als 'Sklave um Jesu willen' (2 Kor 4,5) erfüllt" (ebd. 39).

Apostel" unvollständig und muß neben der Wendung ἐν παντὶ τόπῳ[101] um ein eigentliches Dativobjekt im Sinne des Adressaten bzw. des betroffenen Publikums ergänzt werden. Diese Adressatenangabe läßt sich dann aus den VV 15-16a erschließen.

Das mit διὰ verbundene Personalpronomen (V 14c) betont die Vermittlung, die durch die Verkündiger im Vollzug der Verkündigung geschieht. Diese sind also die "Instrumente"[102] in der Offenbarung Gottes. Das Verb φανεροῦν entspricht hier dem übrigen paulinischen Sprachgebrauch und ist "ein für Paulus typischer Begriff der Offenbarung des Heils Gottes"[103], das er in seinem Handeln an Jesus Christus, im Evangelium von Jesus Christus eröffnet hat. So ist in 2 Kor 2,14 "Gott" das zu φανερόω gehörende Subjekt.[104] In diesem Offenbarungshandeln Gottes steht der Apostel in seiner Verkündigung[105]. Das Gewicht der Aussage wird unterstrichen, wenn in 2 Kor 3,3, ähnlich wie es über Paulus selbst in 2,14f ausgesagt wird, die Gemeinde als die verantwortliche Offenbarungsin-

---

[101] Diese verallgemeinernde Wendung findet sich bei Paulus öfter, so 1 Kor 1,2 und 1 Thess 1,8.

[102] Vgl. BAUM, a.a.O. 85.

[103] P.-G. MÜLLER, a.a.O. 988. Paulus mag durch die Auseinandersetzung in Korinth zur Verteidigung seines Apostolatsverständnisses und in diesem Zusammenhang auch zur Darstellung des offenbarenden Handelns Gottes veranlaßt worden sein. - Sieben der neun Belege für φανεροῦν erscheinen im Briefteil 2,14 - 7,7. Die daraus geschlossene Annahme, daß der Begriff als "Schlagwort der Gegner" hier aufgenommen und in polemischer Weise von Paulus verwendet wird (vgl. BAUM, a.a.O. 83 mit Anm. 51; vgl. R. BULTMANN/D. LÜHRMANN, Art. φανερόω κτλ., in: ThWNT IX, 4-6, hier 5), verkennt, daß auch in anderen Briefteilen (2 Kor 7,12; 11,6) bzw. anderen paulinischen Briefen (Röm 1,19; 3,21; 16,26; 1 Kor 4,5) dieser Begriff vorkommt und sich dabei für das paulinische Denken durchaus als bedeutsamer Terminus erweist (vgl. Röm 1,19; 3,21).

[104] In ähnlicher Weise auch Röm 1,19; ebenso in den passiven Konstruktionen in Röm 3,21 und 16,26; in 1 Kor 4,5 ist ὁ κύριος herrschendes Subjekt. Dazu DE OLIVEIRA, Diakonie 41: "Gott ist also der eigentliche Handlungsträger der Evangeliumsverkündigung des Apostels (vgl. 5,20), welche deshalb 'nicht allein in Worten, sondern auch in Kraft und im heiligen Geist und in ganzer Fülle' geschieht (1 Thess 1,5; vgl. Röm 15,18, und zwar gemäß dem eschatologisch-universalen Charakter des Christusheils (vgl. 2 Kor 5,14ff)".

[105] Vgl. DE OLIVEIRA, a.a.O. 41: Das φανεροῦντι deutet, wie das Nebeneinander von Röm 1,17 und 3,21 zeigt, auf dieselbe wirksame Offenbarung von ἀποκαλύπτω (vgl. Röm 1,16f) hin.

stanz im Handeln Gottes bezeichnet wird. Es besteht also kein Widerspruch, sondern ein Kausalzusammenhang, ja eine Abhängigkeit zwischen dem Offenbaren Gottes und dem Offenbar-Werden in Verkündigung und Existenz des Apostels bzw. der Gemeinde.

Neben dem metaphorischen θριαμβεύειν (14b) verwendet Paulus in Versteil 14c mit ὀσμή einen zweiten Begriff, dessen Herleitung und auch Zusammenhang mit 14b umstritten ist. In V 15f wird das mit ὀσμή verbundene Bild weitergeführt und mit dem Begriff εὐωδία variiert; in V 16 dient ὀσμή als Bezeichnung für den apostolischen Dienst. Die Struktur der Verse läßt keinen Zweifel daran, daß ὀσμή und εὐωδία in diesen Versen einander substituieren und kaum ein Bedeutungsunterschied vorliegt. Da mit diesen Begriffen hier Aussagen zur Verkündigung formuliert werden, sollen diese eingehend betrachtet werden.

Die Begriffe ὀσμή und εὐωδία

ὀσμή[106] kommt im NT nur an sechs Stellen vor: Joh 12,3; 2 Kor 2,14.16 (bis); Phil 4,18; Eph 5,2; εὐωδία ist dreimal belegt: 2 Kor 2,15; Eph 5,2 und Phil 4,18. Außer in Joh 12,3, wo ὀσμή im eigentlichen, auch in antiken Parallelen belegten Sinn als Duft von kostbarem Öl zu verstehen ist, erscheinen beide Begriffe stets gemeinsam und in übertragener Bedeutung.

Bereits bei einer Betrachtung der alttestamentlichen Belege wird der ntl. Sprachgebrauch verständlich. In der LXX ὀσμή ist Äquivalent für ריח im MT; die Genetivverbindung ὀσμὴ εὐωδίας[107] entspricht der status-constructus-Verbindung הַניחח ריח, die wegen des Artikels vor dem nomen rectum und der Möglichkeit, dieses auch mit Suffix zu verbinden (Num 28,2), substantivisch zu verstehen ist[108]. הַניחח im MT bzw. εὐωδία in der LXX findet sich nur in Verbindung mit ריח bzw. ὀσμή[109]. In dieser Verbindung steht ריח bzw. ὀσμή immer in kultisch geprägtem

---

[106] Vgl. zu den beiden Begriffen neben den Kommentaren: G. DELLING, Art. ὀσμή, in: ThWNT V 492-495; DAUTZENBERG, Art. εὐωδία, in: EWNT I 226-229; K.H. RENGSTORF, Leviticus. Einleitung und Kapitel 1 (BK III,1), Neukirchen 1985, 64ff; A. STUMPFF, Art. εὐωδία, in: ThWNT II 808-810; bes. auch R. LIEBERS, Gesetz 208-214.

[107] Auch wenn Paulus diese Wortverbindung in 2 Kor 2,14-16 nicht in genauem Wortlaut gebraucht, so erlaubt der Zusammenhang doch eine Anknüpfung an diesen LXX-Sprachgebrauch; anders K. PRÜMM, Diakonia Pneumatos I.1,80.

[108] Zum masoretischen Text (MT) vgl. RENGSTORF, Leviticus 64-69, bes. 66; K. KOCH, ThWAT V 442-445.

[109] Die Konkordanz zeigt, daß zu ὀσμή an 47 von 73 Stellen in der LXX der Genitiv εὐωδίας hinzugefügt ist, nahezu durchgängig in den Pentateuch-Belegstellen.

Texthorizont, während es diese Bedeutung verliert, wenn es alleine verwendet wird. Aber auch dann noch kann es sich um wirkmächtigen oder scheidenden Duft handeln. Bemerkenswert ist, daß ריח הניחח anders als der Ausdruck אשה nie zur Bezeichnung der Priesteranteile verwendet wird, sondern durchgängig von dem Gedanken bestimmt ist, "wie das Opfer bei der Gottheit 'ankommt'", die Perspektive, die mit dieser Opfergabe verbunden ist, liegt "in der Erwartung und Hoffnung, daß sie von Gott angenommen werde"[110].

Schon innerhalb des AT wird הריח unterschiedlich verwendet: In Lev 26,31 und Am 5,21 findet es sich in der allgemeinen Bedeutung "(Opfer) annehmen"; daneben gibt es gerade in späteren Texten verschiedene übertragene Bedeutungen, unter denen die Identifikation der "Weisheit" mit dem Wohlgeruch im Sinne der Lebenskraft bemerkenswert ist (Sir 24,15).[111] In Sir 39,14 ist eine Übertragung des Opferbegriffs in der Weise der "Spiritualisierung"[112] möglich. Während in Sir 39,14 der anschauliche Hintergrund noch recht deutlich ist, wird die "Spiritualisierung" der Wortverbindung eindeutig in TestLev 3,6[113], einer Stelle, die das Thema der himmlischen Liturgie behandelt: προσφέρουσι δὲ κυρίῳ ὀσμὴν εὐωδίας λογικὴν καὶ ἀναίμακτον προσφοράν. Auch an einer weiteren Stelle im TestLev ist die Wortverbindung ὀσμὴ εὐωδίας mit προσφορά verbunden, allerdings wird hier nicht "spiritualisiert": ἐν τάξει καὶ πᾶσα προσφορά σου εἰς εὐδόκησιν καὶ ὀσμὴν εὐωδίας ἔναντι κυρίου ὑψίστου (TestLev 18 2B 030). In den frühjüdischen Schriften findet sich in äthHen 25,6 eine weitere aufschlußreiche Aussage über den Duft, formuliert mit ὀσμή. Danach werde in der Zukunft der Lebensbaum an den heiligen Ort beim Haus des Herrn verpflanzt; als Opferduft, der Gott dargebracht wird, erscheint dann der Duft dieses Baumes, den die Seligen, die sich von seiner Frucht nähren, in ihren Gebeinen haben (καὶ εἰς τὸ ἅγιον εἰσελεύσονται αἱ ὀσμαὶ αὐτοῦ ἐν τοῖς ὀστέοις αὐτῶν).

Der Sprachgebrauch der Wortverbindung ריח הניחח bzw. von הניחח oder ריח in den Qumranschriften liegt auf der in Sir 45,16 zu erkennenden Linie, wo das erste Mal Sühnung (כפר) und angenehmer Geruch bei Gott miteinander verbunden sind:

> ἐξελέξατο αὐτὸν ἀπὸ παντὸς ζῶντος
> προσαγαγεῖν κάρπωσιν κυρίῳ,
> θυμίαμα καὶ εὐωδίαν εἰς μνημόσυνον,
> ἐξιλάσκεσθαι περὶ τοῦ λαοῦ σου. (Sir 45,16)

Dort findet sich auch häufig die Verbindung mit κυρίῳ, dem im masoretischen Text ein ליהוה entspricht.

110 RENGSTORF, a.a.O. 68.

111 Was hier in Sir 24,15 aber nur vergleichend gegenübergestellt wird, ist bei Josephus (Ant VIII,101f) gleichgesetzt; "der Duft des Weihrauchs, der Gott dargebracht wird, ist der Duft Gottes, in dem Gottes Dasein auf Erden kund wird"; vgl. Ernst LOHMEYER, Wohlgeruch 29, Zitat ebenda. - Zu Sir 24,15 s. unten S. 133.

112 Vgl. DELLING, a.a.O. 493; Sir 39,14: ὀσμή bezogen auf die Frommen.- Zum hier verwendeten Begriff "Spiritualisierung" s. Kap. 9.- Die frühjüdischen Belege sind bei LIEBERS, a.a.O. 208-212, zusammengestellt.

113 Vgl. zu TestLev 3,6 oben in Pkt. 2.4.1 die Ausführungen zu προσφορά.

Während ניחוח im AT nur in Verbindung mit ריח gebraucht ist, begegnet die Wortverbindung ריח הניחח in der Qumranliteratur lediglich zweimal, nämlich 1 QS 8,9 und 1 QSb 3,1:

> **1 QS 8,8f:** (8) . . . -, eine Stätte des Allerheiligsten (9) für Aaron, mit ewiger Erkenntnis für den Bund der Gerechtigkeit, und um darzubringen einen angenehmen **Opfergeruch** (ולקריב ריח ניחוח), und ein Haus der Vollkommenheit und Wahrheit in Israel, (10) um den Bund nach den ewigen Gesetzen aufzurichten. . . .

> **1 QSb 3,1:** (1) Es erhebe der Herr sein Angesicht auf dich [und möge genießen] den **Wohlgeruch** (וריח ני[חוח) [deiner Schlachtopfer], und alle, die bei deinem Prie[ster]amt bleiben, (2) möge er erwählen; und er habe acht auf alle deine Heiligen . . .

In 1 QS 8,9 ist die Wortverbindung ריח ניחוח an die Stelle des Opfers selbst getreten, das nicht mehr im Jerusalemer Tempel, sondern im Heiligtum, das die Gemeinde darstellt, zum Wohlgefallen Gottes vollzogen wird.[114] Die Textüberlieferung von 1 QSb 3,1 ist lückenhaft. Der sich an וריח ני[anschließende Text sagt über den fehlenden Text nichts aus. Auch wenn ריח ניחוח nur noch in 1 QS 8,9 und dort eindeutig in übertragenem Sinn gebraucht wird, schließt das nicht aus, daß 1 QSb 3,1 in traditionellen, liturgischen Formulierungen vom eigentlichen Opfer spricht. Es bestand ja die Hoffnung, die priesterlichen Dienste einst wieder am Tempel ausüben zu können. Allerdings wird in 1 QSb 3,22ff das Opfer unter den priesterlichen Aufgaben nicht genannt.[115]

Es bleiben noch vier Textstellen der Qumranliteratur, an denen ניחוח allein gebraucht ist (1 QS 3,11; 9,5; 1 QM 2,5; 11 QPs[a] 154). Darauf soll in einem exkursartigen Überblick eingegangen werden.

EXKURS 5: Qumran und die Ersetzung der Opfer

Drei der angeführten Belegstellen für ניחוח (1 QS 3,11; 9,5; 11 QPs[a] 154) sprechen mehr oder weniger deutlich von der Ersetzung der Opfer in der Qumrangemeinde, wie sie dort in einer umfassenden Weise geschah. Denn "die Unmöglichkeit, den Opferkult zu vollziehen, führte nicht zur Kultlosigkeit, sondern dazu, daß das gesamte Leben der Gemeinde in den Kultus einbezogen wurde".[116] Neben dem Lobpreis und dem "vollkommenen Wandel" (1 QS 9,4f) der Gemeinde treten ihre Leiden im Exil (1 QS 8,3) an die Stelle des Opfers und werden unter kultischem Aspekt gesehen. Während der konkrete Anlaß zur Ersetzung der Opfer in der äußeren Zwangslage der Gemeinde besteht, wird man als theologischen Beweggrund nicht einen formalen Gesetzesgehorsam anzusehen haben, sondern die Frage, auf welche Weise im Exil Sühne

---

[114] Vgl. KLINZING, Umdeutung 62; er weist auf Num 15,7.13 als sprachliche Parallele zu 1 QS 8,9 hin.

[115] Vgl. KLINZING, a.a.O. 37 Anm. 97.

[116] Vgl. a.a.O. 105; Zitat ebenda; vgl. zum folgenden bei KLINZING das 4. Kapitel "Rechter Wandel und Lobpreis als Opfer" (93-106), wo er die Stellen 1 QS 3,11; 9,5 und 11 QPs[a] 154 ausführlich behandelt.

erlangt werden könne.[117] In 1 QS 9,4f haben wir die einzige Stelle, in der die Frage der Ersetzung der Opfer ausdrücklich, fast in der Form eines Rechtssatzes, erörtert wird:

> **1 QS 9,4f:** Ein Hebopfer (5) der Lippen nach Vorschrift wie rechter Beschwichtigungsduft und vollkommener Wandel wie freiwillige, wohlgefällige Gabe.

Die Wortverbindung ניחוח צדק bezeichnet in dieser Formulierung also "rechten Beschwichtigungsduft"[118]. Die Präposition כ ist hier in 1 QS 9,5a also nicht nur wie in Versteil 5b verwendet, um "das Verhältnis zwischen dem Opfer und dem zu charakterisieren, was ihm gleichgesetzt wird"[119], sondern will zugleich die im Opfer sich ereignende "Reaktion" Gottes beschreiben, seine Zuwendung, seine sich im (hier: ersetzten) Opfer schenkende Gegenwart. - Auch in der Psalmenstelle 11 QPs^{a} 154[120] kommt der Gedanke der Ersetzung der Opfer in gleicher Weise wie in 1 QS 9,4f bzw. wie in CD 11,20f zum Ausdruck:

> **11 QPs^{a} 154:** Ein Mensch, der den Höchsten verherrlicht, ist wohlgefällig wie einer, der ein Speiseopfer darbringt; wie einer, der Böcke und Rinder darbringt, wie einer, der den Altar fett macht mit einer Menge von Brandopfern, wie ein wohlgefälliges Rauchwerk aus der Hand der Gerechten.

Anders als in 1 QS 9,4f und CD 11,20f sind hier zwei Menschen in ihrem gottwohlgefälligen Handeln gegenübergestellt. Die für uns wegen des Begriffs ניחוח interessante letzte Zeile fällt aus dem Parallelismus heraus, indem statt des Darbringenden das Opfer selbst genannt wird. Da Entstehungszeit und -ort von 11 QPs^{a} 154 nicht genau festzustellen sind, läßt sich lediglich sagen, daß die zitierte Stelle den entsprechenden Aussagen in den Qumrantexten sehr nahekommt.[121]

---

[117] Vgl. a.a.O. 93; zu 1 QS 9,4f siehe ebd. auch 38ff, wo KLINZING sich mit anderen Auffassungen zur Textkritik auseinandersetzt (P. WERNBERG-MOLLER, J.T. MILIK), u. 64ff.

[118] So die Übersetzung von J. MAIER, Texte II, der damit die im Qumrantext gemeinte Sache m.E. am besten trifft; KLINZING (94) gibt mit "richtiges Beschwichtigungsopfer" wieder; E. LOHSE, Texte 33, übersetzt "Opferduft der Gerechtigkeit".

[119] So KLINZING, a.a.O. 94; in CD 11,20f ist wiederum diese Präposition כ wie in Versteil 1 QS 9,5b verwendet: "Das Opfer der Frevler ist ein Greuel, doch das Gebet der Gerechten ist wie eine wohlgefällige Opfergabe"; dabei liegt in CD 11,20f eine Wiedergabe von Spr 15,8 vor, allerdings sind gegenüber dieser Stelle im Qumrantext charakteristische Einfügungen in Form der Präposition "wie" und des Opferbegriffs מנחה vorgenommen.

[120] 11 QPs^{a} gehört zu jenen fünf apokryphen Psalmen, die zunächst nur in syrischer Sprache bekannt waren. Zu den Handschriften und deren Geschichte J.A. SANDERS, ZAW 1964, 57f; die endgültige Ausgabe findet sich in J.A. SANDERS, DJD IV.

[121] Vgl. KLINZING, a.a.O. 95; dort heißt es: "Es ist gut möglich, ja wahrscheinlich, daß er schon vor der Gründung der Qumrangemeinde verfaßt wurde und von

Mit Lobpreis (1 QS 9,4f; 11 QPs[a] 154), vollkommenem Wandel (1 QS 9,5) und Gebet (CD 11,21) sind bereits die drei wichtigsten Faktoren genannt, die an die Stelle des Opfers treten. Für die Qumrangemeinde, das sei noch einmal unterstrichen, geht es nicht um die Frage, wie dem Gesetz auch ohne Vollzug der in ihm gebotenen Opfer genüge getan wird[122], sondern darum, wie Sühne erwirkt und göttliches Wohlgefallen erworben werden kann.

Der Textzusammenhang, in dem die dritte Stelle (1 QS 3,11) steht, an der ניחוח allein genannt ist, behandelt als Thema andere Sühnemittel angesichts der fehlenden Möglichkeit, Opfer darbringen zu können:

> **1 QS 3,5-11:** . . . Unrein, unrein bleibt er, solang er die Satzungen (6) Gottes verachtet, sich nicht unter Zucht stellt in der Einung seines Rates. Denn durch den Geist des wahrhaften Ratschlusses Gottes werden die Wege des Menschen entsühnt, alle (7) seine Vergehen, um das Licht des Lebens zu schauen. Durch heiligmäßigen Geist für die Einung in Seiner Wahrheit wird er gereinigt von all (8) seinen Sünden, durch rechtschaffenen Geist und durch Demut wird sein Vergehen gesühnt. Durch seine Unterwerfung unter alle Gesetze Gottes wird gereinigt sein Fleisch, so daß er sich besprengen kann mit Reinigungswasser und sich heiligen mit Wasser der Reinheit. Er setze seine Schritte fest, um vollkommen zu wandeln (10) auf allen Wegen Gottes, sowie Er es befohlen zu den Zeiten Seiner Bezeugungen, nicht nach rechts oder links zu weichen und kein (11) einziges von all Seinen Worten zu überschreiten. Dann wird Er Wohlgefallen finden durch angenehme Sühneriten vor Gott und es wird ihm zum Bunde (12) der ewigen Einung (gereichen).

Mit deutlichen Worten werden als Voraussetzung für die Sühnewirkung der Wasserriten wahre Umkehr und Eintritt in die Gemeinde genannt, die wiederum ohne den von Gott gegebenen Geist nutzlos sind, weil dieser Rechtschaffenheit und Demut und Gehorsam gegenüber den Geboten Gottes bewirkt (3,8). Da hier schon in Verbindung mit dem "Geist" und dem von diesem gewirkten Wandel von Sühne, Reinigung und Heiligung gesprochen wird, wo man diese Begriffe doch eigentlich erst bei den Wasserriten bzw. bei der Verbindung von Geist und Wasserriten erwartete, wird sichtbar, daß dieser Text im Grunde von zwei verschiedenen Sühnemitteln spricht.[123] Einmal als eigentliches Thema und Ausgangspunkt sind dies die Wasserriten, die durch die Wendung ירצה לפני אל (3,11) und den Begriff היחוח als Sühnungen, die an die Stelle des Opfers treten, bezeichnet werden.[124] Das andere Mittel, dem Sühnewirkung zugeschrieben wird, ist der Wandel in der Gemeinde (vgl. 1 QS 9,4f), das ganze vom heiligen Geist bestimmte Leben in der Gemeinde. In diesen Zusammenhang gehört die Stelle 1 QS 8,3f:

---

dieser, ebenso wie die anderen Psalmen der Rolle 11 QPs[a], nur weiter überliefert wurde. So kann . . . auf die Möglichkeit verwiesen werden, daß der Psalm die Gemeinde gedanklich und in der Formulierung beeinflußt hat."

122 Dies war das Anliegen der Rabbinen unter der Annahme, "daß eine in der Tora gebotene Leistung durch eine andere ersetzt werden kann", so KLINZING, a.a.O. 95 mit Verweis auf WENSCHKEWITZ, Spiritualisierung 35f.

123 Vgl. dazu KLINZING, a.a.O. 100f.

124 Vgl. a.a.O 101.

> **1 QS 8,2ff:** . . . um Treue zu üben, Gerechtigkeit und Recht und liebevolle Verbundenheit und rücksichtsvollen Umgang untereinander. (3) Glauben zu wahren im Lande mit festem Sinn und zerbrochenem Geist. Schuld zu entsühnen, indem sie Recht üben (4) und notvolle Bedrängnis (erdulden), um mit allen zu verkehren in dem Maße der Wahrheit und in der Ordnung der Zeit.

Diese Gebote beziehen sich auf die gesamte Gemeinde und nicht nur auf die in 8,1 genannten "zwölf Männer und drei Priester".[125] Die ganze Gemeinde ist es auch, die nach den bisher genannten Stellen (1 QS 3,4-12; 9,4; vgl. darüberhinaus 1 QS 5,6; 8,6.10) Sühne wirkt. Die Tatsache, (1) daß der Sühnegedanke in diesem Traditionsstück 1 QS 9,4ff enthalten ist, das in konzentrierter Weise das Selbstverständnis der Gemeinde zum Ausdruck bringt, ist kaum zu überschätzen.[126] (2) Zugleich ist daran zu erinnern, daß in eben diesen Texten, in denen mit dem Begriff ניחוח Aussagen zur Frage der Sühne nach dem Verlust der Opfer formuliert sind (1 QS 3,11; 9,5), die Absonderung der Gemeinde (s. die Ausführungen zum Begriff בדל in Pkt. 3.1) unterstrichen wird. (3) Schließlich sind diese für unsere Untersuchung wichtigen Begriffe in solchen Kontexten verwendet, in denen in konzentrierter Weise das Selbstverständnis der Gemeinde ausgedrückt wird, also "ekklesiologisch" relevante Aussagen über die Gemeinde formuliert werden. Auf diese Feststellungen werden wir bei einer Gegenüberstellung der ekklesiologischen Aussagen mit kultischer Terminologie bei Paulus und in der Gemeinde von Qumran am Ende der Untersuchung zurückkommen.

Einen wichtigen Hinweis zur Übersetzung und so zum Verständnis der atl. Formel ריח הניחח hat K. KOCH[127] im Anschluß an P.A.H. DE BOER gegeben. DE BOER geht davon aus, daß in altorientalischen Religionen sich ein Wohlgeruch beim Erscheinen der Gottheit ausbreitete und sieht in ריח הניחח eine heilvolle göttliche Wirkung auf menschliche Verehrer. In der ältesten Stelle Gen 8,21 habe Noachs Opfer weder mit Versöhnung noch mit Dankbarkeit zu tun. Vielmehr sei das kausative Verb zu übersetzen: "And Yhwh spread a smell of peace, reassurance, security"[128]. So meine auch die P-Formel von der Darbringung הניחח

---

[125] Vgl. a.a.O. 52f; er sieht in 8,2 eine Nahtstelle, so daß an die Vorschrift für die Fünfzehn "allgemeine ethische Gemeinderegeln gereiht" werden.

[126] Vgl. a.a.O. 105.

[127] Vgl. K. KOCH, a.a.O. 443f; zum folgenden ebd.; Pieter Arie Hendrik DE BOER, God's Fragrance. Studies in the Religion of Ancient Israel (VTS 23) 1972, 37-47.

[128] DE BOER, a.a.O., hier 47; ähnlich schon, auf ägyptische Vorstellungen bezogen, Hans BONNET, Reallexikon der Ägyptischen Religionsgeschichte, Berlin 1952, Art. "Räucherung" u. "Wohlgeruch"; Hinweise auch in der Arbeit von E. LOHMEYER, Wohlgeruch, bes. 22f.28ff.

ריח ליהוה mit der Präposition ל nicht "für", sondern einen Ersatz für den Genitiv. "Nachdem Gott das Opfer als seine eigene Handlung angenommen hat, zeigt der ausgehende Wohlgeruch seine heilvolle Gegenwart an."[129] Diese Übersetzungsmöglichkeit der MT-Stellen läßt auch Rückschlüsse zu für die paulinischen Formulierungen in 2 Kor 2,14-16.[130]

Wenn Paulus also auf das Bild des "Duftes" zurückgreift, so verwendet er einen nicht nur im AT, sondern auch im zeitgenössischen Frühjudentum verbreiteten Begriff, der den Bezug zum eigentlichen Opfer weithin, aber nicht gänzlich verloren hat. Angesichts dieser Entwicklung sind auch die "Opferduft"-Aussagen bei Paulus zu prüfen. In 2 Kor 2,14 ist es sicher richtig, eine Verknüpfung zu θριαμβεύω und eine Gleichsetzung der ὀσμή mit dem beim römischen Triumphzug mitgetragenen Weihrauchduft abzulehnen[131], da dieses Verständnis zu wenig die Gesamtaussage der Viererreihe ὀσμή - εὐωδία - ὀσμή - ὀσμή in den VV 2,14-16 würdigt. Stattdessen sind die einzelnen Aussagen dieser Verse zu berücksichtigen: Nach V 14 offenbart Gott den Duft (der Erkenntnis) durch die Apostel; diese können aber VV 15f selber als "Duft Christi" zur Ehre Gottes in eschatologischer Entscheidung bezeichnet werden. Der Subjektwechsel in den VV 14f führt dazu, daß τὴν ὀσμὴν τῆς γνώσεως αὐτοῦ δι' ἡμῶν und Χριστοῦ εὐωδία ἐσμέν weitgehend parallel zu verstehen sind. Indem Gott durch den Apostel den Duft der Erkenntnis offenbart, wird der Apostel zum Wohlgeruch Christi für Gott; im Wechsel der Konstruktion liegt eine Spannung begründet zwischen dem Wohlgeruch als Zeichen göttlicher Offenbarung und Gegenwart und dem Opfergedanken τῷ θεῷ, der auch durch die Gleichsetzung des Opferdufts Christi mit der Person des

---

129 KOCH, a.a.O. 444.

130 Vgl. die Bemerkung von E. LOHMEYER, a.a.O. 32: "Paulus erscheint so als der ἱερουργῶν τὸ εὐαγγέλιον τοῦ θεοῦ (Röm 15,16); der Duft seines Opfers . . . ist der Duft, in dem sich Gott offenbart." Und ebd. 29: "überall, wo Gott zu Ehren Opferduft zum Himmel steigt, ist Gott epiphan: ja, Gott ist selbst der 'angenehme Weihrauchduft des Menschen'."

131 Vgl. die Kommentare, die an den Weihrauchduft während der Triumphzüge denken, so WINDISCH, 2Kor 97 und K. PRÜMM, I.1.79 u.a., die an "Räucherpfannen" denken; dagegen u.a. BULTMANN, Kommentar 67; LIETZMANN, Kor 108; WOLFF, 2Kor 55 und DE OLIVEIRA, a.a.O. 40: Paulus wäre dann nämlich Weihrauchträger und nicht mehr Gefangener (vgl. DE OLIVEIRA, a.a.O. 40).

Apostels nicht undenkbar wird. Dies belegen sowohl die zeitgenössischen Parallelen, die den Duft auf die Weisheit (Sir 24,15), die Frommen (Sir 39,14) oder ihr Gebet (vgl. die Qumranbelege) beziehen, als auch andere paulinische Texte, in denen der Dienst des Apostels als liturgisches Handeln bezeichnet wird[132]. Aussagen wie Phil 2,17; 4,18[133] oder Röm 15,15f unterstreichen, daß Paulus durchaus apostolisches Handeln in kultischen Kategorien umschreiben kann. Paulus kann solche Begrifflichkeit nutzen, um die neue Dimension des Opfergedankens zu betonen[134]. Der Verfasser des Epheserbriefes kann davon sprechen, daß im Tode Jesu selbst Opfer und Wohlgeruch vollzogen sind (Eph 5,2) und so jedes weitere kultische Opfer im eigentlichen Sinn überholt ist. Ähnlich kann bereits Paulus das Leben der Glaubenden "als lebendiges und heiliges Opfer" (Röm 12,1) und - im gleichen Sinn - an unserer Stelle sich selbst als "Wohlgeruch Christi" bezeichnen. Dies bedeutet keine Identität von alttestamentlichem Opfergedanken und Verkündigung des Neuen Bundes. Vielmehr sind alle Opfer des Alten Bundes im eigentlichen Vollzug von Leben und Verkündigung des Evangeliums vom Sühnetod Christi und damit verbunden vom "Heil, für jeden, der glaubt" (Röm 1,16f), aufgehoben; in dieser Verkündigung des Evangeliums dient Paulus als ἱερουργῶν τοῦ εὐαγγέλιον τοῦ θεοῦ (Röm 15,16).

Die Verse 2 Kor 2,14f drücken also mit dem Bild des Duftes (1) göttliche Gegenwart und göttliches Leben[135] aus und (2) auch Anklänge an ein

---

132 Diesen Aspekt beachtet BULTMANN, a.a.O. 67f, zu wenig.

133 Vgl. zu Phil 2,17 Kap. 7.3 und zu Phil 4,18 Kap. 7.5.

134 Vgl. zum Opfergedanken in diesem Vers in ähnlicher Weise DE OLIVEIRA, a.a.O. 40f.- Treffend faßt LIEBERS, Gesetz 211f, zusammen: "Sind es nach weisheitlichem Verständnis diejenigen, die sich an die Weisheit als 'Lebensbaum' halten (vgl. Prov 3,18), bzw. die 'Frommen', die sich mit der Tora beschäftigen (vgl. Sir 38,34b; 39,8.13), die diese Aufgabe übernehmen (vgl. Sir 39,14; äthHen 25,6), so gilt demgegenüber für den Apostel, daß der 'Duft seiner Erkenntnis' 'durch uns', d.h. durch die Apostel Christi, präsent ist (2,14)."

135 Die Aussagen antiker Texte über den "göttlichen Wohlgeruch" sind davon bestimmt, daß der Duft, der als stoffliche Lösung, zwar "dünner als Wasser", aber "kompakter als Luft" (Platon), mit eigenen Energien gedacht wurde, selber Träger göttlichen Lebens sei und Lebenskraft vermitteln könne. Einer solch beinahe dinglichen Vorstellung vergleichbar ist der alttestamentliche Gedanke, daß Jahwe

Verkündigungsverständnis des Apostels, das einem "eschatologischen Opfervollzug" vergleichbar ist[136]; dessen Wohlgeruch kann dabei nur εὐωδία Χριστοῦ sein. Gerade die in der syntaktischen Analyse der Verse betonte mehrschichtige Bestimmung von εὐωδία hilft bei der Interpretation weiter.[137]

Für eine solch freie Assoziation an alttestamentliche Ausdrucksweise spricht auch die Näherbestimmung des ὀσμή in 2,14c durch τῆς γνώσεως αὐτοῦ.[138] Die Wortverbindung γνῶσις θεοῦ ist als "von der LXX her vorgeprägter Terminus" Paulus vertraut und entspricht dem hebräischen דעת יהוה. Sie drückt die Erkenntnis des in Schöpfung und Heilsgeschichte wirkenden Gottes aus, die auch Paulus bei seiner Bekehrung erfahren hat[139]. Als Erkenntnis des Handelns Gottes in Jesus Chri-

"den Geruch des Opfers einziehe" (vgl. DELLING, a.a.O. 492f, dort entsprechende Belege).

136 WOLFF, 2Kor 56 Anm. 28, möchte in V 14 und 15 den Opfergedanken *nicht* heraushören, ohne dies näher zu begründen.- Anders hier SCHLATTER, 2Kor z.St. unter Hinweis auf Röm 12,1; 15,16; Phil 2,17; MCDONALD, Paul 40, zieht die Linie zur Vorstellung von der Gemeinde als Tempel Gottes und sieht darin eine Verbindung zu 2 Kor 6,16 (vgl. ebd. 47f); nach BARRETT, 2Cor z.St., sind die Apostel der Duft, der vom Opfer Christi zu Gott aufsteigt; dagegen wieder DAUTZENBERG, EWNT I 228: "Dieser Annahme steht das Aussagegefälle entgegen, welches in 2,15b. 16a gerade auf die Wirkung der Apostel unter den Menschen zielt."

137 BULTMANN, Kommentar 67f, lehnt wegen des Genitivs Χριστοῦ jeglichen Bezug auf Opferduft ab und betont den Aspekt der göttlichen Gegenwart. Aber der Genitiv drückt nicht nur aus, daß es sich um einen von Christus selbst ausgehenden Opferduft im Sinne eine genitivus subjectivus handelt, sondern daß die Existenz des Apostels im Bild des Opferdufts nur den Duft Christi im Sinne der Verkündigung von Christus darstellt.

138 Der grammatikalisch nicht eindeutige Genitivus obiectivus kann auch durch einen Vergleich mit anderen paulinischen Ausdrücken nicht festgelegt werden. Paulus kann sowohl von der γνῶσις θεοῦ (2 Kor 4,6; 10,5; auch Röm 11,33) wie von der γνῶσις Χριστοῦ (Phil 3,8) sprechen; in 1 Kor 1,5 ist die grammatikalische Zuordnung ebenfalls nicht eindeutig. Für einen Rückbezug auf Gott spricht die Parallele 4,6; vgl. FURNISH, IICor 176; H. BAUM, a.a.O. (s. Anm. 95) 87. Aber auch in 4,6 verdeutlicht γνῶσις τῆς δόξης τοῦ θεοῦ ἐν προσώπῳ Ἰησοῦ Χριστοῦ die unaufhebbare Zusammengehörigkeit von Gott und Christus: Durch ihn ist den Verkündigern die γνῶσις θεοῦ eröffnet worden. So ist eine zu pointierte Festlegung in 2 Kor 2,14 schwer möglich. Denn gegen die strikte Ablehnung, das αὐτοῦ auf Χριστός zu beziehen, spricht, daß Paulus in 2,15 das Substituens εὐωδία durch Χριστοῦ näher bestimmen kann.

139 Vgl. K. PRÜMM, I.1.79-82, bes. 81; auch BAUM, a.a.O. 87-90.

stus ist es durchaus mit dem Evangelium, das Paulus verkündet, gleichzusetzen. Daß γνῶσις an sämtlichen sechs Stellen, an denen es in 2Kor begegnet (2,14; 4,6; 6,4; 8,7; 10,5; 11,6), jeweils positiv besetzt ist, macht deutlich, daß eine spürbare Begriffsverschiebung zum 1Kor vorliegt. Dort gebraucht Paulus γνῶσις zehnmal, dabei überwiegend negativ gefärbt; die Auseinandersetzung, die Teile des 1Kor in Abgrenzung von Weisheitsspekulationen geprägt hatte, ist zumindest so geklärt, daß Paulus den Begriff γνῶσις wiederum als Ausdruck für die Offenbarung Gottes in Jesus Christus verwenden kann.

Vor allem zwei Schwerpunkte kennzeichnen die Aussagen der Verse 2 Kor 2,15-16a: (1) Die Wiederaufnahme bzw. Substitution des Begriffs ὀσμή durch εὐωδία, die in Bezug auf den Apostel mit einer Steigerung einhergeht: als von Gottes Handeln Betroffener stellt er den Duft dar, (2) dem in diesen Versen eine besondere scheidende, ja über Tod und Leben ent-scheidende Qualität zugesprochen wird. Während der erste Aspekt bereits behandelt wurde, soll der zweite nun noch erörtert werden.

Die syntaktische Analyse hatte ergeben, daß sich in 2 Kor 2 in den VV 15 und 16 jeweils ein Parallelismus findet; beide sind auf semantischer Ebene in einem Chiasmus verschränkt, so daß dies sich als eine verschachtelte Konstruktion darstellt:

15a ὅτι Χριστοῦ εὐωδία ἐσμὲν τῷ θεῷ

15b ἐν τοῖς σῳζομένοις καὶ ἐν τοῖς ἀπολλυμένοις

16aα οἷς μὲν ὀσμὴ ἐκ θανάτου εἰς θάνατον,

16aβ οἷς δὲ ὀσμὴ ἐκ ζωῆς εἰς ζωήν.

16b καὶ πρὸς ταῦτα τίς ἱκανός;

In vierfacher Weise wird also die Wirkung der mit Χριστοῦ εὐωδία umschriebenen Verkündigung des Apostels konkretisiert, wobei zwei positive Aussagen zwei negative umrahmen. Da sich die beiden Relativsätze (16a) lediglich auf die Partizipien von V 15b beziehen, bleibt abgesehen von der Substitution des (Χριστοῦ) εὐωδία durch ὀσμή die Bedeutung des ἐσμὲν τῷ θεῷ auch für diese erhalten.[140]

Mit den beiden Begriffen σῴζεσθαι und ἀπολλύεσθαι verwendet Paulus "geprägte Termini der frühchristlichen Predigt mit streng eschatologischem Sinn"[141]. In aktiver und passiver Verbform oder auch als Substantiv findet sich diese Opposition in verschiedenen neutestamentlichen Schriften (in allen vier Evangelien, Jud, Jak, 2Thess), vor allem aber im paulinischen Schrifttum. Bereits in 1Kor mißt der lexikographische Befund beiden Begriffen große Bedeutung zu. Das Verb σῴζω erscheint neunmal, ἀπόλλυμι sechsmal.[142] Paulus greift also auf Termini zurück, die der korinthischen Gemeinde aus früheren Kontroversen bekannt sind. Vor allem ist dabei an 1 Kor 1,18 zu denken, der einzigen anderen Stelle, an der Paulus beide Begriffe partizipial und intransitiv verwendet. Der Vergleich erlaubt trotz der etwas anderen Konstruktion in 1 Kor 1,18 den Schluß, daß die scheidende Funktion des Χριστοῦ εὐωδία ἐσμέν in der Verkündigung des λόγος τοῦ σταυροῦ wurzelt. Das apostolische Wirken des Paulus realisiert sich in der Verkündigung der Kreuzespredigt. Sein Apostolat im entscheidenden Aspekt des Wortes vom Kreuz, das als Torheit den Menschen Rettung bringt, abzulehnen, hat Verderben zur Folge. Die Scheidung "Gerettete - Verlorene" ist aber nicht bereits getroffen, sondern Paulus wendet sich "an Menschen seiner Gegenwart"[143]. Das aktuelle Tun des Verkündigers und die Scheidung Gottes im zukünftigen Gericht fallen darin in eins, so daß man die Verben zu Recht trotz der präsentischen Formen durchaus futurisch interpretieren kann[144]. Die präsentische Aussage und die betonte Vorausstellung des τῷ θεῷ sperren

[140] Beide ὀσμή in V 16a substituieren zwar jeweils εὐωδία, zugleich aber nehmen sie durch die präpositionalen Ergänzungen die Oppositionen von V 15b (σῳζωμένοις - ἀπολλυμένοις) auf und stehen so selber in Opposition zueinander.

[141] U. WILCKENS, Weisheit und Torheit. Eine exegetisch-religionsgeschichtliche Untersuchung zu 1 Kor 1 und 2, Tübingen 1959, 23.

[142] In 2Kor erscheint σῴζω dagegen nur hier in 2,15, ἀπόλλυμι hier in 2,15 und 4,3.9.

[143] WILCKENS, a.a.O. 23.

[144] Vgl. DE OLIVEIRA, a.a.O. 42f; WOLFF, 2Kor 56.

sich gegen "einen prädestinatianischen Klang", wie ihn WINDISCH in dieser Aussage sieht.[145]

Die Nähe zu einer prädestinatianischen Interpretation der Stelle ist im Zusammenhang mit 2,16a auch veranlaßt durch den Verweis auf zahlreiche Parallelen der rabbinischen Literatur, die zur Erklärung der Stelle angeführt werden und eine doppelte Wirkung der Tora beschreiben.[146] Dagegen spricht aber, (1) daß an diesen Stellen nicht von ריח (Geruch), sondern von סם (Balsam, Arznei) die Rede ist[147], und (2) daß dies die Bedeutung des individuellen Verhaltens der Hinwendung oder Ablehnung in der eschatologischen Dimension der Aussage von 2 Kor 2,15f weitgehend einebnet. Schließlich macht (3) die zweimalige Substitution des ὀσμή in 16a deutlich, daß nicht den Verlorenen oder Geretteten an sich die Eigenschaft "vom Tod zum Tod" bzw. "vom Leben zum Leben" zugesprochen wird, sondern ein- und demselben Duft, insofern er das Kriterium darstellt, an dem sich die Anerkennung des Wortes vom Kreuz und für Paulus die gläubige Annahme seiner Verkündigung entscheidet. Dies und die Verwendung der ἐκ - εἰς - Formel bei Paulus, die nicht als prädestinatianischer Akzent, sondern als intensivierende Klimax zu verstehen ist, verkennen Übersetzungen von ὀσμὴ ἐκ θανάτου mit "Leichengeruch" oder "Pesthauch".

Die Aussage von 2 Kor 2,16a wird durch die Antithese von 3,6 erhellt, die - ebenfalls in präsentischer Ausdrucksweise - die Opposition "Tod-Leben" wiederaufnimmt und durch die weitere Opposition "Buchstabe-Geist" erläutert. Auf eben diese Antithese "Tod-Leben" will Paulus in dieser kleinen Verseinheit 2,14ff hinaus. Um nicht weniger als um Tod und Leben[148] geht es in seinem Dienst am Evangelium: Paulus ist als

---

145 WINDISCH, 2Kor 99; folgerichtig sieht er τῷ θεῷ auch stark abgeschwächt oder eliminiert (98). Doch verkürzt er den Sinn, wie verschiedene Belege ihn widerspiegeln (Joh 3,20f; Mt 10,28; 1 Kor 1,18), wenn er allein dem Evangelium und nicht dessen Annahme und Ablehnung Heil und Verderben zuspricht. Ihm folgt WENDLAND, Briefe 176. - Belege für eine prädestinatianische Ausprägung bis hin zum scharfen Dualismus im Denken der Qumrangemeinde führt WILCKENS, a.a.O. 22f Anm.4 an.

146 Vgl. BULTMANN, Kommentar 71; FURNISH, IICor 189f, der richtig die Begriffsverschiebung betont; auch die Kommentare BARRETT 101f; BRUCE 188; LIETZMANN 109; MARTIN 48; WINDISCH 98f. Letztgenannter sieht ὀσμὴ ἐκ θανάτου als "Leichengeruch, Verwesungsgeruch, Pesthauch" (ebd. 99).

147 Anders zuletzt LIEBERS, Gesetz 212 Anm. 156: Die Verwendung von סם in Ex 30,34 innerhalb einer Aufzählung von Duftstoffen belege zumindest die Nähe dieses Begriffs zum 'Wohlgeruch'.

148 Weite Teile der nachfolgenden Argumentation werden von der Thematik "Tod-Leben", bezogen auf die Diakonie des Apostels, bestimmt; vgl. Peter VON DER OSTEN-SACKEN, Die Decke des Mose, in: ders., Die Heiligkeit der Tora. Studien zum Gesetz bei Paulus, München 1989, hier 97; als Beispiele führt er an (a.a.O. Anm. 51): "3,3 (lebendiger Gott); 3,6 (Töten/Lebendigmachen); 3,7

Verkündiger dieses Evangeliums Χριστοῦ εὐωδία τῷ θεῷ, die zum Leben oder zum Tod führt. Nur deshalb übt er so in seinem Tun scheidende Funktion aus, weil Christus selbst als bestimmendes Subjekt dieses Geschehen der Verkündigung lenkt und darin handelt. Weil das Evangelium immer Gottes Kraft ist zum Heil für jeden, der glaubt (Röm 1,16f), kommt dem Verkündiger als Repräsentant dieses dynamischen Geschehens eschatologische Funktion zu. Die Evangeliumsverkündigung ist so eschatologische Scheidung, da es darin um die Annahme Christi selber geht[149]. Im Bild von 2,14ff geht es um die Gegenwart Gottes in der Verkündigung des Evangeliums.

In den VV 14-16 ist auf semantischer Ebene eine Entwicklung festzustellen: Paulus setzt ein mit dem Handeln Gottes an den Verkündigern und ihrer Tätigkeit. Dieser spricht er eine eschatologische Funktion zu, die in den Oppositionen von 15b-16a deutlich wird. Wenn die Verse auch Anklänge an hymnische Formulierungen enthalten, bleibt doch, angesichts des fehlenden Vortextes zu 2,14, nur zu vermuten, daß Paulus diese selbst zusammengestellt hat unter Aufnahme verschiedener z.T. alttestamentlicher Metaphern und Gedanken[150], darunter eben der für unsere Untersuchung wichtigen kultischen Termini, die auch an anderen Stellen seiner Briefe zu finden sind.

3.5 Zusammenfassung zu Kap. 3: Aussagen des Paulus über seine Evangeliumsverkündigung

Wir haben vier Stellen untersucht, an denen Aussagen zur Evangeliumsverkündigung mit kultischer Terminologie verbunden sind (Röm 1,1.5; Gal 1,15f; 1 Kor 9,13f; 2 Kor 2,14-16). An diesen Stellen wird deutlich,

(Tod); 4,10 (Tötung/Leben); 4,11 (Tod/Leben); 4,12 (Tod/Leben); 4,14 (Auferweckung)."

149 Vgl. die Aussage von MERKLEIN (in der Diskussion zu GRÄSSER, Paulus, ebd. 68): "Die Aktivität des Apostels ist vielmehr eine Aktivität Gottes. Man wird also, wenn man schon von einer Aktivität des Apostels sprechen will, dies nur dialektisch tun können."

150 Angesichts dieser Zusammenstellung sind die verschiedenen gnostischen Motive, die GEORGI anführt (Die Gegner des Paulus im 2. Korintherbrief, Neunkirchen-Vluyn 1964, 225), durchaus aus dem Textzusammenhang zu erklären und kaum zwingend wiederzuerkennen.

daß Paulus ein gewisses kultisch beeinflußtes Verständnis der Evangeliumsverkündigung nicht fremd gewesen ist: (1) Mit der passivischen Formulierung ἀφωρισμένος stellt Paulus Gott als den heraus, der an ihm die Aussonderung zu heiligem Zweck vorgenommen hat, d.h. für Paulus die Aussonderung zur Verkündigung des Evangeliums. In der Verwendung des Begriffs ἀφορίζειν knüpft Paulus, in Anlehnung an prophetischen Sprachgebrauch, möglicherweise an den kultischen Ursprung des Wortes an. Die Formulierung mit ἀφορίζειν läßt erkennen, daß Paulus sein prophetisch bestimmtes Apostelverständnis in kultischen Dimensionen definieren kann. (2) Paulus begreift die Evangeliumsverkündigung als ein dynamisches Geschehen, das heiligende Funktion hat, da im Evangelium Gottes Kraft begegnet, "die jeden rettet, der glaubt" (Röm 1,16f). Die Verbindung von kultischer Terminologie mit dem Evangelium (Röm 1,1ff; 15,15f) geschieht gerade in Aussagen über die Verkündigung an die Heiden (1,5; 15,16b). Die Evangeliumsverkündigung bzw. der durch sie hervorgerufene Glaubensgehorsam hat ein Ergebnis zur Folge, daß Paulus adäquat nur mit Hilfe kultischer Terminologie ausdrücken kann. Dieses Ergebnis, das er durch sein Tun erreicht hat, ist das Zu-Gott-Kommen der Heiden. (3) Auf dem Hintergrund dieser Stellen erhellt sich 1 Kor 9,13f: Paulus kann seinen Dienst am Evangeliun illustrativ mit kultischer Terminologie beschreiben und zugleich diesen Dienst mit dem des Priesters am Altar vergleichen. (4) Ebenfalls auf die Verkündigung des Evangeliums zielt 2 Kor 2,14-16, auch wenn der Terminus εὐαγγέλιον hier nicht explizit genannt wird. Ähnlich wie mit dem Verb ἀφορίζειν drückt Paulus mit θριαμβεύειν das besondere Handeln Gottes an ihm aus, das nur in Zusammenhang mit der Verkündigung des Evangeliums zu begreifen ist. Mit dem vom Kult entlehnten Bild des Duftes wird von der Verkündigung des Evangeliums gesagt, daß Gott in diesem Geschehen gegenwärtig ist und sich so eine eschatologische Scheidung ereignet. Indem Gott durch Paulus den Duft der Erkenntnis offenbart, wird der Apostel zum Wohlgeruch Christi für Gott. (5) Die in diesem Kapitel behandelten Textstellen zeigen, daß die jeweiligen eklesiologischen Sachverhalte für Paulus nur so, d.h. unter Verwendung der kultischen Terminologie, in eindeutiger Weise aussagbar sind. Wo es die Nähe zu Gott bzw. die Gegenwart Gottes Thema ist, geht es Paulus um Realität. Deshalb ist für ihn die Sprache in diesen Kontexten keineswegs "spiritualisierend", sondern eigentliche Rede, in der für Paulus nur mit Hilfe kultischer Kategorien die zu beschreibende Wirklichkeit adäquat ausgesagt werden kann.

4. 'ΕΚΚΛΗΣΙΑ UND ANDERE GEMEINDEBEZEICHNUNGEN IN DEN BRIEFEN DES PAULUS

In der biblischen Exegese ist spätestens seit der Untersuchung von L. ROST[1] aus dem Jahre 1938 die Frage nach den "alttestamentlichen Vorstufen von Kirche"[2] bis heute von bleibender Aktualität. ROST konzentriert sich in seiner Arbeit auf die Begriffe qahal und 'edah als die vorausgehenden Begriffe zu Ekklesia und Synagoge. Bei noch stark eingeschränkter literarischer Differenzierung und mangelnder Redaktionskritik kommt Rost zu dem Ergebnis, daß der theologisch reflektierte Begriff qahal vom Deuteronomium abhängig ist und die theologisch geprägte Bedeutung von 'eda von der Priesterschrift geschaffen wurde, daß also die ekklesiologisch relevante Begrifflichkeit und die mit ihr gegebene Reflexion auf das Phänomen Kirche im AT ab Deuteronomium und Priesterschrift gegeben seien.

F.J. STENDEBACH hat die Bedeutung der beiden Begriffe als Vorstufen erheblich eingeschränkt. Bei der Frage nach den atl. Vorstufen von Kirche stellt er zunächst als Zwischenergebnis fest, "daß die Größen qahal, 'edah und 'am als solche Vorstufen gar nicht oder nicht unmittelbar oder nur mit Vorbehalt betrachtet werden können". Weiter schreibt er:

> ". . . Dieser Befund macht deutlich, dass die unmittelbaren und entscheidenden Vorstufen der ntl. ekklesía nicht im AT, sondern in den

---

1 L. ROST, Die Vorstufen von Kirche und Synagoge im AT (BWANT IV,24), Stuttgart 1938.

2 Vgl. den Titel des Aufsatzes von F.J. STENDEBACH, Versammlung - Gemeinde - Volk Gottes. Alttestamentliche Vorstufen von Kirche?, in: Judaica 40 (1984), 211-224.- Weitere Literatur zu diesem Thema: H.F. FUHS, Heiliges Volk Gottes; F.-L. HOSSFELD, Volk Gottes als "Versammlung"; J. SCHREINER, Volk Gottes als Gemeinde des Herrn in deuteronomischer Theologie.

> Gruppenbildungen des frühen Judentums, vor allem in Qumran und bei den Pharisäern zu suchen sind."[3]

Dieser von Stendebach geforderte Rückgriff auf die zwischentestamentliche Literatur darf aber nicht den Blick verstellen auf deren Voraussetzungen, nämlich auf die "Ekklesiologie" des Deuteronomium und der P^g, die sich aus dem "Übergang vom Staat zur Gemeinde für das gleichbleibende Subjekt 'Volk Gottes', der sich bekanntlich während des 6. Jahrhunderts v. Chr. durch das Exil, in und nach ihm vollzogen hat"[4], herausgebildet hat. Für die Einordnung der paulinischen Aussagen soll dieser Rückgriff auf die zwischentestamentliche Literatur in beispielhafter Auswahl als traditionsgeschichtlicher Vergleich gesucht werden, zugleich aber soll, wo notwendig, der Blick in das AT, speziell in das Buch Deuteronomium und in P^g, gerichtet werden.

Paulus verwendet in seinen Briefen verschiedene Termini zur Bezeichnung seiner Adressaten in den Präskripten und in den Grußformeln seiner Briefe. Darüber hinaus gibt es einige Stellen, wo Paulus in bestimmten, meist konkreten Textzusammenhängen Gemeindebegriffe verwendet. Unser Augenmerk richtet sich bei dieser Betrachtung vor allem auf den Terminus der ἐκκλησία und auf die von Paulus synonym gebrauchten Begriffe οἱ ἅγιοι, ἐκλεκτοί und κλητοί.

4.1 Der Begriff der ἐκκλησία

Im NT finden sich 114 Belege von ἐκκλησία[5], davon nur drei in den Evangelien, 23 in der Apg und 20 in der Apk[6]. Der Begriff begegnet in

---

3 STENDEBACH, a.a.O. 218; er möchte besonders das Gewicht der zwischentestamentlichen Literatur herausstellen, vor allem unter Verwendung der noch unveröffentlichten Habilitationsschrift von H.-J. FABRY, Studien zur Ekklesiologie des Alten Testamentes und der Qumrangemeinde (Habil. Bonn 1979); vgl. FABRY, a.a.O. 195 (vgl. unten Anm. 36).

4 HOSSFELD, Volk Gottes 123.

5 Von den ntl. Stellen sind drei im Mt (16,18; 18,17bis), 23 Belege in der Apg (5,11; 7,38; 8,1.3; 9,31; 11,22.26; 12,1.5; 13,1; 14,23.27; 15,3.4.22.41; 16,5; 18,22; 19,32.39.40; 20,17.28), 20 Belege in den paulinischen Antilegomena (Eph 1,22; 3,10.21; 5,23.24.25.27.29.32; Kol 1,18.24; 4,15.16; 2 Thess 1,1.4; 1 Tim 3,5.15; 5,16; Hebr 2,12; 12,23), hinzu kommen als ἐκκλησία-Stellen Jak

den Briefen des Paulus an 44 Stellen (25 im sing., 19 im plur.), davon allein sind 22 in 1Kor, neun in 2Kor und fünf im Grußkapitel Röm 16. Das Wort taucht vor allem da auf, wo es um konkrete Probleme der Gemeinden und ihr Zusammenleben geht.[7] Diese Beobachtung soll durch einen Blick auf die paulinische Rede von der ἐκκλησία τοῦ θεοῦ[8] unterstrichen werden.

5,14; 3 Joh 6.9.10 und Apk 1,4.11.20bis; 2,1.7.8.11.12.17.18.23.29; 3,1.6.7.13.14.22; 22,16 (20 Belege).

6 Im folgenden geht es um die paulinische Verwendung des Begriffs ἐκκλησία, insofern sich Rückschlüsse für unsere Untersuchung daraus herleiten lassen; deshalb wird die Frage, ob ἐκκλησία bei Paulus eher die Einzel- oder die Gesamtgemeinde bzw. die Kirche bezeichne, hier nicht erörtert. Ebenso soll hier nicht wiederholt werden, was über den Begriff in den entsprechenden Wörterbüchern, Lexika und Abhandlungen zur Begriffsgeschichte des Wortes, zu seiner Verwendung im Alten Testament, im Frühjudentum, im Neuen Testament und in der frühen Christenheit zu sagen ist. - Als Literatur zum Begriff ἐκκλησία seien aus den letzten Jahren genannt: SCHRAGE, "Ekklesia"; K. STENDAHL, Art. Kirche (II. Im Urchristentum), in: RGG[3] III (1959), 1297-1309; W.G. KÜMMEL, Kirchenbegriff und Geschichtsbewußtsein in der Urgemeinde und bei Jesus, Göttingen [2]1968; R. SCHNACKENBURG, Die Kirche im NT, Freiburg [3]1966, 146-156; ders., Ortsgemeinde und "Kirche Gottes" im ersten Korintherbrief, in: H. FLECKENSTEIN (Hg.), Ortskirche - Weltkirche (FS J. DÖPFNER), Würzburg 1973, 32-47; HAINZ, Ekklesia 74-77.229-239.361; BERGER, Volksversammlung; ders., Art. Kirche (TRE); MERKLEIN, Ekklesia (mit Darstellung der Forschungsgeschichte ebd. 296-299); ders., 1Kor 69-74; KLAIBER, Rechtfertigung, bes. 11-21; J. ROLOFF, Art. ἐκκλησία, in: EWNT I, 998-1011 (dort auch weitere Literatur 998f).

7 ἐκκλησία findet sich im Präskript (1 Kor 1,2; 2 Kor 1,1; Gal 1,2; 1 Thess 1,1) und in den Schlußgrüßen (auch hier von bestimmten Gemeinden: 1 Kor 16,19; Röm 16,5; dagegen Röm 16,16 eine Formulierung im Plural: αἱ ἐκκλησίαι πᾶσαι τοῦ Χριστοῦ). - Formelhaft ist die Wendung ἐν ἐκκλησίᾳ = in der Gemeindeversammlung (1 Kor 11,18; 14,19.28.35); Ziel der Zusammenkunft ist der Aufbau der Gemeinde (1 Kor 14,4.5.12). Dem Zusammenhang nach ist dabei an Hilfe für die versammelten Gemeindemitglieder gedacht, also Erbauung der Gemeinde als Erbauung des "anderen", vgl. 1 Kor 14,17. An anderen Stellen bezeichnet ἐκκλησία die Gemeinschaft der Christen eines Ortes, die auch über die aktuelle Versammlung hinaus eine fest umrissene Größe darstellt: In der Gemeinde gibt es verschiedene Dienste (1 Kor 12,28; Röm 16,1) und besondere Aufgaben für geachtete Leute (2 Kor 8,18.19.23; vgl. auch Röm 16,23 und 1 Kor 6,4). Das Stichwort taucht auf, wo es um die Versorgung des Paulus geht (2 Kor 11,8; 12,13; Phil 4,15). Paulus trägt aber umgekehrt die Last der Sorge für alle Gemeinden (2 Kor 11,28). In allen Gemeinden lehrt bzw. ordnet er das Gleiche an (1 Kor 4,17; 7,17), in allen Gemeinden soll auch die Sitte gleich sein (1 Kor 14,33; 11,16). Vom Verhalten bestimmter Gemeinden oder ihnen gegenüber sprechen auch Röm 16,4; Gal 1,22; 2 Kor 8,24; 1 Thess 2,14.

8 Zu dieser Wortverbindung s. vor allem BERGER, Volksversammlung; MERKLEIN, Ekklesia. - Zur Form ἡ ἐκκλησία τοῦ θεοῦ in 1 Klem 1,1 s. Erik PE-

Paulus redet davon, er habe die ἐκκλησία τοῦ θεοῦ verfolgt: 1 Kor 15,9; Gal 1,13; (ohne Gen. in Phil 3,6). Auf diese Stellen stützt sich die Hypothese, Paulus habe so zunächst die Urgemeinde bezeichnet[9]. Weder ist es jedoch sicher, ob er gerade die Urgemeinde verfolgt hat, noch ist ἐκκλησία τοῦ θεοῦ eine Sonderbezeichnung des Paulus für die Urgemeinde. 1 Kor 10,32 und 11,22 "legen eher die Vermutung nahe, daß dieser Ausdruck 'die Gemeinde Gottes' als theologische Größe besonderer Würde kennzeichnet"[10]:

1 Kor 10,32f: (32) ἀπρόσκοποι καὶ Ἰουδαίοι γίνεσθε καὶ Ἕλλησιν καὶ τῇ ἐκκλησίᾳ τοῦ θεοῦ, (33) καθὼς κἀγὼ πάντα πᾶσιν ἀρέσκω μὴ ζητῶν τὸ ἐμαυτοῦ σύμφορον ἀλλὰ τὸ τῶν πολλῶν, ἵνα σωθῶσιν.
(11,1) μιμηταί μου γίνεσθε καθὼς κἀγὼ Χριστοῦ.

1 Kor 11,22: ἢ τῆς ἐκκλησίας τοῦ θεοῦ καταφρονεῖτε, καὶ καταισχύνετε τοὺς μὴ ἔχοντας;

Diese beiden Stellen stehen jeweils in paränetischem Kontext: Es gilt, keinen Anstoß (ἀπρόσκοπος) bei der ἐκκλησία τοῦ θεοῦ zu erregen und sie nicht zu verachten (καταφρονέω)[11]: An beiden Stellen hält Paulus den Korinthern vor, daß ἐκκλησία nicht als das verstanden und verwirklicht wird, was sie ist: Gemeinschaft derer, die Gott erwählt hat.[12] Diese Aussagen zur Diskrepanz zwischen Soll- und Ist-Zustand der Gemeinde führen näher zum Sprachgebrauch des Paulus hin.

TERSON, Das Praescriptum des 1. Clemens-Briefes, in: ders., Frühkirche, Judentum und Gnosis. Studien und Untersuchungen, Rom-Freiburg-Wien 1959 (Erstveröffentlichung: Pro regno, pro sanctuario [FS G. van der Leew], Nijkerk 1950, 351f).

9 So vor allem HAINZ, Ekklesia 232-236; er schließt sich K. HOLL, Kirchenbegriff 44-67 an. Daß Paulus den Begriff der ἐκκλησία τοῦ θεοῦ auf irgendeine Weise von der Jerusalemer Urgemeinde "überkommen" (sic!) habe, ist für HAINZ keine Frage; fraglich für ihn ist nur noch das Wie dieses traditionsgeschichtlichen Weges (HAINZ, a.a.O. 232f). - Gegen HAINZ u.a. KLAIBER, Rechtfertigung 14 Anm. 27.

10 KLAIBER, a.a.O. 14.

11 An 1 Kor 10,32 zeigt sich, daß es hier wenig hilfreich ist, beim Begriff ἐκκλησία zwischen Einzelgemeinde und dieser als "Darstellung, Repräsentantin des einen Gottesvolkes" zu differenzieren (vgl. WOLFF, 1Kor 63). Die Bezeichnungen "Juden" und "Griechen", gleichsam als Pars pro toto für Heiden, stehen für die Ursprünge der einen Gemeinde, während die Formel ἐκκλησία τοῦ θεοῦ hier "die von Gott erwählte Gemeinde" bezeichnet.

12 Vgl. WOLFF, 1Kor 82 zu 1 Kor 11,22.

In der ἐκκλησία-Stelle im Präskript des ersten Korintherbriefes (1 Kor 1,1f) findet das Kirchenverständnis des Paulus "programmatischen Ausdruck"[13], wenn Paulus die korinthischen Christen anredet als "die Gemeinde Gottes, welche in Korinth ist" (vgl. 2 Kor 1,1). Die Ekklesia in Korinth wird hier als "die Geheiligten in Christus Jesus" bestimmt (1 Kor 1,2; vgl. Phil 1,1; 4,21), d.h. das "In-Christus-Sein" macht den eschatologischen Charakter der Ekklesia aus (vgl. Gal 1,22). Wo In-Christus-Seiende in Ekklesia zusammenkommen, ist Ekklesia Gottes, eschatologische Heilsgemeinde[14]. So tritt neben die theologische Fundierung ("Gemeinde Gottes") die christologische Vermittlung. Gerade das Präskript des 1Kor bringt zum Ausdruck, daß Paulus mit der Kennzeichnung der Gemeinde als ἐκκλησία τοῦ θεοῦ und als ἡγιασμένοι ἐν Χριστῷ Ἰησοῦ[15] im Rückgriff auf solche atl-jüdische Sprachkompetenz die christliche Gemeinde als "Ekklesia Gottes", als Gottes erwähltes, heiliges Volk herausstellen wollte, dessen Heiligkeit nach paulinischem Verständnis im Sühnetod Christi realisiert ist[16]. Paulus sieht die Ekklesia nicht als "kultische Gemeinde" an, sieht aber wohl die Zugangsbedingungen zur ἐκκλησία τοῦ θεοῦ und damit zur Heiligkeit dieser Ekklesia als im Sühnetod Christi realisiert an. Daß Gott der Heiligende ist, bestätigt die zweite Apposition "berufene Heilige" (vgl. Röm 1,7). Den Korinthern gegenüber hebt Paulus durch den Genitiv τοῦ θεοῦ hervor, daß Gott es ist, der diese Versammlung beruft und "ihre, für ihren Charakter als Ekklesia Gottes, konstitutiven Merkmale und Bedingungen festlegt"[17], wie gerade dieses Von-

---

13 Vgl. J. ROLOFF, a.a.O. 1003; in der Existenz dieser Gemeinde Gottes von Korinth treten "die Wesenszüge der weltweit entstehenden Kirche Gottes sichtbar in Erscheinung", so daß sie "diese Kirche in ihrer Gesamtheit zu repräsentieren vermag" (Zitate ebd.).

14 Vgl. MERKLEIN, Ekklesia 315f.

15 Zu beachten ist hier das Perfekt: Die Christen sind in den durch Christi Heilstat bestimmten Heils- und Herrschaftsbereich versetzt; vgl. oben Kap. 2.4.1 die Untersuchung des Begriffs ἁγιάζειν.

16 Gegen BERGER, Volksversammlung 191, der es für "nicht notwendig hält, stets an den Sühnetod Jesu als den Grund der Heiligkeit der Ekklesia zu denken".

17 MERKLEIN, a.a.O. 310.

Gott-Konstituiert-Sein für das Selbstverständnis Israels als Volk überhaupt grundlegend ist[18].

Neben dem Vorkommen im Präskript der beiden Korintherbriefe findet sich der Begriff ἐκκλησία τοῦ θεοῦ außer an den bereits genannten Stellen noch in 1 Kor 11,16 und 1 Thess 2,14f, jeweils in einer Formulierung im Plural. Auffällig ist nun, daß neben dem Vorkommen im Präskript der beiden Korintherbriefe dieser Begriff immer dort steht, wo es um das rechte und falsche Verhalten gegenüber der Gemeinde geht.[19] "Die Würdestellung der christlichen Gemeinde steht in allen genannten Belegen im Vordergrund. Es ist daher müßig zu fragen, ob die Einzel- oder die Gesamtgemeinde gemeint ist."[20] So hat Paulus möglicherweise den sakralrechtlichen Klang des Begriffs noch empfunden. Da Paulus demnach mit ἐκκλησία τοῦ θεοῦ die Gemeinde als Größe und zugleich die Gemeinde in ihrer Würde ansprechen kann, darf vermutet werden, daß sich bei ihm in der Verwendung des Ekklesia-Begriffes das erkennen läßt, was man auf dem Gebiet der paulinischen Ethik mit der Bezeichnung "Indikativ und Imperativ" auf den Begriff zu bringen versucht, nämlich der Zusammenhang von unbedingter Heilszusage und, damit unmittelbar verbunden, sittlichem Anspruch[21]: Werdet, was ihr seid, Ekklesia Gottes! - Wie die bereits erwähnte Stelle Phil 3,6 im Vergleich mit 1 Kor 15,9 und Gal 1,13 zeigt, geht die Verwendung von ἐκκλησία τοῦ θεοῦ und ἐκκλησία ineinander über, wobei die Erweiterung mit dem Genitiv das Nebeneinander von Singular und Plural mit dem Simplex teilt.

---

18 Vgl. N. A. DAHL, 5-7.49.53-56.140-143; H. F. FUHS, Heiliges Volk Gottes (dort weitere Literatur 143f); HOSSFELD, Volk; J. SCHREINER, Volk.

19 In den paulinischen Homologumena wird auch die Bezeichnung σῶμα Χριστοῦ nur in paränetischem Kontext verwendet, wobei theologisch bedeutsam ist, "daß der 'Leib-Christi' als Interpretament der christlichen Existenz *notwendigerweise* die *Soteriologie* voraussetzt": vgl. MERKLEIN, Entstehung, bes. 341, Zitat ebd. (Hervorhebung von MERKLEIN).

20 KLAIBER, Rechtfertigung 18.

21 Vgl. zur "Gemeinde zwischen Sein und Sollen" KLAUCK, Gemeindeerneuerung: Neutestamentliche Perspektiven, in: ders., Gemeinde, 29-36, hier 32 (Erstveröffentlichung: LS 36 [1985] 205-209). - Wenn KLAUCK schreibt, "Das ideale Gemeindebild wird kritisch gegen die vorfindliche Gemeinde gewendet, wo diese versagt", so ist zu fragen, wie und woher sich dieses "ideale Gemeindebild" für Paulus bestimmt.

Es läßt sich bisher festhalten, daß, abgesehen von den Stellen, wo ἐκκλησία im genuin hellenistischen Sinn des Wortes die "Versammlung" (als Akt oder Konkretum) meint[22], der Begriff ἐκκλησία bei Paulus nahezu ausschließlich auf die konkrete einzelne Gemeinde angewendet ist. Davon weichen in gewisser Weise jene Stellen ab, an denen Paulus den Begriff generell verwendet[23], und, dies ist gerade für unsere Untersuchung von Interesse, vor allem jene Stellen, wo der traditionelle Charakter des übernommenen Begriffes, speziell auch dessen kultische Färbung, noch durchschlägt[24]. Da Paulus an mehreren Stellen, wie gezeigt, die Bezeichnung ἐκκλησία τοῦ θεοῦ[25] verwendet, soll im folgenden nach der möglichen Herkunft dieser Wortverbindung gefragt werden.

ἐκκλησία kann bereits in der LXX die Bedeutung "Gemeinde" im Sinne der Volksgemeinde Israels gewinnen, wobei freilich diese Bedeutung nicht an dem Term als solchem hängt, sondern sich aus seiner syntagmatischen Verbindung ergibt.[26] Besonders interessant für den neutestamentlichen Gebrauch ist das Syntagma ἡ ἐκκλησία (τοῦ) θεοῦ bzw. κυρίου (קהל יהוה), in dem ἐκκλησία (קהל) immer eine die konkrete Versammlung übersteigende Bedeutung bekommt, die wenigstens in Richtung einer Gruppenbezeichnung tendiert.

Traditionsgeschichtlich ist für den Begriff ἐκκλησία τοῦ θεοῦ die Beobachtung festzuhalten, daß dieser klar vom einfachen ἐκκλησία getrennt werden kann. Für den atl. Sprachgebrauch der syntagmatischen Verbindung קהל יהוה sind vor allem die Belege im sog. Gemeindegesetz Dtn 23,2-9 zu nennen, wo die Wortverbindung auf

---

22 Vgl. 1 Kor 11,18; 14,4.5.12.19.23(?).28.(33[?].34.35 = sekundär s. G. DAUTZENBERG, Urchristliche Prophetie [BWANT 104], Stuttgart 1975, 263-273; vgl. den Exkurs bei WOLFF, 1Kor 140-143).

23 Vgl. hier MERKLEIN, Ekklesia 299-303.

24 Da hier im Rahmen unser gesamten Untersuchung nach kultischen Konnotationen des Ekklesia-Begriffes gefragt wird, liegt im folgenden auf diesem Aspekt der Schwerpunkt des Interesses; gerade in Dtn 23,2-9 geht es ja um die kultische Reinheit der "Versammlung Jahwes" (vgl. HOSSFELD, Volk Gottes, bes. 128f).

25 ἐκκλησία τοῦ θεοῦ in den paulinischen Homologumena: 1 Kor 1,2; 10,32; 11,22; 15,9; 2 Kor 1,1; Gal 1,13; 1 Kor 11,16 u. 1 Thess 2,14f (jeweils im Plural); Phil 3,6 (ohne Genitiv); vgl. Röm 16,16: ἐκκλησίαι τοῦ Χριστοῦ.

26 Vgl. MERKLEIN, Ekklesia 309; auch BERGER, Volksversammlung 190, der (wie SCHRAGE, Ekklesia) eine Übernahme des Begriffs ἐκκλησία aus dem AT bestreitet, aber im Zusammenhang mit der Auslegungsgeschichte von Dtn 23 seine Ausgangsthese relativiert und zugesteht: Die "Zulassungsbedingungen gelten nun nicht mehr nur für je eine »ekklesia«, sondern sind bereits generelle Kriterien von Gruppenmitgliedschaft geworden."

engstem Raum sechsmal vorkommt[27]. Die neuere Forschung nimmt aus verschiedenen Gründen[28] eine vorexilische Ansetzung des Grundtextes an. Interessantes ist für Dtn 23,2-9 festzuhalten[29]: (a) das Gemeindegesetz redet von Zulassungsbedingungen zur Versammlung JHWHs; (b) vom näheren Kontext her gehört es zu Vorschriften, die alle einen Bezug zum Sexuellen haben, nämlich Dtn 22,13 - 23,15; (c) im Gemeindegesetz und von dort ausgehend (Neh 13,1-3; Klgl 1,10) wird die Verbindung קהל יהוה zum term. techn. für eine religiös-kultisch bestimmte Versammlung, der Männer mit Defekten an Fortpflanzungsorganen und Abstammung nicht zugehören dürfen. Dabei zeigt sich die Tendenz bei der Auslegung von Dtn 23, den קהל auf ganz Israel zu beziehen und in den Bestimmungen dieses Stückes Bedingungen für die Zugehörigkeit zu Israel als Volk zu erblicken, so daß hier in der Auslegung von Dtn 23, auch wenn der Begriff קהל nicht immer explizit genannt ist, durchaus von einer Gruppenbezeichnung gesprochen werden darf[30]. Zugleich geht die Auslegung von Dtn 23 auf "Heiligkeit" hin[31].

Klgl 1,10 und Neh 13,1 nehmen Dtn 23 auf, wobei an der zweiten Stelle bemerkenswerterweise schon im MT קהל האלוהים (LXX ἐκκλησία θεοῦ) erscheint. Außerhalb dieses Traditionszusammenhangs stehen Num 16,3; 20,4 (LXX συναγωγή) und 1 Chr 28,8.[32] Im nachbiblischen Judentum dominiert jedoch der Einfluß von Dtn

---

27 "Für die Vorgeschichte des christlichen Kirchenbegriffes hat man schon häufiger auf Dtn 23,2-9 verwiesen" (BERGER, a.a.O. 188); vgl. H. WINDISCH, Sprüche 184f; ROST, a.a.O. (s. Anm. 1) 12f.141.151.153f; nach Rost wurde "qahal jahwe im Deuteronomium wie bei Micha (2,3) Ausdruck dafür, daß die Gemeinde der Gegenwart in ihren Anforderungen an ihre Glieder den strengen Bedingungen entsprechen muß, die Jahwe an die an jener denkwürdigen Sinaiversammlung Beteiligten gestellt hat" (ROST, a.a.O. 13f); dagegen SCHRAGE, "Ekklesia" 182; allerdings bleibt hier der "Schlüssel" zum paulinischen Rückgriff auf Dtn 23,2-9, der Gedanke der (kultischen) "Heiligkeit und Reinheit" der Ekklesia, unberücksichtigt.

28 Vgl. dazu K. GALLING, Gemeindegesetz 176f.189-191; HOSSFELD, Volk 128f; auch HOSSFELD/KINDL, Art. קהל IV, in: ThWAT V 1210-1219, hier 1212: "Insofern (die auffällige und bewußte Ausnahme von Edom und Ägypten; d. Verf.) ordnet sich das Gemeindegesetz mit seiner Absicht der kultisch-rituellen Reinhaltung der Versammlung JHWHs durchaus in vorexil., typisch israelitische Tendenzen ein, im Bereich des Sexuellen empfindlich zu sein."

29 Vgl. zum folgenden HOSSFELD/KINDL, a.a.O. 1212f.

30 Vgl. BERGER, Volksversammlung 189; vgl. ders., "Kirche" 215; MERKLEIN, Ekklesia 307f; s. Anm. 26.

31 Vgl. Klgl 1,10 u. 4 Qflor 1,2-13, wo es jeweils auch um das Heiligtum geht; bei Josephus im Bericht über das Passafest Bell 6,425; 1 QSa 1,25ff, wo die Verschärfung anschließend mit dem Satz begründet wird: "denn die Engel der Heiligkeit sind in ihrer Gemeinde" (2,8f); dazu BERGER, Volksversammlung 189: "die Gemeinschaft mit den heiligen Engeln ist aber auch für das frühchristliche Verständnis von 'ekklesia' wichtig"; s. im folgenden Kap. 4.2 den Exkurs "Zusammenhang von irdischem und himmlischem Kult".

32 Vgl. KLAIBER, Rechtfertigung 14f; Zitat ebd.

23.[33] Fast alle Belege für קהל יהוה/ אל bzw. die griechischen Äquivalente beziehen sich auf diese Stelle. K. BERGER hat die Bedeutung von Dtn 23,2-9 für Philo herausgearbeitet als einer Stelle, die von diesem überaus häufig zitiert wird: ἐκκλησία κυρίου steht immer in Zitaten aus Dtn 23,2-9 (All III,81; Ebr 213; Conf 144; Post 177)[34]. "Formuliert Philo in diesem Zusammenhang frei, schreibt er ἐκκλησία θεοῦ oder umschreibt den Genitiv. In anderem Zusammenhang kommt ἐκκλησία κυρίου/θεοῦ bei ihm nicht vor."[35] Interessant ist, daß offensichtlich בוא בקהל zum terminus technicus geworden ist.

Ein Blick in die Schriften von Qumran zeigt zunächst, daß der Begriff קהל hier auffällig wenig begegnet[36]. Die Schriften von Qumran bestätigen aber doch den Sprachgebrauch des Begriffs mit dem Charakter eines "sakral-rechtlichen terminus technicus für das wahre Israel"[37]. In 1 QSa 2,4 ist קהל ekklesiologisch verstanden, wenn קהל אל in der Formel בוא בקהל (vgl. CD 12,6[38]) erscheint; in 1 QSa 2,2-10 erweist sich קהל als eine Sonderform des מועד[39]. Nur 1 QM 4,10 fällt aus dem Rahmen, wo קהל אל in einer Feldzeichenaufschrift bezogen auf eine bestimmte Abteilung des eschatologischen Heeres begegnet, nicht aber als Bezeichnung der ganzen Gemeinde und erst recht nicht auf das eschatologische Israel bezogen.[40] - Für die Tempelrolle ist

---

33 Für die frühjüdischen Pseudepigraphen und Apokryphen läßt sich dies allerdings nicht sagen. Hier nimmt keiner der fünf Belege für ἐκκλησία Bezug auf Dtn 23; vgl. ApkSedr 14,11; PsSal 10,6; Apk Baruch 13,4; 16,4; Testament Jobs 32,8.

34 Vgl. KLAIBER, a.a.O. 15; Philo verwendet ἐκκλησία 22mal, davon 13mal in Zitation von Dtn 23, vgl. All III,8.81; Post 177; Imm 111; Ebr 213; Conf 144; Migr 69; Mut 204; Somn II,184.187; SpecLeg I,32; Virt 108; Dtn 23 führt Philo noch an in SpecLeg I,325.344 (σύλλογος ἱερός). Vgl. K.L. SCHMIDT, ThWNT III, 532, 8-21; BERGER, a.a.O. 189f; KLAIBER, a.a.O. 15f.

35 KLAIBER, a.a.O. 14f; ähnliches weist er für die Mischna auf, wenn Dtn 23,2ff zitiert werde: dann finden wir "קהל ה' (Jeb 8,2b; Jad 4,4b); wird frei formuliert, steht nur קהל (Qid 4,3; Jeb 8,2; Jad 4,4; vgl. TosJad 2,17; TosJeb 8)." (ebd. 15)

36 Vgl. FABRY, Art. קהל V, in: ThWAT VI 1219-1221, hier 1219: die Gesamtzahl der Belege der Wurzel *qhl* in der Qumranliteratur belaufe sich auf ca. 50, von denen 20 Belege aus den unpublizierten Texten aus 2 Q bis 10 Q vorerst noch nicht greifbar sind; das Verb ist nur an 5 Stellen belegt; zur Einordnung von קהל in Relation zu anderen ekklesiologischen Begriffen s. ders., Studien, bes. 200-212.

37 KLAIBER, a.a.O. 15.

38 Vgl. FABRY, Studien 197f: Nach der disziplinarrechtlichen Bestimmung CD 12,6 soll der Sabbatschänder nach siebenjähriger Exkommunikation wieder Zutritt zum קהל erhalten; קהל steht "also nicht für die ganze Gemeinde, sondern meint diese nur in einem bestimmten Vollzug" (ebd. 198).

39 Vgl. FABRY, Studien 198; ders., Art. קהל V 1220.

40 Vgl. FABRY, Art. קהל V 1220; in 1 QM ist קהל mehrfach im Sinne von "Haufe" oder "Schar" verstanden, vgl. 11,16 (vgl. Ez 38,7); 14,5; 15,10; vgl. ders., Studien 198.

קהל die Kultgemeinde, die im Weihefest und am Versöhnungstag ihre Opfer als Sühnopfer darbringt (vgl. TR 16,15-18; 18,7; 26,7ff)[41].

Die Darstellung des Traditionszusammenhangs zeigt einige Merkmale für den Begriff קהל יהוה/ἐκκλησία τοῦ θεοῦ auf:

(1) Dieser Begriff stellt im Frühjudentum in einigen Traditionen den zentralen Begriff für das Volk Gottes im AT dar, ist aber, wie besonders die Schriften von Qumran deutlich zeigen, gegenüber anderen ekklesiologisch relevanten Bezeichnungen eher eine Sonderform.

(2) Aus den Belegen von Qumran ist weiter festzuhalten, daß die vier Belege von קהל in CD zwar nicht eindeutig sind, in CD 12,6 aber steht קהל in disziplinarischen Bestimmungen gleichbedeutend mit der "Vollversammlung" der Gemeinde (יחד) aus 1 QS und bezeichnet "demnach nicht die Gemeinde als solche, vielmehr die Gemeinde in einem bestimmten Vollzug"[42].

(3) Im Rahmen der Tradition von Dtn 23,2-9, die in allen wesentlichen Schichten der jüdischen Geschichte von Bedeutsamkeit bleibt, gewinnt der Begriff allerdings "den Charakter eines sakral-rechtlichen terminus technicus für das wahre Israel".[43] Die inhaltliche Füllung des Begriffes im einzelnen ist jedoch verschieden, oft nicht genau zu bestimmen und letztlich nicht endgültig festzulegen, gerade weil der Begriff in anderen Kontexten selten erscheint. "Die Bedeutung schwankt zwischen aktueller Versammlung des Bundesvolkes, politischer und kultischer Gemeinde, Gemeinschaft der wahren Gottsucher und dem Kreis der zur Heirat mit einer Jüdin Erlaubten."[44]

ZUSAMMENFASSUNG: Bei der Betrachtung des Ekklesia-Begriffes hat sich im Rahmen der Tradition von Dtn 23,2-9 קהל יהוה als ein zentraler, die Gruppenbildung des Frühjudentums in wesentlichen Schichten prägender Begriff herausgestellt, der dabei, wie es W. KLAIBER mit Recht formuliert hat, "den Charakter eines sakral-rechtlichen Terminus für das wahre Israel"[45] gewinnt. Ob Paulus in der Rede von der ἐκκλησία τοῦ θεοῦ an die Tradition von Dtn 23,2-9 anknüpft, kann letzt-

---

41 FABRY, Art. קהל V 1220; in den Sabbatopferliturgien ist קהל einmal verwendet (4 Q 403,1II,24), "vom Gesamtkontext her eine positive Nennung, Bezeichnung für die himmlischen Priestergruppen" (a.a.O. 1221; vgl. C. NEWSOM, Songs 241); in der rabbinischen Ekklesiologie spielt weder קהל noch עדה eine Rolle (vgl. FABRY, a.a.O. 1221).

42 FABRY, Art. קהל V 1220; vgl. ders., Studien 197f.

43 Vgl. KLAIBER, a.a.O. 17; Zitat ebd.

44 KLAIBER, a.a.O. 17. Dort führt er zu den angeführten Bedeutungsnuancen Beispiele aus der LXX, den Texten Philos, der Sprache der Gemeinde von Qumran und aus Texten der Rabbinen an.

45 KLAIBER, a.a.O. 17.

lich nur an einigen wenigen Indizien als möglich aufgewiesen werden. Ob das paulinische Gemeindeverständnis darüber hinaus möglicherweise stärker von der Tradition aus Dtn 23 her beeinflußt ist, als sich aus der bloßen Betrachtung des Begriffs ἐκκλησία bzw. ἐκκλησία τοῦ θεοῦ ergeben kann, soll in unserer Untersuchung weiter beobachtet werden; dabei geht es darum, ob sich Anklänge oder Motive aus Dtn 23,2-9 in paulinischen Texten wiederfinden[46]. Zu beachten ist, daß die christliche Gemeinde mit "Ekklesia (Gottes)" von Anfang an ihren Anspruch zum Ausdruck brachte, Gottes erwähltes, heiliges Volk zu sein. Wenn in Dtn 23,2-9 die Heiligkeit des Volkes kultisch realisiert wird, ist nun in ähnlicher Weise die christliche Gemeinde als Gottes heiliges Volk durch den Sühnetod Christi geheiligt. Der Kreuzestod Christi, der als kultisches Sühnegeschehen in einem einmaligen Geschehen den Kult vollendet *und* überbietet, konstituiert das Geheiligtsein der Ekklesia Gottes in Jesus Christus. Es gilt weiter zu beobachten, inwiefern durch Paulus "kultische Elemente der Selbstdefinition Israels anhand des Sühnetodes Jesu Christi reaktiviert werden konnten"[47]. Die Bestimmung der Gemeinde als ἐκκλησία τοῦ θεοῦ in Verbindung mit Bezeichnungen wie ἡγιασμένοι ἐν Χριστῷ Ἰησοῦ und κλητοὶ ἅγιοι (1 Kor 1,1f) hebt die Qualität der christlichen Gemeinde hervor und unterscheidet sie vom bloßen, rein technischen ἐκκλησία als aktueller Versammlung. Denn sie ist jetzt Ekklesia Gottes, die ihre Existenz dem Sühnetod Christi verdankt (vgl. 1 Kor 6,11[48]): Die Gemeindemitglieder sind als In-Christus-Seiende durch diesen Geheiligte, und Gott selbst ist es, der durch seinen Ruf die Gemeinde, so dürfen wir anhand der Begriffszusammenstellung in 1 Kor 1,1f formulieren, als eschatologische Heilsgemeinde zusammenruft.

---

46 Vgl. als ein solches Beispiel aus den Qumrantexten (ohne Nennung des Begriffs קהל) 4 Q flor 1,2-6; s. unten vor allem Kap. 5 zu 1 Kor 5 u. 6.

47 BERGER, "Kirche" 212.

48 S. dazu Kap. 5.2. - Vgl. die Selbstbezeichnung "Tempel" (s. Kap. 6): Auch diese ekklesiologische Vorstellung von der Gemeinde als dem eschatologischen Tempel Gottes "ist die Folge der kulttypologischen Deutung des Todes Jesu" (vgl. MERKLEIN, Sühnetod 165f, Zitat ebd.).

4.2 οἱ ἅγιοι und das zugehörige Wortfeld

4.2.1 Das Wortfeld "heilig/heiligen"

Das Wortfeld "heilig" (hebr.: קדש; griech.: ἅγιος κτλ.) ist vielfach untersucht worden.[49] ἅγιος wird im klassischen Griechisch relativ selten gebraucht, ist aber bereits hier kultisch konnotiert (so Hdt V,119; II,41.44). Seit der LXX wird es als Äquivalent des hebräischen קדש "in alle Abwandlungen dieses hebräischen Begriffs hineingezogen"[50]. In dieser Arbeit sind wir bisher durch die Untersuchung der Begriffe ἁγιάζειν und ἀφορίζειν (im MT: בדל) auf das Wortfeld "heilig" gestoßen. Im folgenden wollen wir zuerst in einem Überblick den Wurzeln des Wortfeldes קדש im Alten Testament nachgehen, um von da über Belege aus dem Frühjudentum hin zum Neuen Testament und zu den entsprechenden ekklesiologischen Aussagen des Paulus zu gelangen.[51] Vom Wortfeld "heilig" interessieren hier vor allem zwei Arten der Verwendung: Einmal wird von Israel als "heiligem Volk" gesprochen (Ex 19,6 u.a.) und zum zweiten wird "heilig" als Nomen zur Bezeichnung Einzelner oder einer bestimmten Gruppe von Menschen benutzt, so daß unter dieser Voraussetzung der Schwerpunkt der Beobachtungen auf der Verwendung des

---

[49] Vgl. H. SEEBASS, Art. Heilig, in: TBLNT II 645-655. - Zum Wortfeld "heilig/heiligen" vgl. H.-P. MÜLLER, Art. קדש, in: THAT II,589-609; KORNFELD, W./H. RINGGREN, Art. קדש, in: ThWAT VI 1179-1204 (hier weitere Literatur 1179f); O. PROKSCH/K.-G. KUHN, Art. ἅγιος, in: ThWNT I 87-106; Albrecht DIHLE, Art. Heilig, in: RAC 14 (1988) 1-63; Göran LARSSON, Art. Heilige/Heiligenverehrung II, in: TRE 14 (1985) 644-646; Günter LANCZKOWSKI, Art. Heiligkeit I ebd. 695-697; Diether KELLERMANN, Art. Heiligkeit II ebd. 697-703; Michael LATTKE, Art. Heiligkeit III ebd. 703-708; John RICHES, Art. Heiligung ebd. 718-737; zum Wortfeld bei Paulus s. K. STADLER, Das Werk der Heiligung, hier 200-210; Olav HANSSEN, Heilig.

[50] Vgl. PROKSCH/KUHN, a.a.O. 87f.95; Zitat 88. SEEBASS, a.a.O. 652, bemerkt zum Sprachgebrauch der LXX: ἱερός "war für die zZt der LXX geltende jüdische Auffassung von Heiligkeit deswegen nicht geeignet, weil es das An-sich-Heilige abseits aller ethischen Komponenten meint, während seit dem Exil im jüd. Bewußtsein nur das Tora-Gemäße heilig sein konnte".

[51] Siehe neben den genannten Lexika-Artikeln auch R. ASTING, Heiligkeit; K. KOCH, Eigenart; M. NOTH, Volk; H.-J. KRAUS, Das heilige Volk (hier weitere Literatur; F. NÖTSCHER, Heiligkeit; W. ZIMMERLI, "Heiligkeit" nach dem sogenannten Heiligkeitsgesetz: VT XXX (1980), 493-512; auch: J. SCHREINER (Hg.), Unterwegs zur Kirche. Alttestamentliche Konzeptionen (= QD 110), Freiburg 1987.

Wortfeldes in ekklesiologisch relevanten Aussagen liegen wird, d.h. in solchen Aussagen, die über das Volk oder auch einzelne Mitglieder des Volkes gemacht werden.

Bereits **im Alten Testament** ist das Wortfeld "heilig/heiligen" eine exklusive Volksbezeichnung für Israel, um dieses als Volk aus den anderen Völkern herauszuheben und als das von Gott auserwählte Volk und so als Gottes Volk schlechthin zu bezeichnen. Mit H.-J. KRAUS läßt sich sagen, daß, unter der Voraussetzung religionsgeschichtlicher Ableitbarkeit aller zur Wurzel קדש gehörigen Wörter und Vorstellungen, an der biblischen Kunde von der Heiligkeit im Grunde nur eines eigen- und einzigartig bleibt: "daß im Alten Testament Israel in seiner Gesamtheit für 'heilig' erklärt und als 'heiliges Volk' bezeichnet wird".[52]

KRAUS geht dann den Fragen nach, wann und wo die Volksbezeichnung עם קדוש zum erstenmal im alttestamentlichen Schrifttum auftritt, wo die traditionsgeschichtlichen Wurzeln dieser Bezeichnung liegen, und wie die auf Israel übertragene Vorstellung von der Heiligkeit zu erklären und zu verstehen ist. "Heiliges Volk" wird Israel zum erstenmal im Deuteronomium genannt (7,6; 14,2.21; 26,19; 28,9). Einen besonders altertümlichen Klang hat die ohne spezifisch deuteronomische Theologumena auftretende Bezeichnung in Dtn 14,21, wo die Heiligkeit Israels ein rituelles Gebot begründet:

> "Ihr dürft keinerlei Aas essen. Dem Fremdling in deinen Ortschaften magst du es geben, daß er es ißt, oder es einem Ausländer verkaufen, denn ein heiliges Volk bist du für Jahwe, deinen Gott . . . "

Daß Israel als Jahwes "Sohn" bezeichnet wird (Dtn 14,1) und diese Heiligkeit zugesprochen bekommt, weist auf einen älteren Erwählungsbegriff zurück (vgl. Ex 4,22; Hos 11,1). "Dieser Erwählungsbegriff hat seinen Ursprung sehr wahrscheinlich darin, daß die Kultgemeinde Jahwe als 'Vater' anrief."[53] Jahwe hat Israel erwählt und im Ereignis dieser Erwählung liegen die entsprechenden kultischen und ethischen Konsequenzen (vgl. Dtn 7,6), nämlich sich im kultischen und ethischen alltäglichen Verhalten der neuen Lebensbestimmung als "Jahwes Eigentumsvolk" entsprechend zu verhalten. Ein zweites wichtiges Thema, mit dem "heiliges Volk" verbunden ist, ist neben dem Gedanken der "Erwählung" der Bereich des Bundes-Themas (Dtn 26,18f), wiederum jedoch in einer unverkennbaren Erwählungs-Terminologie. Im Deuteronomium ist die Rede vom "heiligen Volk" (1) sehr stark kultisch-rituell bezogen, (2) sie wird von der Erwählung und vom Bund her verstanden und (3) statuiert so die alle Lebensbereiche bestimmende Zugehörigkeit Israels zu Jahwe.[54]

Zum Heiligkeitsgesetz, in dem wie in P überhaupt die Bezeichnung "heiliges Volk" nicht auftritt, faßt Kraus zunächst so zusammen: (1) Wie im Deuteronomium hat auch in den priesterlichen Traditionen die Heiligkeit der Israeliten einen kultisch-rituellen Bezug (vgl. auch Lev 21,5f); (2) wie im Deuteronomium wird auch in P (P^h) die Heiligkeit von der Erwählung her gedeutet und verstanden (vgl. Lev 20,26; 11,45 und

---

52 Vgl. H.-J. KRAUS, a.a.O. 38, Zitat ebenda.

53 KRAUS, a.a.O. 39.

54 KRAUS. a.a.O. 40.

vor allem Num 16,7); (3) schließlich ist wie im Deuteronomium die Rede von der Heiligkeit Israels eine umfassende, das ganze Leben durchdringende Intention.

Das Wortfeld קדשׁ in den Qumranschriften: Die Qumrangemeinde versteht sich als die Sammlung der von Gott einzeln Erwählten, so als das neue Volk Gottes, das nicht mehr als geschlossene Nation wie einst Israel aus den Völkern berufen wurde, sondern eine Art von Ekklesia bildet, eine Gemeinschaft von Erwählten. Als eschatologische Gemeinde gibt Gott jetzt schon den Erwählten Anteil am Los der Heiligen, d.h. der Engel, und schließt ihren Kreis mit den Himmelssöhnen zu einer ewig bestehenden Einheit zusammen (1 QS 11,8). Diese eschatologische Gemeinschaft mit dem heiligen Gott und seinen Engeln ist zugleich Verpflichtung für die Gemeinde zu rituell-kultischer Reinheit. Dieses Selbstverständnis der Gemeinde spiegelt sich auch in der Verwendung des Wortfeldes קדשׁ in den Qumranschriften wider.[55]

Bereits vom Eintritt in die Qumrangemeinde heißt es: "Sie sollen abgesondert werden in Heiligkeit" (1 QS 8,11)[56]. Die Gemeinde hat das Bewußtsein, selber heilig zu sein (vgl. 1 QS 9,3: "zur Grundlage des heiligen Geistes"; 1 QSa 1,12: "um einen Platz einzunehmen unter den Grundfesten der heiligen Gemeinde"; u.a.m.), ohne dabei explizit auf entsprechende Textstellen wie Lev 19,2 oder Ex 19,6 zurückzugreifen, obwohl gerade Ex 19,6 nahezu das Ideal der Gemeinde gewesen sein mag. Die Gemeinde lebt unter der Anforderung zur Heiligkeit und zu heiligem Wandel; wie sich in den Qumrantexten überhaupt feststellen läßt, ist das Wortfeld קדשׁ mit der Verpflichtung zu ethischem Wandel verbunden. Wenn im AT von Menschen, d.h. vom Volk in seiner Gesamtheit oder von Einzelnen, hier besonders den Priestern, verlangt wird, sich zu heiligen, so werden diese aufgefordert, sich in kultfähigen Zustand zu versetzen, "um kultisch oder sonstwie den sich in der Theophanie oder durch Wunder offenbarenden und in die Erscheinung tretenden Gott nahekommen zu können (Num 11,18; Jos 3,5; 7,13)".[57] Genau diese Art von Heiligung im Sinne persönlich moralischer Leistung, "ohne welche die kultische Korrektheit und Zahl der äußeren Riten wertlos ist", wurde auch in Qumran geübt (vgl. 1 QS 3,4-6.8f). Im materiellen Sinn, losgelöst vom persönlich-ethischen Moment, ist "heilig" in den Qumranschriften selten.[58] Heiligung hat neben der Befreiung von kultischen und rituellen Mängeln, von Sünde und moralischen Defekten, die von der Gemeinde ausschließen können, als eigentliches Ziel aber die Gemeinschaft mit den Heiligen Gottes aufgrund göttlicher Gnade.[59] So heißt es 1 QH 11,10-12: ". . . Um deiner Ehre willen hast du den Menschen von Sünde gereinigt, daß er sich heilige [קדשׁ hitpa`el] (11) für dich von allen unreinen Greueln und von schuldhafter Untat; daß er vereint sei [mit] den Söhnen deiner Wahrheit und im Los mit (12) deinen Heiligen . . . ".

---

55 Das Wortfeld קדשׁ, das im AT etwa 842mal begegnet (vgl. H.-P. MÜLLER, a.a.O. 593f), findet sich in den Schriften von Qumran relativ selten. Zum Wortfeld "heilig" in Qumran vgl. RINGGREN, a.a.O. 1203f; NÖTSCHER, Heiligkeit; vgl. aber C. NEWSOM, Songs 25f; sie hat in ihrer Untersuchung der Lieder zu den Sabbatopferliturgien dort allein 200Belege nachgewiesen.

56 Übersetzung der Qumrantexte hier nach E. LOHSE, Texte.

57 Vgl. NÖTSCHER, Heiligkeit, 132; Zitat ebd.

58 Vgl. dazu NÖTSCHER, a.a.O. 129-134; Zitat ebenda 133; RINGGREN, ThWAT VI 1204.

59 Vgl. NÖTSCHER, a.a.O. 133.

Die wenigen Verbalformen von קדש in den Qumranschriften lassen erkennen, daß man hier, so sehr man sich auf der alttestamentlichen Linie weiterbewegt, "in der Auffassung vom Wesen und Wert der Heiligkeit über den Begriff der rituellen Korrektheit oder Kultfähigkeit hinausgekommen ist".[60]

In den frühjüdischen Schriften begegnet das Wortfeld ἅγιος κτλ. an zahlreichen Stellen in unterschiedlicher Verwendungsweise und schließt sich wesentlich dem Septuaginta-Sprachgebrauch an. Allein ἅγιος ist in den frühjüdischen Pseudepigraphen an über 160 Stellen verwendet. ἅγιος bezeichnet u.a. das *Heiligtum*, den Tempel (vgl. TestLev 3,4; 8,17; 9,11; 16,4 u.a.m.), die *Heiligkeit* des Tempels (TestLev 5,1), die *Heiligkeit* des Gesetzes (Arist 45,7) oder der Schrift (Arist 98,3), den *heiligen* Geist (TestJud 24,2; PsSal 17,37 u.a.m.), den *heiligen* Vater (TestJud 24,2) und die *Heiligen* (Gottes). - Philo lehnt sich in der Verwendung des Wortfeldes ἅγιος κτλ. zwar an den LXX-Sprachgebrauch an, ist aber im Wortgebrauch stark philosophisch beeinflußt, wenn er ἅγιος, anders als im LXX-Sprachgebrauch, auf philosophische Begriffe anwenden kann (Her 199; Plant 50; Som I,34). Zudem fügt Philo seinen Ausführungen allegorische Erklärungen bei. Für ihn ist Israel zum heiligen Volke bestimmt (Praem 123), und wie im Deuteronomium und Heiligkeitsgesetz ist das ganze Volk heilig (vgl. Sacr 134). - Bei Josephus, der das Verb ἁγιάζειν, ein auf biblisches Griechisch beschränktes Wort, durch ἁγνάζειν ersetzt (vgl. oben Kap. 2.4), tritt ἅγιος stark zurück, vermutlich weil das Wortfeld für griechische Ohren ungewohnt war[61].

In Neuen Testament entsprechen dem deutschen "heilig" drei unterschiedliche Bezeichnungen bzw. Wortgruppen: (a) ἱερός mit zahlreichen Ableitungen (so ἱερεύς, ἱερουργεῖν, τὸ ἱερόν u.a.m.) bezeichnet "das an sich Heilige, das Tabu, die göttliche Macht bzw. das der göttlichen Macht Geweihte: Heiligtum, Opfer, Priester etc.". (b) ἅγιος und die entsprechende Wortgruppe, im NT die häufigste der Wortgruppen für "heilig", "enthält eine ethische Komponente" und "legt den Akzent auf die Verpflichtung zur Verehrung des Heiligen". (c) ὅσιος bezeichnet ähnlich wie ἅγιος "die göttliche Weisung und Fügung, andererseits die menschliche Verpflichtung und Sitte".[62] Da das Wortfeld ἱερός κτλ. in den paulinischen Homologumena nur in Röm 2,22 (ἱεροσυλεῖν), Röm 15,16 (ἱερουργεῖν) und 1 Kor 9,13 (τὰ ἱερὰ) begegnet, ὅσιος nur 1 Thess 2,10 (ὡς ὁσίως καὶ δικαίως καὶ ἀμέμπτως), wollen wir unser Augenmerk auf ἅγιος und die entsprechende Wortgruppe richten.[63] Festzuhalten bleibt, daß Paulus die Wortgruppe ἱερός kaum verwendet.

Bei Paulus findet sich das Wortfeld ἅγιος κτλ. in Verbindung mit ekklesiologischen Aussagen (1) in Bezeichnungen für die Gemeinde oder die

---

60 Vgl. NÖTSCHER, a.a.O. 134; Zitat ebd.

61 Vgl. O. PROKSCH/K.-G. KUHN, a.a.O. 96f.

62 Vgl. H. SEEBASS, a.a.O. 645, Zitate ebd.

63 ἅγιος im NT 233 mal, davon in den paulinischen Homologumena 50mal (s.u. Kap. 4.2.2); ἁγιάζειν, im NT 28mal (s.o. Kap. 2.4.1 und Kap. 4.2.2), Röm 15,16; 1 Kor 1,2; 6,11; 7,14[bis]; 1 Thess 5,23; ἁγιασμός, im NT 10 Belege, Röm 6,19.22; 1 Kor 1,30; 1 Thess 4,3.4.7; sonst noch 2 Thess 2,13; 1 Tim 2,15; Hebr 12,14; 1 Petr 1,2; ἁγιωσύνη, im NT nur bei Paulus, Röm 1,4; 2 Kor 7,1; 1 Thess 3,13 (s. Kap. 4.2.4).

Christen, wobei diese mit dem Tempel selbst (1 Kor 3,16f; 1 Kor 6,19) oder mit anderen kultischen Kategorien (so Röm 12,1; 15,16; auch 1 Kor 6,11) verbunden sind; (2) in Anreden der Christen als (a) ἡγιασμένοι (1 Kor 1,2) oder (b) als ἅγιοι (s.u.). Auffallend ist schließlich (3), daß Aussagen mit diesem Wortfeld mit dem "Geist" verbunden sind, entweder daß es heißt, der Heilige Geist wohne in der Gemeinde bzw. in den Christen (1 Kor 3,16; 6,19; auch 1 Kor 6,11; 1 Thess 4,8), oder daß der Geist es ist, der heiligt (Röm 15,16; Röm 8,27).[64] Zum Wortfeld ἅγιος gehören auch die Aussagen mit den Begriffen ἁγιασμός (Röm 6,19.22; 1 Kor 1,30; 1 Thess 4,3.4.7) und ἁγιωσύνη (Röm 1,4; 2 Kor 7,1; 1 Thess 3,13).[65]

4.2.2 οἱ ἅγιοι als Gemeindebezeichnung

Im Frühjudentum bezeichnet "die Heiligen" seit Dan 7 das Gottesvolk der Endzeit in einem speziell eschatologischen Sinn (Dan 7,17-27; 1 QM 3,5; 6,6; 10,10; 16,1; TestLev 18,11.14; TestDan 5,12; 1 Hen 100,5; u.a.m.)[66]. R. ASTING stellt hierzu fest: "Diese heißen also heilig, weil sie, obgleich noch zeitweilig in der bösen Welt lebend, nicht zu dieser Welt gehören, sondern Gottes auserwählte Kinder und Glieder seines kommenden Reiches sind."[67] Neben diesem apokalyptischen Sprachgebrauch, der durch das Nebeneinander von qadoschim als Bezeichnung für

---

64 Dazu KLINZING, Umdeutung 217: "Daß der neue Gottesdienst seinen Grund und seine Überlegenheit in der Verleihung des Geistes hat, ist ein Gedanke, der sich in den Qumrantexten so nicht findet." Vgl. dazu aber oben unter Pkt. 2.3.

65 Siehe dazu in Kap. 4.2.4.- ἁγιασμός und ἁγιωσύνη im NT nur im Corpus Paulinum; ἁγιασμός noch 2 Thess 2,13; 1 Tim 2,15; Hebr 12,14; ἁγιωσύνη nur an den drei genannten Stellen in den Homologumena.

66 Vgl. neben der genannten Literatur (s. Anm. 51): Ch. H.W. BREKELMANS, The Saints oft the Most High and their Kingdom: OTS 14 (1965), 105-129; hier auch zahlreiche Belege. - Im Anschluß an BREKELMANS auch H.-W. KUHN, Enderwartung 90-93; Hengel, Judentum 333 Anm. 482; v.d. OSTEN-SACKEN, Gott u. Belial 83 Anm. 8; KLINZING, Umdeutung 22.- Anders DEQUEKER, The "Saints of the Most High" in Qumran and Daniel: OTS 18 (1973) 108-187, hier 109, wo er behauptet, daß mit den "Heiligen des Höchsten" ursprünglich Engel gemeint sind, aber für die Endredaktion wieder den Bezug auf das Gottesvolk der Endzeit konzediert.

67 R. ASTING, Heiligkeit 71.

Engel und Menschen gekennzeichnet ist[68], wird es noch einen zweiten gegeben haben, der auf die Gerechten auf Erden seit Abel bezogen wird[69].

Bereits bei der Untersuchung von Röm 15,16 stellte sich ἁγιάζειν für die Briefe des Paulus als ekklesiologischer Begriff heraus. Noch deutlicher wird dies am substantivierten Adjektiv οἱ ἅγιοι, das in seiner Bedeutung dem Partizip Perfekt Passiv von ἁγιάζειν verwandt ist. οἱ ἅγιοι wird von Paulus parallel zum Begriff ἐκκλησία verwendet und vor allem in den Präskripten und Grüßen als Synonym für ἐκκλησία gebraucht. In den Präskripten der beiden Korintherbriefe (1 Kor 1,2; 2 Kor 1,1) steht οἱ ἅγιοι neben ἐκκλησία τοῦ θεοῦ, anstelle von ἐκκλησία offensichtlich in Röm 1,7 und Phil 1,1. In Grußworten findet sich der Terminus in Röm 16,15; 2 Kor 13,12 und Phil 4,22. "Heilige" ist bei Paulus die Bezeichnung für die, besonders in Jerusalem, lebenden Christen, vgl. Röm 12,13; 15,25f; 16,15; 1 Kor 14,33; 16,1.15; 2 Kor 9,1.12; Phil 1,1; 4,22 (vgl. Eph 1,15; 3,18; 6,18; Phlm 5; auch Mt 27,52; Apg 9,13.22.41; 26,10). Öfter taucht der Begriff gerade dort auf, wo von Hilfeleistungen (Röm 12,13) und Kollekten (1 Kor 16,1; 2 Kor 8,4; 9,1.12; Röm 15,25. 26.31) gesprochen wird. Besonders die beiden Stellen im Philipperbrief machen deutlich, daß jeweils alle Angehörigen der angesprochenen Gemeinde eingeschlossen sind (vgl. Phil 1,1; 4,22). Auffallend ist ferner die Verbindung von ἅγιοι mit κλητοί, so Röm 1,7 und Kor 1,2 (s. dazu unter 4.3). Aus diesem Befund bei Paulus fallen zwei Arten der Verwendung des Terminus οἱ ἅγιοι heraus, nämlich 1 Kor 6,1f und 1 Thess 3,13. Bevor diese beiden Stellen eingehend betrachtet werden, soll in einem Exkurs ein Blick auf die Gemeinde von Qumran geworfen werden,

---

68 Für die Texte von Qumran ist dieses Nebeneinander geradezu charakteristisch, vgl. dazu H.-W. KUHN, Enderwartung 66-73.90-93; ausführlich BREKELMANS, a.a.o. 319f; CERFAUX, Théologie 107f; LICHTENBERGER, Menschenbild 224ff; anders wieder DEQUEKER, a.a.O. 133-162.

69 Vgl. dazu BREKELMANS, a.a.O. 318, wo er Belege nennt und die Frage nach der Herkunft erörtert. Zur Diskussion um den geschichtlichen Sinn der Gemeindebezeichnung "die Heiligen" s. O. HANSSEN, Heilig 28-33; er spricht (32) im Anschluß an K. STADLER, Heiligung, von einem "konfessionalistischen Nebensinn" dieses "Gemeindetitels" bereits innerhalb des Frühjudentums wie auch später "in der Konkurrenzsituation von Diaspora-Judentum und paulinischer Mission".

um den Zusammenhang zwischen irdischem und himmlischem Kult zu betrachten, der in den Schriften für das Verständnis des Begriffs "Heilige" offenbar vorauszusetzen ist.

EXKURS 6: Zusammenhang von irdischem und himmlischem Kult

Johann MAIER sieht das Selbstverständnis der Gemeinde von Qumran darin, daß die Gemeinde durch ihre Lebensweise den Tempel funktional ersetzt und "deren Glieder daher . . . im Vollzug ihrer 'kultischen' Funktion in Gemeinschaft mit den Himmlischen stehen"[70]. Diese Vorstellung einer priesterlichen Gemeinschaft mit den Engeln bei den Essenern, so stellt MAIER weiter heraus, hat ihren Ursprung in der Ausprägung der "Tempelsymbolik", insofern hier allen Frommen zugeschrieben wird, was eigentlich nur den Priestern gilt. Die Voraussetzungen der liturgischen Gemeinschaft von Himmlischen und Irdischen "liegen in der massiven Wohntempelvorstellung, also in priesterlicher (ursprüngl. kanaanäischer) Tradition. Demnach vollzieht sich der Kultus 'vor Jahwe', und, weil himmlische und irdische Wohnstatt Gottes ineinsgesetzt werden können, (. . .) kann der Priester unter die Angesichtsengel gerechnet werden."[71]

Was sich hier in den Qumrantexten widerspiegelt, läßt sich in anderen außerbiblischen frühjüdischen Zeugnissen noch häufiger entdecken, so im Jubiläenbuch, in der äth. Henochapokalypse, in den Schriften des Philo von Alexandrien und des Flavius Josephus sowie bei einer kritischen Auswertung der zahlreichen kultsymbolischen Aussagen innerhalb der rabbinischen Literatur. Es zeigt sich, wie wenig die biblischen Texte von dem Reichtum der wirklich vorhandenen kultischen Symbolik überliefert haben.[72]

---

70 Vgl. MAIER, Kultus 133, Zitat ebenda.

71 Vgl. J. MAIER, Texte II 77-79 zu 1 QH 3,19-23, Zitat 78; ders., Begriff 148-166, bes. 163f; ders., Dissertation 56f; ders., Tempel 391-390, bes. 383/9; zuletzt ders., Beobachtungen, bes. 182-184.

72 Vgl. J. MAIER, Tempel 384; weiter heißt es dann (ebd.): "Dies erklärt sich einmal aus der zweckbestimmten Auswahl dieses biblischen Schrifttums, zum andern aus dem Umstand, daß die spekulativ ausgeführte Kultsymbolik ja im wesentlichen Teil des speziell priesterlichen Berufswissens war und sich daher meist nur unmittelbar, vor allem durch die Vermittlung oppositioneller Priester, in der frühjüdischen Literatur niederschlagen konnte." - MAIER verwendet den Begriff der "Kultsymbolik" sehr bewußt, um den manchmal irreführenden Gebrauch des Begriffes der "Spiritualisierung" zu vermeiden (vgl. ebd. 389f): "Die Tatsache, daß dem äußerlichen rituellen Akt oder einem kultisch relevanten Sachverhalt symbolische Bedeutung zugeschrieben wird, beweist noch lange nicht, daß eine Spiritualisierung vorliegt. Deren Ziel ist es doch, den äußeren Sachverhalt abzuwerten und letztlich für unwesentlich zu erklären, während die Kultsymbolik gerade umgekehrt der Vertiefung der Bedeutsamkeit eines äußeren Sachverhaltes diente." Auf diese sehr wichtige Unterscheidung auch für den neutestamentlichen, speziell den paulinischen Sprachgebrauch wird noch zurückzukommen sein. - Zum folgenden vgl. ebd. bes. 383ff u. auch 378f.

Die in solchen Texten enthaltene Kultsymbolik läßt sich nur verstehen, wenn der für damaliges Bewußtsein bestehende Zusammenhang von kosmischer Ordnung (Naturordnung) und Kultordnung, für die man ein Analogie- und Kausalverhältnis annahm, erkannt wird. Heiligkeit ging z.B. stufenweise in konzentrischen Kreisen vom Allerheiligsten aus und entsprechend galten festgesetzte rituelle Bedingungen. Rituelle Reinheit (Heiligkeit) und rituelle Unreinheit galten als objektive Sachverhalte, Zustände, die durch bestimmte Vorgänge verursacht, bewahrt oder verändert werden konnten. Zwar mußte die richtige Gesinnung vorhanden sein, doch wurde der praktische rituelle Kultakt gleichwohl als unerläßlich angesehen. "Ritus und Opferkult, die Beobachtung von Reinheitsvorschriften und der Vollzug der vorgeschriebenen Sühneriten für einmal erfolgte rituelle Verunreinigungen waren darum auch nicht einfach Sache der persönlichen Frömmigkeit, sie geschahen im Interesse der Gesamtheit, in deren kultisch gewährleisteter Ordnung sich auch das Individuum geborgen wußte."[73]

Brennpunkt der kosmologischen Symbolik, so Maier, sei der Tempel als mythischer Ort selbst[74]. Der Tempel wurde als "Repräsentation des Kosmos insgesamt" (Ant III,122ff) angesehen und als "Zentrum bzw. Nabel der Welt", wo die räumlichen Dimensionen sich aufheben. So konnte der irdische, sinnenfällig wahrnehmbare Tempel zugleich die Qualität des "himmlischen" Heiligtums, des "wirklichen" Gottessitzes auf sich ziehen (vgl. 3 Makk 2,25), weshalb auch irdische und himmlische Liturgie zueinander in dieser einzigartigen Relation stehen[75].

H.-W. KUHN stimmt grundsätzlich mit J. MAIER in der Analyse über den Ursprung der Idee der Gemeinschaft mit den Engeln überein. Seine wesentliche Ergänzung gegenüber MAIER besteht darin, in den Gemeindeliedern von Qumran ein Neben- und Ineinander von Enderwartung und eschatologisch-gegenwärtigem Heil herausgestellt zu haben[76].

Daß die Gemeinde sich in die Sphäre und Gemeinschaft der Heiligen versetzt weiß, ist zugleich die Verpflichtung zu kultischer Reinheit. Die Aussagen von H.-W. KUHN zu dieser Fragestellung[77] sollen im folgenden kurz wiedergegeben werden, da auch für den paulinischen Gebrauch des Terminus "die Heiligen" durch diese traditionsgeschichtliche Gegenüberstellung möglicherweise Beobachtungen gemacht werden können.

In den Qumrantexten lassen sich nach H.-W. KUHN drei verschiedene Vorstellungszusammenhänge unterscheiden, in denen jeweils von einer Gemeinschaft von Engeln und Menschen gesprochen wird:

1. Hilfe im heiligen Krieg; in dualistischem Zusammenhang: so in 1 QM;

---

73 J. MAIER, Tempel 378.

74 MAIER, a.a.O. 384; dort weitere Belege und Literaturverweise.

75 MAIER, a.a.O. 384, verweist auf Jes 6, ferner Jub 2,18.21.30 (himmlische Geltung von Kultgesetzen); TestLev 3; ApkAbr XVIII; Philo, Som I,33ff. u.ö.

76 Vgl. H.-W. KUHN, Enderwartung, bes. 66-72 und 113-117.

77 Vgl. H.-W. KUHN, a.a.O. 66-73, sein Exkurs "Die Gemeinschaft mit den Engeln in den Qumrantexten"; aber auch S. 90ff. Die folgenden Ausführungen beziehen sich im wesentlichen auf diese Seiten.

2. kultisch bedingter Ausschluß, stets begründet mit בריא und so in Anlehnung vor allem an Dtn 23,2-15 und Lev 21,16-24 formuliert (vgl. 1 QM 7,6; 1 QSa 2,8; 4 QFL 1,4; 4 QD[b] = CD 15,15-17);

3. priesterliche Gemeinschaft mit den Engeln. Speziell auf priesterlichen Sinn weist von den Stellen, die von der Gemeinschaft von Frommen und Engeln in Qumran sprechen, 1 QS 11,7-9 hin, wo gesagt ist, daß Gott die Gemeinde als einen Tempel mit den Engeln vereinigt hat (ähnlich 1 QH f 2,14). Weitere Belege in 1 QH (besonders in den Gemeindeliedern), in 1 QS (im hymnischen Schlußteil), 1 Q36 (Recueil d'hymnes) und in einem Fragment "pseudepigraphischer Literatur" (4 QPseudLit).[78]

Schließlich ist G. KLINZING zu nennen, der die Position von MAIER modifiziert, indem er diesem zunächst entgegenhält, daß es keinen Beweis eines traditionellen priesterlichen Selbstverständnisses gebe, das die Idee von einem Ineinssetzen von irdischem und himmlischem Kult und einem mystischem Erleben einschließe. Alle von MAIER angeführten Stellen würden sich entweder auf eine Entsprechung, nicht aber auf ein Ineinssetzen von himmlischem und irdischem Kult beziehen oder auf einen allgemeinen zukünftigen Dienst im himmlischen oder im eschatologischen Tempel. Schließlich sieht KLINZING die Quelle der Idee einer Gemeinschaft mit den Engeln nicht im traditionellen priesterlichen Selbstverständnis, sondern in der eschatologischen Erwartung, daß die Gerechten mit den Engeln in der eschatologischen Zukunft vereint sein werden.[79]

Kritik an dieser Position von J. MAIER kam zuletzt von Carol NEWSOM in ihrer Untersuchung der Sabbat-Shirot[80]. NEWSOM geht darin der Frage nach, inwieweit im nachexilischen Judentum bis zur Qumranliteratur und den Sabbat-Shirot die Verbindung von himmlischem und irdischem Kult ausgesagt ist. Dabei stellt sie MAIERs Position dar, daß die Idee der Verbindung von irdischem und himmlischen Kult sich ableite von einer traditionellen Sicht des Tempels als Schnittpunkt zwischen irdischem und himmlischem Reich, so daß Dienst im irdischen Tempel zugleich Dienst in der himmlischen Gegenwart Gottes und von Gottes Dienstengeln sei. Das Selbstverständnis der Qumran-Gemeinde als dem Ersatz für den verunreinigten Jerusalemer Tempel liefere, in MAIERs Sicht, die Mittel, durch die die Idee des gemeinsamen priesterlichen Dienstes mit den Engeln als eine gegenwärtige Realität und nicht erst als ein Er-

---

78 Zu Recht kritisiert H.-W. KUHN (Enderwartung 70 Anm. 1), daß B. GÄRTNER (Temple) solche Unterscheidung noch völlig vermissen läßt. So kann dieser (S. 93) "z.B. die Gemeinschaft von Menschen und Engeln im heiligen Krieg als ein Zeugnis für die Verbindung 'between the temple (community) on earth and the dwelling place of God in heaven' verstehen".

79 Vgl. KLINZING, Umdeutung, bes. 127-130.

80 Vgl. C. NEWSOM, Songs, bes. 59-72 "THE QUMRAN CONTEXT OF THE SABBATH SHIROT"; NEWSOM schreibt (65): "The question oft the origin of the notion of a liturgical communion with the angels at Qumran is important for clarifying further the function of the Sabbath Shirot."

eignis für die eschatologische Zukunft erfahren wird.[81] Auf der Grundlage dieser Hypothesen interpretiere MAIER auch die Sabbathlieder.[82]

MAIER müsse aber zugeben, "that there is very little evidence for reconstructing the pre-exilic priestly ideology or the liturgy of the inner temple". Wenn aber eine solche Tradition nicht unabhängig von den Sabbath-Shirot nachgewiesen werden könnte, sei es ein falscher Versuch, sich auf diese Lieder als Beweis für eine solche Tradition zu berufen, und dann diese Tradition als sicher vorauszusetzen, um die Funktion der Sabbath-Shirot zu interpretieren. Man würde sich so in ein hoffnungsloses Zirkel-Argument verstricken.[83]

Schließlich gibt NEWSOM eine eigene Deutung der bereits von MAIER untersuchten biblischen und apokryphen Textstellen (Jes 6; Sach 3,7; Jub 2,17-19.21; 15,26-27; 31,13.14; TestLev 2-5; 18 u.a.), um eine Erklärung für das Entstehen und den Gebrauch der Sabbath-Shirot zu finden, die deren gänzliche priesterliche Orientierung berücksichtigt, ohne auf die Hypothesen der alten Tradition priesterlicher Mystik Bezug zu nehmen. In Sach 3,7 z.B. sei die Sprache in der Beschreibung von Josuas Schuld und seiner folgenden Rehabilitation vollkommen "hyperbolisch", so daß es Zweck und Funktion solchen Sprechens über den Zugang zum Himmel sei, Josua eine weitere göttliche Garantie der Legitimation als Hoherpriester zu geben. In ähnlicher Weise deutet sie auch die anderen genannten Stellen, indem sie auf Zweck und Funktion der Legitimation derartiger Aussagen verweist. In jedem der Texte sei die Verbindung des menschlichen Priesteramtes mit dem himmlischen Tempel und seiner Engels-Priesterschaft untersucht worden. Dabei habe sich keine Spur gezeigt für eine lebendige Tradition priesterlichen Selbstverständnisses eines allgemeinen Dienstes mit den Engeln. Stattdessen funktioniere das Motiv als Teil eines literarischen oder rhetorischen Argumentes zur Legitimation, Idealisierung und Glorifizierung des Priesteramtes.[84]

Abschließend geht NEWSOM noch einmal auf das Selbstverständnis der Qumrangemeinde ein. Die Gemeinde verstand sich selbst als allein wahre und treue Priesterschaft. Die Wirklichkeit schien dabei ihren Ansprüchen zu widersprechen, da sie weder eine Autorität im Tempel ausüben noch Opferdienst durchführen konnten, noch die heiligen Gewänder und Utensilien besaßen. Hier sei der Ort der Sabbathlieder "to form the identy and confirm the legitimacy of the priestly community is also reflected in the fact that the work does not find its climax in the description of the divine mer-

---

81 Vgl. a.a.O. 65; sie nimmt Bezug auf J. MAIER, Kultus, hier 133.

82 NEWSOM, a.a.O. 65, stellt die Position MAIERs zu den Sabbath-Shirot dar und fährt fort (65): "MAIER further suggests that the cycle of Sabbath Shirot was not a radically new composition but a reworking of an older *Vorlage*, that is, a continuation of the inner liturgy of the temple by which the priests expressed their sense of the mythic unity of heavenly and earthly cult . . .". Die Richtung, die MAIER einschlage, sei richtig, doch blieben Schwierigkeiten in den weiteren Thesen.

83 Vgl. NEWSOM, a.a.O. 65; Zitat ebd.

84 Vgl. a.a.O. 71; weiter schreibt sie: "While there are appreciable differences in the specific use of the motif even in works that draw on common traditions, the element of legitimation of some aspect of the priesthood seems to be a constant."

kabah but rather in the glorious appearance of the celestial high priests in their ceremonial vestments, model and image of the Qumran priesthood"[85].

Die unterschiedlichen Positionen zur Verbindung von irdischem und himmlischem Kult divergieren vor allem in der Frage, ob dieser Vorstellung eine Tradition priesterlichen Selbstverständnisses zugrundeliegt (so MAIER u. modifiziert H.-W. KUHN) oder nicht (KLINZING; NEWSOM). Wenn die Gemeinde von Qumran sich als priesterliche Gemeinde im Vollzug kultischer Handlungen versteht, drückt sie *auf diese für sie eindeutige Weise, also in priesterlicher Terminologie, ihr richtiges Gottesverhältnis aus, nämlich ihre Gottesnähe*. Mag sich hier priesterliche Tradition ausgewirkt haben oder nicht - auch ohne eine solche Annahme ist die von MAIER festgestellte "Tempelsymbolik" von der Gemeinde genutzt worden, weil der Tempel in besonderer Weise als Ort der Begegnung mit dem Göttlichen verstanden wurde.[86] Ein Leben vor Gott und in Gottes unmittelbarer Nähe wird von der Gemeinde von Qumran unter bewußter Parallelisierung von Engeln, Priestern und Gemeinde als priesterliches Leben verstanden. Die Verbindung von irdischem und himmlischem Kult hilft der Gemeinde, die vom Jerusalemer Kult getrennt lebte, den himmlischen Gottesdienst "als eine Art Ersatz des irdischen"[87] zu verstehen. Nur insofern dient die Gemeinschaft mit dem himmlischem Kult *auch* der Legitimation des priesterlichen Selbstverständnisses der Gemeinde[88].

In Qumran ist der Terminus "die Heiligen" benutzt worden, um in Anlehnung an Dtn 23,2-9 und Lev 21,16-24 die Begründung des Ausschlusses der Nichtkultfähigen auszusagen. "Die den Namen Heilige tragen" (4QFl 1,4) sind die in der Gemeinde lebenden Mitglieder. Der Terminus wurde also in solchen Textzusammenhängen benutzt, in denen die Exklusivität der Gemeinde beschrieben und ihre besondere Abgrenzung nach außen herausgestellt werden sollte. Diese Vorschriften bezüglich Aufnahme oder Nichtaufnahme in die Gemeinde sind in den Qumrantexten auffällig verbunden mit den Vorstellungszusammenhängen von einer Gemeinschaft von Engeln und Menschen, speziell hier eine priesterliche Gemeinschaft mit den Engeln (vgl. schon Sach 3,7)[89].

---

85 Vgl. NEWSOM, a.a.O. 71f, Zitat ebd. 72.

86 Vgl. M. MACH, Entwicklungsstudien 209-216.237-241, hier 215f.

87 MACH, a.a.O. 239.

88 Die oben dargelegte Position von NEWSOM, daß das Motiv lediglich als Teil eines literarischen oder rhetorischen Argumentes zur Legitimation, Idealisierung und Glorifizierung des Priesteramtes diene (vgl. NEWSOM, a.a.O. 71), trifft daher so nicht zu.

89 Vgl. H.-W. KUHN, a.a.O. 68, wo er Belege nennt: "1 QSb 4,25f, in dem auf die Priester bezogenen Segen; 1 QSb 3,6 in der Segnung des Hohenpriesters (=

Bevor die Gemeindebezeichnung ἅγιοι bei Paulus abschließend betrachtet wird, soll mit 1 Kor 6,1-3 dazu eine Stelle untersucht werden.

4.2.3: 1 Kor 6,1-3: Rechtsstreitigkeiten unter Christen

Der Abschnitt 1 Kor 6,1-11 bildet eine geschlossene Texteinheit, wenn auch eine mögliche Zwei- oder Dreiteilung öfter erwogen worden ist[90]. Innerhalb der Kap. 5 und 6 liegt hier ein Themawechsel vor:

5,1-13 Sexuelle Verfehlung im Fall eines Blutschänders

6,1-11 Prozessieren von Gemeindemitgliedern vor heidn. Gerichten

6,12-20 Sexuelle Unzucht in der Gemeinde

J. WEISS sieht hier ein auch sonst bei Paulus anzutreffendes "Anordnungsprinzip"; nach dem Schema a.b.a sei b eine Einlage, die scheinbar vom Gegenstand abschweift, doch tatsächlich "zur Beleuchtung des Hauptthemas dient"[91]. - Dieser Abschnitt 1 Kor 6,1-11 wird als Einlage vielfach ausgegliedert, oder es wird nach diesem Abschnitt eine Zäsur gesetzt[92]. Doch ist zu fragen, ob die Kap. 5 und 6 nicht, wie es WEISS nannte, durch ein "Hauptthema" miteinander verbunden sind.

Kap. 5 und 6 sind zunächst durch einen Stichwortzusammenhang miteinander verknüpft: das κρίνειν ist in beiden Kapiteln das verbindende Verbum, auch wenn es Kap. 5 das Richten der Draußenstehenden abweist

offensichtlich des eschatologischen Hohenpriesters); TestLev (aram./griech.) 18; TestIss 5,9; vgl. auch Jub 31,14."

90 Vgl. dazu SCHRAGE, 1Kor 404 mit Anm. 11; gegen eine Abtrennung der VV 9-11 z.B. spricht, daß mit (ἤ) οὐκ οἴδατε sonst nie ein neuer Abschnitt beginnt (vgl. VV 2.3.15.19).

91 Vgl. J. WEISS, 1Kor 145; Zitat ebd.

92 Vgl. die Zusammenstellungen der Teilungshypothesen des gesamten 1Kor und, damit verbunden, der unterschiedlichen Zuteilungen der Abschnitte zu Einzelbriefen bei MERKLEIN, Einheitlichkeit, 346-348; speziell zu 1 Kor 5 u. 6 ebd. 371-375; CONZELMANN, 1Kor 15-17; SELLIN, Hauptprobleme 2968-2971; SCHRAGE, 1Kor 63-65.90-94. MERKLEIN führt in dem genannten Aufsatz zahlreiche Argumente gegen die Teilungshypothesen an und spricht sich für die Einheitlichkeit des 1Kor aus.

und Kap. 6 das Rechtsuchen vor ihren Gerichten[93]. Auch pragmatisch läßt sich die Kohärenz der Kap. 5 und 6 begründen: Ein durchgängiges Thema dieser Abschnitte liegt in der durch Fehlverhalten gefährdeten Reinheit und Heiligkeit der Gemeinde. Denn in allen drei Abschnitten der Kap. 5 und 6 (5,1-13; 6,1-11.12-20) geht es als übergeordnetes Thema um die Heiligkeit der Gemeinde, so daß sich daraus eine klare Grenzziehung seitens der Gemeinde nach außen, "zwischen insidern und outsidern", ergibt[94], ohne einer Art Kontaktverbot über die Gemeindegrenzen hinweg das Wort zu reden (vgl. 5,10). In den Außenbeziehungen der Gemeinde durch die Inanspruchnahme heidnischer Gerichte (6,1-11) wird für Paulus dieselbe Gefährdung der Heiligkeit der Gemeinde sichtbar, wie sie sich im Innenleben der Gemeinde bei jenem Fall von Unzucht (5,1-11) gezeigt hat[95]. Im Anschluß daran ist noch einmal grundsätzlich diese Gefährdung zur Unzucht dargestellt.

Im folgenden werden die ersten drei Verse des Abschnitts 1 Kor 6,1-11 behandelt, in denen uns vor allem die Verwendung des Begriffs ἅγιοι interessieren wird. Weiter unten (Kap. 5.2) wird der Abschluß dieses Abschnitts untersucht, darin die Warnung, daß Ungerechte das Reich Gottes nicht erben (V 9a), und ein Lasterkatalog, der (negative) Einlaßbedingungen für das Reich Gottes deklariert (V 9b.c.10).

Text von 1 Kor 6,1-3

1a τολμᾷ τις ὑμῶν πρᾶγμα ἔχων πρὸς τὸν ἕτερον
1b κρίνεσθαι ἐπὶ τῶν ἀδίκων καὶ οὐχὶ ἐπὶ τὸν ἁγίων;

---

93 Vgl. SCHRAGE, 1Kor 403; er führt an, daß in den VV 6,1-9 Stichwortanschluß und -assoziation überhaupt "eine Rolle spielen: V 1b ἁγίων - V 2 ἅγιοι; V 3 - V 4 βιωτικά; V 5 ἀδελφοῦ - V 6 ἀδελφός; V 8 ἀδικεῖτε - V 9 ἄδικοι".

94 Vgl. SCHRAGE, 1Kor 368 u. 403 mit Anm. 3.

95 Vgl. O. HANSSEN, Heilig 67f; er sieht den Gedankengang von 1 Kor 5 u. 6 als innere Einheit, "wenn man nicht allzu vordergründig einen merkwürdigen Wechsel verschiedener Themen porneia 5,1-13 - κρίνειν 6,1ff - porneia 6,12-20 (sic!) wahrnimmt, sondern genauer nachvollzieht, wie die Argumentation des Paulus sich allmählich verschiebt: vom Gesichtspunkt der gefährdeten Heiligkeit der Gemeinde zu einer Paränese, die die gefährdete Heiligkeit der einzelnen Gemeindemitglieder im Blick hat, so daß nach dieser Verschiebung auch das Thema porneia neu zur Sprache kommen kann oder muß" (ebd. 68; Hervorhebungen von HANSSEN).

2a ἢ οὐκ οἴδατε
2b ὅτι οἱ ἅγιοι τὸν κόσμον κρινοῦσιν;
2c καὶ εἰ ἐν ὑμῖν κρίνεται ὁ κόσμος,
2d ἀνάξιοί ἐστε κριτηρίων ἐλαχίστων;

3a οὐκ οἴδατε
3b ὅτι ἀγγέλους κρινοῦμεν,
3c μήτι γε βιωτικά;

Übersetzung

1a Wagt es einer von euch,
der einen Rechtsstreit mit einem anderen hat,
1b vor den Ungerechten sein Recht zu suchen
und nicht vor den Heiligen?

2a Wißt ihr nicht,
2b daß die Heiligen die Welt richten werden?
2c Und wenn durch euch die Welt gerichtet werden soll,
2d seid ihr dann nicht für die unscheinbarsten Rechtshändel zuständig?

3a Wißt ihr nicht,
3b daß wir über Engel richten werden?
3c Wieviel mehr (erst) über die Dinge des täglichen Lebens.

In 1 Kor 6,1.2 verläßt Paulus in der Verwendung des Begriffs ἅγιοι die Parallelität zu ἐκκλησία und greift in einer theologischen Argumentation auf den traditionsgeschichtlichen Hintergrund von οἱ ἅγιοι zurück, indem er eine Vorstellung aufgreift, die aus der jüdischen Apokalyptik stammt.[96] Paulus verwendet den traditionellen Vorstellungszusammenhang für seine paränetisch ausgerichtete Argumentation in 1 Kor 6,1f, um die Behandlung von Rechtsstreitigkeiten unter Christen zu kritisieren. Jemand hat es offensichtlich gewagt, gegen ein anderes Gemeindemitglied vor einem heidnischen Gericht zu prozessieren[97].

---

96 Daß Paulus diese Stelle "durch einen apokalyptischen Lehrsatz erläutert" (KLAIBER, Rechtfertigung 21f) einleitet, ist gewiß unstrittig. Die Formulierung, daß Paulus diesen Satz "wiederum der jüdischen und urchristlichen Apokalyptik entlehnt" (so KLAUCK, 1Kor 45), ist eine richtige, aber mißverständliche Aussage. Tatsache ist, daß sich traditionsgeschichtlich ähnliche Aussagen zum Begriff "Heilige" nachweisen lassen, speziell in der jüdischen Apokalyptik (vgl. 1 QpHab 5,4).

97 Der inhaltliche Sachverhalt soll uns im folgenden weniger interessieren; ob es sich um wirtschaftliche Streitfragen oder Eigentumsdelikte gehandelt hat oder ob um sexuelle Fragen prozessiert wurde, läßt sich jeweils nur vermuten. Paulus

Die Argumentation des Paulus in diesen Versen geht in zwei Schritten a maiore ad minus[98]. In V 1 ist knapp die Sachlage dargestellt und der für die Erörterung des Themas notwendige Terminus ἅγιοι eingeführt, der in 6,11 begründet wird. Anhand dieses Begriffs folgt in den VV 2f die Argumentation, zu Beginn der VV 2 und 3 jeweils mit der diatribischen Frage οὐκ οἴδατε eingeleitet.

I.	2a.b:	Wißt ihr nicht: Die Heiligen richten die Welt.
	2c:	Wenn dem so ist, seid ihr dann nicht auch für die geringsten Rechtshändel zuständig?
II.	3a.b:	Wißt ihr nicht: Wir werden über die Engel richten.
	3c:	Um so mehr also auch über die alltäglichen Dinge.

Die apokalyptische Rolle der Heiligen im Jüngsten Gericht wird für die Gemeinde auf die Gegenwart gedeutet, um die eschatologische Souveränität der Gemeinde in der Welt herauszustellen.[99] Eschatologisch ist die Gemeinde auch am Gericht über die (gefallenen) Engel[100] beteiligt. Diese Formulierung fällt besonders auf, da hier anders als in frühjüdischen Schriften Menschen die Teilnahme am Gericht über (gefallene) Engel eschatologisch verheißen ist[101]. Offensichtlich will Paulus so die beson-

nennt als Streitursache βιωτικά (3c), also Dinge des Alltagslebens, die für ihn ἐλάχιστος, Geringfügigkeiten, darstellen.

98 Vgl. zu diesen beiden Schlußverfahren in den VV 2f SCHRAGE, 1Kor 404f; die Herkunft des Schlusses a maiore ad minus an diesen Stellen ist umstritten (vgl. ebd. 404 Anm. 10).

99 Vgl. CONZELMANN, 1Kor 132.

100 Zu den ἄγγελοι vgl. Ingo BROER, Art. ἄγγελος, in: EWNT I,32-37, hier 33f; BROER faßt die ἄγγελος-Stellen im Corpus Paulinum zusammen und zählt 1 Kor 6,3 zu den "Aussagen über die bösen (gefallenen) Engel und die dämonischen Mächte und Gewalten" (ebd. 33); unentschieden in der Frage, ob es sich um gefallene Engel handelt: M. MACH, Entwicklungsstudien 285; Otto BÖCHER, Art. Engel IV (Neues Testament), in: TRE IX 596-599, hier 599. - Für gefallene Engel spricht, daß Paulus die Aussagen über Engel überwiegend in negative Kontexte eingebunden hat. Mag Paulus sich aber auf gefallene Engel beziehen oder nicht, entscheidend ist die unbestritten *eschatologische Qualität* dieser Aussage.

101 Zum Fall der Engel und zum Gericht über die Engel vgl. Jes 24,21-23 (wo das Gericht über die Himmel mit der Gottesherrschaft verbunden ist); vgl. aus dem Frühjudentum äthHen 6 - 16; 19,1f; 21,10; 68,2.5 (Gericht über die Engel ohne

dere eschatologische Situation der Gemeinde beleuchten: Weil es dieses eschatologische κρίνειν gibt, "haben Christen auf das κρίνεσθαι vor den Ungerechten zu verzichten und ihre Sonderstellung ernstzunehmen"[102]. Die Gemeinde soll ihre in Christus neu gewonnene einzigartige eschatologische Identität erkennen, die zugleich Maßstab des Handelns zu sein hat. Nur so ist das Wort des Paulus vom "Gericht über Engel" hier richtig einzuordnen[103].

Das in 1 Kor 6,1-11 erörterte Problem behandelt die Heiligkeit der Gemeinde nach innen und nach außen und so das Verhältnis der Gemeinde zur Welt. Die von Paulus heftig bekämpfte Position eines Gemeindemitglieds und so der Gemeinde, weil sie untätig bleibt, hat zum Ziel, der Gemeinde ihre eschatologische Identität vor Augen zu stellen: Die draußen wird Gott richten; aber die in der Gemeinde sollt ihr richten (5,12f). Es geht in diesen Versen also darum, der Gemeinde ihre "Exklusivität" deutlich zu machen. Jemanden aus dem "Bereich Gottes" darf ich nicht vor ein heidnisch-weltliches Gericht ziehen. Dieser Argumentation des Paulus entspricht es, wenn er in den VV 9-11 noch einmal an den besonderen Stand der Christen erinnert, die "abgewaschen, geheiligt und gerecht gemacht" (V 11) sind, und so die vorigen VV 1-8 zusätzlich begründet[104]. Der Status der "Heiligen" schließt bestimmte ethische Verbindlichkeiten ein.

Teilnahme von Menschen!); 91,15; im NT: Jud 6; 2 Petr 2,4. - Zu Engeln im Frühjudentum vgl. Karl Erich GRÖZINGER, Art. Engel III (Judentum), in: TRE IX 586-596, hier bes. 593.

102 Vgl. SCHRAGE, 1Kor 411.

103 Vgl. J. BECKER, Paulus 468-471, hier 469f: Paulus sehe die Jetztzeit als "Endzeit, weil die Sammlung der Endzeitgemeinde durch das Evangelium Endzeitgeschehen im strikten Sinne ist" (469). Seine Ausführungen, die in einzelnen Motiven wie 1 Kor 6,3; 1 Thess 3,13 oder Röm 16,20 über seine "Grundlinie" hinausgehen, ergeben "kein einheitliches Gesamtbild" und haben "nur begrenzte kontextgebundene Funktionen" (470).

104 Vgl. SCHRAGE, 1Kor 426.

4.2.4: 1 Thess 3,13: Identifikation von "Heiligen" und "Engeln"

Text von 1 Thess 3,11-13

11: Αὐτὸς δὲ ὁ θεὸς καὶ πατὴρ ἡμῶν καὶ ὁ κύριος ἡμῶν Ἰησοῦς
κατευθύναι τὴν ὁδὸν ἡμῶν πρὸς ὑμᾶς·

12a: ὑμᾶς δὲ ὁ κύριος πλεονάσαι
12b: καὶ περισσεύσαι τῇ ἀγάπῃ εἰς ἀλλήλους καὶ εἰς πάντας
12c: καθάπερ καὶ ἡμεῖς εἰς ὑμᾶς

13a: εἰς τὸ στηρίξαι ὑμῶν τὰς καρδίας
13b: ἀμέμπτους ἐν ἁγιωσύνῃ ἔμπροσθεν τοῦ θεοῦ καὶ πατρὸς ἡμῶν
13c: ἐν τῇ παρουσίᾳ τοῦ κυρίου ἡμῶν Ἰησοῦ
μετὰ πάντων τῶν ἁγίων αὐτοῦ, [ἀμήν].

Übersetzung

11 Er aber, unser Gott und Vater, und unser Herr Jesus,
lenke unseren Weg zu euch.

12a: Euch aber möge der Herr reich machen
12b: und überreich machen an Liebe zueinander und zu allen
12c: wie auch wir zu euch (Liebe haben),

13a: damit eure Herzen gefestigt werden,
13b: untadelig in Heiligkeit vor Gott, unserem Vater,
13c: bei der Ankunft unseres Herrn Jesus mit allen seinen Heiligen.

Bei diesen Versen am Ende des 3. Kapitels in 1Thess handelt es sich um einen abschließenden Gebetswunsch, in dem Paulus für die Gemeinde die Führung Gottes bis zur eschatologischen Vollendung erbittet. Paulus schließt damit den ersten Teil seines Briefes ab, der von einem einzigen großen Dank getragen war. Dennoch ist dieser Gebetswunsch ein ganz selbständiges Stück. "Nirgends sonst ist bei Paulus mit der Danksagung ein derartiges Gebet verbunden."[105]

Einziges Subjekt der VV 11-13 ist der dreimal im Hoheitstitel κύριος genannte Christus, der so als der an seiner Ekklesia handelnde Herr herausgestellt wird. Dieses Handeln des Kyrios hat die Intention, die Adressaten ἀμέμπτους ἐν ἁγιωσύνῃ zu erhalten "vor Gott unserem Vater, bei der

---

105 HOLTZ, 1Thess 141; das Stück sei, trotz der fehlenden Anrede in der 2. Person, ein Gebetswunsch, da es unmittelbar den Inhalt von V 10 und die beiden darin "genannten Gegenstände der apostolischen Bitte aufnimmt: seine neuerliche Begegnung mit der Gemeinde (V 11) und deren Befestigung (V 11f)".

Ankunft unseres Herrn Jesus mit all seinen Heiligen". Die drei Verben πλεονάζειν, περισσεύειν und στηρίζειν, in denen das Handeln des Kyrios näherhin beschrieben ist, haben das Ziel der Mehrung und Unterstützung der Angesprochenen.

In 1Thess finden wir nur hier an dieser Stelle den Begriff οἱ ἅγιοι. Anders als in den späteren Paulusbriefen ist dieser Terminus hier offensichtlich noch nicht dazu benutzt, die Ekklesia am Ort zu bezeichnen. Paulus redet in 1Thess seine Adressaten als die an, die "um ihre Erwählung wissen" (1 Thess 1,4), wobei diese Formulierung zukünftig auf den Kommenden hin ausgerichtet ist. Der präsentische Zustand der Gemeinde wird im Brief weniger reflektiert. Das Gemeindeverständnis des 1Thess ist vom Begriff der "Erwählten" geprägt, noch stark auf die bevorstehende Parusie ausgerichtet.

Wie in 1 Kor 6,1f benutzt Paulus in 1 Thess 3,13 den Terminus "die Heiligen" ohne Parallelität zu ἐκκλησία. Die Frage, wer in 1 Thess 3,13 mit den ἅγιοι gemeint ist, dürfte mittlerweile nicht mehr umstritten sein.[106] Hier liegt dem Kontext und der eschatologisch-futurischen Ausrichtung des ganzen Briefcorpus entsprechend die Identifikation der ἅγιοι mit den Engeln nahe und nicht eine bloße Bezeichnung der Christen bzw. der Gemeinde der Adressaten. Außer in 1 Thess 3,13 kommt οἱ ἅγιοι in 1Thess nicht vor. Aus dem Wortfeld "heilig/heiligen" begegnen noch ἁγιωσύνη (3,13), ἁγιασμός (4,3.4.7) und ἁγιάζειν (5,23). In 1Thess liegt beim Wortfeld ἅγιος κτλ. eine Verbindung mit sittlichem Tun vor, allerdings mitunter mit dem Ziel der Abgrenzung gegenüber dem Heidentum (1 Thess 4,5).

"Gemeinde" im Ersten Thessalonicherbrief

Da der 1Thess keine explizite Ekklesiologie darlegt, ist es legitim, nach den im Brief selbst enthaltenen und diesen bestimmenden Aussagen zur

---

[106] HOLTZ, 1Thess 146, spricht davon, daß die Frage, wer mit den "Heiligen", die den Kyrios Jesus begleiten werden, gemeint sei, "heftig umstritten" ist. Die von HOLTZ selbst dargelegte Sachlage zur Stelle dürfte wohl m.E. von der Mehrheit der Exegeten geteilt werden.

Ekklesia zu fragen. Auf einige auch ekklesiologisch relevante Aussagen sind wir in unserer Untersuchung bereits gestoßen.

3,12f: Bereits oben wurde auf den hier dreimal genannten κύριος-Titel hingewiesen. Dieser Hoheitstitel bezieht sich in 1Thess durchweg auf Jesus Christus und ist für den gesamten Brief kennzeichnend, geradezu prägend.[107] "Als Inbegriff des eschatologischen Heils erscheint das Leben 'mit Christus': die volle Gemeinschaft mit dem Kyrios, deren Anfang die 'Begegnung' mit ihm bei der endzeitlichen Entrückung der Christen ist (4,17)."[108]

4,1-8: In einleitenden Worten der Bitte und Ermahnung (4,1) hat Paulus das Ziel seiner Worte angeführt: Die Adressaten sollen (1) Gott gefallen und (2) darin immer vollkommener werden. Mit περισσεύειν ist eines der Verben aus 3,12f aufgenommen.

In den VV 3-8 folgt eine Begründung, zweifach gegliedert (γάρ in VV 3.7). Inhaltlich geht es um den Willen Gottes, dessen Ziel ὁ ἁγιασμὸς ὑμῶν ist. Mit ἁγιασμός ist zugleich das diese Verse bestimmende Wort genannt (VV 3.4.7). In Opposition zu ἁγιασμός stehen πορνεία (V 3), πάθος ἐπιθυμίας (V 5) und ἀκαθαρσία (V 7). Die Heiligung der Gemeinde wird hier exemplarisch - in traditionell jüdischer Weise - als Abgrenzung vom Heidentum (4,5) durch Vermeidung der "Begierde" dargestellt.[109] Die Begierde, die als "Unzucht" und "Habgier" expliziert wird, gilt es zu meiden, da es sonst zur Unreinheit statt zur Heiligung kommt (V 7). Die eigentliche Begründung und damit Grundlegung der ἁγιασμός-Aussagen erfolgt aber in V 8: In der Gemeinde besteht dadurch nämlich nicht die Gefahr der Mißachtung von Menschen, sondern die Gottes, der seinen Heiligen Geist in die Gemeinde gibt (Präsens!), also m.a.W.: Gottes Geist übt eine fortwährende heiligende Wirkung auf die Gemeinde aus.

5,23: Hier werden die Verben ἁγιάζειν durch ὁλοτελεῖς und τηρεῖν durch ὁλόκληρον und ἀμέμπτως adverbiell verstärkt, wobei die beiden erstgenannten Adjektive positiv erhaltend, das dritte negativ abgrenzend formuliert sind. Wieder ist ein Wort aus dem Wortfeld "heilig/heiligen" in einer paränetischen Aussage benutzt, um die Adressaten für den "Tag des Herrn" (5,2) vorzubereiten, an dem sie heilig und untadelig dastehen sollen (3,12f; 4,3-8;

---

[107] Vgl. a.a.O. 190; κύριος im 1 Thess: 1,1.3.6.8; 2,15.19; 3,8.11.12.13; 4,1.2. 6.15.16.17; 5,2.9.12.23.27.28; vgl. überdies Phil 2,11; 1 Kor 8,6; 12,3; Röm 10,9.

[108] SÖDING, Thessalonicherbrief 193.

[109] Vgl. K. BERGER, Bibelkunde 418; die Vermeidung von Unzucht galt im frühjüdischen Denken als Kriterium zur Abgrenzung von allem Heidnischem; vgl. dazu Kap. 6.2 zu 1 Kor 6,12-20 und dem Begriff der πορνεία. - Vgl. oben Kap. 3.2 den Exkurs zum Verb ἀφορίζειν, das auch zur Formulierung jüdischer Abgrenzung gegenüber den Heiden benutzt wurde; s. auch Kap. 5.3 zu Gal 2,12.

5,23).[110] Die Gabe des Pneuma (4,8) "bewirkt die Heiligung der Glaubenden für die Parusie des Kyrios (3,12; 5,23)"[111].

Der Blick auf einige Aussagen zur Gemeinde in 1Thess hat gezeigt, daß hier die Verwendung des Wortfeldes ἅγιος κτλ. in Verbindung mit sittlichem Tun (1 Thess 3,11-13; 4,1-8) kennzeichnend ist. Man kann sogar sagen: Das Wortfeld ἅγιος κτλ. ist der Paränese, die im gesamten 1Thess im Zeichen der Vorbereitung auf die Parusie des Kyrios steht[112], geradezu dienlich. Doch die Betonung der moralischen Seite zielt eben darauf ab, die Identität der christlichen Gemeinde auch in Abgrenzung gegenüber dem Heidentum zu sichern (s. oben; vgl. 1 Thess 3,3-8; 4,5).

4.3 ἐκλεκτοί - κλητοί als Gemeindebezeichnungen

Das Wort ἐκλεκτός ist als Bezeichnung Einzelner oder einer Gruppe schon deshalb interessant, weil es nahe mit קדש verwandt ist[113], ohne deshalb eine kultische Konnotation anzunehmen oder gar ein kultischer Begriff zu sein. Im AT läßt sich an der Verwendung des Verbums בחיר "eine Skala für die Entwicklung des Erwählungsgedankens in Israel ablesen"[114]. Diese Entwicklung geht unterschiedliche Wege, um das Faktum der Desintegration von Religion und Volk in nachexilischer Zeit zu bewältigen[115]. Im Singular bezeichnet בחיר im AT einzelne von Gott erwählte Gestalten wie Moses (Ps 106,23), David (Ps 89,4) und den Gottesknecht (Jes 42,1). Bei Deuterojesaja ist der Singular zur Bezeichnung des ganzen Volkes verwendet (43,20; 45,4)[116]. Für unsere Untersuchung von Interesse ist die Verwendung des Verbums zur Abgrenzung einer beson-

[110] Vgl. SÖDING, a.a.O. 188.

[111] SÖDING, ebd.

[112] Vgl. SÖDING, a.a.O. 193.

[113] Zum Begriff "Erwählte"/"Auserwählte" vgl. auch G. SCHRENK, Art. ἐκλεκτός, in: ThWNT IV 186-197, hier 187; vereinzelt kann es ausdrücklich dafür stehen (so Sir 49,6).

[114] Vgl. F. DEXINGER, Zehnwochenapokalypse 170-177, hier 171.

[115] a.a.O. 172; vgl. ebd. den kurzen Überblick über die nachexilischen Schriften.

[116] Vgl. ebd.; der Plural von בחיר ist in Ps 105,(6).43 auf das Volk angewendet.

deren Gruppe innerhalb des gesamten Volkes, die im AT bei Tritojesaja ihren Höhepunkt erreicht (Jes 65,9.15.22). Nunmehr wird, weil das Volk als Ganzes versagt hat, einer Gruppe daraus zugesagt, Träger der Verheißung zu sein.[117]

Der Sprachgebrauch des Frühjudentums[118] konnte daran anknüpfen, daß der Gedanke der Erwählung von Gesamtisrael sich auf die wahrhaft Frommen und Gesetzesstrengen innerhalb des Volkes verengte. In den Qumrantexten werden die Gemeindeangehörigen häufig als "Erwählte" bezeichnet[119] und im äthHen steht der Begriff häufig parallel zu dem der "Heiligen"[120]. Die "Erwählten" sind Gottes Besitz und sind daher, wie der Tempel als der typische Besitz Gottes, auch "heilig"[121]. "Rufen/Berufung" gehört erst in IV/V Esr zum Wortfeld. Der Erwählte lebt in der Nähe Gottes als dessen direkter Partner und dessen unmittelbarer Repräsentant in der Welt. Die "Erwählung" qualifiziert die "Erwählten" als Gott-zugehörig und so von anderen menschlichen Gruppen differenziert. "Erwählung ist damit eine vor-moralische Qualifikation, aber gerade deswegen eine 'Aufgabe'".[122]

In den Briefen des Paulus begegnet ἐκλεκτοί nur in Röm 8,33 "in einem ausgesprochen apokalyptisch geprägten Zusammenhang"[123]. Sonst tritt an seine Stelle das im AT und Frühjudentum seltene κλητοί. - In Röm 16,13 findet sich in einer Grußliste ἐκλεκτός als Bezeichnung eines Einzelnen: Ῥοῦφον τὸν ἐκλεκτὸν ἐν κυρίῳ. Dies könnte ein Anzeichen dafür sein, daß das Wort auch als hervorragende Bezeichnung einzelner Gemeinde-

---

[117] Vgl. DEXINGER, a.a.O. 173.

[118] Vgl. BERGER, "Kirche" 199f; hier stellt er die wichtigen Elemente frühjüdischer Erwählungstheologie vor, auf die frühchristliche Autoren zurückgreifen.

[119] Vgl. KLINZING, Umdeutung 76 Anm. 10 zu CD 4,3f: "Und die Söhne Zadoks, die sind die Erwählten Israels . . . "; zur Bezeichnung "Erwählte" verweist er auf 1 QpH 5,4; 10,13; 1 QS 8,6; 9,14; 11,16; 1 QM 12,1; 1 QH 2,13; 14,15; 1 Q 14,10,5; 4 QpJes[d] 1,3; 4 QpPs 37,2,5; 3,5; 4,12; der Ausdruck "Erwählte Israels" findet sich auch 1 Q 37,1,3 und Jub 1,29; zu den Qumranstellen vgl. DEXINGER, a.a.O. 174-177, der in בחירים "in den Qumranschriften sowohl mit als auch ohne nähere Bestimmung eine Selbstbezeichnung der Gemeinde" (176) sieht.

[120] Vgl. in den Bilderreden des äthHen (38,2-5; 41,2; 48,1: 61,13; 70,3); aber auch schon in der Zehn-Wochen-Apokalypse (93,2-10).

[121] Vgl. BERGER, a.a.O. 200; weiter nennt er die Kategorien Besitz/Erbe/Heiligkeit als "die wichtigsten Konstanten der frühjüdischen Erwählungsterminologie" (so Jub 1,29; 2,19ff; 15,30f).

[122] Vgl. BERGER, a.a.O. 200; Zitat ebd.

[123] KLAIBER, Rechtfertigung 23; vgl. SCHRENK, a.a.O. 194.

mitglieder benutzt wurde. Außerhalb der Paulusbriefe begegnet ἐκλεκτός 20mal[124], davon achtmal in paulinischer Tradition. Ekklesiologisch relevant sind davon Kol 3,12 (in einer Aufzählung neben ἅγιοι und ἠγαπημένοι als Gemeindebezeichnung), 2 Tim 2,10, Tit 1,1 und 1 Petr 1,1. In 1 Petr 2,4.6 ist das Wort zwar in christologischem Kontext verwendet, doch daran anschließend sind die Adressaten dazu parallel auch als γένος ἐκλεκτόν angesprochen[125].

Der Begriff κλητοί begegnet im NT 10mal, davon viermal im Röm (1,1.6.7; 8,28) und dreimal in 1 Kor (1,1.2.24)[126]. In der Verbindung κλητοί ἅγιοι begegnet der Terminus Röm 1,7 und 1 Kor 1,2 (auch Kol 3,12)[127]. Dabei dürfte der Kontext bedeutend sein, in dem die Analogie κλητὸς ἀπόστολος - κλητοὶ ἅγιοι erwählungstheologische Assoziationen hervorgerufen hat. Denn entscheidend am Gebrauch des Wortes bei Paulus ist, daß Subjekt von καλεῖν stets Gott ist[128]. Sein Ruf begründet die Erwählung und Heiligkeit der Gemeinde[129]. Zur Heiligkeit gehört

---

[124] Davon 9mal in den synoptischen Evangelien in apokalyptisch geprägten Texten, aber durchaus in ekklesiologischen Zusammenhängen: vgl. Mt 22,14; 24,22.24.31; Mk 13,20.22.27; Lk 18,7; (23,35 auf Christus bezogen); daneben in 2 Joh 1.13 und Apk 17,14 (mit Ausnahme von 2 Joh 1 als ekklesiologische Bezeichnungen).

[125] Daneben noch 1 Tim 5,21 als adjektivische Näherbestimmung zu "Engeln"; zu 1 Petr 2,4-10 s. auch Kap. 8.2.

[126] Dazu noch im NT Mt 22,14; Jud 1 u. Apk 17,14.

[127] Man hat κλητοὶ ἅγιοι von κλητὴ ἁγία (LXX: Ex 12,16; Lev 23,2-37; Num 28,25) ableiten wollen (SCHMITHALS, Röm 67; SCHLIER, Röm 31); anders KÄSEMANN, Röm 13; BERGER, Volksversammlung 192 Anm. 128; KLAIBER, Rechtfertigung 24 Anm. 87, nennt zwei Gegenargumente: "1. ist κλητή wie מקרא Substantiv und ἁγία Adj., während es bei κλητοὶ ἅγιοι umgekehrt ist. 2. zeigt die Parallele κλητὸς ἀπόστολος, daß Paulus vom Verb her denkt: berufene Heilige." K.L. SCHMIDT, Art. καλέω κτλ., in: ThWNT III 488-539, hier 495/7 hält es für möglich, daß der LXX-Ausdruck "die Nebeneinanderstellung von κλητός und ἅγιος im NT begünstigt" habe (ebd. 497).

[128] In Röm 1,6 ist dem Kontext entsprechend Ἰησοῦ Χριστοῦ Subjekt zu κλητοί (gegen SCHLIER, Röm 31; KLAIBER, a.a.O. 24 Anm. 89: hier sei "möglicherweise" ein Gen. Poss.; WILCKENS, Röm I 68, bleibt unentschieden).

[129] κλητός als *der von Gott Berufene* ist in der griechischen Literatur nur als "Auswirkung des paulinischen Sprachgebrauchs" belegt (vgl. SCHMIDT, a.a.O. 497); vgl. das Präskript zu 1Klem, der mit der Adressatenanrede κλητοῖς ἡγιασμένοις in paulinischer Tradition steht.

auch die sittliche Verpflichtung. Doch ist die Heiligkeit nicht das Ergebnis sittlicher Leistung, sondern deren Voraussetzung. Zuerst sind die Erwählten heilig, d.h. geheiligt; daraus folgt die sittliche Aufgabe.

Zusammenfassend läßt sich festhalten, daß ἐκλεκτοί als ekklesiologischer Terminus für Paulus nahezu keine Rolle gespielt hat. Paulus hat im Unterschied zu anderen neutestamentlichen Schriften diese Bezeichnung, die in apokalyptischer Tradition und in den Qumranschriften eine wichtige Rolle gespielt hat, nicht zur Aussage ekklesiologischer Sachverhalte zu Hilfe genommen. In jüdischen Schriften wird "Erwählung" fast mit Gerettetsein identisch, für Paulus wird man nur durch den Glauben an Jesus Christus gerettet[130]. Für Paulus sind die Christen κλητοί, an denen Gott in seiner κλῆσις gehandelt hat. Der Gedanke des Herausrufens im Sinn einer Aussonderung ist am paulinischen Sprachgebrauch nicht unmittelbar ablesbar. Unzweifelhaft sind die κλητοί für ihn in den durch Christi Erlösungstat eröffneten Macht- und Heilsbereich hineingeholt.

Zu Recht stellt KLAIBER fest, daß die Begriffe ἐκκλησία, ἅγιοι und ἐκλεκτοί/κλητοί in ihrem gemeinsamen Gebrauch als Gemeindebezeichnungen bei Paulus Synonyme sind. Dies gilt aber nur für den Bereich der titularen Verwendung und darf nicht zu einer Vermischung des traditionsgeschichtlichen Hintergrundes führen[131]. Da für Paulus noch kein verbindlicher Gruppenname für die christlichen Gemeinden existiert, haben die von ihm verwendeten Bezeichnungen verschiedene Nuancen; die Bezeichnungen mit den Begriffen ἐκκλησία, ἅγιοι und ἐκλεκτοί/κλητοί betonen die Sonderstellung der christlichen Gemeinden gegenüber der Welt[132]. Während sich an der einen Stelle mit ἐκλεκτοί (Röm 8,33) apokalyptische Prägung spiegelt und auch im paulinischen Sprachgebrauch οἱ ἅγιοι mit der apokalyptische Vorstellung einer himmlischen Gemeinde verbunden ist, zeigt sich bei κλητοί das theo-logische Anliegen des Pau-

---

[130] Vgl. BERGER, "Kirche" 200.

[131] Vgl. KLAIBER, a.a.O. 24.

[132] Vgl. DOBBELER, Glaube 243; daneben gebe es Begriffe, die auf ein Spezifikum der innergemeindlichen Struktur hinweisen (ἀδελφοί), und solche, die ein gemeinsames Merkmal der Gruppenmitglieder signalisieren (πνευματικοί, πιστοί, πιστεύοντες).

lus, Gott als Urheber der Erwählung herauszustellen. Für den Begriff der ἐκκλησία denkt Paulus allerdings nur an die konkrete, am Ort sich versammelnde Gemeinde der Christen. Wenn sich die Identität einer Gruppe häufig an einem Gruppennamen festmacht, der das alle Gruppenmitglieder verbindende Element enthält, läßt gerade das Fehlen eines solchen verbindlichen Gruppennamens für Paulus[133] Rückschlüsse darauf zu, daß Paulus darum bemüht sein mußte, die Identität der christlichen Gemeinde zu sichern.

4.4 Zusammenfassung zu Kapitel 4

(1) Bei der Betrachtung des Ekklesia-Begriffes hat sich im Rahmen der Tradition von Dtn 23,2-9 קהל יהוה als ein zentraler, die Gruppenbildung des Frühjudentums in wesentlichen Schichten prägender Begriff herausgestellt. Traditionsgeschichtlich ist es bemerkenswert, daß ἐκκλησία von Philo bevorzugt in Zitaten von Dtn 23 verwendet wird. In der Verbindung von Dtn 23 und dem Begriff קהל/ἐκκλησία konnten in frühjüdischen Schriften Zulassungsbedingungen für die Zugehörigkeit zu Israel als Volk bzw. zur Gemeinde formuliert werden. Kriterium dieser Zulassungsbedingungen ist "Heiligkeit/Reinheit". Auch für die Verwendung des ἐκκλησία-Begriffs in den Briefen des Paulus läßt sich die Auslegung von Dtn 23 hin auf "Heiligkeit" erkennen. Wenn in Dtn 23,2-9 die Heiligkeit des Volkes kultisch realisiert wird, ist nun in ähnlicher Weise die christliche Gemeinde als Gottes heiliges Volk durch den Sühnetod Christi geheiligt.

(2) Mit Hilfe der Gemeindebezeichnungen stellt Paulus die Sonderstellung der christlichen Gemeinden gegenüber der übrigen Welt dar. Es geht ihm dabei um die Identität der Gemeinde. In ihrem gemeinsamen Gebrauch als Gemeindebezeichnungen bei Paulus sind die Begriffe ἐκκλησία, ἅγιοι und ἐκλεκτοί/κλητοί hinsichtlich ihrer titularen Verwendung Synonyme. Die Bezeichnung ἅγιοι unterstreicht die außerordentliche Erwählung derer, die diesen Namen tragen, da ihnen die Heiligung in Christus ge-

---

133 Der Name Χριστιανοί, der seinen Ursprung in der antiochenischen Gemeinde hat (Apg 11,26), ist für Paulus noch nicht relevant (vgl. DOBBELER, a.a.O. 243 Anm. 1).

schenkt ist. ἐκλεκτοί spielt als ekklesiologischer Terminus im Unterschied zu anderen neutestamentlichen Schriften bei Paulus nahezu keine Rolle.

(3) Gemeinsames Merkmal in der Verwendung der Gemeindebezeichnung "Heilige" in den Schriften von Qumran und bei Paulus ist die Betonung der Exklusivität der Gemeinde. In Qumran versteht die Gemeinde in der Verbindung von irdischem und himmlischem Kult den himmlischen Gottesdienst als Art Ersatz des fehlenden irdischen Kultes (im Tempel von Jerusalem), bei Paulus steht in der Verwendung der Bezeichnung ἅγιοι die eschatologische Ausrichtung im Vordergrund, wie vor allem 1 Kor 6,3 nahelegt. Dabei hebt die Bezeichnung "Heilige" jeweils in unterschiedlicher Weise die Identität der Gemeinde hervor, da mit der Bezeichnung die Abgrenzung der Gemeinde, deren Mitglieder "den Namen Heilige tragen" (4QFL 1,4) bzw. mit "Heilige" angeredet und besonders herausgestellt werden (1 Kor 6,1-3), nach außen festgestellt wird.[134]

(4) Die Gemeinde hat in Christus eine einzigartige eschatologische Identität gewonnen und soll erkennen, daß darin zugleich der Maßstab des Handelns gegeben ist. Das Wort des Paulus vom "Gericht über Engel" in 1 Kor 6,3 verheißt anders als in frühjüdischen Schriften Menschen eschatologisch die Teilnahme am Gericht über (gefallene) Engel und zeigt so die unvergleichbare eschatologische Qualität an, die der Gemeinde nun zukommt.

---

[134] Von daher hat die Kennzeichnung "Identität durch Abgrenzung" (vgl. den entsprechenden Buchtitel von E. SCHWARZ, bezogen auf Abgrenzungsprozesse in Israel im 2. vorchristlichen Jh.) auch für dieses Bemühen des Paulus Gültigkeit.

5. DIE HEILIGKEIT DER GEMEINDE

In den Briefen des Paulus finden sich an einigen Stellen Aussagen, an denen die Heiligkeit der Gemeinde in besonderer Weise herausgestellt wird. Dazu gehören vor allem 1 Kor 5 und 6, die von K. BERGER zu Recht unter der Überschrift zusammengefaßt werden: "Die gefährdete Heiligkeit der Gemeinde"[1]. Wo die Gemeinde in ihrer Gesamtheit versagt oder wo einzelne Gemeindemitglieder sich verfehlen, geht es um die soziale Dimension dieses jeweiligen Fehlverhaltens, damit um die soziale Dimension der Heiligkeit und so um ein grundlegend ekklesiologisches Anliegen.[2]

Diese Aussagen über die Heiligkeit der Gemeinde beinhalten teilweise eine Art sakralrechtlicher Formulierungen[3], die von Paulus offensichtlich genutzt werden, um die Reinerhaltung der Gemeinde auszudrücken. Neben den im folgenden behandelten Stellen gehört in dieses Kapitel auch 1 Kor 3,16f. Da diese Stelle im Zusammenhang mit den Tempelaussagen (s. unten Kap. 6) behandelt wird, soll hier auf eine weitere Erörterung der Stelle verzichtet werden.

---

1 BERGER, Bibelkunde 369; weniger treffend sind die Überschriften bei WEISS, 1Kor 123 ("Über sittliche Mißstände in der Gemeinde"), ähnlich SCHRAGE, 1Kor 367; CONZELMANN, 1Kor 121; KLAUCK, 1Kor 41; der Gedanke der Heiligkeit der Gemeinde, von dem Paulus m.E. in Kap. 5 und 6 geleitet wird, fehlt in den angeführten Kapitelüberschriften.

2 Von daher ist die Abänderung der zitierten Aussage von BERGER durch O. HANSSEN, Heilig, nicht notwendig; er ändert die Formulierung ab in "die gefährdete Heiligkeit der Korinther", da so neutraler formuliert sei, "ob stärker die Heiligkeit der ganzen Gemeinde oder mehr die der einzelnen Gemeindemitglieder im Blick ist" (ebd. 68). Entscheidend jedoch ist, daß es Paulus um das ekklesiologische Thema der gefährdeten Heiligkeit auf seiten der Gemeinde geht, ob nun der Gesamtgemeinde oder nur einzelner Gemeindemitglieder.

3 E. KÄSEMANN sprach von "Sätzen heiligen Rechtes", vgl. ders., Sätze; vgl. die Gegenposition von K. BERGER, Sätzen; s. dazu Kap. 6.1.

5.1 1 Kor 5,1-13: Ein Ausschluß aus der Gemeinde

TEXT

1aα	Ὅλως ἀκούεται
1aβ	ἐν ὑμῖν πορνεία,
1b	καὶ τοιαύτη πορνεία ἥτις οὐδὲ ἐν τοῖς ἔθνεσιν,
1c	ὥστε γυναῖκά τινα τοῦ πατρὸς ἔχειν.
2a	καὶ ὑμεῖς πεφυσιωμένοι ἐστὲ
2b	καὶ οὐχὶ μᾶλλον ἐπενθήσατε,
2c	ἵνα ἀρθῇ ἐκ μέσου ὑμῶν ὁ τὸ ἔργον τοῦτο πράξας;
3a	ἐγὼ μὲν γάρ ἀπὼν τῷ σώματι παρὼν δὲ τῷ πνεύματι,
3b	ἤδη κέκρικα ὡς παρὼν τὸν οὕτως τοῦτο κατεργασάμενον
4a	ἐν τῷ ὀνόματι τοῦ κυρίου [ἡμῶν] Ἰησοῦ συναχθέντων ὑμῶν
4b	καὶ τοῦ ἐμοῦ πνεύματος σὺν τῇ δυνάμει τοῦ κυρίου ἡμῶν Ἰησοῦ,
5a	παραδοῦναι τὸν τοιοῦτον τῷ σατανᾷ
5b	εἰς ὄλεθρον τῆς σαρκός,
5c	ἵνα τὸ πνεῦμα σωθῇ ἐν τῇ ἡμέρᾳ τοῦ κυρίου.
6a	Οὐ καλὸν τὸ καύχημα ὑμῶν.
6b	οὐκ οἴδατε ὅτι μικρὰ ζύμη ὅλον τὸ φύραμα ζυμοῖ;
7a	ἐκκαθάρατε τὴν παλαιὰν ζύμην,
7b	ἵνα ἦτε νέον φύραμα,
7c	καθώς ἐστε ἄζυμοι·
7d	καὶ γὰρ τὸ πάσχα ἡμῶν ἐτύθη Χριστός.
8a	ὥστε ἑορτάζωμεν μὴ ἐν ζύμῃ παλαιᾷ
8b	μηδὲ ἐν ζύμῃ κακίας καὶ πονηρίας
8c	ἀλλ' ἐν ἀζύμοις εἰλικρινείας καὶ ἀληθείας.
9a	Ἔγραψα ὑμῖν ἐν τῇ ἐπιστολῇ
9b	μὴ συναναμίγνυσθαι πόρνοις,
10a	οὐ πάντως τοῖς πόρνοις τοῦ κόσμου τούτου
10b	ἢ τοῖς πλεονέκταις καὶ ἅρπαξιν ἢ εἰδωλολάτραις,
10c	ἐπεὶ ὠφείλετε ἄρα ἐκ τοῦ κόσμου ἐξελθεῖν.
11a	νῦν δὲ ἔγραψα ὑμῖν
11b	μὴ συναναμίγνυσθαι
11c	ἐάν τις ἀδελφὸς ὀνομαζόμενος
11d	ᾖ πόρνος ἢ πλεονέκτης ἢ εἰδωλολάτρης ἢ λοίδορος ἢ μέθυσος ἢ ἅρπαξ,
11e	τῷ τοιούτῳ μηδὲ συνεσθίειν.
12a	τί γάρ μοι τοὺς ἔξω κρίνειν;
12b	οὐχὶ τοὺς ἔσω ὑμεῖς κρίνετε,
13a	τοὺς δὲ ἔξω ὁ θεὸς κρινεῖ.
13b	ἐξάρατε τὸν πονηρὸν ἐξ ὑμῶν αὐτῶν.

ÜBERSETZUNG von 1 Kor 5,1-13

1aα Überhaupt hört man,
1aβ daß Unzucht unter euch ist,
1b und solche Unzucht, wie [sie] nicht einmal bei den Heiden [ist],
1c daß einer die Frau seines Vaters hat.

2a Und ihr seid aufgeblasen
2b und nicht vielmehr traurig geworden,
2c damit der aus eurer Mitte entfernt werde,
der diese Tat begangen hat.

3a Ich nämlich, dem Leib nach abwesend, dem Geist nach anwesend,
3b habe schon wie ein Anwesender beschlossen
über den, der dieses vollbracht hat,
4a im Namen des Herrn Jesus, wenn ihr versammelt seid
4b und samt meinem Geist mit der Kraft des Herrn Jesus,

5a diesen dem Satan zu übergeben
5b zum Verderben des Fleisches,
5c damit sein Geist gerettet werde am Tag des Herrn.

6a Euer Rühmen ist nicht gut.
6b Wißt ihr nicht, daß ein wenig Sauerteig den ganzen Teig säuert?
7a Schafft [also] den alten Sauerteig hinaus,
7b damit ihr ein neuer Teig seid,
7c wie ihr [ja] ungesäuert seid.
7d Denn unser Paschalamm ist geschlachtet, Christus.

8a So laßt uns das Fest begehen nicht im alten Sauerteig
8b und nicht im Sauerteig der Bosheit und Schlechtigkeit,
8c sondern im Ungesäuerten der Lauterkeit (Reinheit) und Wahrheit.

9a Ich habe euch in dem Brief [vorher] geschrieben,
9b ihr sollt mit unzüchtigen Leuten keinen Umgang haben.

10a Nicht überhaupt mit den Unzüchtigen dieser Welt
10b oder mit den Habgierigen und Räubern oder Götzendienern,

10c denn sonst müßtet ihr aus der Welt auswandern.

11a Nun habe ich euch geschrieben:
11b nicht [mit einem] Umgang zu haben,
11c wenn ein sogenannter Bruder
11d [ist] ein Unzüchtiger oder Habgieriger oder Götzendiener oder
Lästerer oder Trunkenbold oder Räuber,
11e mit einem solchen sollt ihr nicht zusammen essen.

12a Denn was richte ich die da draußen?
12b Nicht die drinnen richtet ihr [obwohl es eure Aufgabe wäre].

13a Die draußen wird Gott richten.

13b Entfernt den Bösen aus eurer Mitte!

Syntaktische Überlegungen

Folgende syntaktische Beobachtungen lassen sich festhalten:

(1) Das gesamte Kapitel 5 enthält acht nominale Subjekte: "Unzucht" (1a.b), "ihr" (2a.12b), "ich" (3a), "der Geist" (5c), "Sauerteig" (6b), "Paschalamm" (7d), "Gott" (13a), "Bruder" etc. (11c.d). Fünf Sätze sind Verbalsätze, VV 1aα und 11a sowie die Imperative in 9b.11b.11e.

(2) Die Verben weisen die 1. Person Singular (3b.9a.11a.[12a]) auf sowie die 2. Person Plural (2a.2b.6b.7b.7c.10c.12b) und imperativische Formulierungen in der 2. Person Plural in 7a und 13b; hierher gehören auch die imperativischen Aussagen mit Infinitiv (5a) und mit negiertem Infinitiv (9b. 11b.11e). Je ein Verb weist die 1. Person Plural auf (8a) und die 3.Person Singular Aktiv (13a), drei Verben die 3.Person Singular Passiv (1aα.2c.5a).

Der Abschnitt enthält Personalpronomina der 1.Person Singular (3a.4b.12a), der 1.Person Plural ([4a].4b.7d) und der 2.Person Plural (1aß.2a.2c.4a.6a. 9a.11a.12b.13b). Die zahlreichen Verben mit der 2. Person Plural, die einschließlich der imperativischen Formulierungen 11mal verwendet wird, deuten mit den Personalpronomina der 2. Person Plural an, daß in diesem Kapitel die 2. Person Plural dominierend ist.

Als Tempora zeigen sich das Präsens (12mal), das Imperfekt (10c) und das Perfekt (3b und als Partizip 2a), der Aorist (11mal) und das Futur (13a). Als Präsens zu zählen ist auch noch das οἴδατε (6b).

(3) Der Text enthält relativ viele Präpositional-Objekte (an 13 Stellen: 1aß.1b.2c.4a.4b.5b.5c.8a.8b.8c.9a.10c.13b); es finden sich 14 Genitiv-Objekte (1c.2c.4a.4b[2x].5b.5c.6a.8b[2x].8c[2x].10a.13b), 11 Dativ-Objekte (3a[2x].5a. 9a.9b.10a.10b[3x].11a.11e) und 11 Akkusativ-Objekte (1c.2c.3b.5a.6b.7a.7b. 12a.12b.13a.13b). Auffällig sind die Polysyndeta in VV 9.10 (fünfgliedrig) und 11 (sechsgliedrig).

(4) Fragesätze finden sich in den VV 2.6b.12a; imperativische Formulierungen stehen in den VV 5a.7a.9b.11b.11e.13b; vielleicht ist auch das Verb mit der 1. Person Konjunktiv Präsens in 8a hier hinzuzuzählen. Von den imperativischen Aussagen sind vier mit Infinitiven formuliert und lediglich zwei mit einem Imperativ der 2. Person Plural, jeweils Aorist (7a.13b). Auffällig ist, daß den Verben, die die 1. Person Singular führen (3b.9a. 11a), jeweils eine imperativische Aussage, in allen drei Fällen an die 2. Person Plural gerichtet, zugeordnet ist (3b - 5a; 9a - 9b; 11a - 11b), so daß sich daraus die Schlüsse für die Textstruktur schließen lassen.

Insgesamt ergibt sich syntaktisch eine Bipolarität zwischen der 1. Person Singular und der 2. Person Plural, sichtbar am Wechsel der Personen in den Verben der Hauptsätze und bei den Personalpronomina. Vier Einheiten heben sich voneinander ab: (I) VV 1.2 eingeleitet mit einem Hauptverb (3. Person Singular); (II) VV 3 - 8 mit dem Wechsel im Hauptverb zur 1. Person Singular, wobei durch das betont vorangestellte ἐγὼ μέν zu Beginn von V 3 der Wechsel zur 1. Person Singular im Verb vorbereitet wird; (III) VV 9.10 und (IV) VV 11 - 13 werden jeweils durch ein herausgestelltes Verb in der 1. Person Singular (ἔγραψα) eingeleitet; vor dem Verb in V 11 stehen zusätzlich die Konjunktionen νῦν δέ. Eine kleinere Zäsur liegt auch zwischen den VV 1 und 2 vor, da V 1 mit dem Hauptverb in der 3. Person Singular (ἀκούεται) und dem Präsens-Tempus sachlich eingeleitet wird, bevor V 2 in pointiertem καί ὑμεῖς in die 2. Person Plural wechselt.

Semantische Analyse

Die bei der Syntax sich abzeichnende Dominanz der 2. Person Singular läßt eine Hinwendung zu den Adressaten des Briefes erkennen, zumal dann, wenn man unter diesem Gesichtspunkt auch die Personalpronomina im Dativ betrachtet, die auf Verben in der 1. Person Singular folgen. Es stehen sich dann gegenüber: Aussagen, die Paulus von sich macht (3a.b. 9a.11a), und Aussagen, die er über bzw. im Blick auf die Korinther macht (1aß.1b.1c.2a.2b.2c.4a.6a.7a.7b.7c.9b.10c.11b.11e.12b.13b). Eine ausschließlich sachbezogene 3. Person findet sich in den VV 7d und 13a. Eine Verbindung von Sachbezug und Bezug auf Paulus und Korinther weist V 8a auf.

Fragt man nach dem Sinn der Aussagen, so ist der Text im wesentlichen von der Opposition geprägt, die sich zwischen dem in VV 1f konstatiertem Nicht-Handeln der Korinther gegenüber der Unzucht bzw. gegenüber dem Bösen in der Gemeinde und den Aussagen des Paulus auftut, die verbunden sind mit Imperativen, also Handlungsaufforderungen darstellen.[4]

Schematisch läßt sich dies folgendermaßen darstellen:

4 Im folgenden Schaubild ist die Bezeichnung "ekklesiologisches Verbum" verwendet. Damit sind solche Verben gemeint, die Aussagen mit Gemeinschaftscharakter beinhalten, also sowohl positive Worte wie "sich verbinden mit", "Umgang haben" oder "zusammenessen", wie auch negative Worte wie "absondern".

V 1: Man hört, daß bei euch: ---------- Thema: UNZUCHT

V 2: Und IHR ---------------------- ohne die nötige Konsequenz

---

V 3: ἐγὼ μεν γὰρ

V 5b: Imperativ zur Reinigung

V 5c: --- Ziel: ἵνα

V 6-8: Beispiel aus dem kultischen Bereich ("Sauerteig")

V 7a: Imperativ als Handlungsaufforderung zur Reinigung

V 7b: Ziel: ἵνα
V 7c: 1. Begründung: καθώς
V 7d: 2. Begründung: γάρ

V 8: ὥστε: Zusammenfassung mit Imperativ-Aussage, die die Adressaten einschließt

V 9a: ἔγραψα

V 9b: + negierter Imperativ eines ekklesiologischen Verbums

V 10a.b: Apposition zu den πόρνοι aus 9b in Form eines Polysyndeton als Ergänzung und Einschränkung der Aussage in 9b.

V 10c: Begründung: ἐπεὶ ἄρα (sonst müßtet ihr ja: nichtwirklicher Fall)

V 11a: ἔγραψα

V 11b: + negierter Imperativ eines ekklesiologischen Verbums

V 11c.d: Angenommener Fall eines sündigen Bruders

V 11e: + Wiederholung: negierter Imperativ eines ekklesiologischen Verbums

V 12a.b: Frage- und Aussagesatz zur Thematik des "Bösen" aus V 11 zur Unterscheidung: Richten von "drinnen" u. "draußen"

V 13a: Konstatierende Aussage (Gott richtet "die draußen") als Abschluß der VV 9 - 12 (Thematik: "drinnen/draußen") und Vorbereitung des logisch folgenden Imperativs:

V 13b: Imperativ als Handlungsaufforderung an die Adressaten

Der Fall von Unzucht unter den Korinthern, der so eklatant ist, wie er nicht einmal bei den Heiden vorkommt (V 1), korrespondiert mit dem Nicht-Reagieren der Korinther angesichts dieses Tatbestandes (V 2b.c; vgl. 12b). Diesem Tatbestand und dem damit zusammenhängenden Verhalten der Korinther steht die Kette von imperativischen Aussagen des Paulus gegenüber, in denen er fordert, die Gemeinde zu reinigen bzw. reinzuhalten. Tatsächlich wird in den imperativischen Aussagen diese Forderung des Paulus in dreifacher Weise realisiert: (a) den Bösen aus der Mitte der Gemeinde auszutilgen (V 13b; vgl. V 2b) bzw. dem Satan zu übergeben (V 5a); (b) in drei Imperativen fordert Paulus, weder Umgang noch gemeinsames Mahl mit solchen πόρνοι zu haben (VV 9b.11b.11e); (c) die Gemeinde, hier im Bild des alten Sauerteigs, soll gereinigt werden, um wieder neu zu sein (V 7a). Dieser Imperativ erhält seine Zielrichtung in einem Finalsatz, der durch einen Indikativ-Satz begründet wird (καθώς). Diese letzte Forderung in 7a stellt eine inhaltliche Konklusion aller sechs imperativischen Aussagen dar, die als semantisches Strukturmerkmal des ganzen Kapitels bezeichnet werden können:

Aufforderungen des Paulus zum Handeln an die Gemeinde in Korinth:

V 2c: Erwartetes Handeln der Gemeinde gegenüber dem Übeltäter:

ἵνα ἀρθῇ ἐκ μέσου ὑμῶν ὁ τὸ ἔργον τοῦτο πράξας

V 5a: Indirekte Aufforderung an die Gemeinde zum Handeln
am τὸν οὕτως τοῦτο κατεργασάμενον (3b),
um so dem Beschluß des Paulus zu folgen.

παραδοῦναι τὸν τοιοῦτον τῷ σατανᾷ

V 7a: Aufforderung an die Gemeinde zum Handeln an der Gemeinde:

ἐκκαθάρατε τὴν παλαιὰν ζύμην

V 9b.11b.11e: Aufforderung zum Handeln
gegenüber bestimmten Brüdern:

V 9b: μὴ συναναμίγνυσθαι πόρνοις
V 11b: μὴ συναναμίγνυσθαι
V 11e: τῷ τοιούτῳ μηδὲ συνεσθίειν

V 13b: Zusammenfassende Aufforderung an die Gemeinde
zum Handeln gegenüber dem Übeltäter:

ἐξάρατε τόν πονηρὸν ἐξ ὑμῶν αὐτῶν

In den VV 3-5 formuliert Paulus in direkter Opposition zum οὐχὶ μᾶλλον aus V 2b seine eigene Position gegenüber den Korinthern und dem Fall von Unzucht. Zu Beginn der VV 6-8 wird in einem Nominalsatz den Adressaten ihr καύχημα bestritten. Die folgenden Bilder vom Sauerteig und vom Paschalamm stellen Beispiele dar, in denen die im gesamten Kapitel gemachte Grundaussage gebündelt ist: Wie ein wenig Sauerteig den ganzen Teig säuert, so verdirbt ein einziger Fall von Unzucht die gesamte Gemeinde. Dieses kultische Bild vom Sauerteig und vom Paschalamm bietet sich im Kontext geradezu an, um die Verunreinigung bzw. die nötige Reinerhaltung der Gemeinde auszusagen. V 7d bietet in diesem Bild die soteriologische Begründung (γάρ).

Die VV 9-13 sind davon geprägt, daß Paulus zweimal imperativisch seine Meinung ausdrückt (9b.11b). In V 10 räumt Paulus dabei im Anschluß an einen Imperativ ein Mißverständnis aus, das seine Forderung hervorgerufen hat, indem er ausdrücklich "die in der Welt" aus seinem Postulat ausschließt. Mit dem Fall eines Bruders konkretisiert er dann in V 11c.d seine Forderung, "keinen Umgang zu haben". Nun kann er im folgenden Imperativ (11e) seine Forderung aus 9b.11b dahingehend konkretisieren, daß man mit einem solchen Bruder nicht zusammen essen soll. Die Versteile 12 - 13a greifen noch einmal die Problematik des Mißverständnisses "draußen/drinnen" auf, bevor ein Imperativ in 13b diese Thematik, die der Imperative und so die Thematik des ganzen Kapitels abschließt.

Pragmatische Analyse

Pragmatisch geht es in unserem Abschnitt um das in 5,1 eingeführte Thema, das in 5,13 mit der imperativischen Aufforderung einen Abschluß erfährt. Die VV 1-2 haben so die Funktion, die Thematik zu eröffnen. Eingeleitet durch das Verbum "man hört" kann Paulus das im folgenden zu erörternde Thema (1aß-1c) und das tatsächliche (πεφυσιωμένοι) Verhalten und die noch nicht erfolgte Konsequenz (V 2b) benennen. Mit der Funktion von V 1, das Thema voranzustellen, harmoniert das präsentische Tempus im einzigen Vollverb dieses Verses (ἀκούεται). Mit der Funktion von V 2, das Nicht-Reagieren der Korinther zu beschreiben, harmoniert wiederum das exponierte καὶ ὑμεῖς zu Beginn des Verses, gefolgt von einem präsentischen Tempus (V 2a). Dieser konstatierenden

Aussage entspricht die Funktion der Versteile 2b.c, mit οὐχὶ μᾶλλον - ἵνα gegliedert, um so das notwendige, aber nicht erfolgte Handeln der Korinther auszusagen. In den VV 3-5 stellt Paulus dann durch das pointierte "ich nämlich" seine eigene Position in dieser Angelegenheit heraus, die er in einer imperativischen Aussage formuliert (Infinitiv Aorist). Bereits hier versucht er, seine Adressaten für seine Position zu gewinnen. Dieser imperativischen Aussage schließen sich zwei finale Formulierungen an (5b: εἰς; 5c: ἵνα), deren Funktion es ist, das Ziel des im paulinischen Sinne notwendigen Handelns hinsichtlich dessen, der diese Tat begangen hat, hervorzuheben, nämlich daß sein Geist am Tag des Herrn gerettet werde. In den VV 6-8 ist die Erörterung des in V 1 vorgegebenen Themas an einem offensichtlich allgemein bekannten Beispiel (οὐκ οἴδατε) fortgesetzt. Dieses bildhafte Beispiel soll das notwendige Handeln (V 7a: Imperativ Aorist) nun hinsichtlich der Gemeinde, hier im Bild vom Teig, darlegen, nämlich deren εἰλικρίνεια und ἀλήθεια. Dem Charakter der VV 6-8, die Gemeinde mit dem Teig allegorisch zu vergleichen, entspricht das hier vorherrschende präsentische Tempus (V 6b präsentisches Perfekt; 7b.7c. 8a); der Imperativ Aorist (V 7a) fügt sich darin logisch ein; der Aorist in V 7d ("denn unser Paschalamm ist geschlachtet, Christus") ist durch die Sachaussage bedingt (γάρ), die den Vorsatz soteriologisch begründet und hier das Faktum des in Christus gewirkten Heilsgeschehens konstatiert[5]. Mit dem herausgestellten Verb in der 1. Person Singular und folgendem negiertem Infinitiv wird in V 9 das in den Augen des Paulus eigentliche Anliegen noch einmal ausgesagt. In V 10 greift er daran anschließend ein mögliches Mißverständnis auf seiten der Adressaten auf. Für die VV 9-13 sind die zahlreichen Imperative kennzeichnend, zuerst die drei negativen Imperative der VV 9b.11b und 11e: Die inhaltliche Aussage von 9b wird in 11b wiederholt und in 11e konkretisiert; in 13b wird der negierte Imperativ aus 9b verallgemeinernd noch einmal in einem nicht negierten Imperativ aufgegriffen und kann so als zusammenfassende Quintessenz des gesamten Kapitels gelten. Zwischen den Imperativen der VV 11e und 13b sind noch drei knappe Sätze eingeschoben, die durch die Stichworte "richten" und "drinnen/draußen" verbunden sind. Der erste der drei Sätze (12a) ist eine rhetorische Frage;

5 Vgl. zum konstatierenden Aorist BDR § 318,1.

die beiden anderen Sätze bilden den Abschluß der Thematik "drinnen/draußen", indem das notwendige, aber dennoch ausgebliebene Handeln der Korinther noch einmal bemängelt wird (12b), und das τοὺς ἔξω κρίνειν allein Gott zugebilligt wird (13a).

Die Gesamtstrategie des Textes bewegt sich um die imperativischen Aussagen, die bereits in V 2b mit dem ἵνα-Satz eingeführt und im Imperativ von V 13b mit der Aufnahme des Stichwortes αἴρω aus V 2b abgeschlossen werden. Inhaltlich geht es Paulus in diesem Kapitel um die Reinheit der Gemeinde Gottes, die er seinen Adressaten am Thema "Unzucht" (V 1aß) beispielhaft vor Augen stellt. Dabei unterscheidet Paulus zwischen solchen, die außerhalb der Gemeinde, und denen, die innerhalb der Gemeinde Böses tun. Wer innerhalb der Gemeinde so handelt, wie es in den polysyndetischen Aufzählungen formuliert ist, mit dem soll die Gemeinde keine Gemeinschaft haben, also weder mit ihnen Umgang haben noch zusammen mit ihnen essen.

Auslegung

In 1 Kor 5 geht es nur scheinbar um ein moraltheologisches Problem, das in 5,1 mit dem Vorwurf, "daß einer die Frau seines Vaters hat"[6], kurz beschrieben ist. Paulus ist aber am konkreten Verhalten des Einzelnen hier nur mittelbar interessiert, da es ihm um ein ekklesiologisches Anliegen geht.[7] In emphatischem Stil wird von ihm die Gemeinde getadelt[8],

6 Wer mit der "Frau des Vaters" genau gemeint ist, bleibt im Dunkeln. Einer aus der Gemeinde "lebt mit seiner geschiedenen oder verwitweten Stiefmutter, die selbst wohl keine Christin war, in einem eheähnlichen Verhältnis zusammen" (KLAUCK, 1Kor 41; ähnlich SCHRAGE, 1Kor I 369; CONZELMANN, 1Kor 123; G. HARRIS, Beginnings 4). Wichtig ist, daß für Paulus im 1 Kor 5,1 angesprochenen Fall das Problem der Unzucht gegeben ist und zwar einer solchen, wie sie nicht einmal unter Heiden vorstellbar ist (vgl. HANSSEN, Heilig 71).

7 Vgl. SELLIN, Streit 54: "Erkennbar ist, daß der 'Unzuchtsünder' eine Ausnahme darstellt. Wogegen sich Paulus wendet, ist der Mangel an ekklesiologischem Bewußtsein. Daß sie so etwas *duldet*, ist ihr Mangel." Vgl. auch HARRIS, a.a.O. 5.19, wo er auf die Sichtweise des Paulus hinweist; aus dessen Perspektive gebe es "two kinds of deviance, the case of incest and the congregation's failure to discipline the offender" (a.a.O. 19; vgl. auch ebd. 21).

8 Vgl. das Ergebnis der syntaktischen Analyse, wonach die 2. Person Plural im Text dominierend ist.

weil sie diese Unzucht duldet[9] und nicht die notwendige und eigentlich erwartete Entscheidung trifft, den Übeltäter aus der Mitte der Gemeinde auszuschließen (VV 2.12b), obwohl die Reinheit und Heiligkeit des neuen Gottesvolkes durch ein solches Vorkommnis aufs höchste gefährdet wird. So hat er sein Urteil schon beschlossen (5,3) und denkt an einen Ausschluß aus der Gemeinde, indem der betreffende Mensch "dem Satan übergeben"[10] wird, ohne daß er damit endgültig verloren geht. Als Ziel eines solchen Ausschlusses sieht Paulus die endzeitliche Rettung des Bestraften, da er den empfangenen Geist trotz Ausschlusses behält.[11] Interessant ist, daß Paulus in den folgenden Versen traditionelle jüdische, rituelle Kategorien (Sauerteig, Paschalamm, ungesäuerte Brote) zur Argumentation benutzt[12], bevor er dann in 1 Kor 5,11-13 einen sechsgliedrigen Lasterkatalog aufgreift, der in 5,13 mit einer sakralrechtlichen Formel abgeschlossen wird.

Das Bild vom φύραμα und den ἄζυμοι als Allegorie für die reine Gemeinde (VV 6-8)

In diesem Bild vom "Teig/Sauerteig" kommt Paulus über den Einzelfall des Blutschänders hinaus zur eigentlichen Intention seiner Kritik, indem er die Reinheit der Gemeinde in einem ihr offensichtlich nicht unbekannten Bild thematisiert. Es zeigt sich hier die den Paulus umtreibende Sorge, nämlich die Verunreinigung der Gemeinde und damit die Gefährdung ihrer Heiligkeit aufgrund der Duldung einer in seinen Augen so gravierenden Unzucht. Für sich genommen weist das Bild dabei noch keine kultische Konnotation auf. Erst die im Kontext hergestellte sachliche Beziehung mit dem Paschafest und mit "unserm Paschalamm, das geschlachtet ist, Christus" legt auch bei dem Bild vom "Teig/Sauerteig" die kultische Färbung offen. Nicht zuletzt

---

9 Das Präsens in ἔχειν deutet an, daß diese sexuelle Beziehung zwischen dem Mann und seiner Stiefmutter noch andauert (vgl. LIETZMANN, 1Kor 23; CONZELMANN, 1Kor 123; HARRIS, a.a.O. 4).

10 Vgl. zur Formel παραδοῦναι τῷ σατανᾷ die Ausführungen von Wolfgang WIEFEL, Fluch und Sakralrecht: Numen XVI (1969) 211-233; er sieht das παραδοῦναι τῷ σατανᾷ als Entsprechung des παραδοῦναι καταχθονίοις an, "das trotz der schmalen Bezeugung als feste Wendung der griechischen Fluchterminologie gelten kann" (224). WIEFEL nennt auch zahlreiche Belege zum Fluch- und Sakralrecht im Urchristentum und in der Antike.

11 Vgl. KLAUCK, a.a.O. 42; er weist auch auf die schwerwiegenden Folgen hin, die dieses Kapitel des 1. Korintherbriefes in der Kirchengeschichte (Stichworte wie Kerker, Folter und Scheiterhaufen) gehabt hat; vgl. auch Claus-Hunno HUNZINGER, Artikel "Bann II": TRE V 161-167, bes. 165f.

12 Vgl. HARRIS, a.a.O. 5.

die sakralrechtliche Aufforderung in V 13b, vorbereitet in V 7a, hat kultische Konnotation. So gesehen läßt sich die Terminologie, die wir in diesem Beispiel erkennen, im Kontext durchaus als "kultisch" benennen:

-- das Bildwort: οὐκ οἴδατε ὅτι μικρὰ ζύμη ὅλον τὸ φύραμα ζυμοῖ;
-- die Aufforderung: ἐκκαθάρατε τὴν (παλαιὰν) ζύμην;
-- die Bezeichnung der Gemeindemitglieder als ἄζυμοι;
-- die Begründung: καὶ γὰρ τὸ πάσχα ἡμῶν ἐτύθη;
-- die Aufforderung: ὥστε ἑορτάζωμεν μὴ ἐν ζύμῃ παλαιᾷ μηδὲ ἐν ζύμῃ . . . ἀλλ' ἐν ἀζύμοις . . .

Das Verb ἐκκαθαίρω, sonst nicht für das Wegschaffen des alten Sauerteigs gebraucht, aber möglicherweise Übersetzung des rabbinischen terminus technicus חמץ בער[13], ist die Aufforderung an die Gemeinde, unsittliches Treiben eben nicht zu dulden und den Übeltäter aus der Gemeinde auszuschließen[14].

In diesen Versen verwendet Paulus ein offensichtlich den Korinthern vertrautes Bild (οὐκ οἴδατε), indem er vom Teig (φύραμα) und vom Sauerteig (ζύμη) spricht[15]. Zugleich verbindet Paulus mit dieser bekannten Allegorie die Frage: "ist es nicht wirklich so, wie das Wort sagt, und trifft das nicht in vollstem Maße auf Euch zu?"[16] Wie in Gal 5,9, wo bis auf die Einleitungsworte die selben Termini benutzt sind, sind die Bilder von Teig und Sauerteig hier für die Aussage gewählt, daß auch das kleinste Teilchen das Ganze zu verderben mag. Nur verwendet Paulus das Bild allegorisierend, indem er Einzelzüge des Bildes mit der zu vergleichenden Wirklichkeit gleichsetzt. Während die Kommentare in der Beurteilung der Allegorese als solcher übereinstimmen, ist die Bild- und Sachhälfte umstritten. Verunreinigt wird offensichtlich die Gemeinde, hier im Bild das φύραμα, wie auch Gal 5,9. Der hier von Paulus negativ beurteilte Sauerteig, die ζύμη, ist schwieriger zuzuordnen, wobei sich eine Deutung auf den Unzuchtstäter anbietet[17]. Für V 6b trifft diese Deutung gewiß zu, doch zeigt

---

[13] So HAUCK, Art. ἐκκαθαίρω, ThWNT III 433, mit Verweis auf Bill III 359f; WINDISCH, Art. ζύμη κτλ., in: ThWNT II 904-908, hier 905, sieht (im Anschluß an WENSCHKEWITZ, Spiritualisierung 180f) hier das kultische Gebot "ins Sittliche gewendet, ein wichtiges Beispiel für die Überführung der kultischen Begriffe ins Sittlich-Religiöse"; weiter spricht er von "Formeln priesterlich-kultischer Mahnung".

[14] Vgl. SCHRAGE, 1Kor I 381.

[15] Vgl. SCHRAGE, a.a.O. 379, spricht vom "Bildwort", CONZELMANN, 1Kor 126, vom "Sprichwort"; vgl. zu diesem Bild neben den Kommentaren J.K. HOWARD, "Christ our Passover": A Study of the Passover-Exodus Theme in I Corinthians: EvQ 41 (1969) 97-108; W. STRAUB, Die Bildersprache des Apostels Paulus, Tübingen 1937, 80f; H. WINDISCH, a.a.O. 905-908; WENSCHKEWITZ, Spiritualisierung 180f.

[16] WEISS, 1Kor 133; vgl. HARRIS, a.a.O. 20: Paulus gebrauche in diesem Bild "admonition and 'psychic coercion'. He admonishes the church . . . and employs symbolic threats and promises (the Passover metaphor of vv. 6-8)".

[17] WEISS, 1Kor 133, sieht in der ζύμη den Blutschänder, in der φύραμα die Gemeinde; SCHRAGE, 1Kor I 381, will in diesem Bild des Sauerteigs mehr sehen: "Öffnet sich die Gemeinde den Kräften des neuen Äons und gibt das alte Wesen

die Fortführung des Bildes, daß es Paulus um mehr geht: Er will den einen konkreten Übeltäter entfernt sehen, weil durch ihn die Gemeinde in ihrer Reinheit geschädigt wird, doch soll die Gemeinde zugleich erkennen, was alles ihre Heiligkeit gefährdet. Deshalb ist in V 8b vom "Sauerteig der Schlechtigkeit und Bosheit" gesprochen, deshalb werden schließlich in den folgenden Lasterkatalogen konkrete Punkte der Gefährdung aufgegriffen.

Der "Bildkreis"[18] bot sich für Paulus also aus verschiedenen Gründen zur Argumentation an, wobei gerade die Polymorphie des Bildes beachtet werden muß und nicht einseitig auf einzelne Elemente reduziert werden darf[19]: (a) Am Bild des Sauerteigs konnte die Verunreinigung des Ganzen, hier der Gemeinde, durch einen Teil (einen Unzucht-Täter) (V 6b) deutlich dargestellt werden[20]; (b) die Scheidung des neuen Teigs vom alten Sauerteig bereitete für Paulus einerseits die Trennung vom alten Sauerteig (dem Übeltäter) vor, wenn nur die Gemeinde sich als das erkannte, was sie durch Christi Paschaopfer bereits ist: ἄζυμοι (V 7b)[21]; (c) das kultische Bild bot sich dem paulinischen Denken von der Heiligkeit der Gemeinde geradezu an, wie auch die Deutung des Bildes in den Versteilen 8b.c anzeigt: die ζύμη wird ergänzt durch die κακία und die πονηρία, die ἄζυμοι durch die εἰλικρίνεια[22] und die ἀλήθεια. Anders als im synoptischen Gleichnis Jesu[23] ist der Sauerteig "etwas Verunreinigendes"[24].

---

auf, dann repräsentiert sie inmitten der vergehenden alten Welt schon die neue Welt Gottes, dann ist sie das tatsächlich, was sie nach dem überraschend wirkenden V 7c schon ist, nämlich ἄζυμοι: 'wie ihr denn ungesäuert seid'."

18 So mit Recht SCHRAGE, a.a.O. 379; "Bildkreis" erfaßt eher die Vielschichtigkeit des Bildes vom Sauerteig, wie es Paulus hier für seine Argumentation nutzt.

19 Die Deutung des Bildes darf nicht nach der gängigen Regel der synoptischen Gleichnisauslegung auf einen einzigen Vergleichspunkt abgestellt werden. Paulus "verfährt allegorisierend, indem er die Einzelzüge des Gleichnisses mit den Einzelzügen des Verglichenen gleichsetzt" (WEISS, 1Kor 133; vgl. STRAUB, a.a.O. 80; SCHRAGE, 1Kor I 379).

20 Vgl. HARRIS, a.a.O. 19; WINDISCH, a.a.O. 907, sieht hier eine allgemeingültige Sentenz zum Erfahrungssatz "kleine Ursachen/große Wirkungen"; ähnlich CONZELMANN, 1Kor 126; doch wird Paulus beim Sauerteig in gleicher Weise auch das traditionell (jüdische) Bild der Unreinheit vor Augen gehabt haben.

21 Vgl. den Hintergrund des Bildes im AT (Ex 12,15.19; 13,3.7; Dtn 16,3f u.a.m.), die Vorschrift, daß der alte Sauerteig vor dem Paschafest zu beseitigen sei.

22 εἰλικρίνεια im NT nur bei Paulus, nämlich 2 Kor 1,12; 2,17; εἰλικρινής noch in Phil 1,10 und 2 Petr 3,1. Interessant ist, daß εἰλικρινής (bzw. ἰλικρινείας) in LXX nur in Weish 7,25 begegnet und dort als die Weisheit verstanden ist, die mit der 'reinen Doxa des Allherrschers' verglichen wird, die keine Befleckung berühren kann. Vgl. F. BÜCHSEL, Art. εἰλικρινής, in: ThWNT II 396; H. GOLDSTEIN, Art. εἰλικρίνεια, in: EWNT I 949f.

23 Vgl. das positive Bild vom Sauerteig im Gleichnis Jesu (Mt 13,33 par Lk 13,20), negativ ist die Rede vom "Sauerteig der Pharisäer und Sadduzäer" (Mt 16,6 par

Der ebenfalls ekklesiologisch ausgerichtete Lasterkatalog in 1 Kor 5,11[25] entspricht zum Teil wörtlich dem in Kap. 6,9f. So sind die von Paulus in 1 Kor 5,11; 6,9f verwendeten Lasterkataloge in streng ekklesiologischem Sinn formuliert, eben als negative Zulassungskriterien für die Ekklesia Gottes.[26]

Charakteristisch ist, daß Paulus hier in 1 Kor 5, dem einzigen Fall, in dem er eine sofort zu vollziehende Entscheidung als Befehl der Schrift vorträgt (V 13)[27], es nicht bei einer Übermittlung des Befehlswortes der Schrift und, damit verbunden, der Mitteilung der "bereits getroffenen" eigenen Entscheidung (VV 3-5) beläßt, sondern gleichzeitig zu einer umfassenden Begründung ansetzt, in der er auf christologische Überlieferung zurückgreift (VV 6-8) und das hier zur Debatte stehende Problem, nämlich der πόρνος innerhalb der Gemeinde, gegenüber anderen Fragen abgrenzt, nämlich zum Umgang mit den πόρνοι außerhalb der Gemeinde (VV 9-12). So wendet sich Paulus in Verbindung mit dem als Befehlswort genutzten Schriftzitat in V 13 argumentativ an das Urteilsvermögen der Gemeinde.[28]

Lk 12,1 u. Mk 8,15).- Paulus verwendet φύραμα (ohne ζύμη) auch in Röm 11,16 positiv in ekklesiologischem Kontext.

24 WEISS, 1Kor 134.

25 Vgl. HARRIS, a.a.O. 6: "The types of deviance in the lists of 5. 10-11 seem to reflect conditions in the Corinthians church."- HARRIS stellt u.a. Ergebnisse einer soziologischen Analyse von H. HIMMELWEIT ('Deviant Behaviour'. A Dictionary of the Social Sciences [ed. J. Gould and W. L. Kolb], New York: The Free Press, 1964) dar und schließt daraus: Die Nicht-Reaktion der Korinther lasse folgern, daß die Gemeinde als Gruppe wenig Zusammenhalt aufwies.

26 S. zu den Katalogen in 1 Kor 5 u. 6 unten unter 5.2 die Ausführungen zu 1 Kor 6,9-11.

27 Vgl. dazu D.-A. KOCH, Schrift 296: Die Funktion einer direkten Weisung haben bei Paulus neben Dtn 17,7c in 1 Kor 5,13 noch zwei weitere Zitate, die wie in 1 Kor 5,13 ohne Einleitungsformulierung angeführt werden: Spr 25,21f in Röm 12,20 und das einzige nicht der Schrift entnommene Zitat, die auf Menander (Frgm. 187) zurückgehende Sentenz in 1 Kor 15,33; diese erhält durch μὴ πλανᾶσθε imperativischen Sinn. - Die beiden Schriftworte, die Paulus als unmittelbar gültige Weisungen anführt (Dtn 17,7c in 1 Kor 5,13 und Spr 25,21.22a in Röm 12,20), sind deshalb ohne Zitateinleitung, da diese Zitate an die Stelle einer von Paulus selbst formulierten Weisung treten (vgl. D.-A. KOCH, a.a.O. 12/13 Anm. 8).

28 Vgl. D.-A. KOCH, a.a.O. 298, bes. Anm. 10.

Die hier in 1 Kor 5 dargestellte versammelte Ekklesia (vgl. V 4) soll rein bleiben und darf sich nicht mit den Sündern (V 11) "vermischen" noch mit ihnen essen (συνεσθίειν[29]). Sie unterliegt gegenüber Sündern Abgrenzungen, wie sie sonst zwischen Juden und Nichtjuden üblich sind (vgl. Gal. 2,12). Das Wort συναναμίγνυσθαι bezeichnet in Hos 7,8 und Ez 20,18 LXX die Vermischung mit anderen Völkern (vgl. auch Arist 142: συναλισγούμενοι), "die die Reinheit des Gottesvolkes pervertiert"[30]. So heißt es dann auch in 1 Kor 5,13, wo Paulus aus Dtn 13,6 zitiert: "Verstoßt den Übeltäter aus eurer Mitte!"[31] Damit greift Paulus auf eine deuteronomische Bannformel zurück (vgl. auch Dtn 17,7.12; 21,21)[32]. Ähnliche Bannformeln finden sich aus priesterschriftlicher Tradition z.B. Lev 17,4.9f; 20,3.5f; Num 9,13; 15,30.31.[33]

EXKURS 7: Sakralrechtliche Formeln im AT und in Qumran

Der Lebenskreis des alten, vorköniglichen Israel kann als in sich geschlossen vorgestellt werden, wobei alle Lebensgebiete in einer letztlich vom Kult her normierten Ordnung ruhten und sich noch nicht eigengesetzlich verselbständigt hatten. Sünde war entsprechend jede schwere Verletzung dieses Gottesrechtes, das Israel in Gestalt von kultischen Gebotsreihen, aber auch in Gestalt allgemeiner "ungeschriebener" Gesetze

---

29 Zu συνεσθίειν siehe unten in Kap. 5.3 zu Gal 2,12.

30 SCHRAGE, 1Kor I, 388; anders als in 2 Thess 3,14 sei "von einer Wirkung dieses Abbruchs der Gemeinschaft auf den Sünder hier nicht die Rede. Paulus hat primär die Reinheit des Gottesvolkes im Auge".

31 Das von Peter S. ZASS, "Cast Out the Evil Man From Your Midst" (1 Cor 5:13b): JBL 103 (1984), 259-261, hier festgestellte Wortspiel zwischen πορνεία (5,1), πονηρία (5,8), πόρνος (5,9) und πονηρός (5,13) (ebd. 260) dürfte von Paulus eher unbeabsichtigt gesetzt sein; wer πορνεία tut, ist halt ein πονηρός.

32 Allerdings steht an all diesen Stellen ἐξαρεῖς. Gegenüber der LXX hat Paulus das Verb also in den Plural gesetzt; Dtn 17,7 lautet: καὶ ἐξαρεῖς τὸν πονηρὸν ἐξ ὑμῶν αὐτῶν. Durch die Umsetzung in den Imperativ Plural (ἐξάρατε) verändert sich der Sprachgebrauch von αὐτός (vgl. BDR § 288,1).

33 PsSal 17,26f spiegelt eine ähnliche Vorstellung von der "Reinheit/Reinhaltung der Gemeinde" wider, wenn auch hier keine Fluchformel benutzt ist: "Und er wird versammeln ein heiliges Volk, das er führen wird in Gerechtigkeit, und er wird richten die Stämme des Volks, das geheiligt ist vom Herrn, seinem Gott, und er wird nicht erlauben, daß Ungerechtigkeit ferner in ihrer Mitte wohnt, und kein Mensch, der mit Bösem bekannt ist, wird mit ihnen zusammen wohnen; denn er wird sie kennen, daß sie alle Söhne Gottes sind." (PsSal 17,26f; Übersetzung S. HOLM-NIELSEN, Psalmen 102f).

kannte (vgl. Ri 20,6.10; 2 Sam 13,12).[34] Sünde war also Verstoß gegen eine sakrale Ordnung, ob im politischen Leben bei der Verletzung der Regeln des heiligen Krieges (Jos 7), im Bereich der Familie in der Verletzung sexueller Bestimmungen (Dtn 27,20ff) oder sonst irgendwo im Zusammensein der Menschen. Dazu kam als die nicht weniger wichtige soziale Kategorie, daß der Einzelne durch Blutsbande und gemeinsames Schicksal als so tief in die Gemeinschaft eingeflochten galt, daß seine Verfehlung kein individuelles Ereignis zwischen ihm und Gott darstellen konnte. War eine schwere Verletzung des Gottesrechtes geschehen, stand die Belastung, die die Gemeinschaft dadurch vor Gott erfuhr, durchaus im Vordergrund, weil ihre ganze Kultfähigkeit damit bedroht war. Sie hatte also ein vitales Interesse, daß die Ordnung wiederhergestellt wurde. Im alttestamentlichen Schrifttum ist die Vergeltung an den Übeltätern und ihre Vernichtung Hoheitsakt Jahwes, durch den er sich als Garant der sittlichen Ordnung erweist.[35] Werkzeug der Vergeltung Jahwes ist auch die Rechtsgemeinde, die durch die Hinrichtung durch Steinigung oder durch die Ausstoßung des Missetäters durch eine über ihn ausgesprochene Bannformel, was einem Todesurteil fast gleichkam[36], die Ordnung wiederherzustellen suchte. Bei einer Verletzung der sakralen Ordnung oblag die Entscheidung, ob diese Sünde vergeben werden konnte oder nicht, den dazu von Jahwe bevollmächtigten Priestern, wenn Jahwe nicht selbst ganz unmittelbar das Urteil vollstreckte.

Es gab aber im AT auch eine Beteiligung der Kultgemeinde an der Beseitigung des Schuldunheils bei schweren Verstößen gegen die Rechts- und Gemeinschaftsordnung: die Verwünschung des Übeltäters. Diese beruht "auf der Vorstellung von der Wirkmächtigkeit des ausgesprochenen Wortes".[37] Hier ist in erster Linie der "sichemitische Dekalog" (Dtn 27,15ff) zu nennen, eine sehr altertümliche Fluchreihe, die sich gegen Vergehungen wendet, die sich "im Verborgenen" (vgl. 27,15.24) ereignet haben können.[38] Dabei antwortete die versammelte Gemeinde auf die vorgetragene Fluchformel mit einer Zustimmungsäußerung. Durchaus barg schon das Ritual von Dtn 27,15ff, ähnlich wie die viel späteren Torliturgien (vgl. Ps 15 u. 24) "eine Frage nach Israels צדקה, nach seiner Bereitschaft, das ihm von Jahwe angetragene Gemeinschaftsverhältnis nun auch seinerseits zu bejahen"[39].

Die Qumrantexte bieten umfangreiches Material zur Disziplinarordnung der essenischen Gemeinde. Als Parallele zu den ארור-Sätzen in Dtn 27,15ff können sakrale Formeln aus 1 QS 2 mit Verwünschungen angeführt werden, die mit dem gleichen Wort eingeleitet werden: "*Verflucht* seist du in allen gottlosen Werken deiner Schuld"

---

34 Vgl. G. v. RAD, Theologie I 276f; zum weiteren vgl. ebd. 277-285.

35 Vgl. W. PASCHEN, Rein und Unrein 150.

36 Dazu G. v. RAD, a.a.O. 277 Anm. 87: ". . . Das Schicksal eines sakral Ausgestoßenen war furchtbar (Gen 4,13f.), denn als einem Fluchträger war es ihm unmöglich, in einer anderen Gemeinschaft unterzukommen; er wurde von allen anderen Verbänden abgewiesen . . . "

37 Vgl. PASCHEN, a.a.O. 150; Zitat ebd.

38 Vgl. G. v. RAD, a.a.O. 204.

39 A.a.O. 390.- Zu den "Torliturgien" vgl. K. KOCH, Tempeleinlaßliturgien und Dekaloge, in: ders., Studien, 45-60; G. v. RAD, "Gerechtigkeit" und "Leben" in den Psalmen, in: ders., Ges. Studien 225-247.

(1 QS 2,5); "*Verflucht* seist du ohne Erbarmen entsprechend der Finsternis deiner Taten, und verdammt seist du in Finsternis ewigen Feuers" (1 QS 2,7f); "*Verflucht* sei der, der mit den Götzen seines Herzens übertritt (also: den Bundesschluß begeht)" (1 QS 2,11).

Interessant ist die den Fluchsätzen vorausgehende Einleitung (1 QS 2,1f), daß die Priester segnen sollen und den Leviten die Aufgabe zu verfluchen obliegt. Diese Aufteilung entspricht auch den in Dtn 27 den Verwünschungen vorangestellten Anweisungen (Dtn 27,12-14). Zu diesen sakralen Fluchformeln kommen in Qumran zwei Grade der Exkommunikation[40]: In schweren Fällen konnte die totale Ausstoßung aus der Gemeinde verhängt werden, durch die jegliche Gemeinschaft aufgehoben wurde (1 QS 7,1f.16f. 17.22-25; 8,21-24; CD 20,1-8; wohl auch 12,3-6). Nach 1 QS war die Ausstoßung unwiderruflich ("er darf nicht wieder zurückkehren": 7,2.17[bis].24; 8,23; 9,1). Nach CD wird abmildernd eine späte Wiederaufnahme ins Auge gefaßt (20,5; 12,5: nach sieben Jahren). Daneben gab es den partiellen, zeitweiligen Ausschluß "von der Reinheit", also primär von den Reinheit vermittelnden (1 QS 3,4f; 5,13f) täglichen Kultbädern, dazu von der Mahlgemeinschaft und von den Beratungen der Volksversammlung der Gemeinde (1 QS 7,20f; 8,18.24; vgl. 6,8ff).

Die Entscheidung über disziplinarische Maßnahmen lag nach 1 QS bei der Volksversammlung der Gemeinde ("Sitzung der Vielen": 1 QS 6,8-13), die zuständig war für die Aufnahme neuer Mitglieder (1 QS 6,13-23), für die Verhängung von Strafen (6,1.24; vgl. 6,9) wie für die Aufhebung von Strafen (7,21; 8,18f; 9,2).[41] - Neben den erwähnten disziplinarischen Aussagen der Sektenrolle weist vor allem die Tempelrolle Fluch- und Bannformeln zur Reinhaltung der Gemeinde auf. In TR 56,1-11 wird Dtn 17,8-13 aufgenommen, zusammen mit dem 1 Kor 5,13 entsprechenden Zitat: "So sollst du austilgen das Böse aus Israel . . ." (TR 56,10; vgl. auch 61,10; 64,6; 66,3f.).

Auch die Pharisäer kannten, wie sich aus den wenigen Belegen für ein Ausschlußverfahren aus der pharisäischen Genossenschaft ergibt, ähnlich der Qumrangemeinschaft zwei verschiedene Grade der Exkommunikation[42]. Durch diese Exkommunikation sollte die pharisäische Gemeinde reingehalten und ihre Heiligkeit bewahrt werden. Um die Hintergründe

---

40 Vgl. zum folgenden HUNZINGER, a.a.O. 161-167; dort auch weitere Literatur (167); vgl. auch ders., Beobachtungen; s. auch FABRY, Wurzel 98-110.

41 Vgl. HUNZINGER, TRE V 162f; er weist auf die abgestufte Folge von Zurechtweisungen vor einer Verurteilung (1 Qs 5,25-6,1) hin: zunächst durch einen Einzelnen, der ein Vergehen beobachtet hatte, dann in einer "Zurechtweisung vor Zeugen"; erst danach durfte die Angelegenheit "vor die Vielen" gebracht werden (vgl. die Praxis der Zurechtweisungen nach Mt 18,15-17).

42 Vgl. BILLERBECK II 503-511, bes. 503f, mit Belegen von Ausschluß- und Wiederaufnahmebestimmungen in Zusammenhang mit der Verletzung von Reinheitsvorschriften.

dieser Heiligkeit zu erhellen, sollen die Pharisäer und ihre Organisationsform kurz dargestellt werden.

EXKURS 8: Die Pharisäer und ihre Gemeinschaften

Für die Einordnung des bei Paulus festgestellten Umgangs mit der vom Kult entlehnten Begrifflichkeit ist die Betrachtung der Pharisäer nicht zu vernachlässigen. Schließlich hat Paulus sich selbst als "Pharisäer dem Gesetze nach" bezeichnet (Phil 3,5), und es sind auch Ähnlichkeiten in der Organisationsform und der inneren Struktur zwischen den von Paulus beschriebenen christlichen Gemeinden und den pharisäischen Gemeinschaften festzustellen.

Vor einer Äußerung über die Pharisäer ist aber eine Einschränkung hinsichtlich der Quellenlage notwendig.[43] Da keine Selbstdarstellungen des Pharisäismus zur Zeit des Paulus, abgefaßt von aktiven Gliedern der pharisäischen Gemeinschaft während der Zeit ihrer Zugehörigkeit, erhalten sind, lassen sich zu diesen pharisäischen Gemeinschaften nur Indizien zusammenstellen. Das so gewonnene Bild kann also nur unter dieser einschränkenden Prämisse anderen zeitgenössischen Gruppen und Gemeinschaften gegenübergestellt werden.

Die späteren rabbinischen Traditionen über die Pharisäer[44] und die Aussagen der Evangelien belegen als hervorstechenden Zug des Pharisäismus vor 70 das Interesse für rituelle Dinge. Ihr Hauptpunkt war die Einhaltung der rituellen Reinheitsgesetze außerhalb und innerhalb des Tempels, wo die Priester bei ihrer Ausübung der kultischen Erfordernisse die rituelle Reinheit beachten mußten. Bereits vor dem Jahre 70 war der wesentliche Kern ihrer Botschaft, daß das Heilige nicht auf den Tempel begrenzt ist, sondern Land und Volk heilig sind. Wie die Priester Gott dienen, indem sie sich reinigen und Opfer darbringen, so soll das heilige Volk Gott dienen und sich heiligen durch ethisches und moralisches Verhalten[45]. Die pharisäische Botschaft für die Zeit der Krise nach dem Zusammenbruch des Tempels und damit des Kultvollzuges

---

43 Vgl. zur Quellenlage NIEBUHR, Heidenapostel 48-50; vor allem STRACK/STEMBERGER, Einleitung 127-142.151-158.168-177.189-199; J. MAIER, Zwischen den Testamenten 268-272 ; Rudolf MEYER/Hans-Friedrich WEISS, Art. Φαρισαῖος, in: ThWNT IX 11-51, (vgl. ThWNT X 1288f); Günther BAUMBACH, Art. Φαρισαῖος, in: EWNT III, 992-997; bei den drei zuletzt genannten Autoren weitere Literatur.

44 Vgl. J. NEUSNER, Judentum 24-32; ders., Ideas, darin das zweite Kapitel (32-71): Ideas of Purity in the Literature of the Period of the Second Temple.- BERGER, Pharisäer, stützt sich in seinem Aufsatz gemäß seiner Themenstellung zum Verhältnis Pharisäismus und frühes Christentum auf "Übereinstimmungen zwischen dem Zeugnis des Neuen Testaments und Josephus" . . . , "um ein Bild der Pharisäer im 1.Jh. für unsere Lektüre des Neuen Testaments zu rekonstruieren" (ebd. 233).

45 Vgl. a.a.O. 26; vgl. ebd. 25: "Der Tisch im Haus eines jeden Juden ist wie der Tisch des Herrn im Jerusalemer Tempel. Das Gebot 'Ihr sollt mir sein ein Königreich von Priestern und ein heiliges Volk' wurde wörtlich genommen. . . . Der Tisch eines jeden Juden besaß denselben Grad von Heiligkeit wie der Tisch im Kult." NEUSNER spricht von einer "Ritualisierung des Alltagslebens" (ebd. 51); vgl. zu den Pharisäern vor dem Jahre 70 ebd. 43-51.

war es, "in der Schrift die Elemente zur Geltung zu bringen, die jene tiefergehenden, geistigen Möglichkeiten des Gottesdienstes betonten, als der Tempel sie bot". Nun war das Volk der Tempel, und es galt, "zu leben, als sei man ein Priester": "Haus und Dorf sind der überlebende heilige Ort. Das Leben der Gemeinschaft ist der Kult."[46] Zugleich ging es den Pharisäern darum, die erreichte Heiligkeit bei der Teilnahme am täglichen öffentlichen Leben nicht zu gefährden. Dem Tempel und dem dort geübten Opferkult ließen die Pharisäer die nötige Verehrung zuteil werden, und sie haben, solange der Tempel stand, die Wirksamkeit des Kultes zur Sühnung von Sünden anerkannt.[47] Da sie anders als die Gemeinde von Qumran den Tempel nicht als entweiht betrachteten, sahen sie den Tisch daheim auch nicht als einen Ersatz für den Tempel an, sondern sie verstanden den Tempel *analog*. Für die Pharisäer war der Tempel ein Ideal, das außerhalb des Tempelbezirks verwirklicht werden mußte. Das zugrundeliegende Ziel war "die Heiligung des Lebens in Israel, indem sie das Profane heiligen, das Unreine rein machen wollten"[48]. Hier ist ein wesentlicher Kernpunkt des pharisäischen Anliegens hinsichtlich von Heiligkeit und Reinheit beschrieben: Die in der Schrift vorgeschriebene Unterscheidung zwischen heilig und unrein soll so vollzogen werden, daß sie überwunden wird, und dies in der Weise, daß "das Profane transzendiert, das Unreine geheiligt" wird[49].

Die pharisäische Bewegung sammelte sich um eine חבורה[50] (Gemeinschaft), deren Mitglieder eine besondere Lebensweise und insbesondere die Beachtung verschiedener Reinheitsvorschriften auf sich genommen haben. Ziel war es, eine rituelle Verunreinigung zu vermeiden. Dabei war die חבורה der Pharisäer anders als die Gemeinde von Qumran nicht separatistisch, sondern missionarisch ausgerichtet mit der Absicht, das

---

46 Vgl. a.a.O. 26f; Zitate ebd.

47 Vgl. a.a.O. 26f.80-86.

48 Vgl. a.a.O. 86; dieses *analoge* Verständnis des Tempels erläutert NEUSNER so: "Das Gleichnis bleibt Gleichnis: der Tisch ist dem Altar *ähnlich*. Er wird nicht als ein neuer Altar angesehen, dessen Heiligkeit der des alten *gleichwertig* wäre." (a.a.O. 86)

49 Vgl. a.a.O. 86; Zitat ebd.

50 R. MEYER, zu den *haburah* a.a.O. 16-20, hier 16, weist daraufhin, daß so gut wie keine Belege für die vereinsmäßige Gliederung der Pharisäer in vorchristlicher Zeit vorhanden sind; neben einigen rabbinischen Traditionen, den hinsichtlich von Vorurteilen mit gewissen Vorbehalten zu wertenden Evangelien und den Aussagen bei Josephus, lassen sich lediglich aus pharisäerkritischen Äußerungen aus Qumran entsprechende Rückschlüsse ziehen.- Zu den *haburah* H.- J. FABRY, Studien 220-230; ebd. 225.229 zu den Unterschieden zwischen *haburah* und *jahad*: Die wichtigsten Unterschiede liegen "in der Betonung der priesterlichen Komponente und der Separation in Qumran" (ebd. 229). Vgl. auch D. FLUSSER, Pharisäer 161f; zum Begriff חבר s. Henri CAZELLES, Art. חבר, in: ThWAT II 721-726; J. NEUSNER, *HBR* and *N'MN*: RdQ 5 (1964/5) 119-122; gegen eine Gleichsetzung der Pharisäer mit den Chaberim wendet sich STEMBERGER, Pharisäer 79f. Auch die von NEUSNER "immer wieder vorgetragene Kennzeichnung der Pharisäer zur Zeit Jesu als kleine Gruppe von Tischgemeinschaften" (sei) ziemlich problematisch" (ebd. 16). Sollte STEMBERGER hier richtig liegen, wäre auch dieser Exkurs zu den Pharisäern hinfällig.

ganze Volk zu beeinflussen[51]. חבר bezeichnet die Verbindung Gleichgesinnter, deren Hauptanliegen es ist, "die Thora streng zu beachten und die strikte Einhaltung kultischer Reinheit bei Beschaffung, Zubereitung und Verzehr von Speisen sowie die gewissenhafte Verzehntung zu betreiben"[52]. "Bestimmend für die Zugehörigkeit zu einer solchen *haburah* war also das Bekenntnis zu dieser Lebensweise, nicht etwa eine familiäre oder sonstige genealogische Zugehörigkeit."[53] Das Ideal dieser Gemeinschaften beschränkte sich nicht nur darauf, bestimmte Auffassungen über die Lebensart nach der Tora zu vertreten, sondern man mußte durch Eintritt in eine *haburah* und Übernahme ihrer Satzungen sich öffentlich dazu bekennen. So mußte die dem Eintritt in die Gemeinschaft entsprechende Lebensweise im Alltag für jeden nachprüfbar praktiziert werden. Derartige Konsequenzen könnten mitverursacht haben, "daß einerseits die Zahl der Pharisäer zur Zeit des Paulus offenbar relativ klein war, andererseits die Bewegung erhebliche Ausstrahlungskraft auf breite Bevölkerungskreise ausübte, ohne daß diese sich den pharisäischen Genossenschaften anschlossen"[54].

Die regelmäßigen Zusammenkünfte der חאבורות belegen ihren ekklesiologischen Charakter, doch wurde anders als in Qumran der Schritt zu einer vita communis und strenger Separation nicht vollzogen. Dieser Schritt hin zu einer solchen vita communis ist grundsätzlich "auch als die entscheidende Schwelle zu werten, die in Qumran die Tempelsymbolik einleitete, in den *haburot* und bei den Pharisäern jedoch nicht."[55] Differenzen über das Verständnis der Reinheitsvorschriften und vor allem über ihre Konsequenzen bezüglich der Mahlgemeinschaft können möglicherweise zu den Hauptursachen gezählt werden für die Abtrennung des Christentums vom übrigen Judentum und für die frühe Aufsplitterung des Christentums selbst[56].

Hier zeigen sich Gemeinsamkeiten und Unterschiede zwischen dem Pharisäismus vor dem Jahre 70, wie er in Indizien aus unterschiedlichen zeitgenössischen Überlieferungen zu erkennen ist, und den paulinischen Gemeinden, auch und gerade wie die eigene Identität am Verständnis von "Heiligkeit" der Gruppe ausgesagt wird[57].

---

51 Vgl. FLUSSER, a.a.O. 161. Doch spricht FLUSSER auch für die Gemeinde am Toten Meer stets von einer חבורה (anders als J. MAIER u.a.: יחד), in Anschluß an J. LICHT, Megillath ha-serakim, Jerusalem 1965, 294-303.

52 FABRY, a.a.O. 229; vgl. NEUSNER, a.a.O. 43.

53 FABRY, a.a.O. 222.

54 NIEBUHR, a.a.O. 55; vgl. Josephus Ant XVII,42, der für die Zeit des Herodes die Zahl von 6000 offenbar genossenschaftlich organisierten Pharisäern nennt; zur Stärke der Pharisäer insgesamt R. MEYER, ThWNT IX 19f.

55 Vgl. a.a.O. 224; Zitat ebd. "Eine solche vita communis konnte natürlich in weit größerem Maße der Heiligkeit und kultischen Reinheit der Gemeinde-Mitglieder dienen." (ebd. 224)

56 Vgl. Morton SMITH, The Dead Sea Sect in Relation to Ancient Judaism: NTS 7 (1961) 347-360; vgl. auch BERGER, Pharisäer, bes. 260f.

57 Vgl. BERGER, Pharisäer, bes. 246-257; auch Zitat 238: "Reinheitsvorstellungen haben im Jubiläenbuch, in Qumran, bei den Pharisäern und im frühen Christentum etwas zu tun mit innerer Kohärenz und sozialer Abgrenzung einer religiösen

Unter Einbeziehung der Gemeinde von Qumran und ihrem Umgang mit dem Tempel und der mit ihm verbundenen und von ihm ausgehenden Heiligkeit sollen folgende Beobachtungen festgehalten werden: Das Leben im Frühjudentum war, um es in ein Bild zu fassen, wesentlich vom Koordinatensystem Tempel/Heiligkeit bestimmt:

(a) Die *Qumrangemeinde* verschiebt das Koordinatensystem Tempel/Heiligkeit vom Tempel auf die Gemeinde: Die Gemeinde ist nicht dem Tempel *ähnlich*, sondern die Gemeinde *ist* der Tempel. Dabei hält die Gemeinde von Qumran am Tempel und am Sühnekult grundsätzlich fest, lehnt aber den gegenwärtigen Tempel und den aktuell ausgeübten Kult als entweiht ab.

(b) Die *Pharisäer* hingegen verbleiben in diesem Koordinatensystem, verschieben aber seine wesentlichen Eckpunkte, um die am Tempel haftende Heiligkeit auf Land und Volk in einer Weise auszudehnen, daß das "Unreine geheiligt" wird. Bei den Pharisäern geht es theologisch wesentlich um die Nähe zu Gott, die durch Absonderung und besondere Reinheit erstrebt wird.

(c) Auch *Paulus* geht es um die besondere Gottesnähe. Für ihn ist es Gott selbst, der sie schenkt, indem er vom himmlischen Heiligtum her seinen Geist verleiht als Geist der Heiligkeit (vgl. Röm 1,4). Zugleich spricht er von Heiligkeit, indem er dem Koordinatensystem die für ihn entscheidende eschatologische Komponente unterlegt: Die Gemeinde *ist* der Tempel, weil Gott die Gemeinde im Tod Christi reinigt und heiligt, so daß alle alten, bisher gültigen Kriterien von Heiligkeit sich diesem neuen Koordinatensystem einzuordnen haben. Heidenmission und somit Ausweitung des bisherigen begrenzten Koordinatensystems Tempel/Heiligkeit ist christologisch fundiert möglich. Auch für Paulus geht es darum, sich den erreichten Status von geschenkter Heiligkeit im Kontakt mit dem Profanen zu bewahren. Doch steht im Vordergrund nicht die Angst vor dem Unreinen als solchem, sondern die Kraft des einen, der rein, heilig und gerecht wirklich ist und deshalb reinwaschen, heiligen und gerecht machen kann[58]. Dreh- und Angelpunkt des paulinischen Denksystems von Heiligkeit ist so der Sühnetod Christi, durch den die Ekklesia Gottes abgewaschen, geheiligt und gerecht gemacht ist.

Paulus geht es in seiner Aufforderung "Schafft den Übeltäter weg aus eurer Mitte!" um die Reinhaltung der Gemeinde. Dabei ist die zuständige Instanz in jedem Fall die versammelte Ekklesia. In 1 Kor 5,3 ergreift Paulus nur deshalb die Initiative, weil die Gemeinde die ihr obliegende Verantwortung (5,2.12.13) nicht wahrgenommen hat. Die in VV 2b.5 von Paulus geforderte Strafe wird nicht durch ihn vollzogen, sondern bleibt

---

Gruppe".- Vgl. auch B. JANOWSKI, H. LICHTENBERGER, Enderwartung und Reinheitsidee.

58 BERGER, a.a.O. 238, spricht von einem "christliche(n) Konzept offensiver Reinheit und Heiligkeit".

Sache der Gemeinde (5,4).[59] So fordert er in V 13 unter Rückgriff auf die alttestamentliche sakralrechtliche Formel die Korinther mit Nachdruck auf, für den im betreffenden Einzelfall sündig gewordenen Bruder durch das Forum der Gemeinde dessen Ausschluß (ἐξαίρω) zu vollziehen.

Was hier und an anderen Stellen des paulinischen Briefcorpus (vgl. 1 Kor 3,17a; Gal 1,8.9[60]) formuliert ist, belegt einen bei Paulus anzutreffenden Gebrauch sakralrechtlicher Sätze. Die Ekklesia Gottes ist hier als heilige Gemeinschaft verstanden, ähnlich wie es bereits oben am Beispiel von Dtn 23 gezeigt wurde. An die Stelle kultischer Reinheit ist nun radikale Gerechtigkeit getreten[61], deren unbedingte Basis das Heilsgeschehen ist.

Paulus versteht "Heiligkeit" zuerst in einem seinsmäßigen Sinn und denkt sie als Konsequenz daraus auch als ein ethisches Ideal, das es je neu aufgrund des in Christus geschenkten Heils zu verwirklichen gilt. Der Indikativ des Heils geht dem Imperativ voraus, der sich aus dem zuteilgewordenen Heil ergibt. Dies ist in den Briefen des Paulus da formuliert, wo er der Gemeinde das Heil als gegenwärtig vorstellt. Gerade das nächste Ka-

---

59 Vgl. auch HUNZINGER, a.a.O. 166; in 2 Kor 2,8 bittet Paulus um die Aufhebung der Strafe, aber der Gemeinde obliegt die förmliche Beschlußfassung. - Anders CONZELMANN, 1Kor 124: "Deutlich ist: Paulus beschließt einen sakral-pneumatischen Rechtsakt gegen den Täter. Die Gemeinde bildet nur das Forum; sie wirkt nicht mit."

60 Zu Gal 1,8.9 stellt H.D. BETZ in seinem Kommentar zum Galaterbrief die These auf, daß dieser Fluch "in Zusammenhang mit dem bedingten Segenswunsch in der *peroratio*" (Gal 6,16) stehe. BETZ sieht "das gesamte Briefcorpus durch diesen bedingten Fluch und Segenswunsch umgriffen" (Gal 108) und wagt die Behauptung, daß der Galaterbrief "die Kraft eines magischen Briefes" bekomme. "Die Kombination von Fluch und Segen stellt das ganze Dokument in den Kontext des 'heiligen Rechts'. Analog zu anderen religiösen und quasi-religiösen Gemeinschaften behandelt Paulus die galatischen Gemeinden als religiöse Gemeinschaften, die ihr eigenes konstitutives Recht haben und es durch Fluch und Segen sanktionieren." (ebd. 109) Und zu Gal 6,16 schreibt BETZ dann: "Diejenigen, die sich gegen Paulus und für seine Gegner entscheiden, kommen automatisch unter den Fluch. So läuft der bedingte Segen wie der bedingte Fluch (1,8-9) auf eine potentielle Exkommunikation aus der Kirche, zumindest nach paulinischem Verständnis, hinaus." (ebd. 545) - Angesichts von Gal 1,8f und 6,16 solche Schlüsse zu ziehen, dürfte zu gewagt sein: Müßte dieses Recht der galatischen Gemeinden nicht genauer im Brief formuliert sein? Müßten der "bedingte Segen" und die daraus von BETZ gezogenen Folgerungen sich nicht auf mehr stützen, als auf das eine Wort κανών?

61 Vgl. BERGER, Volksversammlung 202f.

pitel des 1Kor zeigt dies auf, in dem Paulus die Korinther ausdrücklich als "reingewaschen" (ἀπελούσασθε; Aor.!) und "geheiligt" (ἡγιάσθητε; ebenfalls Aor.!) bezeichnet. Die Gegenwart des Heilsgeschehens in Christus ist die Basis der paulinischen Formulierung der "Heiligkeit der Gemeinde".[62]

Für das paulinische Gemeindeverständnis ist es interessant, wie er die Gemeinde und die Nicht-Christen bzw. die Nicht-Gemeindemitglieder terminologisch erfaßt[63]. Die korinthische Gemeinde bezeichnet er mit den Begriffen ἀδελφοί, οἱ ἔσω und ἅγιοι, die Außenstehenden als οἱ ἔξω, ἄδικοι und ἄπιστοι, die im Urteil der Gemeinde verachtet werden. Bereits in dieser Terminologie zeigt sich die scharfe Abgrenzung des Paulus zwischen denen in der Gemeinde und den Außenstehenden. Ziel dieser strikten Scheidung ist die Reinerhaltung der Gemeinde und die Bewahrung ihrer Heiligkeit. Als Kriterium der Gemeindeheiligkeit erweist sich das Verhalten gegenüber der "Unzucht", d.h., ob jemand sich von ihr distanziert oder sie praktiziert. Wer sie praktiziert, grenzt sich durch sein Tun selbst von der Gemeinde ab[64].

5.2 1 Kor 6,9-11: Ein weiterer Lasterkatalog

Text 1 Kor 6,9-11

9aα "Η οὐκ οἴδατε
9aβ ὅτι ἄδικοι θεοῦ βασιλείαν οὐ κληρονομήσουσιν;

9b μὴ πλανᾶσθε·

---

62 Vgl. BERGER, a.a.O. 203: "Die Ekklesia ist die zur Basileia gehörende und für sie geeignete Gemeinschaft. So heilig, wie sie durch Jesus Christus geworden ist (1 Kor 6,11), kann sie in die Basileia eingehen. Die Basileia ist zukünftig, nicht aber ist es die Heiligkeit der Ekklesia."

63 Vgl. DOBBELER, Glaube 247f; Paulus mache in der Abgrenzung gegenüber den Heiden die πίστις zum zentralen Identifikations- und Abgrenzungsmerkmal christlicher Gemeinde (vgl. ebd. 250); die πίστις sei für Paulus das Medium, "das den Zutritt zum Bereich der Heiligkeit Gottes ermöglicht, d.h. als Schwellenphänomen" zu verstehen (a.a.O. 271; Zitat ebd.).

64 Vgl. DOBBELER, a.a.O. 247: "Die Aufforderung: Schafft sie aus eurer Mitte! ist nur die Konsequenz ihrer eigenen Ausgrenzung aus der Gemeinde; durch ihr Verhalten stellen sie sich den Außenstehenden gleich."

9c οὔτε πόρνοι οὔτε εἰδωλολάτραι οὔτε μοιχοὶ
οὔτε μαλακοὶ οὔτε ἀρσενοκοῖται
10a οὔτε κλέπται οὔτε πλεονέκται,
οὐ μέθυσοι, οὐ λοίδοροι, οὐχ ἅρπαγες
10b βασιλείαν θεοῦ κληρονομήσουσιν.

11a καὶ ταῦτά τινες ἦτε·

11b ἀλλὰ ἀπελούσασθε, ἀλλὰ ἡγιάσθητε, ἀλλὰ ἐδικαιώθητε

11c ἐν τῷ ὀνόματι τοῦ κυρίου Ἰησοῦ Χριστοῦ
καὶ ἐν τῷ πνεύματι τοῦ θεοῦ ἡμῶν.

Übersetzung

9aα Oder wißt ihr nicht,
9aβ daß Ungerechte das Reich Gottes nicht erben werden?

9b Irrt euch nicht!
9c Weder Unzüchtige noch Götzendiener noch Ehebrecher
noch Weichlinge noch mit Männern Schlafende

10a noch Diebe noch Habsüchtige,
nicht Trunkenbolde, nicht Lästerer, nicht Räuber
10b werden das Reich Gottes erben.

11a Und solches waren einige [von euch].

11b Aber ihr seid abgewaschen, aber ihr seid geheiligt,
aber ihr seid gerecht gemacht

11c im Namen des Herrn Jesus Christus und im Geist unseres Gottes.

Im folgenden werden die letzten drei Verse des Abschnitts 1 Kor 6,1-11 behandelt, in denen uns vor allem die Art und Weise interessieren wird, wie von der Heiligkeit der Gemeinde gesprochen wird. Weiter oben (Kap. 4.2.3) wurde der Beginn dieses Abschnitts (VV 1-3) untersucht. Darin kritisiert Paulus die Adressaten, daß einige von ihnen vor heidnischen Gerichten gegeneinander um ihr Recht prozessieren. Doch sollen Christen ihre Rechtsstreitigkeiten innerhalb der Gemeinde der "Heiligen" (V 3) und nicht vor den Gerichten der "Ungerechten" klären (VV 1-6): Besser wäre es, auf das Prozessieren ganz zu verzichten und lieber Unrecht zu erleiden (V 7). Dagegen, so wirft es Paulus seinen Adressaten vor, tun sie Unrecht und begehen Raub - und dies aneinander. In diesen Versen ist also das Unrecht in der Gemeinde herausgestellt, das die Heiligkeit der Gemeinde in Frage stellt. Dies deuten die Stichworte ἄδικοι und ἅγιοι im einleitenden Vers 6,1, der zugleich in Art einer

Überschrift das Thema des Abschnitts 6,1-11 vorgibt und in Frageform auch das Urteil enthält. Das Unrecht selbst in der Gemeinde der "Heiligen" birgt die Gefahr in sich, daß die Gemeindezugehörigen in den Status der ungerechten Heiden zurückfallen, der dem Status der "Heiligen" radikal entgegengesetzt ist[65]. Dies schärft Paulus seinen Adressaten mit der in Frageform gekleideten Aussage ein, daß Ungerechte das Reich Gottes nicht erben (9a), einer Bemerkung, die den Korinthern wohl nicht unbekannt zu sein scheint, wie aus der Einleitungsformel (οὐκ οἴδατε) hervorgeht. Der anschließende zehngliedrige Lasterkatalog, durch die diatribische Wendung μὴ πλανᾶσθε (9b)[66] eingeleitet, bietet (negative) Einlaßbedingungen für das Reich Gottes (VV 9b.c.10). Die zusätzliche Warnung μὴ πλανᾶσθε stellt heraus, wie gravierend die aufgezählten Ungerechtigkeiten sind, daß sie gar von der βασιλεία ausschließen. Überhaupt haben die VV 9-11 den illokutiven Charakter der Warnung[67]. In V 11a folgt nochmals ein Wort, das verhindern soll, daß die Adressaten die Schwere ihrer eigenen Schuld verkennen: "Und dieses waren einige von euch!" Entscheidendes Stichwort im Abschnitt ist die Bezeichnung ἄδικοι (VV 1.9) und das entsprechende Verb ἀδικεῖν (VV 7.8).

Da auch in Kap. 6 die gefährdete Heiligkeit der Gemeinde Thema ist, sind wieder die Bezeichnungen für die in und außerhalb der Gemeinde interessant: Die außerhalb der Gemeinde werden als ἄδικοι (1.9) bezeichnet, als "solche, die in der Gemeinde nichts gelten" (4), als ἄπιστοι; die innerhalb der Gemeinde werden ἅγιοι (1.2) und ἀδελφοι (5.6.8) genannt. Wie bereits in 1 Kor 5 zeigt sich auch hier in der Terminologie die scharfe Abgrenzung des Paulus zwischen denen in der Gemeinde und den Außenstehenden, die vorgenommen wird, um die Gemeinde reinzuhalten und ihr die Heiligkeit zu bewahren. Als Kriterium dieser Heiligkeit erweist sich das Verhalten gegenüber den im Lasterkatalog 9f genannten Ungerechtigkeiten. Ob jemand sich von diesen distanziert oder sie praktiziert, entscheidet darüber, ob er die βασιλεία erben wird.

Im folgenden wenden wir uns zunächst dem Lasterkatalog zu und danach dem Begriff der βασιλεία, der in der Wendung "das Reich Gottes erben"

---

65 Vgl. HANSSEN, Heilig 127; vgl. zu 1 Kor 6,1-11 ebd. 66-70.127-148.

66 Vgl. LIETZMANN, 1Kor 26f; H. BRAUN, Art. πλανάω κτλ., in: ThWNT VI 230-254, hier 245.

67 Dies zeigen gerade die einleitende Frage (V 9a) und der Imperativ μὴ πλανᾶσθε (V 9b); vgl. HANSSEN, a.a.O. 140; SCHRAGE, 1Kor I 428.

diesen Lasterkatalog förmlich umrahmt. Der Lasterkatalog[68] in 1 Kor 6,9-11 stimmt zum Teil wörtlich mit dem in Kap. 5 überein, wie folgende Gegenüberstellung zeigt (die Zahlen in Klammern zeigen die ursprüngliche Reihenfolge der Worte im Text an):

1 Kor 5,11:	πόρνος	πλεονέκτης	εἰδωλολάτρης
	λοίδορος	μέθυσος	ἅρπαξ
1 Kor 6,9f:	πόρνοι (1)	πλεονέκται (7)	εἰδωλολάτραι (2)
	λοίδοροι (9)	μέθυσοι (8)	ἅρπαγες
	μοιχοί (3) μαλακοί (4)	ἀρσενοκοῖται (5)	κλέπται (6)

Im Vergleich mit Kap. 5 ist der Katalog in Kap. 6 pluralisch formuliert, hat eine andere Reihenfolge und ist durch vier weitere Teilglieder erweitert, einmal durch eine dreigliedrige Konkretisierung der Unzucht (Glieder 3-5) und zudem durch die Hinzufügung des Diebstahls.

Die Wendung "das Reich Gottes erben", mit der hier in 1 Kor 6,9.10 der Lasterkatalog eingerahmt ist, findet sich auffälligerweise auch in Gal 5,21 als Abschluß eines Lasterkatalogs, so daß "eine Vorgabe aus der Tradition" angenommen werden darf. Derartige Lasterkataloge "formulieren in negativer Weise Einlaßbedingungen für das Gottesreich".[69] "War in Kap. 5 offenkundig von der Ekklesia die Rede, so geht es hier um das Erben der Basileia Gottes."[70] Mit Recht weist K. BERGER darauf hin, daß die

68 Vgl. zu den Tugend- und Lasterkatalogen neben anderen Kommentaren vor allem die von SCHRAGE und CONZELMANN; auch A. VÖGTLE, Tugend- und Lasterkataloge; E. SCHWEIZER, Gottesgerechtigkeit und Lasterkataloge bei Paulus (inkl. Kol und Eph), in: FS Ernst KÄSEMANN, Tübingen/Göttingen 1976, 461-477; Siegfried WIBBING, Die Tugend- und Lasterkataloge im Neuen Testament und ihre Traditionsgeschichte (BZNW 25), Berlin 1959; speziell zu 1 Kor 5 u. 6: Peter S. ZAAS, Catalogues And Context: 1 Corinthians 5 And 6: NTS 34 (1988) 622-629.

69 Vgl. KLAUCK, 1Kor 46, Zitate ebenda; ebenso CONZELMANN, a.a.O. 135; HANSSEN, a.a.O. 140.

70 BERGER, Volksversammlung 203.

Ausschlußbedingungen der beiden Lasterkataloge, in Kap. 5 bezogen auf die Ekklesia, in Kap. 6 auf die Basileia Gottes, identisch sind.[71]

EXKURS 9: Der Begriff βασιλεία τοῦ θεοῦ bei Paulus

Der Begriff der βασιλεία begegnet bei Paulus siebenmal, vowiegend in paränetischem Kontext:[72]

Röm 14,17: οὐ γάρ ἐστιν ἡ βασιλεία τοῦ θεοῦ βρῶσις καὶ πόσις ἀλλὰ δικαιοσύνη καὶ εἰρήνη καὶ χαρὰ ἐν πνεύματι ἁγίῳ.

1 Kor 4,20f: οὐ γὰρ ἐν λόγῳ ἡ βασιλεία τοῦ θεοῦ ἀλλ᾽ ἐν δυνάμει. τί θέλετε; ἐν ῥάβδῳ ἔλθω πρὸς ὑμᾶς ἢ ἐν ἀγάπῃ πνεύματί τε πραΰτητος;

1 Kor 6,9f: (2x) Ἢ οὐκ οἴδατε
ὅτι ἄδικοι θεοῦ βασιλείαν οὐ κληρονομήσουσιν;
(ähnlich in 1 Kor 6,10)

1 Kor 15,50: Τοῦτο δέ φημι, ἀδελφοί, ὅτι σὰρξ καὶ αἷμα βασιλείαν θεοῦ κληρονομῆσαι οὐ δύναται
οὐδὲ ἡ φθορὰ τὴν ἀφθαρσίαν κληρονομεῖ.

Gal 5,21d: ὅτι οἱ τὰ τοιαῦτα πράσσοντες βασιλείαν θεοῦ οὐ κληρονομήσουσιν.

[vgl. Eph 5,5: Denn dies sollt ihr wissen, daß kein Unzüchtiger oder Unreiner oder Habsüchtiger, das sind Götzendiener, ein Erbteil hat im Reich Christi und Gottes (κληρονομίαν ἐν τῇ βασιλείᾳ τοῦ Χριστοῦ καὶ θεοῦ).]

1 Thess 2,10-12: (10) Ihr und Gott seid Zeugen, wie heilig, gerecht und untadelig wir bei euch, den Gläubigen, gewesen sind. (11) Ihr wißt auch, daß wir einen jeden von euch, wie ein Vater seine Kinder, (12) euch ermahnt und ermutigt und beschworen haben, euer Leben würdig des Gottes zu führen, der euch berufen hat zu seinem Reich und zu seiner Herrlichkeit (εἰς τὴν ἑαυτοῦ βασιλείαν καὶ δόξαν).

In 1 Thess 2,12, der wahrscheinlich ältesten βασιλεία-Stelle aus den paulinischen Homologumena, ist der Begriff in Verbindung mit dem eschatologischen Terminus δόξα und mit dem von Paulus bevorzugten Wort καλεῖν benutzt, so daß diese Stelle zeigt, daß βασιλεία hier eine eschatologische Wirklichkeit bezeichnet. Zugleich ist hier, im Gegensatz zu den anderen Belegstellen bei Paulus, βασιλεία zunächst positiv herausgestellt: Gottes Berufung hat als Ziel die βασιλεία und die δόξα, so daß es gilt, solcher Berufung entsprechend würdig zu wandeln (εἰς τὸ περιπατεῖν ὑμᾶς

---

[71] Vgl. BERGER, a.a.O. 202f.

[72] Vgl. neben den Kommentaren R. SCHNACKENBURG, Gottesherrschaft und Reich, hier bes. 199-212; Günter HAUFE, Reich Gottes bei Paulus und in der Jesustradition: NTS 31 (1985) 467-472; Andreas LINDEMANN, Art. Herrschaft Gottes/Reich Gottes IV, in: TRE 15 (1986) 196-218, bes. 212f.

ἀξίως τοῦ θεοῦ). Nicht in einem negativen Drohwort, sondern positiv als Zielvorgabe dient hier der Verweis auf die βασιλεία dazu, die ethische Mahnung (1 Thess 2,12a: παρακαλοῦντες ὑμᾶς καὶ παραμυθούμενοι καὶ μαρτυρόμενοι) zu stützen. - In nachpaulinischen Texten begegnet der Terminus βασιλεία noch in Kol 1,13 (καὶ [ἡμᾶς] μετέστησεν εἰς τὴν βασιλείαν τοῦ υἱοῦ τῆς ἀγάπης αὐτοῦ) und 2 Thess 1,5 (εἰς τὸ καταξιωθῆναι ὑμᾶς τῆς βασιλείας τοῦ θεοῦ), in 2 Thess 1,5 ähnlich wie in den paulinischen Homologumena, in Kol 1,13 allerdings als Bezeichnung einer präsentischen Wirklichkeit[73], "der Herrschaft des Sohnes seiner Liebe"[74]. Diese Bezeichnung steht hier neben "Gott", dem "Los der Heiligen", "Erlösung, die Vergebung der Sünden" zur näheren Erläuterung des "Raumes des Lichtes".[75]

Die genannten βασιλεία-Stellen aus den paulinischen Homologumena weisen mitunter Gemeinsamkeiten auf. Einmal ist der paränetische Kontext festzuhalten, in dem der βασιλεία-Begriff begegnet. Mit diesem Begriff ist zudem das Ziel Gottes mit den Angesprochenen, das zukünftig aussteht, mahnend umschrieben, um so der ethischen Mahnung Nachdruck zu verleihen. Die daraus gezogene Folgerung, daß der Terminus βασιλεία möglicherweise bei Paulus "durchweg auf einen bestimmten 'Sitz im Leben', nämlich die Tauftradition"[76], verweise, dürfte wohl nicht unbedingt zutreffen. Vielmehr ist für die paulinischen Homologumena die Verwendung des Begriffs in der Paränese bezeichnend.

Zwei unterschiedliche Aussageweisen in Verbindung mit dem Begriff βασιλεία lassen sich bei Paulus erkennen: Dreimal hat Paulus die feststehende negative Wendung "das Gottesreich nicht erben" verwendet, jeweils im Futur (1 Kor 6,9-11bis; Gal 5,16-21) bzw. im Präsens mit Futurbezug (1 Kor 15,50), um so den Ausschluß von der Teilnahme am eschatologischen Gottesreich zu umschreiben.[77] In 1 Kor 6,9-11

---

73 E. SCHWEIZER, Kolosser 48f, weist zu Kol 1,12f auf "die starke Verwurzelung in der davidischen Tradition" hin und folgert, daß auch Kol 1,12f "nicht einfach ein jenseitiges Reich des Lichtes" meine, sondern wie in 1 Kor 15 den Bereich, in dem Christus regiere; "die Künftigkeit des 'Erbes' ist ja auch festgehalten (3,1-4)" (ebd. 49).

74 "'Reich des Sohnes' fehlt bei Paulus, auch wenn es 1 Kor 15,24 vorausgesetzt ist, ebenso die stark semitisierende Wendung 'Sohn seiner Liebe'", so SCHWEIZER, Kolosser 46; zur Wendung 'Sohn seiner Liebe' s. Mk 1,11par; Mk 9,7par und 2 Petr 1,17, wo ὁ ἐκλελεγμένος steht.

75 Vgl. Apg 20,32 u. 26,18; an diesen beiden Stellen begegnet das Verb ἁγιάζειν (s. Kap. 2.4.1).

76 WILCKENS, Röm III 93; weiter schreibt er dort: "In der Taufparaklese, die den Getauften zu einem der Taufe entsprechenden Wandel aufruft, wird vor einem Rückfall in die Laster des 'einstigen Wandels' gewarnt" (a.a.O. 93). - Vgl. auch HAUFE, a.a.O. 268.

77 Vgl. HAUFE, a.a.O. 467. - Auch Eph 5,5 gehört zu diesen paränetischen Stellen, an denen der βασιλεία-Begriff begegnet. Nur ist hier ein wesentlicher, für den Epheserbrief typischer Unterschied gegenüber den paulinischen Homologumena zu erkennen. Für den Verfasser des Eph ist κληρονομία, die die Unzüchtigen im Reich Christi und Gottes "nicht haben" werden, "die sich zwar immer erst künftig enthüllende und offenbar realisierende und deshalb jetzt in der Hoffnung erst vorauszunehmende . . . βασιλεία τοῦ Χριστοῦ καὶ θεοῦ. Aber

und Gal 5,21 ist mit Hilfe der Drohung des Ausschlusses von der βασιλεία θεοῦ jeweils ein falsches Verhalten der angesprochenen Gemeinde gebrandmarkt; an beiden Stellen ist die Wendung zudem mit einem Lasterkatalog verbunden, der in negativer Weise Einlaßbedingungen für das Gottesreich formuliert[78]. In 1 Kor 15,50, einem im Kontext nicht leicht einzuordnendeμ Vers, kritisiert Paulus mit der Formulierung "das Reich Gottes nicht erben können" möglicherweise ein falsches Auferstehungsverständnis.[79]

Die zweite Ausdrucksweise, antithetisch gegliedert mit οὐ γὰρ . . . ἀλλά, stellt einer positiven Aussage über das Reich Gottes eine negative voran: Auch in Röm 14,17 steht βασιλεία in paränetischem Kontext, nur scheint hier noch der "jesuanische Gegenwartsaspekt" durch.[80] Paulus führt den Adressaten vor Augen, daß Gottes βασιλεία, an der sie im Glauben Anteil gewonnen haben, sich nicht auf das Essen oder Nichtessen von Speisen bezieht (und die damit verbundenen Reinheitsfragen). Gottes Herrschaft besteht in den Heilsgaben der Gerechtigkeit, des Friedens und der Freude, "wie sie im Heiligen Geist seit der Taufe das Leben der Christen bestimmen und ihr Zusammenleben regeln sollen"[81]. Wie in den beiden anderen Belegstellen aus dem 1. Korintherbrief hat die mit dem βασιλεία-Begriff verbundene Mahnung auch in 1 Kor 4,20 noch einen innergemeindlichen Hintergrund. Der βασιλεία-Begriff weist zurück auf 1 Kor 4,8, wo das Verb (συμ-)βασιλεύειν dreimal das falsche "Herrschafts-Verständnis" der Korinther umschreibt, das Paulus zu korrigieren versucht. Diesem irrigen korinthischen "Herrschafts-Verständnis" lag eine falsche Gegenwartsgläubigkeit zugrunde und eine rechthaberische Redegewandtheit.[82] So läßt die begründende Aussage von 1 Kor 4,20 (γάρ) in der Verbindung der βασιλεία τοῦ θεοῦ mit δύναμις "am eschatologischen Charakter der Herrschaft Gottes keinen

als solche ist sie verborgen auch jetzt schon da, und man kann jetzt schon ein Erbe in ihr 'haben'"; die βασιλεία ist die "eschatologische Herrschaft Christi über das All in der Kirche" (vgl. SCHLIER, Eph 235; Zitate ebd.); vgl. auch MERKLEIN, Amt 206, bes. Anm. 269, wo er die "eschatologische Gegenwartsbezogenheit der κληρονομία im Eph" durch Beobachtungen unterstreicht, u.a. daß Eph 5,5 präsentische Formulierung habe gegenüber dem Futur bei Paulus (1 Kor 6,9f; Gal 5,21); die Kirche sei für den Eph das eschatologische Gottesvolk der ἅγιοι (vgl. MERKLEIN, a.a.O. 206).

78 Während in 1 Kor 6,9f die Wendung "das Reich Gottes nicht erben" den Lasterkatalog rahmt, ist in Gal 5,21 die Wendung Abschluß eines Lasterkataloges; Gal 5,22f schließt daran einen Tugendkatalog an. Interessant ist hier, was der Wendung "das Reich Gottes nicht erben" positiv gegenübergestellt ist: das περιπατεῖν πνεύματι (Gal 5,16; vgl. 5,25: Ἐi ζῶμεν πνεύματι, πνεύματι καὶ στοιχῶμεν).

79 Vgl. KLAUCK, 1 Kor 120f; Paulus wende sich gegen solche, die meinen, "etwas Unzerstörbares in sich zu tragen, das sie jetzt schon in die Auferstehungswirklichkeit versetzt, so daß der leibliche Tod keinen Einschnitt mehr bedeutet" (ebd. 121).

80 Vgl. M. HENGEL - A. M. SCHWEMER (Hgg.), Vorwort, in: dieselben, Königsherrschaft 1-19, hier 18; Zitat ebenda.

81 WILCKENS, Röm III 93; Gal 5,22 nenne Paulus an erster Stelle "Liebe, Freude, Friede" als "Frucht des Geistes".

82 Vgl. KLAUCK, 1Kor 41; SCHRAGE, 1Kor I 340.362f.

Zweifel, doch schließt das wie bei Jesus zugleich ihren antizipatorischen Anbruch ein"[83], so daß bei Paulus an allen βασιλεία-Stellen die "Herrschaft Gottes" als eine in die Gemeinden bereits aktuell hineinwirkende Wirklichkeit des eschatologischen Heils zu erkennen ist.

Wenn sich also auch bei Paulus der Begriff βασιλεία, "der zentrale Begriff der Verkündigung Jesu"[84], nicht häufig findet, so läßt sich aber an den wenigen Stellen, wo er von der Gottesherrschaft spricht, deutlich ablesen, "wie er die Verkündigung Jesu verarbeitet und zugleich von seinem jüdischen Erbe her den zukünftig-himmlischen Aspekt betont". Paulus blickt so "auf die eschatologische Verwirklichung der Gottesherrschaft in 'Herrlichkeit', in die Gott die Gläubigen berufen hat und die sie erben sollen, nicht als 'Fleisch und Blut', sondern verwandelt in das neue Sein, 'die Herrlichkeit der Kinder Gottes'".[85] Zugleich ist auffällig, daß Paulus da, wo er von der βασιλεία τοῦ θεοῦ spricht, "gerade im Zusammenhang der Paränese auf sie als das Ziel Gottes mit den Erwählten hinweist, um die ethische Forderung zu unterstreichen". Dies läßt erkennen, daß seine Vorstellung von der Gottesherrschaft "mit dem Bild des himmlischen Gottesdienstes in der Gemeinschaft der Engel, das ja auch in Qumran seine endgültige Verwirklichung erst im eschatologischen Tempel findet, in dieser Hinsicht verwandter ist als mit der Jesu".[86] Wenn Paulus gerade für die Ekklesia Gottes wie für die Basileia ähnliche Ausschlußbedingungen formulieren kann, zeigt dies, wie sehr er beide Größen einander zuordnet: Im Zusammensein der Gemeinde ereignet sich für Paulus ein antizipatorisches Vorspiel der "präsentischen kultischen Feier der Königsherrschaft Gottes im Himmel"[87], so daß letztere auch der Grund der eschatologischen Erwartung der Gottesherrschaft auf Erden ist. Deshalb muß sich für Paulus die irdische Ekklesia die in Christus gewonnene "Heiligkeit" erhalten, um so in die Basileia eingehen zu können.[88]

---

[83] SCHRAGE, 1Kor I 363.

[84] H. MERKLEIN, Jesu Botschaft 25. - Vgl. J. JEREMIAS, Neutestamentliche Theologie, Gütersloh 1971, 99, der den Konsens in der neutestamentlichen Wissenschaft hervorhebt, "daß das zentrale Thema der öffentlichen Verkündigung Jesu die königliche Herrschaft Gottes war".

[85] Vgl. M. HENGEL - A. M. SCHWEMER (Hgg.), a.a.O. (s. Anm. 80) 18; Zitate ebd..

[86] Vgl. A. M. SCHWEMER, Gott als König 118; vgl. 119: Während "die Verkündigung Jesu von der βασιλεία Gottes, des gütigen Vaters, als Gabe Gottes an die Sünder und Ausgestoßenen den kultischen Rahmen in seinem traditionellen Verständnis von Reinheit und Heiligkeit, wie er in Qumran rigoros verschärft wurde, in anstößiger Weise aufsprengt", werde deutlich erkennbar, "daß Paulus in seinem Verständnis der βασιλεία Gottes essenisch-kultischen Gedanken viel näher steht".

[87] A. M. SCHWEMER, a.a.O. 117.

[88] Vgl. BERGER, Volksversammlung 203; richtig bezeichnet er die Ekklesia als "die zur Basileia gehörende und für sie geeignete Gemeinschaft" (ebd.). Allerdings geht er nur auf die Texte Philos ein, da die Sabbatlieder noch nicht veröffentlicht waren. So fehlt bei ihm der Bezug auf Qumran, speziell auf die Sabbatlieder und die darin enthaltene Vorstellung von der Gemeinschaft mit den Engeln, in der sich für die Gemeinde die Teilnahme an der himmlischen מלכות ver-

Die Angeredeten werden in 1 Kor 6,11 als "reingewaschen" (ἀπελούσασθε), "geheiligt" (ἡγιάσθητε) und "gerechtfertigt" (δικαιώθητε) bezeichnet. Das Verb ἁγιάζειν wurde bereits ausführlich besprochen[89], wobei die Heiligung als ein Gott vorbehaltener Akt der Aussonderung kennengelernt wurde. Wie ἁγιάζειν ist auch ἀπολούειν ein eindeutig kultisch konnotierter Terminus. Häufig wird in den Kommentaren herausgestellt, daß das "Abgewaschenwerden" in den Horizont vorpaulinischer Taufterminologie gehöre[90].

ἀπολούειν begegnet außer in 1 Kor 6,11 nur in Apg 22,16, wo das Verb neben βαπτίζεσθαι verwendet ist: "Laß dich taufen und laß dir deine Sünden abwaschen", lautet die Auffordung an Paulus im Anschluß an seine Bekehrungsvision. In der LXX wird ἀπολούειν nur in Hiob 9,30 verwendet als Wiedergabe des hebr. רחץ, das ansonsten fast regelmäßig durch das Simplex λούειν wiedergegeben wird. Das Verb רחץ beschreibt die Reinigung von Personen oder Dingen, die in irgendeiner Weise unrein geworden sind, oder von solchen, die für eine Aufgabe im Tempel vorgesehen sind[91]. Von den 12 Belegen bei Philo sind jene Stellen bemerkenswert, an denen das Verb mit dem "Tempel" verbunden wird. In SpecLeg III,89 ist das Betreten des Heiligtums ohne vorherige Waschung untersagt (vgl. Imm 8, formuliert mit λούειν). Philo betont den Unterschied zwischen der Waschung des Körpers und der Reinigung des Geistes, wobei er unterstreicht, daß die äußerliche Waschung den Menschen nicht reinigt (vgl. Mut 49; Cher 95; Plant 162), oder aber die äußeren Waschungen symbolisch-allegorisch auf die innere Reinigung deutet (Som I,82; vgl. SpecLeg I,206f)[92]. Eine Verbindung des Verbums mit Lev 26,12 liegt in Som I,148 vor, wenn die noch in der Reinigung Begriffenen von den schon Gereinigten unterschieden werden. Beachtenswert ist, daß Josephus für rituelle Waschungen das Kompositum ἀπολούω bevorzugt (vgl. Ant 11,163).[93] Die Qumransekte wiederum verwendet regelmäßig

---

wirklichte (vgl. SCHWEMER, a.a.O. 117). Gerade aber die Sabbatlieder zeigen einen wichtigen traditionsgeschichtlichen Hintergrund auf, um das auch bei Paulus anzutreffende Nebeneinander von präsentischem und eschatologischem Verständnis des βασιλεία-Begriffs einordnen zu können.

89 Siehe dazu oben Kap. 2 in den Ausführungen zu Röm 15; s. auch unten zum Verb ἀφορίζειν.

90 Vgl. WEISS, 1Kor 154f; FEE, 1Cor 246; KLAUCK, 1Kor 46; SCHRAGE, 1Kor I 427; KERTELGE, Art. δικαιόω, in: EWNT I 796-807, hier 799; an unserer Stelle dienen die drei Verben "der Interpretation des Taufgeschehens" (vgl. HANSSEN, a.a.O. 144).

91 So das Baden zum Zweck ritueller Reinheit Lev 11,40; 14,8f; 15,5; Dtn 23,12 u.a.m.; vgl.: A. OEPKE, ThWNT IV 297-309, hier 302; vgl. auch G.R. BEASLEY-MURRAY, Art. λούω κτλ., in: TBLNT II 1211/13.

92 Vgl. OEPKE, a.a.O. 304.

93 Vgl. BEASLEY-MURRAY, a.a.O. 1212; Josephus gebrauche das Kompositum immer, "wenn er von den rituellen Waschungen der Essener" spreche, während

רחץ für ihre regelmäßigen Waschungen (vgl. hier vor allem 1 QS 3,1-8f). Wie sich im Nebeneinander mit den beiden anderen passivisch formulierten Verben zeigt, könnten hier im Medium von ἀπελούσασθε durchaus die erwähnten heidnischen und jüdischen Lustrationen in Erinnerung gerufen werden[94], um die eine und entscheidende Reinigung von den Sünden im Sühnetod Christi anzusprechen.

Das Verb δικαιόω begegnet bei Paulus 25mal, überwiegend im passivischen Gebrauch. In 1 Kor 6,11 knüpft das Verb als Oppositionsbegriff an die ἄδικοι (1 Kor 6,1.9)[95] an, um das Geschehen der Rechtfertigung herauszustellen[96], und das "einst" und "jetzt" zu betonen: "Einst wart auch ihr Ungerechte, jetzt aber seid ihr abgewaschen, geheiligt und gerechtfertigt". In dieser Gegenüberstellung zeigt sich der von Paulus hervorgehobene *Identitätswechsel*, daß der Mensch als Geheiligter der Profanität entrissen ist und eine andere, qualitativ neue Existenz verliehen bekommen hat.[97]

Die Untersuchung der Begriffe zeigt, daß sich die plerophore Ausdrucksweise in 1 Kor 6,11 nicht einfach, wie vielfach angenommen, nur auf die Taufe der Christen, sondern auf den Sühnetod Christi und seine Auswirkungen für die bezieht, denen daran durch ihre Bekehrung Anteil gegeben worden ist, d.h. durch das Aufgeben des Heide-Sein und durch das Christwerden. Dafür spricht auch ein Vergleich, des in 1 Kor 6,11 angesprochenen Wortfeldes ("Reinigung/Waschung", "Heiligung", "Rechtfertigung") mit 1 Kor 1,30. Dort heißt es, daß Christus uns "zur Weisheit für uns von Gott (her), zur Gerechtigkeit (δικαιοσύνη) und Heiligung (ἁγιασμός) und Erlösung (ἀπολύτρωσις)" geworden ist[98]. Hier wie dort geht es um den Existenzwechsel. Die passivischen Formulierungen in 1 Kor 6,11 stellen heraus, daß Gott im Sühnetod Christi der ist, der hei-

---

λούω in diesem Zusammenhang nur erscheine, wo Josephus das rituelle Bad Bannus des Eremiten beschreibt (vgl. a.a.O.; Zitat ebd.).

94 Vgl. OEPKE, a.a.O. 306; gegen SCHRAGE, 1Kor 427.

95 In 1 Kor 6 also werden ἄδικοι (VV 1.9) und ἀδικεῖν (V 8) durch das ἐδικαιώθητε (V 11) als Oppositionsbegriff aufgenommen. Dies geschieht fast in Form einer Rahmung: "Ihr geht zu den Ungerechten - solche wart ihr einst, jetzt aber seid ihr gerechtfertigt."

96 Vgl. NEWTON, Concept 83: Der Glaubende war "once unrighteous (ἄδικος), he has now been 'justified'".- U. SCHNELLE, Gerechtigkeit 40, sah in δικαιωθῆναι keinen Zusammenhang zur paulinischen Rechtfertigungslehre. Es habe hier "ethische Relevanz, was allein schon aus dem Kontrast zu den ἄδικοι in V. 9 hervorgeht" (ebd.).

97 Vgl. MERKLEIN, 1Kor 202.

98 In 1 Kor 1,30 liegt aber eine andere Opposition als in 1 Kor 6,9-11 vor. Es steht sich im Kontext (1,26-31) die Opposition von Torheit und Weisheit gegenüber (vgl. MERKLEIN, a.a.O.).

ligt und gerecht macht und den Menschen so in seinen Heiligkeitsbereich zieht und zur Heiligung verpflichtet (vgl. Röm 6,19-22; 15,16). Der Lebensraum der Gemeinde wird "zum Wirkbereich endzeitlicher Heiligkeit"[99], zum erfahrbaren Ort des vollzogenen Identitätswechsels. Nur insofern die Taufe Ausdruck des neuen Lebens ist (vgl. Röm 6,3f), da sie nach urchristlichem Verständnis als Wirkung von Tod und Auferstehung Christi verstanden wurde[100], kann man davon sprechen, daß hier in 1 Kor 6,11 die Taufe implizit angesprochen ist.

Die Adressaten erfüllen somit bezogen auf die Basileia Eintrittsbedingungen, die sonst für die Ekklesia gelten. Diese Übereinstimmungen in den Ausschlußbedingungen der beiden Lasterkataloge in 1 Kor 5 und 6 lassen die am Ende des Exkurses genannten Rückschlüsse auf das Gemeindeverständnis des Paulus zu.

Festzuhalten bleibt, daß Paulus in paränetischem Kontext in Lasterkatalogen Zugehörigkeitsbedingungen zur Ekklesia Gottes formuliert und dazu ausdrücklich auf eine sakralrechtlich geprägte Vorlage (Dtn 13,6 in 1 Kor 5,13) zurückgreift, und daß er das rituelle Paschabrauchtum in diesem Zusammenhang allegorisch ausdeutet und anwendet (1 Kor 5,68). Für Paulus ist entscheidend, daß die hier formulierten Zugehörigkeitsbedingungen hinsichtlich der Ekklesia realisiert, da christologisch erfüllt worden sind (1 Kor 6,9-11). Paulus drückt mit der Formulierung ekklesiologischer Aussagen anhand kultischer Begrifflichkeit die Antizipation der himmlischen Gottesherrschaft im Bereich der Ekklesia aus, so daß formuliert werden kann: Aufgrund der angeführten Verbindungen der Ekklesia und Basileia in den paulinischen Homologumena kann die Ekklesia als eine solche bezeichnet werden, die durch Christus für die kommende Basileia bereitet ist. Das Kennzeichen dieser Ekklesia ist die Heiligkeit. Solche durch Christus erworbene Heiligkeit muß sich die Gemeinde unter allen Umständen bewahren. Die Sabbatlieder von Qumran beschreiben den Gottesdienst der Engel im himmlischen Heiligtum, an dem die irdische

---

99 Vgl. U. WILCKENS, Röm II 39; Zitat ebenda.

100 Vgl. a.a.O. 50.

Gemeinde teilnimmt.[101] Das strenge Bemühen um die Reinhaltung der von Christus geheiligten Ekklesia (1 Kor 5; 6,9-11; auch 3,16f) spricht dafür, daß es Paulus um die antizipatorische Teilnahme an der im Himmel realisierten eschatologischen Gottesherrschaft geht.

5.3 Gal 2,12: Petrus sondert sich ab vom Mahl mit den Heidenchristen

An dieser Stelle soll ein Blick auf die bereits erwähnte Stelle Gal 2,12 getan werden. Dieser Vers steht am Beginn der Darstellung des sogenannten antiochenischen Zwischenfalls im Abschnitt Gal 2,11-21[102], der sich in einen historisch berichtenden Teil (11-14a) und eine wörtlich wiedergegebene Rede des Paulus (14b-21), deren Gedankengang zahlreiche exegetische Schwierigkeiten aufweist, gliedert.[103] In den VV 11-14a geht es um die sachliche Darstellung des Zwischenfalls, bei dem es, kurz zusammengefaßt, darum geht, daß Petrus und einige andere ("die Judenchristen"[104]) von der Wahrheit des Evangeliums abweichen (12.14), indem sie durch ihr Verhalten Bestimmungen des Gesetzes als notwendig

---

[101] Vgl. A. M. SCHWEMER, a.a.O. 49.

[102] Vgl. zu Gal 2,11-21 außer den Kommentaren: H. NEITZEL, Zur Interpretation von Gal 2,11-21: ThQ 163 (1983) 15-39.131-149; T. HOLTZ, Der antiochenische Zwischenfall. Galater 2,11-14 (1986), in: ders., Geschichte und Theologie des Urchristentums. Gesammelte Aufsätze (WUNT 57), hrsg. von Eckart REINMUTH und Christian WOLFF, Tübingen 1991, 171-188; Paul C. BÖTTCHER, Paulus und Petrus in Antiochien. Zum Verständnis von Galater 2,11-21: NTS 37 (1991) 77-100; Michael BACHMANN, Sünder oder Übertreter. Studien zur Argumentation in Gal 2,15ff. (WUNT 59), Tübingen 1991; Werner STENGER, Biographisches und Idealbiographisches in Gal 1,11 - 2,14, in: Paul-Gerhard MÜLLER und Werner STENGER (Hg.), Kontinuität und Einheit (FS Franz MUSSNER), Freiburg-Basel-Wien 1981, 123-140; zu Gal 2,14 "leben wie ein Heide": E. P. SANDERS, Jewish Association.

[103] Vgl. NEITZEL, a.a.O.; zu den exegetischen Problemen des Abschnitts Gal 2,11-21 bietet der Aufsatz von NEITZEL eigenwillige philologische Lösungsvorschläge, auf die hier nicht eingegangen werden soll.

[104] Deshalb vermutet NEITZEL mit Recht (gegen zuletzt MUSSNER, Gal 135, u.a.), daß sich Paulus mit seiner Rede an Petrus und die Judenchristen wende, "vor allem an Petrus als den einflußreichsten unter ihnen" (NEITZEL, a.a.O. 145).

anerkennen. So setzt sich in diesen Versen das eine Thema des Galaterbriefes fort, nämlich die Auseinandersetzung um das von Paulus verkündete Evangelium von der Rechtfertigung allein in Christus und der damit verbundenen Freiheit vom Gesetz als Heilsweg.

Der Text (Gal 2,12)

2,11a Ὅτε δὲ ἦλθεν Κηφᾶς εἰς Ἀντιόχειαν,
2,11b κατὰ πρόσωπον αὐτῷ ἀντέστην,
2,11c ὅτι κατεγνωσμένος ἦν.

2,12a πρὸ τοῦ γὰρ ἐλθεῖν τινας ἀπὸ Ἰακώβου
2,12b μετὰ τῶν ἐθνῶν συνήσθιεν·
2,12c ὅτε δὲ ἦλθον,
2,12d ὑπέστελλεν καὶ ἀφώριζεν ἑαυτὸν
2,12e φοβούμενος τοὺς ἐκ περιτομῆς.

Mit dem ὅτε δέ (V 11) wird ein Neuansatz eingeleitet; der Ort (Antiochia) und die im folgenden im Mittelpunkt stehende Person (Petrus) werden eingeführt. Die 1. Person Singular (ἀντέστην) im Hauptsatz (11b) stellt Paulus als den Handelnden heraus, der reagiert, weil Petrus schuldig[105] geworden war. Damit werden im einleitenden Vers zum Abschnitt 2,11-21 sofort die Fakten benannt und kein Zweifel an der Schuld des Petrus gelassen, die im folgenden Vers 12 skizziert wird. V 12 unterteilt sich in zwei Satzgefüge, die durch die beiden einleitenden Konjunktionen πρό und ὅτε temporal gegliedert werden. In den vorangestellten Nebensätzen ist jeweils eine Aussage über die Leute des Jakobus gemacht, in den dann folgenden Hauptsätzen mit Petrus als Subjekt ist dessen Reaktion darauf beschrieben. Das Verb des ersten Hauptsatzes (συνεσθίειν) ist Oppositionsbegriff zu den Verben des zweiten Hauptsatzes (ὑποστέλλειν/ἀφορίζειν). Den zweiten Hauptsatz beschließt eine Partizipialkonstruktion, bezogen auf das Subjekt (Petrus), die den in den Verben

---

[105] NEITZEL, a.a.O. 145f, sieht die Übersetzung "weil er verurteilt war" ebenso wie die Übersetzung "schuldig" (so SCHLIER, Gal 81, u. MUSSNER, Gal 137) als unsinnig an; er schlägt vor (146): "weil er bis auf den Grund erkannt und durchschaut war"; κατεγνωσμένος sei eben nicht von καταγιγνώσκω τινός, "sondern von καταγιγνώσκω τινά (bzw. τι) abgeleitet und in Wahrheit nur ein verstärktes γιγνώσκειν mit der Bedeutung 'jmd. bis auf den Grund hinab erkennen, ihn genau erkennen, d.h. durchschauen'" (145f); er verweist auf Belege bei LIDDELL-SCOTT-JONES 886f (Xenoph, Oec 2,18; Cyrop 8, 4, 9; u.a.m.). - SCHLIER (Gal 83) erläutert seine Übersetzung "schuldig" als ein "condemnatus in dem Sinn, daß ihn (sc. Petrus) sein eigenes Verhalten selbst verurteilt hatte".

ausgesagten Vorgang des Sich-Zurückziehens begründet (φοβούμενος τοὺς ἐκ περιτομῆς).

Bemerkenswert ist, daß das Verb συνεσθίειν 1 Kor 5,11 und Gal 2,12 begegnet[106], an zwei ekklesiologisch bedeutsamen Stellen, an denen es um Gemeinschaft oder Nicht-Gemeinschaft geht. Doch muß erst noch geklärt werden, ob F. MUSSNER zuzustimmen ist, wenn er mit diesem Begriff das "Wesen des Christentums" bezeichnet sieht, nämlich das Zusammensein beim gemeinsamen Mahl[107]. Bereits in atl. Texten ist das Verb Ausdruck des Willens zur Gemeinschaft oder die Negation ihrer Verweigerung[108]. Wie aus dieser Stelle Gal 2 hervorgeht, hat das συνεσθίειν seine Grundlage im Evangelium Gottes, da Paulus an dieser Stelle anhand der Thematik "Mahlgemeinschaft mit Heidenchristen" zeigen will, daß der Mensch "nicht aus Werken des Gesetzes gerechtfertigt wird, sondern aus Glauben an Jesus Christus" (Gal 2,16). Als Petrus in der antiochenischen, aus Juden- und Heidenchristen zusammengesetzten Gemeinde sich zum "Zusammenessen" mit den Heidenchristen einfand, übte er als gebürtiger Jude Tischgemeinschaft mit den Heidenchristen und tat dadurch kund, daß auch nach seiner Überzeugung das Heil allein "aus dem Glau-

---

106 συνεσθίειν im NT ansonsten neben Lk 15,2 nur noch in der Apg: In 10,41 ist in der Rede des Petrus das gemeinsame Essen mit dem Auferstandenen durch συνεσθίειν beschrieben (vgl. Ign Sm 3,3). Für einen Vergleich mit dem paulinischen Sprachgebrauch gewichtiger ist Apg 11,3, wo gläubige Juden dem nach Jerusalem kommenden Petrus vorhalten: λέγοντες ὅτι εἰσῆλθες πρὸς ἄνδρας ἀκροβυστίαν ἔχοντας καὶ συνέφαγες αὐτοῖς. - In Lk 15,2 wird Jesu Tischgemeinschaft mit Zöllnern und Sündern mit συνεσθίειν beschrieben. - In frühjüdischen Texten begegnet συνεσθίειν in TestSim 6,7 ("Gott ißt mit Menschen") und JosAs 7,1, wo Joseph das gemeinsame Essen mit den Ägyptern ein Greuel ist. - Zu συνεσθίειν vgl.: V. PARKIN, Συνεσθίειν in the New Testament, in: Stud. Evang. III (TU 88), Berlin 1964, 250-253.

107 Vgl. den Aufsatztitel von MUSSNER, "Das Wesen des Christentums ist συνεσθίειν"; in dem Beitrag untersucht er das Verb vor allem anhand biblischer Texte. Der Aufsatztitel ist zugleich der Schlußsatz seines Galaterbrief-Kommentars (vgl. MUSSNER, Gal 423).- S. dazu auch am Ende dieses Kapitels 5.

108 Vgl. MUSSNER, a.a.O. 132; dies gelte auch, obwohl συνεσθίειν in der LXX nur viermal begegne: Gen 43,32 im Kontext der Josephsgeschichte (man deckte den Tisch getrennt für ihn, für sie und für die Ägypter); Ex 18,12 (das gemeinsame Mahl als Ausdruck der Gemeinschaft mit Gott); 2 Sam 12,17 (David sondert sich aus Traurigkeit über seinen todkranken Sohn beim Mahl von den Ältesten seines Hauses ab); Ps 100,5 (der Sänger verweigert sich beim Mahl dem Hochmütigen).

ben an Christus" komme, in dessen Sühnetod am Kreuz (vgl. Gal. 3,13: ὑπὲρ ἡμῶν) Gottes universaler Heils- und Rettungswille, also seine Gnade, aller Welt sichtbar wurde[109]. Zugleich machte Petrus mit seinem Tun deutlich, daß das Heil nicht mehr aus den Werken des Gesetzes kommt, also etwa, wie hier im Streitfall, von den Speisegeboten. Umgekehrt stellt Petrus diese "Manifestation der Gnade Gottes im Kreuz Jesu und die theologische Überzeugung von ihrer universalen Geltung" durch sein "Absondern" von der zunächst praktizierten Tischgemeinschaft in Frage, so daß der Rückzug des Petrus zugleich einen Verrat an der heilbringenden Rechtfertigungsgnade Gottes, die sich im Kreuz Jesu geoffenbart hatte", darstellte[110]. Zuvor (Gal 1,15f) hatte Paulus bereits deutlich gemacht, daß der Inhalt des von ihm verkündigten Evangeliums als "Kraft Gottes zum Heil für jeden, der glaubt" (vgl. Röm 1,16), zu dessen Verkündigung er sich von Gott "ausgesondert" und "berufen" wußte, nichts anderes bedeutet als die von Gott gewollte Intention dieses an Paulus geschehenen Erwählungshandelns, nämlich ἵνα εὐαγγελίζωμαι αὐτὸν ἐν τοῖς ἔθνεσιν (Gal 1,16b; vgl. Röm 1,1)[111].

Die Verwendung des Verbs ἀφορίζειν an dieser Stelle zeigt deutlich, daß Paulus den kultischen Ursprung dieses Verbums sehr wohl kannte und es auch entsprechend einzusetzen weiß, wenn er hier das unaufrichtige Verhalten des Petrus kennzeichnen will. Dieser zog sich zurück (ὑποστέλλειν) und sonderte sich ab (ἀφορίζειν), wahrscheinlich vom Herrenmahl, weil eine Trennung von privaten Mahlzeiten von Paulus wohl kaum als so schwerwiegend empfunden worden wäre. Zur Zeit des Apostels wurde aber nicht strikt zwischen gewöhnlicher Mahlzeit und Herrenmahl getrennt (vgl. 1 Kor 11,17-22), so daß die alternative Fragestellung, Herrenmahl oder Mahlzeit, wohl falsch sein dürfte. Dieses Sich-Absondern beim Mahl "war ein Schritt, der das immer noch bestehende Geschiedensein von Juden und Heiden und die immer noch bestehende Gültigkeit der

---

109 Vgl. MUSSNER, Wesen 136.

110 Vgl. a.a.O.; Zitate ebd.

111 Vgl. MERKLEIN, Bedeutung 5; vgl. oben Kap. 3.1 (zu Röm 1,1.5) und Kap. 3.2 (zu Gal 1,15f).

jüdischen Speisegebote stark betonte"[112]. Petrus sondert sich ab vom συνεσθίειν[113] der Gemeinde. Insofern ist ἀφορίζειν auch in Gal 2,12 in einem ekklesiologischen Zusammenhang verwendet.[114] Wie bereits gesagt, ist ἀφορίζειν Oppositionsbegriff zu συνεσθίειν. Es ist auffallend, daß Paulus dieses Sich-Zurückziehen des Petrus von der Gemeinde mit dem sehr stark kultisch gefärbten Begriff ἀφορίζειν[115] bezeichnen kann. Auch wenn der unmittelbare Kontext hier keine kultische Begrifflichkeit aufweist, deutet die Verwendung des Verbums ἀφορίζειν auf einen kultischen Hintergrund in Gal 2 hin. Paulus will sagen: Es ist ein Sich-Zurückziehen[116], aber es ist mehr: Es ist ein Sich-Absondern aus dem Bereich der sich im Evangelium auftuenden Heiligkeit.

---

[112] SCHLIER, Gal 83. - MUSSNER, Gal 140, führt Belege aus 3 Makk 3,4; Jub 22,16 und JosAs 7,1 an, die aufzeigen, daß der gläubige Jude die Tischgemeinschaft mit den Heiden meidet. - Zu Jub 22,16 s.o. den Exkurs zu ἀφορίζειν in Pkt. 3.1. - SCHLIER (Gal 86) bemerkt zur Formulierung ἔμπροσθεν πάντων (V 14), daß es "zu einer öffentlichen Auseinandersetzung bzw. Anklage des Paulus gegen Petrus" komme, weil das öffentliche Ärgernis "in der Kirche öffentlich gerügt und beseitigt werden" muß. "Auch diese Tatsache spricht für die Trennung von der Tischgemeinschaft, bei der das 'Herrenmahl' gefeiert wurde." (SCHLIER, ebd. Anm. 2) - Anders BETZ, Gal 202, der meint, es werde nichts darüber gesagt, welcher Art das Mahl gewesen sei. Vielmehr gehe es "hier um die jüdischen Reinheitsvorschriften, die einzuhalten waren, ganz gleich, um welches Mahl es sich handelte." Der Streitpunkt sei die schwankende Haltung des Petrus gegenüber den jüdischen Speise- und Reinheitsvorschriften. - Entscheidend ist aber am Verhalten des Petrus, daß es, ob nun als Absonderung vom Herrenmahl oder von einer privaten Tischgemeinschaft verstanden, in den Augen des Paulus *ekklesiologische Konsequenzen* nach sich zog.

[113] Das Imperfekt συνήσθιεν deutet an, daß es sich um eine wiederholte Handlung, ja fast eine Gewohnheit handelte (vgl. SCHLIER, MUSSNER, BETZ jeweils zur Stelle).

[114] Zur näheren Beobachtung des Wortes siehe oben unter Kap. 3.1 zu Röm 1,1.5.

[115] Dazu BETZ, Gal 204: "Wenn die Änderung der Einstellung von Kephas 'Absonderung' zur Folge hatte, muß dies die von den 'Männern von Jakobus' gestellte Forderung gewesen sein . . . aus ihrem Verständnis der Jerusalemer Vereinbarungen heraus (vgl. 2,7-9)."

[116] Das Verb ὑποστέλλειν drückt hier das soziologische Sich-Trennen aus, ἀφορίζειν schließt stärker theologisch den kultischen Vorgang der Absonderung mit ein. - Zu ὑποστέλλειν vgl. Karl-Heinrich RENGSTORF, στέλλω κτλ., in: THWNT VII 588-599, hier 598: er hält es nicht für ausgeschlossen, daß Paulus mit ὑποστέλλειν die Bedeutung "sich verstecken" (so Plut, Demetr 47,6) verbunden hat. Dafür würde dann der "Gesichtspunkt der Öffentlichkeit" sprechen, "den Paulus für das Gespräch, das er aus diesem Anlaß mit Petrus geführt hat, in v 14 nachdrücklich hervorhebt".

Als Petrus sich vom Mahl mit den Heiden absonderte, fordert er die Reaktion des Paulus heraus. Sein Eingreifen erscheint dadurch begründet, daß durch das Sich-Absondern des Petrus die Gemeinschaft aus Juden- und Heidenchristen in Frage gestellt wird. Doch entscheidend für Paulus ist, daß durch das inkonsequente Verhalten des Petrus das ekklesiologische Fundament der jungen christlichen Gemeinde aus Juden und Heiden, nämlich "die Wahrheit des Evangeliums" erschüttert ist[117]. Dies zeigt der Kontext von Gal 2,12, in dem die Wortverbindung ἡ ἀλήθεια τοῦ εὐαγγελίου (5b.14a) offensichtlich einen Schlüsselbegriff für das Verständnis von Gal 2,12 und damit für das Verb ἀφορίζειν darstellt. In Gal 2,1-10 beschreibt Paulus sein erfolgreiches Bemühen um die Anerkennung seines Evangeliums und seines Apostolats von seiten der Jerusalemer Autoritäten. Die Situation der VV 11ff stellt sich so dar: Petrus war nach Antiochien gekommen und hatte mit den ἔθνη Tischgemeinschaft gehabt. Bevor einige von Jakobus kamen, aß Petrus mit den Heiden. Als diese kamen, zog er sich zurück (ὑπέστελλεν)[118] und sonderte sich ab (ἀφώριζεν ἑαυτόν), "weil er die aus der Beschneidung fürchtete" (12). Paulus verurteilt dieses Tun als συνυπεκρίθησαν bzw. ὑπόκρισις (13); dieses Heucheln sieht er darin, daß Petrus, andere Juden und selbst Barnabas "nicht recht wandelten (Schlier übersetzt: lahmten) in Bezug auf die Wahrheit des Evangeliums" (14a), denn sie "ist es, die unter keinen Umständen verdunkelt werden darf"[119]. Möglich ist auch die Übersetzung von ὀρθοποδέω als "(fest) fußen", im Sinne von "auf etwas fest gegründet sein, auf etwas stehen", so daß Petrus hier "wankt und umzufallen

---

[117] SCHLIER (Gal 85) betont ausdrücklich diese "praktische und objektive Leugnung der Wahrheit des Evangeliums", gegen die Paulus auftritt. - Zu Unrecht zieht BÖTTCHER, a.a.O. 79, SCHLIER als Beleg für die Meinung heran, Paulus habe eingegriffen, "weil durch das Sich-Absondern des Petrus die neue Gemeinschaft aus Juden- und Heidenchristen wieder in Frage gestellt worden sei". Als Beleg dazu verwendet BÖTTCHER ein Zitat, das dem Zusammenhang bei SCHLIER nicht entspricht. - BÖTTCHER geht es darum, die Argumentation des Paulus klarzustellen: Die Wahrheit des Evangeliums gilt es zu schützen, da sie Grundlage der Ekklesia und so der Kirchengemeinschaft von Juden- und Heidenchristen ist.

[118] Dazu BETZ, Gal 201, zur Stelle: "Anders ausgedrückt: Kephas änderte seine Einstellung, und das muß eine der Vorbedingungen für die Pläne der Galater gewesen sein, ihre Einstellung ebenfalls zu ändern (vgl. 1,6-7)."

[119] BÖTTCHER, a.a.O. 79.

droht"[120]. Als Paulus in Jerusalem "den Falschbrüdern" widerstand, tat er dies ebenfalls ἵνα ἡ ἀλήθεια τοῦ εὐαγγελίου διαμείνῃ πρὸς ὑμᾶς (5b).

Gemäß Gal 2,12 geht es für Paulus (1) um die Wahrheit des Evangeliums als Grundlage der Kirchengemeinschaft mit den Heidenchristen; (2) demnach ist für ihn eine Absonderung von der Gemeinschaft mit den Heiden zugleich ein Absondern von der Wahrheit des Evangeliums. (3) Wenn aber das Konstitutivum der Ekklesia Gottes das Evangelium ist als die "Gottes Kraft zum Heil für jeden, der glaubt" (Röm 1,16), ist mit συνεσθίειν die Konsequenz dieses Konstitutivums beschrieben[121]; es gibt dann keine Grenzen und Einschränkungen mehr, sondern "alle sind einer in Christus" (vgl. Gal 3,28). (4) Die Wortverbindung ἡ ἀλήθεια τοῦ εὐαγγελίου beschreibt für Paulus somit schlechthin die Grundlage der Ekklesia aus Juden und Heidenchristen, den in der Verkündigung des Evangeliums sich auftuenden Bereich, die sich im Evangelium konstituierende heilige Sphäre. So läßt sich die im Begriff ἀφορίζειν vorliegende kultische Deutungskategorie hier ähnlich verstehen, wie wir es in den Ergebnissen zu kultischen Kategorien in anderen Schriftstellen bereits feststellen konnten, nämlich als Absondern von dem im Evangelium in der Gemeinde gegenwärtigen Christus und somit von der Heiligkeit der Ge-

---

[120] Vgl. NEITZEL, a.a.O. 147f, Zitate ebd.; im Anschluß an eine Darstellung des Begriffs ὀρθοποδέω bevorzugt er diese Übersetzungsmöglichkeit. Seine weiteren Folgerungen verfehlen die Textpragmatik: Paulus habe das Verbum mit Blick auf die "scheinbaren Säulen" (Gal 2,9: οἱ δοκοῦντες στῦλοι εἶναι) Petrus und Jakobus gewählt (vgl. ebd. 147). Doch waren sie nicht "scheinbare Säulen", sondern dem Kontext von Gal 2,9 entsprechend tatsächlich als Säulen anerkannt. - Auch die Verbindung, die NEITZEL zwischen Gal 2,9.14 und den Tempelaussagen von 1 Kor 3,16f; 6,19; 2 Kor 6,16 bis hin zur Formulierung "Tempel der Wahrheit des Evangeliums" herstellt, trifft m.E. den Sinn des von Paulus intendierten Sachverhalts nur ansatzweise: In der Abweichung von der Wahrheit des Evangeliums wird der Tempel, d.h. die Gemeinde (1 Kor 3,16), nicht "zum Einsturz gebracht"; denn anders als bei στῦλοι in Gal 2,9 steht die Baumetaphorik als solche in Gal 2,11f und auch in den Tempelaussagen nicht im Vordergrund, sondern es geht um ein kultisches Anliegen, die Heiligkeit des Tempels, die Paulus durch das Christusgeschehen für die Gemeinde als gegeben sieht (s. dazu oben in diesem Kapitel zu 1 Kor 5 u. 6 und Kap. 6).

[121] So sollte es heißen statt "Das Wesen des Christentums ist συνεσθίειν"; an anderer Stelle seines Aufsatzes kommt MUSSNER dem schon nahe: "Im συνεσθίειν zeigte sich für Paulus ganz konkret das Wesen des Christentums, das auf dem Sola fide- und Sola gratia-Prinzip beruht." (MUSSNER, Wesen 136)

meinde, und damit als ein Sich-Absondern von der "Manifestation der Gnade Gottes im Kreuz Jesu" und der theologischen Überzeugung von ihrer heilsuniversalen Geltung[122].

5.4 Verben mit ekklesiologischer Relevanz in 1 Kor 5; 6; 2 Kor 6,14ff und Gal 2,12

Mit der Bezeichnung "Verben mit ekklesiologischer Relevanz" werden hier solche Termini bezeichnet, mit denen an ekklesiologisch relevanten Stellen Zugehörigkeit oder Nicht-Zugehörigkeit zur Gemeinde ausgedrückt wird. Gerade dann, wenn Paulus Heiligkeit als das charakteristische Merkmal von Gemeinde sieht, sind die Verben zu beachten, mit denen er die Zugehörigkeit oder Nicht-Zugehörigkeit zum Bereich der Heiligkeit formuliert. Im folgenden sollen noch einmal zusammenfassend die in 1 Kor 5 und 6; 2 Kor 6,14ff und Gal 2,12 vorgefundenen Verben betrachtet werden. Es ist auffallend, daß einige Verben, die sonst auf die Verbindung bzw. Abgrenzung von Juden und Heiden bezogen wurden, von Paulus in Aussagen über die Zugehörigkeit zur Ekklesia Gottes benutzt werden können bzw. zur Abgrenzung der christlichen Ekklesia von äußeren heidnischen Einflüssen.

A. Positive ekklesiologische Begriffe ("Gemeinschaftstermini")

συνεσθίειν: 1 Kor 5,11e; Gal 2,12.[123]

συναναμίγνυσθαι: 1 Kor 5,9b.11b.

Da diese beiden Verben in 1 Kor 5 mit μή bzw. μηδέ verneint werden, treten sie so auch als Abgrenzungstermini in Erscheinung. Ebenso verhält es sich für ἑτεροζύγειν in 2 Kor 6,14, das mit μὴ γίνεσθε negiert wird.

Hierhin gehören auch fünf Begriffe aus 2 Kor 6,14-16a, die - als positive ekklesiologische Begriffe in Frageform gekleidet - negativ konstruiert

---

[122] Vgl. MUSSNER, a.a.O. 136; Zitat ebd.

[123] SCHRAGE, Kor I 394 Anm. 141 zu συνεσθίειν: Zu den strengen jüdischen Abschließungsvorschriften vgl. Jub 22,16; 3 Makk 3,4-7; 1 QS 5,16; bSan 104a; Bill. III 54f.377f; IV 353-378.

werden und so im Kontext, da sie nach außen abgrenzen, Abgrenzungstermini sind: μετοχή, κοινωνία, συμφώνησις, μερίς, συγκατάθεσις.

B. Negative ekklesiologische Begriffe ("Abgrenzungstermini")

ἀφορίζειν: Röm 1,1; 2 Kor 6,17; Gal 1,15; 2,12
(s. dazu den oben Exkurs in Kap. 3.1 zu Röm 1,1)

ὑποστέλλειν: Gal 2,12

ἐξέρχεσθαι: 1 Kor 5,10; 2 Kor 6,17 (im Zitat aus Jes 52,11)

παραδιδόναι τῷ σατανᾷ: 1 Kor 5,5a (1 Tit 1,20).

Bei den hier "Abgrenzungstermini" genannten Begriffen handelt es sich um solche Terminologie, die im Frühjudentum benutzt wurde, um das Geschiedensein zwischen Juden und Heiden auszudrücken.

(1) In den Paulusbriefen ist diese Terminologie ekklesiologisch genutzt, um die Identität der christlichen Gemeinde auszusagen.

(2) Diese Terminologie findet sich vielfach in ursprünglich kultischem Kontext, um die Trennung von Rein und Unrein zu formulieren. Bei Paulus ist an die Stelle der Reinheit im ursprünglich kultischen Sinn nun Heiligkeit, die das Evangelium der Gemeinde schenkt, oder auch radikale Gerechtigkeit getreten[124], deren Ziel es ist, die Gemeinde in dem von Gott geschenkten Status der Heiligkeit zu erhalten.

(3) Am Verb ἀφορίζειν läßt sich im frühen Christentum erkennen, daß der einst jüdische Abgrenzungsbegriff nun dazu dient, die christliche Identität zu wahren und gleichzeitig die Ekklesia Gottes als den durch das Evangelium von der Gerechtigkeit Gottes für jeden, der glaubt, eröffneten Bereich der Heiligkeit herauszustellen.

5.5 Zusammenfassung zu Kap 5: "Heiligkeit" der Gemeinde

(1) Die Gegenwart des Heilsgeschehens in Christus ist die Basis der paulinischen Aussagen zum Thema "Heiligkeit der Gemeinde". Diejenigen, die zur Ekklesia Gottes gehören, werden als "abgewaschen, geheiligt

---

124 Vgl. dazu auch BERGER, Volksversammlung 202f.

und gerecht" bezeichnet (vgl. 1 Kor 6,11). Paulus versteht "Heiligkeit" in einem seinsmäßigen Sinn und als Konsequenz daraus auch als ein ethisches Ideal, das es je neu aufgrund des in Christus geschenkten Heils zu verwirklichen gilt. Der Indikativ des Heils geht dem Imperativ voraus, der sich aus dem zuteilgewordenen Heil ergibt.

(2) Paulus will die Heiligkeit der Gemeinde bewahren und grenzt deshalb die Gemeinde gegenüber Außenstehenden hart ab. Kriterium, ob jemand der Heiligkeit gemäß lebt, ist das Verhalten gegenüber der "Unzucht". Wer sie praktiziert, schließt sich selber von der Gemeinde aus. Damit hat von den Bestimmungen aus Dtn 23 einzig das Verbot der "Unzucht" Geltung behalten als Kriterium für die Heiligkeit der Ekklesia.

(3) Das Verb ἀφορίζειν in Gal 2,12 versteht Paulus als ein Sich-Absondern von dem im Evangelium in der Gemeinde gegenwärtigen Christus und somit von der Heiligkeit der Gemeinde, eingeschlossen dabei die im Heilsgeschehen sich manifestierende Gnade Gottes von universaler Geltung, gerade auch für die Heiden. Wer sich von der Tischgemeinschaft mit den Heiden absondert, sondert sich vom Evangelium und seiner heilsuniversalen Geltung ab.

6. DIE GEMEINDE ALS TEMPEL - DIE TEMPELAUSSAGEN

In 1 Kor 3,16f und 2 Kor 6,16 wird die Gemeinde als "Tempel Gottes", in 1 Kor 6,19 der Einzelne als "Tempel des heiligen Geistes" bezeichnet. Die Stelle 1 Kor 9,13f, wo Paulus den Dienst am Heiligtum mit dem am Evangelium vergleicht, sind bereits oben behandelt worden (s. Pkt. 3.3).[1] In den folgenden Textuntersuchungen soll es schwerpunktmäßig um die Fragen gehen, die für unser Thema von Interesse sind.

6.1 1 Kor 3,16f im Abschnitt 1 Kor 3,5-17

Der große Abschnitt 1 Kor 1,10 - 4,21 behandelt als erster Hauptteil des 1Kor die Funktion der Verkündiger in ihrem Verhältnis zur Gemeinde[2], ausgehend vom Streit der Parteien in der korinthischen Gemeinde. Diese Parteistreitigkeiten lassen erkennen, daß die Autorität des Paulus nicht unangefochten war. So antwortet er in diesem Abschnitt des 1Kor "auf das in Korinth aufgebrochene Problem von Spaltung und Einheit der Gemeinde mit einer grundsätzlichen Rückbesinnung und Klärung der Grundlage, auf der die Gemeinde als Ganzes beruht, dem pointiert als λόγος τοῦ σταυροῦ (1,18) bezeichneten Evangelium."[3]

---

1 Dies erschien auch deshalb als geeigneter, weil in 1 Kor 9,13f für Tempel statt ναός das Wort ἱερόν benutzt ist.

2 Über die Einheitlichkeit von 1 Kor 1-4 besteht weithin Konsens. - BERGER (Bibelkunde 366) überschreibt diesen Abschnitt: "Begründung der apostolischen Autorität des Paulus im Parteienstreit"; SCHRAGE (1Kor 127): "Die Gemeindespaltung aufgrund von Weisheitshypertrophie (Kreuz und Weisheit)"; MERKLEIN, 1Kor 107, formuliert als "Hyper-Thema": "Das Verhältnis der Verkündiger zur Gemeinde im Lichte des Gekreuzigten als der wahren Weisheit Gottes".

3 D.-A. KOCH, Schrift 273; er gliedert allerdings den ersten Hauptteil des 1Kor im Anschluß an CONZELMANN, 1Kor 57f ("Ringkomposition"), nur von 1,18 bis 3,23.

Das exordium (1,10-17)[4], gibt das erste Thema des ersten Briefteils (1 Kor 1,10 - 4,21) an, nämlich innergemeindliche Spaltungen und Streit (1,10-12). Im Anschluß daran folgt ausführlich dargelegt das zweite Thema, in dem der Gekreuzigte als die wahre Weisheit herausgestellt wird (1,18-2,16). Das einleitende "Wort vom Kreuz" (1,18-25) wird als Urteil über die Weisheit der Welt dreifach erläutert, zunächst an zwei Beispielen, in 1,26-31 am Beispiel der Gemeinde und in 2,1-5 am Beispiel des Paulus. Dazu folgen grundsätzliche Ausführungen über das Geheimnis der Weisheit Gottes in 2,6-16. In 3,1-4 liegt eine metasprachliche Reflexion über die Gemeinde vor. Im Abschnitt 3,5-17 begegnen Aussagen über die Stellung des Verkündigers in der Gemeinde[5]. Die VV 3,18-23 greifen in Art einer paränetischen Quintessenz zurück auf 1,18-25 und bringen die Dialektik von Weisheit und Torheit zum Abschluß. In Kap. 4 wehrt sich Paulus zunächst (4,1-5) gegen menschliche Verurteilung seiner Person und sieht sich allein Christus gegenüber verantwortlich; 4,6-13 stellen in drastischer Sprache (Kontraste und Antithesen) die apostolische Existenz in Christuskonformität dem Leben der Gemeinde als Kontrastmodell gegenüber, bevor eine Mahnung zur Nachahmung (4,14-21) den ersten Briefhauptteil abschließt. - Die Äußerungen zu den konkreten Fragen im Abschnitt 3,1-17 werden also von den prinzipiellen Ausführungen in 1,18-25 (sowie 1,26-31; 2,1-5.6-16) und 3,18-23 umklammert.

Text 1 Kor 3,5-17[6]

5aα Τί οὖν ἐστιν Ἀπολλῶς;
5aβ τί δέ ἐστιν Παῦλος;

5b διάκονοι δι' ὧν ἐπιστεύσατε,
5c καὶ ἑκάστῳ ὡς ὁ κύριος ἔδωκεν.

6a ἐγὼ ἐφύτευσα,
6b Ἀπολλῶς ἐπότισεν,
6c ἀλλὰ ὁ θεὸς ηὔξανεν·

7a ὥστε οὔτε ὁ φυτεύων ἐστίν τι οὔτε ὁ ποτίζων
7b ἄλλὰ ὁ αὐξάνων θεός.
8a ὁ φυτεύων δὲ καὶ ὁ ποτίζων ἕν εἰσιν,
8b ἕκαστος δὲ τὸν ἴδιον μισθὸν λήμψεται
κατὰ τὸν ἴδιον κόπον.

9a θεοῦ γάρ ἐσμεν συνεργοί,
9b θεοῦ γεώργιον, θεοῦ οἰκοδομή ἐστε.

---

4 Vgl. zur Einteilung der ersten vier Kapitel des 1Kor bei MERKLEIN, 1Kor, die thematische Analyse (101-107) und die rhetorische Analyse (108-114); das exordium verfolgt das Ziel, den Hörer für den Gegenstand der Rede, also den dargelegten Sachverhalt, zu gewinnen, vgl. LAUSBERG § 263.

5 MERKLEIN (1 Kor 104) formuliert als Thema von 1 Kor 3,5-17: "Die Verkündiger als bloße Diener im allein entscheidenden Handeln Gottes an der Gemeinde"; SCHRAGE (1Kor 286) formuliert: "Dienst, Gemeinsamkeit und eschatologische Verantwortung der Verkündiger".

6 Textkritisch finden sich im Abschnitt 1 Kor 3,5-17 zwar einige umstrittene Stellen, die jedoch sachlich nicht ins Gewicht fallen.

10a κατὰ τὴν χάριν τοῦ θεοῦ τὴν δοθεῖσάν μοι
ὡς σοφὸς ἀρχιτέκτων θεμέλιον ἔθηκα,
10b ἄλλος δὲ ἐποικοδομεῖ.

10cα ἕκαστος δὲ βλεπέτω
10cβ πῶς ἐποικοδομεῖ.

11a θεμέλιον γὰρ ἄλλον οὐδεὶς δύναται θεῖναι
παρὰ τὸν κείμενον,
11b ὅς ἐστιν Ἰησοῦς Χριστός.

12 εἰ δέ τις ἐποικοδομεῖ ἐπὶ τὸν θεμέλιον
χρυσόν, ἄργυρον, λίθους τιμίους, ξύλα, χόρτον, καλάμην,
13a ἑκάστου τὸ ἔργον φανερὸν γενήσεται.

13bα ἡ γὰρ ἡμέρα δηλώσει,
13bβ ὅτι ἐν πυρὶ ἀποκαλύπτεται·
13cα καὶ ἑκάστου τὸ ἔργον ὁποῖόν ἐστιν
13cβ τὸ πῦρ δοκιμάσει.

14aα εἴ τινος τὸ ἔργον μενεῖ
14aβ ὃ ἐποικοδόμησεν,
14b μισθὸν λήμψεται·

15a εἴ τινος τὸ ἔργον κατακαήσεται,
15b ζημιωθήσεται,
15c αὐτὸς δὲ σωθήσεται, οὕτως δὲ ὡς διὰ πυρός.

16a Οὐκ οἴδατε
16b ὅτι ναὸς θεοῦ ἐστε καὶ τὸ πνεῦμα τοῦ θεοῦ οἰκεῖ ἐν ὑμῖν;

17a εἴ τις τὸν ναὸν τοῦ θεοῦ φθείρει,
17b φθερεῖ τοῦτον ὁ θεός.

17c ὁ γὰρ ναὸς τοῦ θεοῦ ἅγιός ἐστιν,
17d οἵτινές ἐστε ὑμεῖς.

Übersetzung 1 Kor 3,5-17

5aα Was also ist Apollos?
5aβ Was ist Paulus?

5b Diener (sind sie), durch die ihr gläubig geworden seid,
5c und zwar jeder, wie ihm der Herr gab.

6a Ich habe gepflanzt,
6b Apollos hat begossen,
6c Gott aber hat wachsen lassen.

7a Daher ist weder der Pflanzende etwas noch der Begießende,
7b sondern Gott, der wachsen läßt.

8a Der Pflanzende aber und der Begießende sind eins,

8b jeder aber wird seinen eigenen Lohn empfangen
gemäß seiner eigenen Mühe.

9a Denn wir sind Gottes Mitarbeiter,
9b Gottes Ackerfeld, Gottes Bau seid ihr.

10a Gemäß der Gnade Gottes, die mir gegeben wurde,
habe ich wie ein sachkundiger (wörtl. weiser) Baumeister
das Fundament gelegt;
10b ein anderer aber baut darauf (weiter).

10cα Jeder aber sehe zu,
10cβ wie er darauf (weiter-) baut.

11a Denn ein anderes Fundament kann niemand legen als das, was
gelegt ist,
11b (und) das ist Jesus Christus.

12 Wenn aber jemand auf das Fundament
Gold, Silber, Edelsteine, Holz, Heu, Stroh aufbaut,
13a eines jeden Werk wird offenbar werden.

13bα Denn der Tag wird (es) kundtun,
13bβ weil er sich mit Feuer offenbart.
13cα Und eines jeden Werk, wie beschaffen es ist,
13cβ wird das Feuer erproben.

14aα Wenn jemandes Werk bleiben wird,
14aβ das er daraufgebaut hat.
14b wird er Lohn empfangen.
15a Wenn jemandes Werk verbrennen wird,
15b wird er Schaden erleiden;

15c er selbst aber wird gerettet werden,
so aber wie durch Feuer hindurch.

16a Wißt ihr nicht,
16b daß ihr Tempel Gottes seid und der Geist Gottes in euch wohnt?

17a Wenn einer den Tempel Gottes verdirbt,
17b diesen wird Gott verderben;

17c denn der Tempel Gottes ist heilig,
17d und das seid ihr.

Syntaktische Analyse

Der Text läßt sich in 25 einigermaßen selbständige syntaktische Einheiten gliedern (im folgenden durch einen Bindestrich getrennt): 5aα - 5aβ - 5b - 5c - 6a - 6b - 6c - 7a.b - 8a - 8b - 9a - 9b - 10a - 10b - 10cα.10cβ -

11a.11b - 12.13a - 13bα.13bβ - 13cα.13cβ - 14aα.14aβ.14b - 15a.15b - 15c - 16a.16b - 17a.17b - 17c.17d.

Folgende syntaktische Beobachtungen lassen sich festhalten:

(1) Der Text enthält zahlreiche nominale Subjekte, wobei die unbestimmten Subjekte auffallen: "Was" (5aα.5aβ), "der Pflanzende" und "der Begießende" (7a), "jeder" (8b.10cα), "ein anderer" (10b), "niemand" (11a), "einer" (12.17a), "[er] selbst" (15c); bestimmte Subjekte: "der Herr" (5c), "Ich" (6a), "Apollos" (6b), "Gott" (6c.7b.17b), "Werk" (13a.14aα.15a), "Tag" (13bα), "Feuer" (13cβ), "Geist" (16b), "Tempel" (17c), "ihr" (17d).

(2) Die Verben weisen 19mal das Präsens auf (5aα.5aβ.7a.8a.9a.9b.10b.10c. 11a.11b.12a.13bβ.13cα.16a.16b[bis].17a.17c.17d), dazu sechsmal das Partizip Präsens (7a[bis].7b.8a[bis].11a), das Futur (8b.13a.13bα.13cβ.14aα.14b.15a.15b.15c. 17b), den Aorist (5b.5c.6a.10a.), dazu einmal das Partizip Aorist (10a), und das Imperfekt (6b.6c). Das Futur dominiert also in den VV 13a-15c, das Präsens vor allem in den VV 9-12 und 16 und 17. - Der Text enthält als Prädikate zahlreiche Hilfsverben, in der 3. Person Singular (5aα.5aβ. 7a.11b.13cα.17c), 1. Person Plural (9a), und 2. Person Plural (9b.16b.17d).

Die Verben werden vorwiegend von der 3. Person Singular und Plural regiert; Ausnahmen sind die VV 6a.9a.9b.10a.16a.16b[α].17d. In den VV 16b.17d stehen auch die beiden einzigen Personalpronomina der 2. Person Plural.

(3) Der Abschnitt enthält als Präpositionalobjekte vor allem das Genitiv-Attribut "Gott" (V 9ter.10a.16b[bis].17a.17c); ein (indirektes) Dativ-Objekt ist in V 5c; Akkusativ-Objekte sind "Lohn" (8b.14b), "Fundament" (10a.11a), die Nomina-Reihung in 12, "Werk" (13cα), "Tempel" (17a).

(4) Vorherrschend sind im Text adversative (6c.7b.8b.10b), causale (7a.9a.11a. 13bα.13bβ.17c) und conditionale (12a.14aα.15a.17a) Konjunktionen u. Partikel.

Syntaktisch bestehen zwei Zäsuren, eine zwischen den VV 9 und 10. In den VV 5-9 dominieren prädizierende Sätze (Subjekt - Prädikat - Prädikatsnomen): 5aα - 5aβ - 7a.b - 8a - 9a.9b. In V 10 folgt ein Wechsel des Subjekts zur 1. Person Plural, und in den folgenden Sätzen herrschen Vollverben vor. Eine zweite Zäsur liegt vor V 16, da jetzt ein Wechsel zur 2. Person Plural vorliegt und die Frageform einen Neuansatz anzeigt.

Semantische Analyse

Der Abschnitt 1 Kor 3,5-17 ist semantisch von Bildern bestimmt, die in etwa der syntaktischen Gliederung folgen[7]: Nach den einleitenden Fragen (V 5) das Bild von der Pflanzung (VV 6-9), das Bild vom Bauen als

---

7 Vgl. zu dieser semantischen Analyse MERKLEIN, 1Kor 256f.

Tätigkeit (VV 10-15), das anschließend (VV 16f) im Sinn des Baus modifiziert wird, als Bild vom Bau als Wohnung und Tempel Gottes (VV 16/17). Das Bild vom Pflanzen ist vorwiegend verbal verwendet[8]; dies zeigt, daß es auf die Tätigkeit des Pflanzens ankommt. Das Bild vom Bau schließt sich zunächst nominal an das Bild vom Pflanzen an. Die VV 16f sind vom Wortfeld Tempel bestimmt und stellen die Gemeinde noch einmal als Eigentum Gottes heraus (vgl. schon V 9b). Überhaupt ist der ganze Abschnitt stark theo-logisch ausgerichtet: θεός begegnet im Abschnitt 11mal, davon dreimal als Subjekt und achtmal als Genitiv-Attribut, einmal jeweils κύριος und Ἰησοῦς Χριστός. Dies weist auf die entscheidende Aktivität Gottes im Verkündigungsprozess hin und auf die Zugehörigkeit der Adressaten zum Bereich Gottes, was gerade die zahlreichen Genitive unterstreichen.

Pragmatische Analyse

Der Abschnitt 3,5-17 gliedert sich, nachdem in V 5 die Thematik durch das Stichwort διάκονοι vorgegeben worden ist, in drei kleinere Einheiten, die durch die Stichworte Pflanzen, Bau und Tempel bestimmt sind. Das pragmatische Anliegen des Textes läßt sich aus den beiden Fragen zu Beginn (VV 5aα.5aβ) und der Frage am Ende des Abschnitts (V 16) erschließen. Zu Beginn wird in rhetorischer Form nach der rechten Einordnung der Verkündiger gefragt. Aus V 4 ist zu erkennen, daß auf seiten der Adressaten der Wert der Verkündiger falsch eingeschätzt wurde. Paulus korrigiert die vorherrschende Überbewertung der Verkündiger, indem "Gott" als das entscheidende Subjekt der Verkündigertätigkeit herausgestellt wird. Dies geschieht, indem κύριος oder θεός in den VV 5 - 9 als direktes (5c.6c.7b) oder indirektes (V 9) Subjekt hervorgehoben werden. Dazu wird die Wertung der Verkündigungs*inhalte*, ohne sie grundsätzlich abzuwerten, dem Gericht Gottes anheimgestellt (VV 12 - 15). Davon ausgenommen ist das Fundament, das Jesus Christus selber ist. Diese christologische Basis wird somit zur eigentlichen Grundlegung der Verkündigung schlechthin. Der Imperativ in V 10c ist darauf bezogen und richtet sich im verallgemeinernden ἕκαστος augenscheinlich an die Verkündi-

8 Lediglich in γεώργιον ist ein Nomen verwendet, das dem Wortfeld "Pflanzen" zuzurechnen ist.

ger, die nach Paulus gewirkt haben. Die den Abschnitt abschließenden Verse 16f machen aber die ekklesiologische Dimension der Forderung deutlich. Die Gemeinde, hier unmittelbar angeredet (2. Person Plural), soll erkennen, daß nicht menschlicher Maßstab zählt, sondern einzig die christologische Grundlegung bestimmend sein muß. Die allgemein formulierte Sanktion gilt der Gemeinde als ganzer und jedem Einzelnen in ihr, um das Ganze (die Gemeinde) vor dem Verderben (der Zerstörung) durch das Tun Einzelner zu bewahren. In V 17 kommt Paulus im Spannungsbogen des Abschnitts an sein Ziel, da in Frageform noch einmal Gott als alleiniges Subjekt des Verkündigungsprozesses herausgestellt wird und die Verkündiger entsprechend relativiert werden. Die Gemeinde, qualifiziert als Tempel Gottes, der heilig ist, ist Gottes Eigentum.

Beim Abschnitt 1 Kor 3,5-17 handelt es sich rhetorisch um die argumentatio, näherhin die probatio, in der die Richtigkeit der eigenen Meinung positiv aufgewiesen werden soll[9]. 1 Kor 3,5-17 greift auf das exordium 1,10-17 zurück, wo der Parteienstreit das erste Mal dargelegt wurde, und stellt Jesus Christus als wahrhaft einzigen Grund der Verkündigung heraus (VV 10f) und Gott selbst als Subjekt und Eigentümer der Gemeinde.

Einzelauslegung

V 5: In den beiden Fragen werden mit "Apollos" und "Paulus" die Parteiparolen aus V 4 in chiastischer Form aufgenommen. Mit dem folgenden Stichwort διάκονος führt Paulus bereits die entscheidende Relation ein[10]. Denn mit κύριος wird derjenige genannt, durch den die Verkündiger bestimmt sind. Die rhetorischen Fragen als Einleitung des Abschnitts 3,5-17 greifen rekapitulierend auf die vorhergehenden Verse zurück ("Was *also* . . . ") und wecken das Interesse der Adressaten.

VV 6 - 9: Die in V 5a referrierend genannten Aktanten ("Apollos", "Paulus") werden von Paulus in V 6 hinsichtlich ihres Wirkens nochmals relativiert, da Gott es ist, der das Wachsenlassen und damit das eigentlich

---

9 Vgl. LAUSBERG § 430.

10 Vgl. SCHRAGE, 1Kor I 290: Durch die Bezeichnung "Diener" werde "alle Eigenmächtigkeit und alles Eigeninteresse der διάκονοι ebenso ausgeschlossen wie eine Bindung an sie".

Entscheidende bewirkt. Als Konsequenz aus V 6 (ὥστε) greift Vers 7 die Reihenfolge der Tätigkeiten aus V 6 auf, um durch adversative Konjunktionen (οὔτε . . . οὔτε, ἄλλα . . .) gegliedert die Aussage von V 6 zu unterstreichen. V 8a spricht dem Pflanzenden wie dem Begießenden in ihrer Tätigkeit vor Gott den gleichen Wert zu. Hinsichtlich des Lohngedankens wird von Paulus aber sogleich die Differenz beider Tätigkeiten ausgesprochen (V 8b). Im eschatologischen Gericht wird jedem der ihm eigene Lohn entsprechend der eigenen Mühe (zweifaches ἴδιον) zuteil werden. In V 9 geht der pointiert vorgestellte Genitiv θεοῦ den drei Nomina des Satzes ("Mitarbeiter", "Ackerfeld", "Bau") jeweils voraus und steht auch durch seine Voranstellung am Versbeginn dem gesamten Satz dominierend vor. Vers 9 hebt so die theologische Ausrichtung des Abschnitts hervor, und ihm kommt im Abschnitt 3,5-17 eine Brückenfunktion zu, da die Bilder "Pflanzen" und "Bau" miteinander verzahnt werden. Darüberhinaus weist die Adressatenanrede in der 2. Person Plural (V 9b) bereits auf das Ende des Abschnitts in den VV 16f hin, wo die ekklesiologische Zielrichtung der paulinischen Argumentation in der Adressatenanrede und im Bild "Tempel" sichtbar wird.

VV 10 - 15: Mit dem in V 9b genannten Stichwort οἰκοδομή ist bereits zum nächsten Bild gewechselt, das die folgenden Verse prägt. Die Sachaussagen zum Bild "Bau" sind durch das Nomen θεμέλιον (10a.11a.12) und durch das Verb ἐποικοδομέω (10b.10cβ.12.14aβ) bestimmt. Mit diesen beiden Begriffen ist auch der Inhalt der Verseinheit angezeigt. Paulus selbst hebt sich von anderen Verkündigern dadurch ab, daß er als der σοφὸς ἀρχιτέκτων das Fundament gelegt hat und es in rechter Weise getan hat. Die Tätigkeit der anderen ist mit dem Verb ἐποικοδομέω ausgedrückt und durch die Mahnung in V 10c eingeschränkt. Es geht darum, in rechter Weise (V 10c: βλεπέτω, πῶς) auf dem Fundament weiterzubauen. Mit σοφὸς ἀρχιτέκτων (10a) ist bereits V 11 vorbereitet. Denn für Paulus kann es kein anderes Fundament in der Verkündigung geben als das, was gelegt ist, nämlich Jesus Christus. In dieser Aussage erreichen die VV 9-11 ihren Höhepunkt. Die folgenden Verse sind von drei Bedingungssätzen bestimmt, mit denen die Aussage von V 11b eschatologisch untermauert wird. Jesus Christus als Fundament ist einzig entscheidend, für das Weiterbauen gilt der eschatologische Vorbehalt, hier ausgedrückt mit markanten Stichworten ἔργον, ἡμέρα, πῦρ, μισθός), die sonst gerade in eschatologischen Zusammenhängen zu finden sind, speziell bezogen auf das eschatologische Gericht[11]. Mit ἔργον ist hier das Werk des einzelnen Verkündigers bezeichnet. Anders als in Aussagen über das Gericht nach den Werken (Röm 2,6f; 2 Kor 11,15; Apk 2,23 u.ö.; vgl. aber 1 Petr 1,17) steht hier pointiert der Singular, um das unmittelbare Tun des Einzelnen in der Verkündigung auszusagen. Die übrigen Begriffe (ἡμέρα, πῦρ und μισθός) unterstreichen die Intention des Paulus, das Tun eines jeden unter den eschatologischen Vorbehalt zu stellen, da das eschatologische Gericht darüber erst befinden wird. Mit πῦρ als Gerichtsfeuer ist an apokalyptische Vorstellungen angeknüpft, wo immer wieder eschatologisches Gericht und Feuer miteinander verbunden sind[12]. Das verwendete Bild selbst darf nicht überinterpretiert werden, denn es ist "bei aller verschwimmenden Plastizität des Bildgebrauchs vor allem der Gedanke an das Endgerichts vorherrschend"[13], wodurch dem pragmatischen Anliegen Nachdruck verliehen wird, nämlich der Zurückweisung des Urteils der Korinther[14]. Die Zusammenstellung der Begriffe in den VV 10-15 zeigt, daß es um das Bleiben des Werkes (V 14) angesichts des eschatologischen Vorbehalts geht. Der Maßstab für das Bleiben des Werkes und damit für das Bestehen im eschatologischen Gericht ist in V 11 im christologischen Fundament genannt, so daß die eschatologischen Ausführungen demgegenüber dienende Funktion haben.[15]

---

11 Vgl. zu ἡμέρα u.a. Röm 2,5; Apk 6,16f; TestLev 3,2; bereits der atl. Sprachgebrauch des Wortes "Tag" zeigt, daß der Begriff eschatologisch geprägt ist; vgl. G. v. Rad, Art. ἡμέρα, in: ThWNT II 945-949, hier 948. - Zu πῦρ vgl. H. LANG, Art. πῦρ, in: ThWNT VI 927-948, bes. 944; H. BIETENHARD, Art. Feuer/πῦρ, in: TBLNT 332-335, bes. 334f; CONZELMANN, 1Kor ; SCHRAGE, 1Kor 302; MERKLEIN, 1Kor 267.269f.

12 Vgl. Dan 7,9-; äthHen 102,1; 4Esr 13,10f; 1QS 4,13; 1QH 3,29; 1QpHab 10,13 u.ö.; im NT Mt 3,11 par; vgl. die in Anm. 11 angegebene Literatur.

13 SCHRAGE, 1Kor 302.

14 Vgl. MERKLEIN, 1Kor 268.

15 Vgl. MERKLEIN, 1Kor 267f: "Sachlich kommt damit zum Ausdruck, daß der eschatologische Vorbehalt unter der Voraussetzung des schon jetzt gültigen christologischen Kriteriums steht."

Das Wort μισθός nutzt Paulus in Röm 4,4, um jeden Lohncharakter der Rechtfertigung abzulehnen. Bei der positiven Darlegung der Rechtfertigungslehre hat er das Wort vermieden (vgl. z.B. Röm 6,23)[16]. In 1 Kor 3,8.14 geht es Paulus um die Vergeltung im eschatologischen Gericht. Kriterium für den Lohn ist aber nicht die subjektive Anstrengung als solche[17], sondern das Bleiben des Wortes in der Feuerprobe am Tag des Endgerichts (1 Kor 3,13f). Paulus nimmt hier deutlich eine Differenzierung vor: Wenn jemandes Werk auch im Gericht verbrennen wird, so wird er selbst gerettet werden "wie durch Feuer hindurch". Letztlich zeigt sich hier die paulinische Grundüberzeugung "vom Glauben als der allein heilsentscheidenden Tat des Menschen", auch wenn es an unserer Stelle kaum um den Gegensatz von Glauben und Werken geht[18]. Möglicherweise ist in 1 Kor 3,8.14 eine Art Bildwort mit dem Wort μισθός[19] verwendet, durch das Paulus mit den anderen Stichworten (vor allem ἡμέρα und πῦρ) das Werk des Verkündigers und somit dessen Tätigkeit unter eschatologischen Vorbehalt stellt.

Die Bau-Terminologie in den VV 10-15 ist für sich eigenständig im Rahmen der Argumentation über die rechte Verkündigung. Zugleich hat Paulus sie aber benutzt, um das Bild "Tempel" vorzubereiten. Die Vorstellung vom Tempelbau wird nicht als der ursprüngliche Bildspender der Verse 9b-17 anzusehen sein. Die Verzahnung der Bilder Bau/Tempel dürfte Paulus allerdings durchaus willkommen gewesen sein, da in der Betonung des christologischen Fundaments (V 11) bereits die Gegenwart Gottes in der Gemeinde vorbereitet wird, die im Bild Tempel unzweideutig ausgesagt ist.

VV 16f: Diese Verse haben in sich eine klare Struktur: Auf die Einleitungsformel (V 16a) folgt die zweigliedrige These "Ihr - Gottes Tempel" und "Gottes Geist - in euch" (V 16b); ein scheinbar hypothetischer Fall (τις) expliziert die These anschaulich (V 17a); begründend (γάρ) wird die These aus V 16a noch einmal verstärkend (ἅγιος) aufgenommen (V 17b) und wiederholt. Auffällig an diesen beiden Versen sind die Wortverbindungen "Tempel Gottes" und "Geist Gottes" in Verbindung mit der sogenannten "Wohnvorstellung". Die entscheidende Kennzeichnung hier besteht im Genitivus Subjektivus: Die Gemeinde ist "Gottes" und seiner

---

16 In 1 Kor 9,17f dient das Wort der Abgrenzung und ist auch hier nicht positiv gebraucht: Paulus erhält gerade kein Entgelt für die Verkündigung.

17 Vgl. MERKLEIN, 1Kor 262.

18 Vgl. MERKLEIN, 1Kor 269, Zitat ebd.

19 Vgl. Wilhelm PESCH, Art. μισθός, in: EWNT II 1063-1065, hier 1065: "Bildwort μισθός mit wechselnden Inhalten".

Verfügungsgewalt unterstellt. Wer als Geheiligter zur Ekklesia gehört, muß erkennen, daß die Heiligkeit der Gemeinde als Ganzer zukommt und sie zum Tempel macht. Zweites Merkmal der Gemeinde und Näherbestimmung der Tempelaussage ist die Konkretisierung, daß die Gemeinde Wohnung des Geistes Gottes ist. Offensichtlich knüpft Paulus an einen den Korinthern bekannten Sachverhalt an, wie die Einleitung οὐκ οἴδατε[20] voraussetzt (vgl. 1 Kor 6,19). Paulus korrigiert ein einseitiges Geistverständnis auf seiten der Korinther, indem er den Geist Gottes an die Ekklesia bindet. Daß die Gemeinde der Ort ist, in der Gottes Geist als Herr Wohnung nimmt, macht in den Augen des Paulus das Wesensmerkmal der Ekklesia aus. Die Zugehörigkeit zum Machtbereich des Pneuma, das die Gemeinde bestimmt, charakterisiert sie als die Ekklesia Gottes[21].

Da für Paulus die Gemeinde als Ort der Gegenwart des Geistes Gottes bedroht ist, sieht er sich zu einer energischen Reaktion (V 17a.b) herausgefordert. Der Form nach liegt hier ein Rechtssatz vor, abgeleitet aus V 16, nach E. KÄSEMANN ein "kasuistischer Rechtssatz"[22], doch wohl eher ein "apodiktischer Rechtssatz"[23], in dem die Gemeinde als heilige, gottgewirkte Größe gesehen wird, über die der Mensch nicht verfügen kann und nicht zu verfügen hat. Der Satz weist eine "seltsame Struktur" auf, da das gleiche Verbum (φθείρειν) im Chiasmus des Vorder- und Nachsatzes

---

20 Zu οὐκ οἴδατε s. zu 1 Kor 6,12-20 Kap. 6.2 Anm. 48.

21 Vgl. SCHRAGE, 1Kor I 305.

22 Vgl. KÄSEMANN, Sätze; hier sei "das Jus talionis verkündigt: Den Verderber trifft das Verderben" (ders., a.a.O. 69); und (70): "Das Jus talionis ist, wie das Futur des Nachsatzes anzeigt, auf eschatologische Ebene verlagert, und das ist möglich, weil nach der zugrunde liegenden Anschauung der jüngste Tag unmittelbar bevorsteht." Er führt als Vergleichsstelle Gen 9,6 und Aeschylos, Choeph 312f an. - Zum φθείρειν vgl. J. WEISS, 1Kor 85: Es bezeichne nicht die "Demolierung" des Tempels, sondern daß man ihn entweiht. - Vgl. die Gegenposition von K. BERGER, Zu den sogenannten Sätzen heiligen Rechts (11f faßt er die Charakteristika der Position KÄSEMANNS noch einmal zusammen); differenzierter MERKLEIN, 1Kor 273-275; s. auch oben Kap. 5.1 zu 1 Kor 5,1-13 den Exkurs "Sakralrechtliche Formeln im AT und in Qumran".

23 Vgl. H. J. BOECKER, Recht 168-175, hier 170f: Der kasuistische Rechtssatz gehe ursprünglich auf einen geschehenen Rechtsfall zurück; apodiktische Rechtssätze dagegen in der Partizipal- und Relativform ergehen "völlig unabhängig vom Geschehen eines konkreten Rechtsfalls. Hier wird ein Rechtsfall allgemein und grundsätzlich beschrieben." (ebd. 170)

menschliche Schuld und göttliches Gericht beschreibt, um auf diese Weise die präzise Entsprechung beider Sachverhalte zu charakterisieren.

V 17c.d bietet dazu die Begründung (γάρ), indem der Tempel Gottes als heilig bezeichnet wird und nochmals wie in V 16b gleichgesetzt wird mit der Gemeinde (ὑμεῖς). Inhaltlich geht es um die Bewahrung der gefährdeten Heiligkeit der Gemeinde. Wie im Beispiel der Verbotstafeln vom Vorhof des Herodianischen Tempels[24] wird auch in 1 Kor 3,17a.b das Sakrale als ein zu schützender Tabubereich beschrieben, so daß diese Warnung als eine sakralrechtliche Norm bezeichnet werden kann. Wichtig ist es aber, die pragmatische Ausrichtung dieser Verse als paränetische Warnung festzuhalten[25]: Der Bereich des Heiligen darf unter keinen Umständen gefährdet werden[26]. Wer diesen Bereich des Heiligen verdirbt (also entweiht), den wird Gott verderben (als eschatologisches Gericht).

Als auffällig empfindet es J. WEISS, daß Paulus, "nachdem er soeben erst (3,1ff.) den Korr. den Geistbesitz so gut wie abgesprochen hat, hier schon wieder an das Be-

---

24 Vgl. bei KÄSEMANN, a.a.O. 70 (zu den Verbotstafeln: K. GALLING, Textbuch zur Geschichte Israels, Tübingen [2]1968, 91).

25 Auf diesen Aspekt hat mit Recht BERGER, a.a.O. 26, hingewiesen (gegen KÄSEMANN, a.a.O. 78); in 1 Kor 3,16f geht es allerdings nicht um die Herkunft aus [profaner] Weisheitsliteratur, sondern um die Anwendung kultischer Begriffe zur Aussage eines ekklesiologischen Sachverhalts, nämlich die Reinerhaltung der Ekklesia Gottes.

26 Vgl. BOECKER, a.a.O. 170f, dessen allgemeine Hinweise zu den apodiktischen Rechtssätzen in der Partizipial- und Relativform hier für 1 Kor 3,17 sachlich treffen: "Diese Rechtssätze markieren eine Grenze, die man nicht überschreiten darf. Sie stecken einen Lebensraum ab. Es sind Grenzbestimmungen. Solche Grenzbestimmungen setzen eine Autorität voraus, die sie erläßt." Festzuhalten ist, wo im AT derartige Rechtssätze begegnen: In Dtn 27,1 - 30,20, den Ausleitungsabschnitten zum deuteronomischen Gesetzeskorpus 12-26, lassen sich in Kap. 27 derartige apodiktische Rechtssätze in der Partizipial- und Relativform finden, im sogenannten sichemitischen Dodekalog Dtn 27,15-26 (vgl. ebd. 172). Wenn die Verwendung der Fluchformel zunächst an den kultischen Bereich denken lasse, stamme sie doch von ihrem Ursprung her nicht aus dem Kultus, sondern aus einer außerordentlichen Situation des normalen Lebens, "auch wenn man natürlich in der Zeit (sc. die nomadische Zeit), in die wir hier geführt werden, nicht von einer klaren Trennung des Kultus von den sonstigen Lebensbereichen reden darf" (vgl. BOECKER 173; Zitat ebd.). Für uns ist interessant, daß wir in der Verwendung des Rechtssatzes in 1 Kor 3,17 auf Spuren aus Dtn 27 gestoßen sind, ursprünglich aus nomadischer Zeit, dann aber mit einem Kultzeremoniell aus deuteronomischer Konstruktion umgeben. Paulus knüpft in der Verwendung des Rechtssatzes in 1 Kor 3,17 möglicherweise an frühjüdische Traditionen an, in denen derartige Rechtssätze wie Dtn 27,15-26 von Bedeutung gewesen sind.

wußtsein dieses Besitzes appelliert"[27], wenn er vom "Wohnen des Geistes Gottes in euch" spricht. J. WEISS übersieht, daß in 1 Kor 3,1f der Gemeinde der Geistbesitz keineswegs abgesprochen wird. Vielmehr wird den Gemeindemitgliedern paränetisch gesagt, sie waren (3,1) und sind noch immer (3,3: ἔτι γάρ) irdisch eingestellt. Denn die Korinther fühlten sich zwar als Pneumatiker, waren aber über die notwendigen Folgerungen in Streit geraten. Gerade die Qualifizierung der Gemeinde als "Wohnung des Geistes" sprach gegen eine bloße Individualisierung des Geistbesitzes auf Kosten der Gemeinde und stellt somit eine logische Korrektur eines falschen, weil einseitigen Geistverständnisses auf Seiten der Korinther dar.

Die Härte und Eindeutigkeit dieser Aussage über die Gemeinde in 3,16f lassen keinen Zweifel zu, daß Paulus die Reinheit und Heiligkeit der Gemeinde gefährdet glaubte. Dabei bezieht sich die paulinische Warnung zur Reinhaltung der Gemeinde im Kontext nicht auf irgendwelche "Eindringlinge"[28], sondern sie muß sich auf innergemeindliche "Verderber" beziehen; es sind die angesprochen, die Streit und Spaltung verursachen (s. 1 Kor 3,3b.c). Da im Bild "Tempel" (VV 16f) die von Paulus bereits in V 9b anvisierte ekklesiologische Dimension hervortritt, kommt ihm eine gewisse Dominanz gegenüber den beiden vorhergehenden Bildern "Pflanzen" und "Bau" zu[29]. Diese beide Bilder beinhalten eine gewisse Dynamik, ausgehend auch von den Tätigkeiten "pflanzen" und "bauen". Indem Paulus die Tempelvorstellung auf die Gemeinde überträgt, ist für ihn die Gegenwart Gottes im Geist in der Gemeinde eindeutig ausgesagt.

Zusammenfassend läßt sich zum Abschnitt 1 Kor 3,5-17, insbesondere zu den VV 16f mit den vom Kult entlehnten Motiven, feststellen: (1) Mit den Bildern vom Pflanzen, vom Bau und vom Tempel, von denen das letzte Bild die beiden vorigen an Eindeutigkeit dominiert, wird auf anschauliche Weise die allein entscheidende Aktivität im Verkündigungsprozess herausgestellt. Alles Tun menschlicher Verkündiger und damit die Verkündigungsinhalte sind dem eschatologischen Gericht ausgeliefert und somit relativiert; einzig das christologische Fundament der Gemeinde ist hiervon

---

27 J. WEISS, 1Kor 85; so kommt er zu der Behauptung, alle diese Gründe, "daß der Satz καὶ τὸ πνεῦμα τ. θεοῦ οἰκεῖ zu langatmig nachschleppt in diesem Gefüge kurzer Sätze, legen die Vermutung nahe, daß diese Worte Glosse seien".

28 Gegen J. WEISS, 1Kor 85: "kein Zweifel, daß es nicht auf Apollos geht, sondern auf Eindringlinge, wie P. sie II Kor 11,3 im Auge hat". - Auch in den Kap. 5 und 6 wird es um ein falsches Verhalten von Gemeindemitgliedern gehen, wodurch die Heiligkeit der Gemeinde gefährdet ist.

29 Gegen SCHRAGE, I 1Kor 287 Anm. 59.

ausgenommen. (2) Im Abschnitt 1 Kor 3,5-17 argumentiert Paulus christologisch. Das christologische Kriterium ist der Maßstab, dem die in diesen Versen hervortretende eschatologische Argumentation zu dienen hat. (3) In den VV 16f ist das Motiv vom Tempel mit der Gegenwart des Geistes Gottes verbunden. Insofern ist hier die Tempelwohnvorstellung angesprochen. Wenn die Gemeinde Tempel Gottes *ist*, so ist dies weder eine "spiritualisierende" noch eine metaphorische Redeweise, sondern *Rede im eigentlichen Sinn*. Die Gemeinde *ist* deshalb Tempel, weil Gottes Geist in ihr wohnt, und weil sie Gottes Eigentum ist und so allein seiner Verfügungsgewalt unterstellt ist. Wer Verderben über die Gemeinde bringt, wird deshalb von dem verdorben werden, dessen Eigentum sie ist. (4) In wem der Geist Gottes Wohnung genommen hat, der gehört notwendig zur Ekklesia Gottes, die deshalb Tempel Gottes *ist* und daher heilig ist. Wer wiederum Teil der Ekklesia ist, gehört zum Bereich Gottes und muß sich ihm gegenüber in seinem Tun, gerade im Verhalten zur Gemeinde, verantworten. Die kultische konnotierte Sprache am Ende des Abschnitts 1 Kor 3,5-17 stellt unzweideutig heraus, daß die Einwohnung des Geistes Kennzeichen der Gemeinde ist und die Zugehörigkeit zur Ekklesia Merkmal des in Christus zuteil gewordenen Heiles ist. Den zerstrittenen Korinthern wird somit gegen alle Heilsindividualisierung oder Gruppenaufsplitterung die Bedeutung der Ekklesia als Merkmal des in Christus zuteil gewordenen Heiles vor Augen gestellt.

6.2 1 Kor 6,19 in 1 Kor 6,12-20

Text

12a Πάντα μοι ἔξεστιν
b ἀλλ᾽ οὐ πάντα συμφέρει·

c πάντα μοι ἔξεστιν
d ἀλλ᾽ οὐκ ἐγὼ ἐξουσιασθήσομαι ὑπό τινος.

13a τὰ βρώματα τῇ κοιλίᾳ καὶ ἡ κοιλία τοῖς βρώμασιν,
b ὁ δὲ θεὸς καὶ ταύτην καὶ ταῦτα καταργήσει.
c τὸ δὲ σῶμα οὐ τῇ πορνεα ἀλλὰ τῷ κυρίῳ,
d καὶ ὁ κύριος τῷ σώματι·

14a ὁ δὲ θεὸς καὶ τὸν κύριον ἤγειρεν
b καὶ ἡμᾶς ἐξεγερεῖ διὰ τῆς δυνάμεως αὐτοῦ.

15a οὐκ οἴδατε
b ὅτι τὰ σώματα ὑμῶν μέλη Χριστοῦ ἐστιν;
c ἄρας οὖν τὰ μέλη τοῦ Χριστοῦ ποιήσω πόρνης μέλη;
d μὴ γένοιτο.

16a [ἢ] οὐκ οἴδατε
b ὅτι ὁ κολλώμενος τῇ πόρνῃ ἓν σῶμά ἐστιν;

c ἔσονται γάρ, φησίν, οἱ δύο εἰς σάρκα μίαν.

17a ὁ δὲ κολλώμενος τῷ κυρίῳ
b ἓν πνεῦμά ἐστιν.

18a Φεύγετε τὴν πορνείαν.
b πᾶν ἁμάρτημα ὃ ἐὰν ποιήσῃ ἄνθρωπος
ἐκτὸς τοῦ σώματός ἐστιν·
c ὁ δὲ πορνεύων εἰς τὸ ἴδιον σῶμα ἁμαρτάνει.

19a ἢ οὐκ οἴδατε
b ὅτι τὸ σῶμα ὑμῶν ναὸς τοῦ ἐν ὑμῖν ἁγίου πνεύματός ἐστιν
c οὗ ἔχετε ἀπὸ θεοῦ,
d καὶ οὐκ ἐστὲ ἑαυτῶν;

20a ἠγοράσθητε γὰρ τιμῆς·
b δοξάσατε δὴ τὸν θεὸν ἐν τῷ σώματι ὑμῶν.

Übersetzung

12a Alles ist mir erlaubt,
b aber nicht alles nützt;

12c alles ist mir erlaubt,
d aber ich werde mich nicht beherrschen lassen.

13a Die Speisen dem Bauch und der Bauch den Speisen,

b Gott aber wird das eine wie das andere zunichte machen.
c Der Leib aber nicht der Hurerei, sondern dem Herrn,
d und der Herr dem Leib.

14a Gott aber hat auch den Herrn auferweckt
b und wird uns auferwecken durch seine Macht.

15a Wißt ihr nicht,
b daß eure Leiber Glieder Christi sind?
c Sollte ich nun die Glieder Christi (zu) Hurengliedern machen?
d Auf keinen Fall!

16a [Oder] wißt ihr nicht,
b wer sich an die Hure hängt, ist ein Leib (mit ihr)?
c denn, heißt es, die zwei werden ein Fleisch.

17a Wer sich an den Herrn hängt,
b ist ein Geist (mit ihm).

18a Flieht die Unzucht!
b Jede Sünde, die der Mensch tut, ist außerhalb des Leibes.
c Wer aber Hurerei treibt, der sündigt im eigenen Leib.

19a Oder wißt ihr nicht,
b daß euer Leib Tempel des heiligen Geistes in euch ist,
c den ihr von Gott habt,
d und ihr nicht euch selbst gehört?

20a Ihr seid nämlich um einen Preis erkauft;
b darum preist Gott in eurem Leib.

Der Abschnitt 1 Kor 6,12-20[30] wird als Einheit betrachtet. Paulus behandelt hier im Gegensatz zu 1 Kor 5,1-13 und 6,1-11 keinen Einzelfall, sondern es geht um grundsätzliches Fehlverhalten in Form von Unzucht mit Dirnen. Das verbindende Stichwort des Abschnitts ist σῶμα, das allein achtmal in diesen Versen begegnet (13bis.15.16. 18bis.19.20). Mit dem Schlagwort πάντα μοι ἔξεστιν hatte eine Gruppe in Korinth den Verkehr mit Dirnen als grundsätzlich indifferent dargestellt. Anders als vorher in der Behandlung der bestimmten Einzelfälle, muß Paulus einem solchen "Prinzip" gegenüber auch grundsätzlich antworten. Dekretieren hilft hier nicht, Paulus muß argumentieren.[31] So kommt es in diesem Abschnitt zur ekklesiologisch relevanten Qualifizierung der Gemeinde als einer heiligen Größe, indem in ekklesiologischem Kontext die Bezeichnung "Tempel des Geistes" aufgrund der Geistmitteilung auf den

---

30 Vgl. zu 1 Kor 6,12-20 neben den Kommentaren Ernst FUCHS, Die Herrschaft Christi. Zur Auslegung von 1 Kor 6,12-20, in: H.D. BETZ und L. SCHOTTROFF (Hg.), Neues Testament und christliche Existenz (FS Herbert Braun), Tübingen 1973, 183-193; Gerhard DAUTZENBERG, Φεύγετε τὴν πορνείαν (1 Kor 6,18). Eine Fallstudie zur paulinischen Sexualethik in ihrem Verhältnis zur Sexualethik des Frühjudentums, in: H. MERKLEIN (Hg.), Neues Testament und Ethik (FS Rudolf Schnackenburg), Freiburg 1989, 271-298; O. HANSSEN, Heilig 65-114.

31 Vgl. MERKLEIN, Einheitlichkeit 375.

Einzelnen als Teil der Gemeinde angewendet wird und so der Gemeinde als Ganzes zukommt.

Syntaktische Analyse des Abschnittes 1 Kor 6,12-20

Der Abschnitt besteht aus 18 in sich geschlossenen Sätzen (12a.b - 12c.d - 13a - 13b - 13c.d - 14 - 15a.b - 15c - 15d - 16a.b - 16c - 17 - 18a - 18b - 18c - 19 - 20a - 20b). Dabei fallen die kurzen Formulierungen auf; häufig bestehen die Sätze nur aus Subjekt und Prädikat und einleitender Konjunktion oder sind reine Nominalsätze (13a; 13c.d). Auch die anderen geschlossenen Sätze sind unterschiedlich konstruiert: Zwei bestehen aus mit Konjunktionen verbundenen Hauptsätzen, V 12 aus zwei adversativen Satzgefügen (jeweils verbunden mit ἀλλά) und V 14 aus einem mit der Konjunktion καί verbundenen Satzgefüge; drei bestehen aus einem übergeordneten Hauptsatz als Fragesatz mit davon abhängigem Nebensatz mit ὅτι (15a.b; 16a.b; 19); einer besteht aus einer rhetorischen Frage (V 19c) und einem darauf bezogenen verneinten Hauptsatz; einer bildet ein Satzgefüge aus einem Hauptsatz und einem iterativen Nebensatz, eingeleitet mit ἐάν (18b); sechs dieser geschlossenen Sätze bilden kurze Hauptsätze (16c.17.18a.18c.20a.20b). Zählt man die untergeordneten Sätze einschließlich ihrer parataktischen Glieder je für sich, ergeben sich 28 Einheiten: 12a - 12b - 12c - 12d - 13a - 13b - 13c - 13d - 14a - 14b - 15a - 15b - 15c - 15d - 16a - 16b - 16c - 17a - 17b - 18a - 18b - 18c - 19a - 19b - 19c - 19d - 20a - 20b.

Folgende syntaktische "Gesetzmäßigkeiten" lassen sich festhalten:

(1) Der Text enthält elf nominale Subjekte: "alles" (12a.12b.12c), "ich" (12d), "Speisen" und "Bauch" (jeweils 13a), "Gott" (13b.14a.14b), "Herr" (13d), "ihr" (15a.16a.19a.19c.19d.20a), "Leiber" (15b), "Leib" (13c.19b), "die zwei" (16c), "Sünde" (18b). Drei Sätze sind reine Verbalsätze (15a.15d.16a.18a.19a.20b), darunter die übergeordneten Fragesätze (15a.16a.19a) und Imperativsätze (18a.20b), bei denen jeweils das Verb an der Spitze steht.

(2) Die Verben weisen die 1. Person Singular auf (12d.15c), die 3. Person Singular (12a.12b.12c.12d.12b.14a.14b.15d.16b.17b.18b[bis].18c.19b), die 2. Person Plural (15a.16a.18a.19a.19b.19c.20a.20b) und die 3. Person Plural (15b.16c). Offensichtlich wechseln Aussagen in der 3. Person Singular und 2. Person Plural einander ab. Dies wird semantisch und pragmatisch weiter zu beachten sein. - Bei den Tempora herrscht das Präsens vor: V 12 [viermal]; V 15ab [zweimal]; V 16 [dreimal]; V 17[einmal]. V 18 [viermal]; V 19 [viermal]. Bezeichnend steht das Präsens vor allem in den Fragesätzen (15ab.16.19). Fünfmal steht das Futur (12d.13b.14b.15c.16c). Der Aorist findet sich dreimal (14a.20a.20b).

(3) Der Text enthält nur wenige Präpositional-Objekte (12d.14b.16c.18c. 19b[bis].20b), zweimal mit dem σῶμα-Begriff verbunden (18c. 20b) und einmal mit dem Begriff σάρξ (16c). Genitiv-Objekte finden sich in 14b.15b[bis].15c.18b. 19b[bis].19c.20a.20b. Dativ-Objekte finden sich in 12a.12c.13a[bis].13c[bis].13d. 16b.17a, Akkusativ-Objekte in 13b[bis].14a.14b.18a.20b, viermal sind sie dem Subjekt "Gott" zugeordnet (13b[bis].14a.14b), und zweimal stehen sie in Imperativ-Sätzen. Der Text enthält vier Nomina als Prädikatsnomen: "Glieder Christi" (15b); "ein Leib" (16b); "ein Geist" (17b); "Tempel" (19b).

(4) Der Text enthält vier Fragesätze, dreimal mit dem Verb in der 2. Person Plural verbunden und exponiert als Einleitung eines Satzgefüges (15a.16a.19a) und einmal mit der 1. Person Singular verbunden (15c). In den mit einem negierten Verbum der 2. Person Plural eingeleiteten Fragesätzen (15a.16a.19a) findet sich häufig die

2. Person Plural in Pronomina oder Verben, besonders in V 19 (3 Verben und 2 Pronomina der 2. Person Plural). - Imperativsätze in der 2. Person Plural begegnen in 18a und 20b.

Syntaktisch liegt zwischen den Versen 14 und 15 eine gewisse Zäsur, die sich vor allem aus dem nun vorherrschenden Tempus des Präsens ergibt, während das Futur nur noch in der rhetorischen Frage (V 15c) und im Schriftzitat (V 16c) begegnet. Auch andere Phänomene deuten diese Zäsur an. Ab V 15 erst begegnet die 2. Person Plural in Verben oder Pronomina. Die Frageeinleitung findet sich in 15a das erste Mal und folgt so oder mit "oder" ergänzt noch zweimal in den VV 16a und 19a. Wie auch die Imperativsätze zeigen, sind die VV 15 - 20 stärker empfängerorientiert.

Semantische Analyse von 1 Kor 6,12-20

Der bei der Syntax festgestellte Wechsel von der Dominanz der 3. Person Singular in den VV 12 - 14 hin zur Dominanz der 2. Person Plural in den VV 15 - 20 ist semantisch weiter zu beachten. Die VV 12 - 14 beinhalten ausschließlich sachbezogene Aussagen, wobei in V 12a.b und V 12c.d jeweils eine bestehende Position der Adressaten aufgegriffen und ihr mit der Einleitung der adversativen Konjunktion ἀλλά eine paulinische Gegenposition gegenübergestellt wird. Die Aussage in 12d, die in der 1. Person Singular formuliert ist, ist deshalb als allgemeingültige Formulierung[32] zu verstehen. In den VV 15 - 20 sind Sachbezug und Bezug auf die Korinther miteinander vermischt. Die mit οὐκ οἴδατε eingeleiteten Fragesätze (15a.b - 16a.b - 19) und der Fragesatz in V 15c sind rhetorische Fragen.

Fragt man nach dem Sinn der Aussagen in dem Abschnitt 1 Kor 6,12-20, so ist der Text im wesentlichen von der Opposition geprägt, die zwischen bestimmten Positionen der Adressaten in Korinth und den Auffassungen des Paulus besteht. Das Schaubild (Schaubild 6.2/1) soll dies verdeutlichen:

32 Vgl. dazu BDR § 281.

Schaubild 6.2/1 zu 1 Kor 6,12-20:

Korinther	Paulus
V 12a: Alles ist mir erlaubt.	V 12b: Nicht alles nützt.
V 12c: Alles ist mir erlaubt.	V 12d: Nicht beherrschen lassen.

Beispiele zur Explikation:

V 13ab: Beispiel (I) Speise (βρῶμα) dem Bauch (κοιλία) - und Bauch den Speisen (korinthische Parole)

Gott vernichtet beide.

V 13cd: Beispiel (II) Leib ≠ für Hurerei, sondern: = für den Herrn

V 14: Gott hat den Herrn auferweckt,
Gott wird "uns" auferwecken.

Fortsetzung der Beispiele und Konkretisierung auf die Korinther:

15a.b: οὐκ οἴδατε
σώματα ὑμῶν --- μέλη Χριστοῦ

15c.d: Darf ich τὰ μέλη τοῦ Χριστοῦ zu πόρνης μέλη machen?

---

1. These V 16: κολλώμενος τῇ πόρνῃ --- ἕν σῶμα

2. These V 17: κολλώμενος τῷ κυρίῳ --- ἕν πνεῦμα

Konsequenz V 18a: Imperativ: Φεύγετε τὴν πορνείαν !

Abermalige Begründung V 18bc: Jede Sünde ist außerhalb des σῶμα,
Hurerei aber ist Sünde im eigenen σῶμα.

Zusammenfassendes Beispiel (V 19): Euer Leib (= Ihr seid) durch die Taufe Tempel und so Wohnstatt des Geistes und damit Gottes!

V 20a: Abschließende begründende Aussage (γάρ) soteriologischen Inhalts (20a),

V 20b: Als Konsequenz (δή): abermaliger zusammenfassender Imperativ !

Der in Korinth vorherrschenden Meinung "alles ist mir erlaubt" (VV 12a. 12c) setzt Paulus zwei Argumente entgegen: "Nicht alles nützt" und "ich werde mich nicht beherrschen lassen". Mit dieser Gegenüberstellung hat Paulus zwar das Grundproblem der Korinther, nämlich ihr falsches Verständnis des Grundsatzes "alles ist mir erlaubt", benannt, aber noch nicht explizit das Thema dieses Abschnittes, das mit den Stichworten σῶμα und πόρνη verbunden ist. Dies geschieht in den nun folgenden Beispielen. Beispiel (I) greift zunächst die korinthische Parole auf, daß βρῶμα und κοιλία nichts gelten, und die dazugehörende Begründung seitens der Korinther: Gott wird beides vernichten. Beispiel (II) grenzt negativ als Gegenbeispiel zu (I) den Leib, der hier als σῶμα das erste Mal im Abschnitt explizit genannt wird, zur Hurerei ab und ordnet ihn positiv dem Herrn zu. Dabei wird in V 14 parallel zu V 13b die Auferweckung des Herrn positiv auf "uns" bezogen, das einzige Mal, wo Paulus sich in diesem Abschnitt unmittelbar mit den Adressaten identifiziert und in der 1. Person Plural redet. Zugleich zeigt das Pronomen ἡμᾶς an, was Paulus unter σῶμα versteht, nämlich den ganzen Menschen. Semantisch ist diese Verseinheit verbunden durch die Eingrenzung der in Korinth falsch verstandenen Aussage, daß alles erlaubt sei.

In V 15 greift Paulus die Beispiele aus VV 13-14 auf und konkretisiert sie mit der einleitenden Frage ("Wißt ihr nicht?") auf die Korinther. Die VV 15-20 geben sich durch das Thema vom σῶμα als sematische Einheit zu verstehen. Zugleich ist mit den Stichworten σῶμα und πορνεία aus den VV 12-14 die Thematik der VV 15-20 angedeutet. Die "Leiber der Korinther" werden nun als "Glieder Christi" bezeichnet. Während in Beispiel (II) das Stichwort "Hurerei" das erste Mal mit dem σῶμα-Begriff verbunden ist und dieser wiederum mit dem "Herrn", ist V 15 der σῶμα-Begriff im Plural angewendet und den "Gliedern Christi" gleichgesetzt. Daran schließt Paulus die rhetorische Frage an, ob man die "Glieder Christi" zu "Gliedern der Hurerei" machen darf, und verneint diese Frage in scharfer Form.

In V 16 setzt Paulus eine neue These, die seinen Adressaten trotz ihres Handelns nicht bewußt geworden ist: Wer der Hure anhängt, ist mit dieser ein σῶμα. Paulus begründet dies (γάρ) mit einem Schriftzitat. Dagegen setzt Paulus: Wer dem Herrn anhängt, ist mit diesem ein πνεῦμα (V

17). Die Begriffe σῶμα und πνεῦμα werden hier als Korrelationsbegriffe gebraucht (s.u.). Die logische Konsequenz aus diesen beiden Thesen wird dann imperativisch formuliert: Flieht die Hurerei! (V 18a) In zwei Aussagen wird dieser Imperativ noch einmal begründet. Jede Sünde eines Menschen geschieht außerhalb des Leibes, nur die Hurerei geschieht als Sünde am eigenen Leib (V 18b.c).

In V 19 ist der Höhepunkt des Abschnitts formuliert: Gegen die Meinung, der Leib könnte fraglos der Hurerei ausgesetzt werden, und gegen die damit verbundene Abwertung des Leibes sagt Paulus: "Euer Leib ist Tempel des heiligen Geistes, den ihr von Gott habt" (V 19). Die Zugehörigkeit des menschlichen σῶμα zu Gott ist so ausgedrückt und abschließend noch einmal explizit in Frageform formuliert: Die Korinther gehören nicht sich selber. Paulus gibt dem σῶμα durch die Benennung als "Tempel des heiligen Geistes" die höchste Würde. In dieser Spitzenaussage von V 19 sind die Adressaten dreimal in den Prädikaten in der 2. Person Plural implizit und zweimal in Pronomina in der 2. Person Plural unmittelbar angesprochen. Der abschließende V 20 begründet (γάρ) die vorige Aussage soteriologisch: Ihr seid teuer erkauft! Ein letzter, sich daraus ergebender Imperativ ordnet die Leiber noch einmal Gott zu (V 20b).

Pragmatische Analyse von 1 Kor 6,12-20

Pragmatisch erfüllt dieser Abschnitt die Funktion, sich mit der in Korinth falsch verstandenen Aussage "Alles ist erlaubt", die wegen ihrer Wichtigkeit zweimal genannt wird, auseinanderzusetzen und sie einzugrenzen.

Dabei lassen sich die VV 12-14 gegenüber den VV 15-20 in ihrer Funktion unterscheiden. In der ersten Verseinheit wird die korinthische Parole eingegrenzt und die Aussagen mit einer theologischen Formulierung abgeschlossen: Wie Gott den Herrn auferweckt hat, wird er auch "uns" auferwecken durch seine Kraft. Neben der korinthischen Parole (VV 12a.12c) werden auch andere Stichworte aus der korinthischen Argumentation genannt: βρῶμα und κοιλία, die andeuten, wie in Korinth argumentiert und wie praktisch mit "Speisen" und "Bauch" umgegangen worden ist. Dieser den Leib abwertende Begriff κοιλία wird von Paulus nicht aufgegriffen, sondern durch den ihm trefflicher erscheinenden Begriff σῶμα ersetzt.

Die zweite Verseinheit VV 15-20 ist durch die vier rhetorischen Fragen gekennzeichnet. Die drei mit οὐκ οἴδατε eingeleiteten Fragen können von den Adressaten nur mit "ja" beantwortet werden. In V 15b ist mit "eure Leiber" als Subjekt ein entscheidendes Stichwort der nun folgenden Argumentation genannt. Auch diese zweite Verseinheit VV 15-20 wird durch eine theologische, hier soteriologische Aussage abgeschlossen (V 20a). Die wesentlichen Aussagen dieser Verse sind hervorgehoben durch die betonte Hinwendung zu den Adressaten in Form von Pronomina der 2. Person Plural und von Verben der 2. Person Plural. Neben V 19 sind hier besonders die Imperative der VV 18a und 20a zu erwähnen.

Die Gesamtstrategie des Textes bewegt sich, ausgehend von der zweifach genannten korinthischen Parole, hin zu der sich daraus ergebenden Abwertung des menschlichen Leibes. Die soteriologische Begründung in V 20 besagt, daß das Christus-Geschehen nur leibhaft verstanden und geglaubt (V 20b) werden kann. V 19 mit der Aussage vom Leib als Tempel Gottes spricht dem σῶμα Würde zu. Die VV 19f schließen mit dieser theologischen Würdigung des Leibes nicht nur das Thema der VV 12-20, sondern zugleich auch die Thematik aus 1 Kor 5 und 6,1-11 ab, in der es anhand konkreter Beispiele thematisch um die Ent-würdigung des σῶμα ging, letztlich aber um die daraus resultierende Gefährdung der Heiligkeit der Gemeinde.

Einzelauslegung von 1 Kor 6,12-20

VV 12-14: Der Abschnitt der VV 12-20 wird durch die zweimal pointiert herausgestellte korinthische Position "Alles ist mir erlaubt" eingeleitet[33], auf die jeweils eine mit der adversativen Konjunktion ἀλλά eingeleitete paulinische Antithese folgt (VV 12b.12d). Daß Paulus dieses Prinzip grundsätzlich teilt, läßt sich möglicherweise aus der Formulierung in der 1. Person Singular in der zitierten korinthischen Position und auch in der

---

33 Wahrscheinlich ist diese Parole unter den "Starken" in Korinth verbreitet gewesen (vgl. WOLFF, 1Kor 59); vgl. HARRIS, Beginnings 13: "an explicit formulation of the Corinthian norm". Auch in 1 Kor 10,23 ist diese korinthische Position zweifach zitiert und wiederum jeweils durch eine mit ἀλλά eingeführte paulinische Antithese eingeschränkt. Wie 1 Kor 6,12b lautet auch in 1 Kor 10,23 die erste paulinische Antithese ἀλλ᾽ οὐ πάντα συμφέρει, während in der zweiten Antithese dort die οἰκοδομή genannt wird, die über der Freiheit steht.

1. Person Singular in der zweiten paulinischen Antithese (V 12d) erkennen. In V 13f folgt eine differenzierte Behandlung der These, zunächst am Beispiel (I) "Speise/Bauch". Paulus greift offensichtlich ein in Korinth benutztes Argument auf, die Zuordnung der Speisen zum Bauch und des Bauchs zu den Speisen, und relativiert dann βρῶμα und κοιλία, da Gott das eine wie das andere vernichten wird (V 13b). Das Anliegen des Paulus ist es, ein christlich motiviertes, in Korinth aber mißverstandenes Freiheitsverständnis zu korrigieren, daß sich u.a. in der unbekümmerten Beteiligung am Opferfleischessen äußerte (so 1 Kor 10,23).[34] Der Übergang von diesem ersten Beispiel (Nahrung/Bauch) zu einem zweiten (Unzucht/ Leib) läßt erkennen, daß in Korinth mit dem Argument aus V 13a wahrscheinlich Unzucht mit einer Dirne gerechtfertigt wurde.

Zu diesem Beispiel (I) ist parallel Beispiel (II) aufgebaut, nur in negativer Eingrenzung. Der Leib (jetzt: σῶμα) gehört eben nicht der Unzucht, sondern dem Herrn und dieser dem Leib. In Parallele zu V 13b lautet V 14 als Explikation der Aussagen von V 13c.d: Wie Gott den κύριος auferweckt hat, wird er auch "uns" (als σώματα) auferwecken. Also: Wie βρῶμα und κοιλία von Gott für die Vergänglichkeit, sind die Leiber und damit die Menschen für die Auferweckung bestimmt. "Der Kunstgriff des Paulus"[35] besteht darin, daß er im zweiten Beispiel von κοιλία zu σῶμα überwechselt, zu dem Begriff, der diesen Abschnitt prägen soll: σῶμα begegnet in den VV 12-20 achtmal (13c.13d.15b.16b.18b.18c.19b.20b).

Die Verseinheit der VV 12-14 wird wie die VV 15-20 durch eine theologische Aussage abgeschlossen, in V 14a christologisch formuliert, in V 20a soteriologisch. Zu V 14 merkt G. SELLIN an: "Hier hat Paulus erstmals die in 1 Thess 4,14 nur angedeutete Möglichkeit ausgeführt: Das christologische Kerygma wird zum Strukturmerkmal des Christseins. Die Soteriologie wird durch die Christologie geprägt. Damit hängt die Entstehung des grundlegenden paulinischen σῶμα-Begriffs zusammen, der erst-

---

34 Vgl. WOLFF, 1Kor 59; vgl. KLAUCK, 1Kor 47, der auf das "alles ist euer" (1 Kor 3,21f) hinweist, das deutlich machen kann, wie es in Korinth zumindest bei den "Starken" und vielleicht auch darüber hinaus zu einem falsch verstandenen Freiheitsverständnis kommen konnte.

35 KLAUCK, 1Kor 47; weiter schreibt er: κοιλία, "wo schon im Begriff die sogenannten Instinkte mitschwingen".

malig an dieser Stelle begegnet: σῶμα ist nicht etwas am Menschen, das der Mensch hat, sondern der Mensch ist als Person σῶμα. Leiblichkeit wird so zu einer anthropologischen Wesenskategorie. Deutlich wird das an dieser Stelle daran, daß hier das Personalpronomen ἡμεῖς für σῶμα steht."[36]

Der Begriff σῶμα in 1 Kor 6,12-20

Der Begriff σῶμα begegnet im NT 142mal, davon allein 74mal in den paulinischen Homologumena und weitere 20mal in Eph, Kol und Hebr. Die deutliche Mehrzahl der Belege in den Paulusbriefen findet sich in den Korintherbriefen, 1 Kor 42mal, 2 Kor 9mal, zusammen also mehr als ein Drittel aller ntl. Belege. Allein schon diese numerische Gewichtung läßt Vermutungen zu, mit welchen Argumenten und mit welcher inhaltlichen Problematik Paulus es seitens der korinthischen Gemeinde zu tun hat. Offensichtlich bekämpft Paulus in 1 Kor 6,12-20, wie die Häufigkeit des Begriffs σῶμα andeutet, "die 'Leiblosigkeit' der Gemeinde, sowohl in individual-ethischer wie in ekklesiologischer Hinsicht".[37]

Um die Bedeutung der paulinischen Aussage von V 19 in rechter Weise zu würdigen, ist die Argumentation des Apostels im Abschnitt VV 12-20 zu beachten. Die Behauptung von H. CONZELMANN zu 1Kor, es gebe zu πάντα μοι ἔξεστιν als korinthischem Schlagwort "nur stoisches und kynisches Vergleichsmaterial"[38] ist von G. SELLIN zweifach widerlegt worden. Daß der stoische Freiheitsbegriff, der in der in V 12 zweimal zitierten korinthischen Position terminologisch anklingt, keinesfalls das hinter 1 Kor 6,12-20 stehende korinthische Denken beherrscht haben kann, zeige einmal das Beispiel (I) in V 13a, das die Freiheit von Speiseregeln dualistisch begründet.[39] Zum zweiten sei CONZELMANNS Behauptung falsch, es gebe nur stoisches Vergleichsmaterial, da er die nicht wenigen Belege aus den Werken Philos von Alexandrien einfach unter die stoischen gerechnet habe, "ohne zu beachten, daß bereits Philo die stoische Terminologie dualistisch eingebettet hat". Philos Weiser sei zwar auf den ersten Blick stoisch geschildert (Prob 59), doch beziehe sich dieser Freiheits-

---

[36] G. SELLIN, Streit 55. Methodisch bringt SELLIN am Text von 1 Kor 6,12-20 jeweils "aus einer einfachen Umkehrung die Sicht der Korinther" zur Sprache. Für V 14 bedeute dies als Ansicht der Korinther: "Menschliches Ich und σῶμα sind Gegensätze. Das σῶμα ist nur ein Attribut des Menschen." (SELLIN, a.a.O. 56)

[37] Vgl. hier und zum folgenden SELLIN, a.a.O. 54-63, hier 57; Zitat ebd. - SELLIN hat in seiner Untersuchung zu 1 Kor 15 ausführlich das Denken Philos von Alexandrien dargestellt (90-175), um Rückschlüsse auf die Argumentation des Paulus und vor allem seiner korinthischen Gegner machen zu können.

[38] CONZELMANN, 1Kor 138.

[39] Vgl. SELLIN, a.a.O. 57. - W. SCHMITHALS, Die Gnosis in Korinth (FRLANT 66), Göttingen [3]1969, 218, hat daher fälschlicherweise auf gnostischen Libertinismus geschlossen, was sich aber nicht belegen läßt.

begriff auf den Menschen, der sich von der Welt distanziert habe aufgrund der Macht des jenseitigen Pneumas. Philos Weiser ist demnach der Pneumatiker.[40]

SELLIN zieht bei der Auslegung von 1 Kor 6,12-20 Philos Schriften auch für V 19 - der Leib ist Tempel des im Menschen einwohnenden Pneuma - als Vergleichsmaterial heran, da nur er zu dem Bild des Paulus Parallelen biete, nun aber mit genau entgegengesetzter Intention: Bei Philo ist σῶμα Ausdruck der sterblichen Existenz des Menschen, des Lebens in der "Fremde", es steht für Ägypten (All II 59; Agr 64f; Conf 88; Congr 118; Fug 180); aus dieser "Fremde" muß der Weise in die "Heimat" zurückkehren (für Exodus: All II 59; Migr 13; Mut 209).[41] Diese Art der Ausdrucksweise ist bei Philo bzw. seiner hellenistisch-jüdischen Tradition durch das Leben in der Diaspora begründet, da hier das allgemein-metaphysische Fremdheitsgefühl konkret erfahrbar wird, "so daß Begriffe wie Ägypten, Exodus, Passa, Heimat, Fremde usw. einerseits anthropologisch metaphorisiert werden, andererseits aber eine ungeheure Konkretion bekommen".[42] Philo gebraucht so bis auf eine Ausnahme[43] das Bild vom Leib als Haus negativ, nämlich als Gehäuse, Kerker, Sarg der Seele. "Positiv spricht er dagegen von der Seele des Frommen als 'Haus' der διάνοια, des Logos und Pneuma, als 'Haus' bzw. 'Tempel' Gottes selbst." Das σῶμα ist deutliches Zeichen für den entfremdeten Zustand des Ich, höchster Ausdruck für Heillosigkeit, so daß Erlösung für Philo zu allererst Erlösung von der Leiblichkeit bedeutet. Für Philo ist das Soma-Sein in diesem Verständnis immer etwas *am* Menschen, etwas, das der Mensch (als Subjekt = νοῦς) *hat*. So gesehen muß die häufig aufgegriffene Bultmann-Aussage zum paulinischen σῶμα-Verständnis[44] für Philo umgekehrt werden: Für Paulus macht das Soma-Sein den Menschen aus, so daß der Mensch σῶμα *ist*. Für Philo *ist* der Mensch nicht σῶμα, er *hat* "ein σῶμα, und diesem σῶμα kann und

---

40 Vgl. SELLIN, a.a.O. 58; Zitat ebd.; Prob 59 lautet: ἐξουσίαν σχήσει πάντα δρᾶν καὶ ζῆν, ὡς βούλεται. ᾧ δὲ ταῦτ' ἔξεστιν, ἐλεύθερος ἂν εἴη; s. auch Prob 13f.20-22.29f.41-46.57-62; Det 22-24; All III 42-48; Fug 116-118; Praem 162f. - SELLIN verweist auch für die paulinische Einschränkung von V 12d auf Migr 7f, wo Philo bereits davor gewarnt habe, die Dinge zum Herrn über sich werden zu lassen.

41 Vgl. SELLIN, a.a.O. 130; Eduard SCHWEIZER, Art. σῶμα κτλ., in: ThWNT VII 1024-1042.1043-1091, hier 1049f.

42 SELLIN, a.a.O. 130; er sagt weiter (131), daß die bei dieser negativen σῶμα-Bewertung von Philo verwendeten Bilder und Metaphern "sehr deutliche Entsprechungen in der aus 1 und 2Kor erschließbaren korinthischen Theologie" haben. "Die Tradition dieser negativen Sicht des Leibes geht über Plato zurück in den Pythagoreismus und die Orphik. Im neupythagoreisch orientierten Platonismus der Zeit Philos ist sie offenbar verstärkt aufgelebt." (SELLIN, a.a.O. 131)

43 Diese undualistische Ausnahme ist Op 137, wiederum charakteristisch von Paulus abweichend: Gott nimmt für Adams Leib den besten Staub der Erde. "Einzig hier (und Praem 120) wird bei Philo der '*Leib*' als 'Wohnung' und 'heiliger Tempel für die vernünftige Seele' gewürdigt" (SELLIN, a.a.O. 100 Anm. 82). - Zum Begriff σῶμα bei Philo vgl. auch die ausführliche Erörterung des Begriffs bei SELLIN, a.a.O. 130-135.

44 Vgl. R. BULTMANN, Theologie 196f.

soll der eigentliche Mensch als einer fremden und feindlichen Größe gegenübertreten"[45].

Wird dieses bei Philo festgestellte Verständnis von σῶμα auch für die Korinther angenommen, läßt sich die paulinische Argumentation an zahlreichen Stellen der Briefe an die Korinther besser verstehen. Entscheidend ist, daß die philonischen Belege allesamt einen Dualismus voraussetzen, wonach der Leib abgewertet wird. So kann vermutet werden, daß der korinthische Dualismus von σῶμα und πνεῦμα, der sich nicht nur hier in 1 Kor 6,12-20 widerspiegelt, "seine Wurzeln im hellenistischen Judentum (für uns zugänglich im Werk Philos von Alexandrien) hat".[46] Die paulinischen Aussagen in 1 Kor 6,19f sprechen auf diesem Hintergrund dem Leib gegen seine Abwertung in Korinth Würde zu. Bemerkenswert sind die positiven Aussagen des Paulus über das σῶμα in 1 Kor 6,19 auch deshalb, weil hier ähnlich wie in Röm 12,1 kultische Terminologie mit dem σῶμα-Begriff verbunden wird. Auf dem Hintergrund des in Korinth vorherrschenden Denkens und der sich daraus ergebenden paulinischen Argumentation, die den σῶμα-Begriff so positiv verwendet, ist es daher unzutreffend, an Stellen wie 1 Kor 6,19 oder Röm 12,1 von "Spiritualisierung" zu sprechen, da Paulus gerade die Leiblichkeit herausstellt. Die Qualifizierung des σῶμα als "Tempel des heiligen Geistes in euch" verleiht diesem die höchstmögliche Würdigung, so daß der Mensch als σῶμα und damit die Gemeinde als Versammlung der durch Gottes Geist Geheiligten der erfahrbare Ort der Gottesgegenwart ist. Ja noch mehr: Mit der Kennzeichnung des σῶμα durch ναὸς τοῦ ἐν ὑμῖν ἁγίου πνεύματος ist der neue Bereich der Heiligkeit Gottes in der Welt, die Gemeinde Gottes, beschrieben. Der Einzelne als Teil des Ganzen kann als geheiligt beschrieben werden, wie auch das Ganze von Gott geheiligt ist (1 Kor 3,16f). Den Modus des Heiligungsprozesses umschreibt V 20a: 'Um einen Preis nämlich seid ihr erkauft!' Die anschließende Aufforderung, Gott im Leib zu preisen, fordert zur ganzheitlichen Hingabe, zum leiblichen Gottesdienst auf, weil die Leiblichkeit für ihn Kennzeichen der Geschöpflichkeit des Menschen ist[47].

VV 15-20: Die drei diatribischen Fragen οὐκ οἴδατε[48] führen in einer Steigerung zur Spitzenaussage der Verseinheit hin, daß nämlich der Leib

---

45 H. KAISER, Bedeutung I 95.

46 SELLIN, a.a.O. 59; seine Folgerung allerdings, Paulus habe es schon im Vorbrief mit diesem Dualismus zu tun gehabt, entspricht der von ihm postulierten Briefteilung; zu seiner Briefaufteilung s. SELLIN, a.a.O. 50-53; bes. ders., Hauptprobleme 2964-2986.

47 Vgl. SELLIN, Streit 62; weiter schreibt er: "Wird nun der Mensch Christus zugeordnet, wird er zu einem neuen Geschöpf, dem es ermöglicht ist, einen Gottesdienst zu vollbringen, wie ihn das Geschöpf seinem Schöpfer schuldig ist." (ebd.)

48 Diese Frageeinleitung, eine diatribische Stilfigur (vgl. BULTMANN, Stil 13.65), findet sich in diesem Kapitel auffallend häufig: 1 Kor 6,2.3.9.15. 16.19; sonst noch in 1 Kor 3,16; 5,6; 9,13.24 (und Röm 6,16). Es ist interessant, daß die Thematik dieser mit οὐκ οἴδατε eingeleiteten Verse mit Ausnahme von 1 Kor 9,24 zusammen betrachtet werden kann; es geht jeweils um die Heiligkeit und Reinheit der Gemeinde (3,16; 5,6; 6,2f.9.15.16.19) und die Verbindung zum Herrn und damit zum Evangelium (9,13).

Tempel des heiligen Geistes ist (V 19). In der einleitenden, ersten dieser drei Fragen wird ausgesagt, daß die Christen durch ihre σώματα (schon jetzt) mit dem Herrn verbunden sind (V 15a.b). In einer weiteren rhetorischen Frage schließt Paulus die Unzucht mit dem Leib aus, da sonst die Glieder Christi zu Hurengliedern gemacht würden (V 15c.d). In thesenhafter Gegenüberstellung bietet Paulus die Argumente dar: Wer sich mit seinem σῶμα an eine πόρνη bindet, ist, analog Gen 2,14, ἓν σῶμα mit ihr[49]. Wer sich an den Herrn bindet, wird ἓν πνεῦμα mit ihm. Wer also mit einer Dirne ἓν σῶμα wird, ist und bleibt menschliches Selbst (σῶμα), also durch die Verbindung mit der Dirne in seiner somatisch-begrenzten Identität verhaftet. "Wer sich aber mit Christus verbindet, transzendiert sein menschliches Selbst, gewinnt eine neue Identität: er wird mit Christus und durch ihn ἓν πνεῦμα (V. 17)."[50] Πνεῦμα ist hier also nicht die Qualität eines bestimmten σῶμα, nämlich des Leibes Christi, sondern σῶμα und πνεῦμα geben jeweils "gegensätzliche Existenzweisen an, die aus der je unterschiedlich getroffenen Identitätsbestimmung resultieren"[51].

Mit der Aufforderung φεύγετε τὴν πορνείαν (V 18)[52] formuliert Paulus die Summe der Aussagen in den VV 16b.17 und unterstreicht, daß er die πορνεία mit der Dirne als eine soziale Sünde bewertet, der "kultisch-ritu-

---

49 Treffend ist die Aussage von HANSSEN, a.a.O. 88-94, zu κολλᾶσθαι: ähnlich dem παραστῆσαι in Röm 6,19 und 12,1 sei das Verb κολλᾶσθαι "in 1 Kor 6,16 der Akt leiblicher Hingabe, durch den man sich der Macht und dem Einfluß des anderen aussetzt, wobei κολλᾶσθαι nicht nur sexuell gemeint sein muß" (ebd. 88). Gemeinsamer Grundgedanke (tertium comparationis) beider Sätze (16b u. 17a) sei: "Man ist eins (ἕν) mit dem, dem man anhangt (κολλώμενος)". - Vgl. dagegen den wenig hilfreichen Übersetzungsversuch von S.E. PORTER, How should κολλώμενος in 1 Cor 6,16.17 be translated?: EThL 67 (1991) 105f, der von der Aussage in V 20 her für das κολλώμενος in den VV 16f die dem ἀγοράζω entsprechende Übersetzung "selling" oder "obligation" vorschlägt.

50 Vgl. MERKLEIN, Leib-Christi Gedanke 331f; Zitat 332.

51 MERKLEIN, a.a.O. 332.

52 Zu 1 Kor 6,18 gibt es eine bemerkenswerte Parallele in TestRub 6,1: "Hütet euch nun vor der Hurerei. Sie trennt von Gott und führt zu den Götzen." (Übersetzung nach BECKER, Testamente 38) Wie in 1 Kor 6,18 steht die eigene Identität auf dem Spiel, die durch sexuelle Verfehlung gefährdet ist; im Kontext von 1 Kor 6,18 werden "darüber hinaus viel direkter die Heiligkeit Gottes bzw. Christi und damit Gott bzw. Christus selbst berührt" (HANSSEN, Heilig 79f).

elle Qualität" zukommt (vgl. V 19). Denn es ist auffallend, daß Paulus die πορνεία nicht grundsätzlich aus sozialen Gründen ablehnt, weil z.B. die Frau geschändet wird. Vielmehr sieht er die Unzucht mit der Dirne als Ent-heiligung an und damit als Umkehrung des Christusgeschehens, durch das ein jeder um einen Preis erkauft wurde (vgl. V 20). Bereits nach der Argumentation der VV 12-14 widerspricht πορνεία der totalen Zugehörigkeit zu Christus, wobei σῶμα für Paulus "Schlüsselwort für solche Totalität" wird[53]. Während beim Verzehr von Götzenopferfleisch die eigene Identität nicht unbedingt gefährdet wird, sondern höchstens die Identität des anderen, wenn man nämlich durch das eigene Handeln in Freiheit das Gewissen des Bruders belastet, ist bei der πορνεία keine innere Distanzierung möglich. Wer sich also der πορνεία unterwirft, läßt eine Vermischung mit etwas typisch Heidnischem zu und handelt so in Widerspruch zum exklusiven Anspruch Christi[54]. Paraphrasiert könnte V 18 lauten: 'Fliehet die Unzucht, weil sie euch total erfaßt!'[55]. Begründet wird dieser Imperativ von V 18a durch die beiden mit οὐκ οἴδατε eingeleiteten Indikative "Eure Leiber sind Glieder Christi" (V 15b) und "Euer Leib ist Tempel des heiligen Geistes in euch" (V 19b). Diese Indikative haben trotz des Begriffes σῶμα hier nicht individuell-soteriologische Bedeutung, sondern sind durch die Einleitung οὐκ οἴδατε und durch die Personalpronomina in der 2. Person Plural in besonderer Weise auf die Gemeinde hin ausgerichtet. Denn um deren Heiligkeit geht es, wie auch die Einbettung der Paränese in den Kontext zeigt. Für Paulus gewinnt seine Paränese, wo es um die πορνεία geht, "wenn nicht die Form

---

53 Vgl. HANSSEN, a.a.O. 98; Zitat ebd.; weiter schreibt er (ebd. 99): "Der Totalität der leiblichen Hingabe an Christus bzw. Gott (vgl. Röm 6,19ff/12,1f) entspricht die Totalität der leiblichen Hingabe an die Prostituierte. Es gibt außer porneia keine rituelle Sünde, durch die man ohne Möglichkeit der Distanzierung aufgrund der Verunreinigung des Leibes selbst total verunreinigt wird."

54 Eine ähnliche an den Einzelnen gerichtete Paränese liegt Jub 20,3-6 vor, wo es ebenfalls um die Gefährdung der Gemeinde (Israels) durch Unzucht geht und die Paränese gegen die Unzucht und Unreinheit mit einer Gerichtsdrohung verbunden ist; Thema ist "die kultische Reinheit Israels" (BERGER, Jubiläen 425).

55 Zu Recht weist HANSSEN (a.a.O. 99) daraufhin, daß Paulus sich mit seinem apodiktischen Verbot ausschließlich der πορνεία vom sogenannten Aposteldekret abhebt, in dem als Konsens die drei auch von Heidenchristen unbedingt zu meidenden rituellen Sünden (Verzehr von Götzenopfer; Verzehr von Blut/Ersticktem, πορνεία - vgl. Apg 15,29) zusammengestellt sind.

so doch die Verbindlichkeit und Evidenz eines Heiligkeitsgesetzes"[56] (vgl. 1 Thess 4,3-8).

Daß πορνεία in 1 Kor 5 und hier in 1 Kor 6,12-20 auf unterschiedliche Situationen angewendet ist, spricht nicht gegen die Einheit der beiden Kapitel. Es fällt auf, daß Paulus in beiden Unzuchtsfällen (1 Kor 5: jemand hat die Frau seines Vaters; 1 Kor 6,12-20: Verkehr mit Dirnen) den Mann als Verantwortlichen anspricht[57]. In Lev 20,11, einer sachlichen Parallele zu dem 1 Kor 5,1 geschilderten Fall, ist für diesen Inzest-Fall die Tötung beider Beteiligten vorgeschrieben (vgl. Dtn 23,1; 27,20)[58]. Während in Lev 20,11 möglicherweise der soziale Sinn als Schutz von Ehe und Nachkommenschaft intendiert ist, hat "Paulus vor allem die sexuelle Perversion als solche vor Augen", für die er analog zum Umgang mit der Prostituierten einseitig den Mann verantwortlich macht[59]. Paulus will um der Heiligkeit der Gemeinde und der Rettung des Einzelnen willen jede Art von sexueller Unzucht aus der korinthischen Gemeinde ausgeschlossen wissen. Die in 1 Kor 5 und 6 von Paulus angeprangerte Unzucht weist für diese beiden Kapitel einen zusammenhängenden Konflikt aus. Paulus überträgt ein seit dem AT geltendes "'jüdisches Autostereotyp' ('daß die Heiden sich von den Juden durch ihre Unzucht unterschei-

---

56 HANSSEN, a.a.O. 80; eben weil πορνεία sich als Sünde gegen den heiligen Geist und direkt gegen Gott selbst richtet (vgl. 1 Thess 4,8).

57 Vgl. SCHRAGE, 1Kor I 371: Warum Paulus die Verantwortung auch der Frau zumindest in 1 Kor 5 nicht erwähnt, bleibt unklar; falls er in 1 Kor 5 antik-orientalischem Denken gemäß den Fall als "Einbruch in die Sache des Vaters" (WEISS, 1Kor 125; auch LIETZMANN, 1Kor 23; anders KÜMMEL, Anhang zu LIETZMANN 173) betrachten würde, widerspräche dies seiner eigenen Anschauung von der Ehe mit einer Gleichverantwortung der Ehepartner (vgl. 1 Kor 7). S. auch Anm. 59.

58 Vgl. SCHRAGE, 1Kor I 370.

59 Vgl. HANSSEN, a.a.O. 71f; Zitat ebd. 71. - Vgl. auch Aloys FUNK, Status 152: "Wenn die Normen . . . häufiger an Männer als an Frauen adressiert waren, entspricht das der größeren sexuellen Ungebundenheit, die im jüdischen und noch mehr im hellenistischen Kulturbereich den Männern möglich war und weithin sozial zugestanden war. Diese Tatsache übte sozialen Druck auf die Männer der christlichen Gemeinden, in denen restriktive Sexualnormen galten, aus. Dem Druck der Gesellschaft setzte Paulus den Druck von Legitimationen und Sanktionen gegen sexuell deviante 'Brüder' entgegen."

den')" auf die Korinther[60]. Damit zeigt sich, daß von den Bestimmungen aus Dtn 23,1-9 für Paulus allein das Verbot der Unzucht als Unterscheidungsmerkmal der christlichen Gemeinde Gültigkeit behalten hat, während er, wie wir sehen werden, andere Identitäts-Kategorien gerade auf die Gemeinde Gottes aus Heiden- und Judenchristen anwenden kann (vgl. zu Phil 3,3 Kap. 7.4).

In V 19f kommt Paulus zum Höhepunkt seiner Aussagen: Zunächst spricht er von der Gegenwart Gottes durch den heiligen Geist im menschlichen σῶμα und drückt dies im kultischen Bild des Tempels aus. Der Tempel als Ort der Wohnung Gottes auf Erden wird also hier auf den einzelnen Menschen bezogen, um diese Gegenwart Gottes im Leib argumentativ gegen eine Abwertung desselben pointiert herauszustellen[61]. Durch den Geist ist die leibliche Existenz total erfaßt und geheiligt. V 20a schließlich gibt die soteriologische Begründung im Bild vom Loskauf[62], um dann die Adressaten aufzufordern, Gott im σῶμα zu preisen. Gerade V 20b betont gegen falsche korinthische Auffassungen die σῶμα-gebundene Gottesbeziehung des Christen.

Paulus stellt in 1 Kor 6,12-20 im Unterschied zu seinen Gegnern seine grundsätzlich positive Einstellung zum Leib heraus, indem er diesem Würde zuspricht. In 1 Kor 5,1-8 richtet sich Paulus nicht einfach gegen Unzucht in Korinth im allgemeinen, sondern es ist erkennbar, daß der "Unzuchtsünder" eine Ausnahme darstellt. "Wogegen Paulus sich wendet, ist der Mangel an ekklesiologischem Bewußtsein der Gemeinde. Daß sie so etwas *duldet*, ist ihr Mangel."[63] Das Gemeinschaftsleben leidet unter der Abwertung des σῶμα mit der Konsequenz, daß man übersieht, wie der Mensch in Beziehungen lebt, die nicht zulassen, daß er sich seiner

---

60 Vgl. HANSSEN, a.a.O. 72 im Anschluß an FUNK, a.a.O. 148-151 (vgl. als Belege auch Bill III 62-74; IV, 363f; 1 QS 4,9f).

61 V 19f bildet so eine Parallele zur Indikativ-Aussage in 6,11.

62 Dieses Bild vom Loskauf bei Paulus auch 1 Kor 7,23; Gal 3,13; 4,5. - Die Wiedergabe des Genitivs τιμῆς mit dem Adjektiv "teuer" (LB) läßt die Gegenleistung des Kaufes unklar. Paulus ruft den Korinther zu: "Um einen Preis seid ihr erkauft", nämlich um den des Todes Jesu.

63 Vgl. SELLIN, Streit 54; Zitat ebd.; Hervorhebung von SELLIN.

Welt enthebt. Auch 1 Kor 11,17-22.27-34, wo die Mißstände beim Herrenmahl geschildert sind, zeigt, daß das Gemeinschaftsleben nicht vom Heil durchdrungen ist: "das Heil findet keinen Ausdruck im Sozialen". Ähnlich wie in 1 Kor 6,12-20 stehen weiter "die alten heidnischen Beziehungen des Individuums" im Vordergrund. Letztlich fehlt dem Heil die Konkretisierung "im Alltag, in der Gemeinschaft, im ethischen Wandel".[64]

ZUSAMMENFASSUNG: Im Unterschied zu der zuerst behandelten Stelle 1 Kor 3,16, in der der Tempelbegriff ekklesiologisch auf die Gemeinde hin ausgedeutet ist, liegt hier in 6,19 eine Anwendung von ναός auf den Einzelnen vor. Dennoch hat, wie gezeigt, diese Aussage von V 19 ekklesiologische Relevanz: Für unsere Untersuchung ist von besonderem Interesse, daß Paulus im Abschnitt 1 Kor 6,12-20 **(1)** eine Aussage von ekklesiologischer Bedeutung macht, da für Paulus der Umgang von Gemeindemitgliedern mit einer Dirne letztlich die ganze Gemeinde betrifft. Ihr Fehler ist es, nicht zu erkennen, daß der Umgang mit einer Dirne den Einzelnen vom Herrn trennt und auch von der Gemeinde entfernt; es geht für Paulus nicht um eine neue Entscheidung zwischen Unzucht und Christus, sondern darum, daß die Gefahr besteht, in die Unzucht zurückzufallen[65]. Die Gemeinde ist **(2)** in ihrer Heiligkeit gefährdet, deren Kriterium bei Paulus die Hingabe des σῶμα an Christus ist und so mit der Hingabe an die Dirne unvereinbar ist. Durch die christologische Ausrichtung seiner paränetischen Argumentation erscheint πορνεία als direkte Verletzung des Heiligen, so daß Paulus als Konsequenz daraus die Identität des Einzelnen als "Tempel des heiligen Geistes" wie auch der Gemeinde (s. die Anrede οὐκ οἴδατε) gefährdet sieht[66]. Dabei ist **(3)** die Tempel-Aussage in V 19 nicht nur unmittelbar, sondern auch im Kontext mit dem σῶμα-Begriff verbunden. Gerade diese Verbindung eines kultischen Terminus mit dem σῶμα-Begriff zeigt, daß Paulus in der Verwendung von kultischen Termini als Aussagehilfen keine "Spiritualisierung" beabsichtigt ha-

---

64 Vgl. a.a.O. 54; Zitate ebd.

65 Vgl. HANSSEN, a.a.O. 92.

66 Vgl. a.a.O. 82.

ben kann.[67] Der Mensch, insofern er σῶμα ist, insofern er also selber in seinen Beziehungen zum Mitmenschen und zur Welt steht, ist Tempel des Geistes Gottes. Der Leib und die Gemeinde sind der erfahrbare Tempel Gottes in der Welt, der Ort der Gottesgegenwart und damit der so umschriebene Heiligkeitsbereich Gottes in der Welt. Leib und Gemeinde sind durch diese Bestimmungen dem Menschen und seinem Zugriff entzogen. **(4)** Dadurch, daß Paulus die Unzucht als Sünde bewertet, der kultisch-rituelle Qualität zukommt, hat für ihn von den Bestimmungen aus Dtn 23,1-9 allein das Verbot der Unzucht als Unterscheidungsmerkmal der christlichen Gemeinde Gültigkeit behalten.

6.3 2 Kor 6,14 - 7,1

Arbeitsübersetzung:

6,14a:	Zieht nicht am fremden Joch mit den Ungläubigen;
6,14b:	denn (γάρ) was haben Gerechtigkeit und Gesetzlosigkeit an Gemeinschaft,
6,14c:	oder welche Gemeinschaft hat Licht zur Finsternis?
6,15a:	Welche Übereinstimmung hat Christus mit Beliar,
6,15b:	oder welchen Anteil hat der Gläubige mit dem Ungläubigen?
6,16a:	Wie stimmt [der] Tempel Gottes mit den Götzen zusammen?
6,16b:	Wir nämlich (γάρ) sind der Tempel des lebendigen Gottes,
6,16c:	wie Gott sagt:
6,16d:	Ich will unter ihnen wohnen und wandeln, und ich werde ihr Gott sein, und sie werden mein Volk sein.
6,17a:	Deshalb zieht weg aus ihrer Mitte und sondert euch ab, spricht der Herr,
6,17b:	und rührt nichts Unreines an; dann will ich euch aufnehmen.
6,18a:	Und ich werde euch Vater sein,
6,18b:	und ihr werdet mir Söhne und Töchter sein, spricht der Herr, der Allmächtige.
7,1a:	Weil (οὖν) wir nun solche Verheißungen haben, Geliebte,
7,1b:	wollen wir uns selber reinigen von aller Befleckung des Fleisches und Geistes,
7,1c:	und die Heiligung vollenden in der Furcht Gottes.

Der Abschnitt 2 Kor 6,14 - 7,1 fällt durch markante Besonderheiten aus dem Kontext heraus: (a) die auffällige Terminologie mit zahlreichen Ha-

---

67 S. dazu auch die Aussage in Röm 12,1, die in Kapitel 7.2 erörtert wird.

paxlegomena: vier Begriffe begegnen in LXX u. NT nur hier: ἑτεροζυγέω, συμφώνησις, Βελιάρ, συγκατάθεσις; vier Begriffe als Hapaxlegomena im NT: μετοχή (sonst nur LXX Ps 71,3), ἐμπεριπατέομαι (V 16 im Zitat von Lev 26,12), εἰσδέχομαι, μολυσμός (nur drei Belege in der LXX); dazu kommen als Hapaxlegomena für die Paulusbriefe παντοκράτωρ und καθαρίζω[68]; (b) die alttestamentlichen Zitate in den VV 16c-18, die eine Art Schriftkatene bilden; (c) die fünf Gegensatzpaare, die unmittelbar auf die Eingangsparänese μὴ γίνεσθε ἑτεροζυγοῦντες ἀπίστοις folgen: Gerechtigkeit/Ungerechtigkeit, Licht/ Finsternis, Christus/Beliar, Gläubiger/ Ungläubiger und Tempel Gottes/ Götzen.

In den Arbeiten der letzten Jahrzehnte hat dieser Abschnitt immer wieder die Aufmerksamkeit der Exegeten auf sich gezogen[69]. Lange Zeit wurde nahezu in einem breiten Forschungskonsens Paulus als Verfasser dieser Verse ausgeschlossen und höchstens eine Zitation durch Paulus selbst angenommen.[70] Gegen eine Authentizität des Abschnitts[71] wurden im we-

---

[68] Vgl. hierzu die Übersicht und Erörterung der Hapaxlegomena bei LAMBRECHT, a.a.O. 157f Anm. 37; καθαρίζω sonst noch Eph 5,26 u. Tit 2,14; μέρις begegnet in der paulinischen Literatur nur noch Kol 1,12; LAMBRECHT weist an den entsprechenden Beispielen darauf hin, daß Paulus wohl Ableitungen der genannten Begriffe verwende.

[69] Zu diesem Abschnitt vgl. die von Erich DINKLER angegebene ältere Literatur (bis 1973) am Ende des Kommentars von BULTMANN, 2Kor; J. A. FITZMYER, Qumran; J. GNILKA, 2 Korinther 6,14-7,1; G. KLINZING, Umdeutung 172-182; eine gute Darstellung der verschiedenen Hypothesen zu diesem Abschnitt bei M. E. THRALL, die jedoch noch nicht die etwa zeitgleich entstandenen Aufsätze von G. D. FEE, J. LAMBRECHT und J. D. M. DERRETT eingearbeitet hat; vor allem FURNISH, 2 Kor 371-383; zuletzt J. MURPHY-O'CONNOR, Relating 2 Corinthians 6.14-7.1 to its Context: NTS 33 (1987) 272-275; dies., The second Letter to the Corinthians, in: The New Jerome Biblical Commentary (eds. Raymond E. BROWN, J. A. FITZMYER, and Roland E. MURPHY, Englewood Cliffs), Prentice Hall/London 1990; auch De OLIVEIRA, Diakonie 332-339.

[70] So wurde u.a. behauptet: der Abschnitt sei innerhalb des 2 Kor verrutscht (WINDISCH); er sei bei einer zweiten, original paulinischen Edition ergänzt worden (J.-F. COLLANGE, referiert bei THRALL, Problem 141f, und bei LAMBRECHT, Fragment 144); es handle sich um ein paulinisches Fragment aus dem 1 Kor 5,9 erwähnten Vorbrief, das versehentlich an diese Stelle geraten sei (so nach FEE, IICor 142 Anm. 4, bereits R. Whitelaw, G. Milligan und W.F. Howard; in neuerer Zeit übernommen von J.C. HURD, Origin 235-237; auch E. DINKLER als Herausgeber des Bultmann-Kommentars zu 2 Kor: "Möglich, daß

sentlichen fünf Punkte angeführt: (1) der Bruch mit dem Kontext[72]; (2) die erwähnten Hapaxlegomena; (3) Besonderheiten in der Reihe der Schriftzitate (VV 16b-18); (4) gewisse Berührungspunkte mit der Qumranliteratur und (5) eine unpaulinische Theologie.[73] In dieser Arbeit ist nicht beabsichtigt, die hier genannten entscheidenden Streitpunkte zur Frage der Authentizität dieses Abschnitts zu erörtern, da dies den Rahmen der Arbeit überschreiten würde[74]. Am Ende unserer Untersuchung des Abschnittes wollen wir aber fragen, ob sich der Text inhaltlich in die Theologie des Paulus einordnen läßt, und so Punkt (5) der angeführten Argumente gegen die Authentizität des Abschnittes aufgreifen.

Die Arbeiten zu diesem Abschnitt in den letzten beiden Jahrzehnten zeigen jedoch, wie wenig gesichert die vielfach selbstverständlich übernommene Interpolationshypothese in Wahrheit ist. Von den Befürwortern der Authentizität des Abschnitts, die m.E. überzeugende Argumente vorbrin-

---

Paulus selbst ein solches Stück zitierte; dann wohl Fragment aus dem verlorenen ersten Brief; es könnte der Mahnung μὴ συναναμίγνυσθαι πόρνοις [1 Kor 5,9-11!] vorangegangen sein . . ." <182>), um einen aus Qumran stammenden, aber christianisierten Text (J.A. FITZMYER), bzw. um einen von einem durch Qumran beeinflußten Christen verfaßten Text (GNILKA), um ein deuteropaulinisches, schließlich sogar um ein antipaulinisches Fragment, dessen Inhalt der paulinischen Verkündigung diametral entgegengesetzt sei und die Theologie der galatischen Christen reflektiere (so die von H.D. BETZ, 2 Corinthians 6:14-7:1, entwickelte Hypothese; ders., Galaterbrief 554-557; FEE, IICor 141, nennt diese These von BETZ das "ingenious, logical end" der Interpolationsargumentation; zur Kritik ebenda 157; auch LAMBRECHT, a.a.O., 158f, und THRALL, a.a.O., 148 Anm. 1).

[71] R. BIERINGER, 2. Korintherbrief 120, nennt als die beiden wichtigen Fragestellungen dieses Abschnitts die "Integrität", d.h. die Frage, ob 6,14 - 7,1 an seinem ursprünglichen Platz steht oder ob der Text dort eine Interpolation darstellt, und die "Authentizität", d.h. ob der Text paulinischen oder unpaulinischen Ursprungs ist. Beide Fragestellungen werden in der Forschung auf jede logisch mögliche Weise miteinander kombiniert.

[72] Vgl. hierzu die Gegenargumentation von DE OLIVEIRA, a.a.O. 332-339 (s.u. Anm. 92).

[73] Vgl. dazu LAMBRECHT, a.a.O. 145.

[74] Die einzelnen Theorien sind von FURNISH in seinem Kommentar (IICor 371-383) ausführlich dargelegt und gegeneinander abgewogen; für ihn bleibt hier ein "Rätsel" innerhalb des Briefes; sollte Paulus den Abschnitt selber zitiert haben, sei er eine Art "Randbemerkung" des Paulus, "a secondary appeal, subordinate to the primary one which is introduced in 6:11-13 and then resumed and concluded in 7:2-3" (ebd. 383).

gen, soll besonders die Arbeit von J. LAMBRECHT (1978) hervorgehoben werden. LAMBRECHT setzt sich systematisch mit den Einwänden zugunsten einer Authentizität auseinander und gibt dabei wertvolle Beobachtungen zur Stellung im Kontext wieder, zur Textsyntax, zum Problem der Schriftkatene und zum Problem der anscheinend 'unpaulinischen' Exegese[75]. Leider vermißt man bei LAMBRECHT eine eindeutige eigene Position: "The passage is rather a piece of 'common' parenesis meant for Christians who live in the midst of manifold dangers in a Gentile world."[76]

Der Gedankengang dieser Verse und vor allem die darin verwendete Terminologie und ihre außerbiblischen Bezüge sind für die Einordnung ähnlich gelagerter Aussagen im Corpus Paulinum von hohem Interesse. Im folgenden wollen wir die Terminologie dieses Abschnittes und die auffälligen alttestamentlichen Zitate der VV 16c-18 näher betrachten und dann der Frage nachgehen, ob sich hinter dieser Terminologie und hinter diesen Zitaten der Vorstellungszusammenhang erkennen läßt, den wir bei anderen Aussagen des Paulus festgestellt haben.

Der Abschnitt ist geprägt von der Forderung zur Reinheit, hervorgehoben in der paränetischen Weisung μὴ γίνεσθε ἑτεροζυγοῦντες ἀπίστοις (V 14a) am Beginn der Verse, die dann in fünf Gegensatzpaaren in rhetorischen Fragen, jeweils eingeleitet mit τίς, illustriert wird (γάρ); vom letzten dieser Gegensatzpaare wird über die Identifikation ἡμεῖς γὰρ ναὸς θεοῦ ἐσμεν ζῶντος zu der Schriftkatene übergeleitet (γάρ). In diesem alttestamentlichen "Zitatenmosaik"[77], wird (1) die Anwesenheit Gottes unter seinem Volk betont (V 16c; Aufnahme von Lev 26,11 u. Ez

---

[75] LAMBRECHT spricht in diesem Zusammenhang vom "over-systematizing Paul's theology"; R. RECK, Kommunikation und Gemeindeaufbau (SBB 22), Stuttgart 1991 wagt die vorsichtige Behauptung: "M.E. konnte die These vom un- bzw. antipaulinischen Charakter von 2 Kor 6,14-7,1 nur deshalb solches Gewicht bekommen, weil ein bestimmtes, auf die Rechtfertigungslehre zentriertes Paulusbild den Blick für seine ethischen und ekklesiologischen Konzepte verstellt." - Vgl. zuletzt G. SASS, Noch einmal: 2 Kor 6,14 - 7,1: ZNW 84 (1993) 36-64, der den Text als paulinisch verteidigt.

[76] LAMBRECHT, a.a.O. 160.

[77] E. SCHÜSSLER-FIORENZA, Priester 362.

37,27), (2) die Mahnung zur Absonderung von den Unreinen (V 17; Aufnahme von Jes 52,11) und schließlich (3) die Aussage der Gottessohnschaft für die Gemeinde (V 18; Aufnahme von 2 Sam 7,14 u. Jer 31,9 u.a.m.)[78]. Die Forderung zur Reinheit im negativen Imperativ wird am Ende des Abschnittes in der positiven Formulierung (Konjunktiv καθαρίσωμεν) zur Meidung von Unreinheit aufgegriffen (7,1; οὖν). Neben den Imperativen, den fünf Gegensatzpaaren und den Schriftzitaten läßt sich die Thematik "Mahnung zur Reinheit/Meidung von Unreinheit"[79] auch in der Terminologie erkennen:

ἑτεροζυγέιν ist vom Wortfeld her ähnlich dem Terminus ἀφορίζειν; es geht um das "nicht-gemein-haben", also positiv gesagt um das "gesondertsein" von einer anderen Gruppe. Das Verb ist als solches vor 2 Kor 6,14 nicht belegt. Bei Paulus findet sich das Nomen ζυγός[80] in einer ähnlichen Mahnung Gal 5,1: μὴ πάλιν ζυγῷ δουλείας ἐνέχεσθε. Wenn auch der Kontext hier eine andere Thematik behandelt, so geht es letztlich um die gleiche Forderung, nämlich um die Absonderung von einer bestimmten anderen Gruppe und so um die Identität der christlichen Gemeinde.

ἀφορίζειν ist traditioneller Terminus zur Aussonderung für Gott (s. oben die Ausführungen in Pkt. 3.1).

ἀκάθαρτος und das entsprechende Nomen ἀκαθαρσία sind vor allem in kultischen Zusammenhängen belegte Termini, die einmal die kultische Unreinheit bezeichnen können (Lev 5,3; 7,21; 11,1ff; 14,40.45; 15,24; Num 9,6; 12,5; Ri 13,7; Am 7,17 u.a.m.) oder alles mit dem heidnischen Kult zusammenhängende (vgl. u.a. Ez 36,17; Ιερ 39,34). - Für καθαρίζειν (7,1) läßt sich ähnliches sagen wie zu ἀκάθαρτος.

μὴ ἅπτεσθε Während die Aoriste ἐξέλθατε und ἀφορίσθητε ingressive Bedeutung[81] haben, drückt das Präsens μὴ ἅπτεσθε das Aufhören von

78 Mit 2 Sam 7,14 ist in 2 Kor 6,18 die Nathansverheißung aufgenommen und auf die Gemeinde übertragen, so daß ihr schon jetzt die Sohnschaft zugesprochen ist. In Qumran wird 2 Sam 7,14, wie auch in Hebr 1,5, in messianischem Sinn auf den davidischen Messias gedeutet; zur Aufnahme und Deutung von 2 Sam 7,14 in Apk 21,7 s. SCHÜSSLER- FIORENZA, a.a.O. 362f.

79 Vgl. dazu auch J. H. NEYREY, Paul 54f; er gibt eine Zusammenstellung der Aussagen zur (Un-)Reinheits-Begrifflichkeit im NT, aus der auch das Gewicht dieser Terminologie im Abschnitt 2 Kor 6,14 - 7,1 erkennbar wird.

80 Vgl. Karl Heinrich RENGSTORF, Art. ζυγός κτλ., in: ThWNT II 898-904; ζυγός sonst im NT noch Mt 11,29.30; Apg 15,10; 1 Tim 6,1; Apk 6,5; vgl. auch Did 6,2; 1 Klem 16,17.

81 Vgl. BDR § 337,1.

schon Bestehendem aus[82]. Die Korinther sollen also entschlossen die gottesdienstliche Gemeinschaft mit den Gegnern des Apostels und so den Kontakt mit Unreinen aufgeben[83].

μολυσμός — im NT nur an dieser Stelle; vgl. aber μολύνειν in 1 Kor 8,7; Apk 3,4; 14,4; im AT bezeichnet das Verb die kultische Verunreinigung (vgl. Jes 65,4; Jer 23,11; 2 Makk 14,3; vgl. auch 1 Kor 8,7) und die Entheiligung (Tob 3,15; 2 Makk 6,2); das Substantiv meint die Verunreinigung durch Kontakt mit Heidnischem (3 Esr 8,80; 2 Makk 5,27). Dieser Aspekt ist auch in 2 Kor 7,1 bedeutsam (vgl. 6,14). Generell wird vor "jeder Befleckung" gewarnt[84].

Neben der "Mahnung zur Reinheit/Meidung von Unreinheit" läßt sich auch an den verwendeten Schriftzitaten (Lev 26,11f; Jes 52,11; Ez 20,34; 2 Sam 7,14 [2 Sam 7,8]) und vor allem an der Terminologie erkennen, wie stark der Abschnitt ekklesiologisch ausgerichtet ist: neben die Eingangsaufforderung tritt in den rhetorischen Fragen das Wortfeld μετοχή - κοινωνία - συφώνησις - μέρις - συγκατάθεσις, das Teilhabe/ Gemeinschaft/Konsens umfaßt[85]. In diesen rhetorischen Fragen stellt es das Nicht-Vorhandensein von Gemeinschaft mit dem Heidnischen heraus. Das Motiv "Gemeinschaft"[86] wird in V 17b auf Gott selbst hin angewandt: 'Wenn ihr euch absondert und nichts Unreines anrührt, will ich euch aufnehmen'[87]. V 18 entfaltet diesen Gedanken der Aufnahme in die

---

82 Vgl. BDR § 336,2c.

83 Vgl. WOLFF, 2Kor 151; er weist hin auf ἀφορίζεσθαι in Gal 2,12 (vgl. oben Kap. 5.3). Zu Recht sieht WOLFF in der Umstellung der Weisung μὴ ἅπτεσθε an das Ende - bei Jesaja steht sie voran - und in der neuerlichen Zitationsformel eine Hervorhebung dieses Befehls.

84 Vgl. WOLFF, 2Kor 152.

85 συφώνησις, συγκατάθεσις und μετοχή im NT nur hier, aber das Verb μετέχειν bei Paulus mit κοινωνία verbunden in 1 Kor 10,16f ähnlich wie hier die Verbindung μετοχή und κοινωνία; κοινωνία bei Paulus in ähnlichem Sinn neben 1 Kor 10,16 noch 1 Kor 1,9; 2 Kor 8,4; 9,13; Gal 2,9; Phil 1,5; 2,1; μέρις noch Kol 1,12 in der Wortverbindung εἰς τὴν μερίδα τοῦ κλήρου τῶν ἁγίων; aber μέρος bei Paulus in ähnlichem Sinn wie hier μέρις in Röm 11,25; 1 Kor 12,27; ebenso Eph 4,16.

86 Zu Recht sagt v. DOBBELER, Glaube 245: "Das Thema 'keine Gemeinschaft' durchzieht den ganzen Abschnitt."

87 Hier liegt nicht ein direktes Zitat vor, sondern die "Übernahme eines alttestamentlichen Gedankens" (vgl. Hos 8,10; Mich 4,6; Sach 10,8.10; Jer 23,3; Ez 11,17), mit dem V 18 vorbereitet wird (vgl. WOLFF, 2Kor 151; Zitat ebd.).

Gemeinschaft mit Gott. Dem Gedankengang folgt nach den alttestamentlichen Zitaten die paränetische Konsequenz (7,1).

Thema dieses paränetischen Abschnitts ist die Identität der Gemeinde, die in der deutlichen Absonderung von den Nicht-Glaubenden (Götzen, Gesetzlosigkeit, Finsternis, Beliar) beruht (VV 14-16)[88]. Damit nimmt 6,14ff die in 6,1 begonnene Paränese wieder auf: Es geht hier also um die Abwendung der in 6,1 angesprochenen Gefahr, daß die Korinther die Gnade Gottes vergeblich empfangen haben[89]. Die sprachliche Variation in diesem Abschnitt drückt die Radikalität der ausgesagten Forderung aus: In keiner Weise darf es Gemeinschaft mit den Heiden geben, also über die Grenzen der Gemeinde hinaus. Die Tempelaussage in 6,14, die Formulierung ἐξελθεῖν ἐκ τοῦ μέσου αὐτῶν (6,17a), die Aufforderungen, sich abzusondern (6,17a: ἀφορίζειν) und nichts Unreines anzurühren (6,17b) sowie die paränetische Konsequenz in 7,1, sich von aller Befleckung des Fleisches zu reinigen und die Heiligung zu vollenden, lassen erkennen, daß der Autor hier an die kultische Reinheit der Gemeinde gedacht hat. Es geht nicht um Beziehungen zu den Heiden schlechthin, sondern um solche, in denen Reinheit und Heiligkeit der Gemeinde gefährdet ist. Wie schon an anderen Stellen aus Paulusbriefen, an denen kultische Terminologie in ekklesiologischem Kontext oder auch zur Formulierung ekklesiologischer Aussagen begegnet, geht es hier um die Identität der Gemeinde angesichts der Gefährdungen durch eine heidnische Umwelt. A. v. DOBBELER ist zuzustimmen, wenn er als Intention dieses Abschnitts das zentrale Anliegen des Paulus sieht, "die Konsolidierung der frühchristlichen Gemeinschaft als einer unter den vielen religiösen Vereinen identifizierbaren Gruppe nicht durch Anpassung oder Vermischung zu gefährden"[90]. Der Abschnitt betont somit deutlich die Exklusivität der Gemeinde, weil sie Gottes ist; zugleich ist Gott auch derjenige, der die

---

88 Vgl. BERGER, Bibelkunde 386.

89 Vgl. v. DOBBELER, Glaube 244; auch WINDISCH, 2Kor 218 (fragend); THRALL, Problem 144; KÜMMEL, Einleitung 253f; vgl. hier bes. MURPHY-O'CONNOR, Relating 273.275; anders WOLFF, 2 Kor 148f, der eher eine Verbindung mit VV 11-13 vermuten möchte.

90 v. DOBBELER, a.a.O. 245.

Gemeinde qualifiziert[91]. Gerade darin sieht Paulus ein Wesensmerkmal der Gemeinde Gottes.

Da Paulus an anderen Stellen seiner Briefe ekklesiologische Aussagen mit Hilfe vom Kult entlehnter Kategorien formulieren kann, ist dies, neben den anderen angeführten Gründen, ein wichtiges Indiz dafür, daß der Abschnitt 2 Kor 6,14ff auf Paulus selbst zurückgeht.[92] Möglicherweise hat er dabei vorgeprägte Tradition aufgenommen.[93] Entscheidend aber ist das hier von Paulus vertretene Grundanliegen: Die Gemeinde wird mit dem Tempel identifiziert[94] und ist als Ort der Gegenwart Gottes (Tempelbegriff u. Wohnvorstellung in 6,16) reinzuhalten von den ἄπιστοι, d.h. von denen, die das Evangelium ablehnen[95]. Anders als in 1 Kor 3,16f ist die

---

91 Vgl. ναὸς θεοῦ: Genitivus possesivus und qualitatis.

92 DE OLIVEIRA, Diakonie 333-335, widerlegt die Argumente, mit denen man die Perikope 2 Kor 6,14 - 7,1 aus dem Kontext auszuscheiden versucht, und stellt die Frage: "Warum aber die Perikope gerade zwischen die zusammengehörenden V. 6,13 und 7,2 eingeschoben wurde, bleibt bei all diesen Lösungen unbeantwortet." Schließlich kommt er zu der Feststellung, die Perikope stehe "nicht nur an der richtigen Stelle, sondern ohne sie wäre der bis jetzt in der Form einer rhetorischen Rede aufgebaute Brief sogar unvollständig" (ebd. 335). DE OLIVEIRA sieht die VV 6,14 - 7,1 als "indignatio" an (ebd. 336). - Vgl. G. SASS, a.a.O. 63, der entschieden dafür plädiert, den Text "als ein wichtiges Beispiel paulinischer Paränese und paulinischen Schriftgebrauchs" zu verstehen.

93 Vgl. KLAUCK, 2Kor 61; WOLFF, 2Kor 146-149; BERGER, Formgeschichte 130, sieht die "postconversionale Mahnrede", zu der er 2 Kor 6,14ff rechnet, "noch immer ganz am Zeitpunkt des Wechsels orientiert, (. . .) also ein echter *reditus ad baptismum*" (ebd., Hervorhebung von BERGER). In der "postconversionalen Mahnrede", vor allem in ntl. Briefen (mit Spuren auch im LkEv), werden die Angeredeten gemahnt, "sich dem vollzogenen Wandel gemäß zu verhalten" (ebd.).

94 In der Identifizierung der Gemeinde mit dem Tempel sieht SASS, a.a.O. 55, zu Recht den "Dreh- und Angelpunkt für das inhaltliche Verständnis des ganzen Abschnitts".

95 Hier bindet DE OLIVEIRA die "Ungläubigen" in die übrige Argumentation des Paulus im 2Kor ein, indem er diese Kennzeichnung auf die Gegner bezieht; gegen THRALL, Problem 143ff; PLUMMER, 2Cor 206; LAMBRECHT, Fragment 160; FURNISH, 2Cor 279.382; LANG, Kor 310; sie lehnen die Auslegung des sonst auf die Nichtchristen bezogenen ἄπιστοι auf die Gegner ab.- Auch MCDONALD, Paul 46f, interpretiert 6,11-13 und 6,14-7,1 wie DE OLIVEIRA im Sinne der jeweils zur abschließenden peroratio gehörenden conquestio und indignatio, scheint aber 6,14-7,1 mindestens ursprünglich nicht als Angriff gegen die Gegner des Paulus in 2Kor zu verstehen. - Für unsere Untersuchung ist es letztlich zweitrangig, wer mit den ἄπιστοι von Paulus gemeint ist; entscheidend

Tempelaussage hier in der 1. Person Plural formuliert, so daß sich Paulus mit der Gemeinde zusammenschließt. Die Konjunktion γάρ leitet die Tempel-Aussage ein, so daß V 16b die vorausgehende Mahnung begründet und die rhetorischen Fragen 14b-16a aufgreift. Die Auswahl der nachfolgenden Schriftzitate in V 16d (Lev 26,11f/Ez 37,27) und V 17 (52,11) dürfte ebenfalls durch das vorausgehende Tempelmotiv beeinflußt worden sein. In V 16d kommt es dabei zur Aufnahme der Tempelwohnvorstellung. Die Gemeinde ist deshalb Tempel Gottes, weil Gott in seinem Geist in ihr Wohnung genommen hat. Das Tempelmotiv aus V 16 wird die Aufnahme des Jesaja-Zitates in V 17 mit der kultisch konnotierten Terminologie hier (ἀφορίζειν, ἀκάθαρτος) und in der abschließenden Mahnung (καθαρίζειν, μολυσμός) begünstigt haben[96].

Wenn der Abschnitt 2 Kor 6,14 - 7,1 den Adressaten eine radikale Abkehr von allem Heidnischen abfordert, scheint der Text damit in Widerspruch zu einer anderen Stelle zu stehen (1 Kor 5,9-13), wo Paulus gerade den völligen Rückzug aus der Welt ablehnt, aber dennoch auch für die Bewahrung der gefährdeten Heiligkeit der Gemeinde eintritt[97]. Die in 2 Kor 6,14ff verlangte Abkehr vom Heidnischen kann deshalb nur als Abgrenzung im religiösen und ethischen Bereich verstanden werden, "d.h. eine entschiedene Abkehr von allem, was mit Götzendienst zu tun hat, und von allen Lastern der Umwelt, um ein wirklich heiliges Leben in der Gemeinschaft des heiligen Volkes zu führen". Die Aufforderung zur Abkehr von den Götzen bei gleichzeitiger Hinwendung zu Gott findet sich auch sonst bei Paulus (1 Thess 1,9; 1 Kor 10,21), wie dem Indikativ der Gnade allenthalben der Imperativ der Heiligung folgt (z.B. 1 Thess 3,11-13; Phil 2,13-15; vgl. 1 Kor 3,16f).[98]

ZUSAMMENFASSUNG zu 2 Kor 6,14 - 7,1: (1) In diesem Abschnitt begegnet durchaus *paulinische Theologie*. Die präsentische Aussage "*Wir* sind der Tempel Gottes" unterscheidet sich deutlich von vergleichbaren

---

ist, daß es sich um solche handelt, die den Bestand der Gemeinde gefährden, da sie deren Reinheit und Heiligkeit verletzen.

96 Vgl. SASS, a.a.O. 55.

97 Zu 1 Kor 5 s. Kap. 5.1.

98 Vgl. RECK, Kommunikation 294; Zitat ebd. Auch die das μὴ γίνεσθε ἑτεροζυγοῦντες ἀπίστοις auslegenden Gegensatzpaare (2 Kor 6,14-16a) seien ganz von religiös-sittlicher Begrifflichkeit geprägt, womit der Interpretationshorizont für die nachfolgende Schriftkatene festgelegt sei (vgl. ebd.). - Vgl. SASS, a.a.O. 58f: es gehe Paulus "hier wie dort nicht um allgemeine Kontakte mit der Welt (. . .), sondern um engere verbindliche, prägende Gemeinschaft", eben die Verhinderung von Gemeinschaft mit dem Bösen im Miteinander in der Gemeinde wie im Kontakt nach außen.

Aussagen frühjüdischer Texte[99] und hat ihre nächste Parallele in 1 Kor 3,16f. Die Identifizierung der Gemeinde mit dem Tempel ist die Schlüsselstelle des Abschnitts, da Paulus die Gegenwart Gottes im Geist in der Gemeinde als das unterscheidende Merkmal der Ekklesia herausstellen möchte. (2) Wenn 1 Kor 5 und 6 die Reinheit und Heiligkeit der Gemeinde nach innen mit Hilfe kultischer Terminologie unterstreichen, so liegt in 2 Kor 6,14ff dazu die entsprechende Abgrenzungsaussage nach außen vor: Duldet weder unter euch und erst recht nicht nach außen solche Beziehungen, die die Reinheit und Heiligkeit der Ekklesia in Frage stellen. Paulus geht es um das pragmatische Anliegen, daß der Gemeinde als Ort der Gegenwart Gottes Exklusivität zukommt, und daß deshalb ihre Reinheit und Heiligkeit vor Kontakt mit dem Bösen, hier dem Heidnischen außerhalb der Gemeinde, zu bewahren ist. K. BERGER bezeichnet den Abschnitt zu Recht als "postconversionale Mahnrede"[100]. Bemerkenswert ist, daß solche Art der Paränese kultisch konnotierte Terminologie nutzt, um den erreichten Stand der Gemeinde in Heiligkeit und Reinheit durch Abgrenzung zu sichern (1 Kor 5,7f; 6,9-11; Röm 6,17-19 mit den Stichworten ἀκαρθασία, ἁγιασμός und ἁγιός; zu Röm 12,1f vgl. Kap. 7.2). Diese Rolle in derartigen Mahnreden kommt der kultischen Terminologie deshalb zu, weil hierin der unzweideutige Ausdruck der Zugehörigkeit zu Gott gegeben ist, die sich die Gemeinde in Erinnerung rufen soll. So gesehen hat die kultische Terminologie im jeweiligen Kontext *sinnstiftende Funktion*. Auf diese Weise wird deutlich, worin die Gemeinde gründet, nämlich im Heilsgeschehen in Christus, durch das der Ekklesia Gottesnähe zukommt. (3) Die auffällige Terminologie mit den Hapaxlegomena (s.o.) könnte darauf hinweisen, daß Paulus hier vorgeprägte Tradition verarbeitet hat.

99 Vgl. den nächsten Punkt 6.4.

100 K. BERGER, Formgeschichte 130. Zur "postconversionalen Mahnrede" zählen nach BERGER u.a. 1 Thess 4,3-12 (13-18); 5,1-13; Röm 12,1-13. Restelemente dieser Form begegnen in 1 Kor 6,9-11; Röm 6,17-19; 1 Kor 5,7f. Zur Vorgeschichte der Gattung a.a.O. 134f.

6.4 Die Wendung ναὸς θεοῦ und die Tempelaussagen

Im folgenden werden die zu 1 Kor 3,16f und 6,19 sowie zu 2 Kor 6,16 gemachten Beobachtungen zusammengefaßt[101] und ein Überblick zu den Tempelaussagen gegeben. In den letzten Jahrzehnten ist der Begriff "Tempel" genau untersucht worden, nicht zuletzt durch die Arbeiten von Bertil GÄRTNER und Georg KLINZING[102].

Der erste Tempel war für Israel mehr als das sichtbare Zeichen der Gegenwart Gottes mit seinem Volk. Durch den Tempel war das historische Jerusalem die Stadt Gottes (Ps 45,5; Jdt 13,7), in der die "Herrlichkeit Gottes" thronte (1 Kön 8,10-13). Mit der Überführung der Bundeslade in den Tempel wurde es zur heiligen Stadt Jahwes (2 Sam 24), "zum heiligen Ort seiner Gegenwart mitten im Volk"[103]. Der Tempel war so der Ort der Gegenwart Gottes, wo man sich Gott nahen und ihm im Kult begegnen konnte. Die Tempeltheologie bestimmte auch die eschatologischen Erwartungen der Propheten. Die vorexilischen Aussagen der Propheten wenden sich gegen ein abergläubiges Vertrauen auf den Tempel (Jer 7,1-16.21-28; Micha 3,12 vgl. Jer 26,18). Im Mißerfolg Sanheribs vor den Mauern Jerusalems (701 a.Chr.) sah man den Schutz Jahwes über die heilige Stadt (2 Kön 19,32-34; Jes 37,33-35) und zog aus dieser Bewahrung den Schluß, Jahwe würde seine Stadt weiter mit Sicherheit beschützen. Ezechiel dagegen spricht in seinen Visionen von der Beweglichkeit

---

[101] Die Wendung ναός θεοῦ begegnet in 1 Kor 3,16f; in 1 Kor 6,19 und in 2 Kor 6,16 (bis). ναός im NT sonst: im Corpus Paulinum Eph 2,21; 2 Thess 2,4; sonst Mt 23,16.17.21.36; 26,61 u. 27,40 (par Mk 14,58; 15,29; Joh 2,19.20.21); Mt 27,5.51 (par Mk 15,38; Lk 23,45); Lk 1,9.21.22; Apg 17,24; 19,24; Offb 3,12; 7,15; 11,1.2.19; 14,15.17; 15,5.6.8; 16,1.17; 21,22.

[102] Vgl. auch O. MICHEL, Art. ναός, in: ThWNT IV 884-895, bes. 891 mit Anm. 25; s. auch die weiterhin gültigen Aussagen von WENSCHKEWITZ, Spiritualisierung 122-126, zur "Spiritualisierung" des Tempelbegriffs in der Stoa; WENSCHKEWITZ hält zum paulinischen Gedanken der Gemeinde als Tempel Gottes mit Recht fest: "Weder in der Stoa noch bei Philo treffen wir diesen Gedanken, denn hier war alles auf den Einzelnen, auf das Individuum eingestellt" (a.a.O. 176); WENSCHKEWITZ verweist vor allem auf Seneca, Epistulae morales (Ep 41,2; 65,24; 66,12; 73,16 u.a.m.), und schließt daraus: "wenn auch das Wort 'Tempel' in diesem Zusammenhang nicht gebraucht wird, . . . so ist der Sache nach die Vorstellung von der Seele als Tempel erreicht".

[103] J. SCHREINER, Sion-Jerusalem. Jahwes Königssitz (StANT VII), München 1963, 67.

der Herrlichkeit Gottes, daß die Herrlichkeit Gottes den Tempel verläßt (1,4-27; vgl. 10,18; 11,22f). Der Prophet spricht zugleich die Verheißung aus, daß Gott sein Heiligtum auf ewig mitten unter sein Volk stellen wird (37,26). Die Verheißung vom Wohnen Gottes unter den Menschen wird mit der Bundesformel verbunden (37,27). Der sogenannte Verfassungsentwurf Ezechiels (Ez 40-48) beschreibt den zukünftigen Tempel in allen Einzelheiten (40-42), in den er Gott zurückkehren sieht (Ez 43) und dessen Wesen Gottes Gegenwart sein wird; er stellt die Aufgaben des Tempelpersonals (Ez 44) heraus und unterstreicht die Scheidung des Profanen von allem Heiligen (Ez 44,23).

Für die nachexilischen Propheten ist der Tempel die Stätte, an der Jahwes Herrlichkeit wohnen wird und zu der die Völker hinströmen werden. Hierhin werden sie ihre Gaben bringen, und der Messias wird hier seinen Einzug halten (Jes 56,6-8; Hag 2,7 und Sach 2,14-17). Daß der Tempel ohne die verheißene Herrlichkeit blieb, trug mit dazu bei, daß sich unterschiedliche Strömungen im Frühjudentum herausbildeten, um diese ausgebliebene Verheißung zu verarbeiten.

Eine dieser Gruppen ist die Gemeinde von Qumran, die sich selbst als die konkrete Darstellung des wahren Tempelheiligtums versteht. Da sie sich in der Zeit des Frevels vom verunreinigten Tempel und Opferdienst gelöst hat (vgl. als Gründe CD IV,18; V,6f; 1 QpHab XII,7-9), beansprucht sie, als einzige Stätte des würdigen und gottgefälligen Gottesdienstes die Stelle des Tempels einzunehmen.[104] Vor allem in der Sektenregel (1 QS 8,5ff; 9,3f u.a.m.) begegnet die "Umdeutung" der Begriffe "Heiliges" und "Allerheiligstes", die zusammen den Raum des Tempels bilden, vom tatsächlichen Tempel auf die ausgegrenzte, von Gott erwählte Heilsgemeinde. Zugleich ist die "Umdeutung" der Tempelsymbolik auf die Gemeinde verknüpft mit der Mahnung zur Absonderung. Diese ist die Bedingung dafür, daß diejenigen, "die in Vollkommenheit wandeln", vereint werden "als Allerheiligstes und ein Haus der Gemeinschaft für Israel" (1

---

[104] Die völlige Ablehnung des Jerusalemer Tempels hat aber offenbar im Laufe der Zeit einer differenzierteren Haltung Raum gegeben, die sogar die Sendung von Votivgaben an den Tempel ermöglichte. "CD VI,11-20, oft als absolute Ablehnung des Tempels verstanden, kann einfach als Absage an einen nicht richtig durchgeführten Kult gesehen werden", so G. STEMBERGER, Pharisäer 125.

QS 9,6). Als kultisch abgesonderte Tempelgemeinde hat die Qumrangemeinschaft kultische Funktionen, wodurch sie sich wesentlich von der jungen, sich auf Christus gründenden Gemeinde unterscheidet. Die Gemeinde von Qumran hat den Auftrag, "Sühne zu schaffen für alle, die sich willig erweisen zum Heiligtum in Aaron" und zu "verdammen, die das Gebot übertreten" (1 QS 5,5-7). Da die Qumrangemeinde in diesem kultischen Sinn ihren Dienst als einen priesterlichen versteht, ohne daß dies aber explizit gesagt wird, können nur kultisch reine Personen in die Tempel-Gemeinde aufgenommen werden, die wie die levitischen Priester keine körperlichen Gebrechen haben (1 QSa 2,3-11)[105]. Dabei ist die Ausdrucksweise "darf nicht in die Gemeinde Gottes eintreten/kommen" (hebr. בוא בקהל) äußerst bemerkenswert, da hier für die heilige Gemeinde Gottes Zulassungsbedingungen formuliert werden, die sich stark an Dtn 23,2-9 anlehnen[106]; daran schließt sich zusätzlich die Begründung an, daß "die Engel der Heiligkeit in ihrer Mitte" sind (1 QSa 2,8f).[107] In der wichtigen Auslegung von Dtn 23 in 4 Q flor 1,1ff ist neben dem Ausschluß von Ammonitern, Moabitern, Bastarden, Ausländern und Fremdlingen positiv nur denen der Zugang zur Gemeinde erlaubt, "die den Namen Heilige tragen" (4 Q flor 1,4). Hier in 4 Q flor geht es (wie auch in 1 Klgl 1,10) außerdem um das "Heiligtum". Offensichtlich steht an all den bisher genannten Stellen "die religiös-sittliche persönliche Qualität" im Vordergrund, d.h. der Gemeinde wird mit dem Begriff "Stätte des Allerheiligsten Aarons" ein Idealbild vor Augen gestellt.[108]

Die Verbindung von Tempelsymbolik und Wohnvorstellung findet sich häufig in der Tempelrolle (Kol 29,8-10; 45,12f; 46,3f.11f; 47,4.11.18; 51,7f; 52,16; 53,8-10 u.a.m.):

---

[105] Der hier in 1 QSa 1,25-2,11 genannte Katalog von Zulassungsbedingungen geht über die in Dtn 23,2 genannten Defekte "Entmannung und Verstümmelung" weit hinaus.

[106] Vgl. hierzu auch K. BERGER, Volksversammlung 188f.

[107] Diese Begründung ersetzt Texte wie Dtn 23,15 (Lev 26,12); die "Gemeinschaft mit den heiligen Engeln" ist auch für das frühchristliche Verständnis der Begriffe ἅγιοι und ἐκκλησία von Bedeutung; s. dazu Kap. 4.

[108] Vgl. F. NÖTSCHER, Heiligkeit 139; Zitat ebd. - S. dazu oben in Kap. 4.2 die Darlegungen zum Wortfeld "heilig/heiligen/Heiligkeit".

> [und ich] werde sein für sie ......[. . . --] (8) mit ihnen auf immer und ewig. Und ich will heiligen mein [Heili]gtum mit meiner Herrlichkeit, da ich wohnen lassen werde (9) über ihm meine Herrlichkeit bis (?) zum Tag des Segens (?), an dem ich (neu) schaffe mein Hei[ligtum (?),] (10) um es mir zu bereiten für all[ez]it entsprechend dem Bund, den ich geschlossen habe mit Jakob in Bethel. (TR Kol 29,8-10)[109]

Hier wird eindeutig vorausgesetzt, "daß der befohlene Tempelbau für die Zeit nach der Landnahme, nicht aber als endzeitliches Heiligtum gedacht war, und bis zum Eschaton, dem 'Tag des Segens', bestehen sollte". Für die Heilszeit werde Gott dann einen neuen Tempel für immer schaffen.[110]

> So warnet die (6) Israeliten vor all den Unreinheit{en}! ---- Sie sollen sich nicht verunreinigen an den (Dingen), die (7) ich dir ansage auf diesem Berg, und nicht unrein werden. ---- Da ich, JHWH, einwohne (8) inmitten der Israeliten, darum heiliget euch und seid heilig, und sie sollen nicht zum Greuel machen (9) sich selber durch alles, was ich ihnen zur Unreinheit ausgesondert habe, damit (10) sie Heilige werden. (TR Kol 51,6-10)

Hier in Kol 51,6-10 begegnen nicht nur verschiedene Schriftzitate (Num 35,34; Lev 11,43ff; 20,25), ein "Konglomerat" (Yadin) aus biblischen Aussagen, die vom Wohnen Gottes unter den Menschen und von der Forderung der Heiligkeit sprechen, sondern neben das Motiv der Wohnvorstellung tritt das der Heiligung und Selbstheiligung durch Bewahrung der Reinheit mit dem erklärten Ziel, "Heilige zu werden".

J. MAIER hat den tieferen Grund für die Aufnahme der Tempelsymbolik und der priesterlich-kultischen Motive in das theologische Selbstverständnis der Gemeinde aufzuzeigen versucht. Nach ihm könnte die "Umdeutung" des Tempel- und Kultmotives auf die Gemeinde "dem Inhalt nach auf priesterliche Traditionen, der Ursache nach vor allem auf das Problem der Endzeitverzögerung zurückzuführen sein"[111]. In Fortführung

---

109 Übersetzungen nach J. MAIER, Die Tempelrolle.

110 Vgl. J. MAIER, Tempelrolle 89f, Zitat ebd., mit Verweis auf Yigael YADIN, Megillat ham-Miqdas. The Temple Scroll Vol. I, Jerusalem 1977, 140-144 u. z.St., wo auch die Bezüge zum Jubiläenbuch (vor allem Jub 1,17.27) erörtert sind.

111 J. MAIER, Begriff 166. - Anders P.v.d. OSTEN-SACKEN, Gott und Belial. Traditionsgeschichtliche Untersuchungen zum Dualismus in den Texten aus Qumran (StUNT 6), Göttingen 1969, 232 Anm. 1, der die Endzeitverzögerung kon-

des Ansatzes von J. MAIER kommt H.-W. KUHN[112] in seiner Untersuchung der Gemeindelieder von Qumran zu dem Schluß, daß das priesterliche Selbstverständnis und die Übertragung der Tempelsymbolik auf die Qumrangemeinschaft bedeutet, daß der Qumranfromme, wenn er in der Gemeinde steht, schon in der Heilsphäre Gottes lebt, und so in ihr schon das eschatologische Heil Gottes als gegenwärtig erfährt. "Von der Ineinssetzung von irdischem und himmlischem Heiligtum lag es dann für den sich als *diensttuenden Priester* verstehenden Qumran-Frommen besonders nahe, das Sein in der Gemeinde auch als himmlischen Aufenthalt zu deuten. Aber weil der Qumran-Fromme zugleich Apokalyptiker war, behauptete er damit auch das eschatologische Heil als für sich schon gegenwärtig."[113] Die Erfahrung des Ausbleibens und der Verzögerung erleichterte die Zusammenschau von Jetzt und Dann im kultischen Geschehen von Qumran. Die kultischen Motive bringen für Qumran "das Hereinragen des Heiles in die Gegenwart der Gemeinde zum Ausdruck"[114]. Zwar wird nach H.-W. KUHN in den Gemeindeliedern von Qumran neben den eschatologisch-gegenwärtigen Aussagen auch das "Noch-Nicht" des Heils betont, doch tritt die rein futurische Erwartung stärker in den Hintergrund.[115]

---

kret als das "Ausbleiben des als unmittelbar bevorstehend geglaubten eschatologischen Krieges" zu erklären versucht.

[112] H.-W. KUHN, Enderwartung, bes. das Kapitel "Der Sinn und das Aufkommen der besonderen Eschatologie", 176-188; vgl. auch den Exkurs I "Die Gemeinschaft mit den Engeln in den Qumrantexten", 66-72.

[113] H.-W. KUHN, a.a.O. 184. - Weiter führt er aus (185), daß entsprechend dem hebräischen Raum- und Zeitverständnis" auf Grund der 'Tempelsymbolik' die Gemeinde der Ort ist, "wo die strenge Scheidung zwischen Erde und Himmel, zwischen Jetztzeit und eschatologischer Heilszeit nicht zutrifft". So könne man davon sprechen, "daß der Fromme in den Himmel versetzt ist (1 QH 3,20), in der Gemeinschaft mit den Engeln vor Gott steht (passim) und ihm schon die eschatologischen Heilsgüter zum Besitz gegeben sind (1 QS 11,5ff.)". (a.a.O. 185)

[114] SCHÜSSLER-FIORENZA, Priester 413; in der Apk werde dieser Sachverhalt "nicht wie in Qumran durch das kultische Motiv, sondern durch den βασιλεία-Gedanken ausgedrückt". Zur Gemeinde als βασιλεία für Gott in der Apk vgl. SCHÜSSLER-FIORENZA, a.a.O. 413ff.

[115] Vgl. KUHN, a.a.O. 186.

GÄRTNER[116] hat, speziell zu 1 Kor 3,16f, auf Parallelen zu Qumrantexten verwiesen. Dabei sieht er zunächst Ähnlichkeiten zwischen 1 Kor 3,16f und 2 Kor 6,14-7,1 und von daher dann mit dem Tempelsymbolismus der Qumrangemeinde, eben unter der fraglos angenommenen Verbindung von 2 Kor 6,14-7,1 mit der Qumranliteratur. Weiter führt GÄRTNER[117] den Gedanken, daß der heilige Geist unter den Christen (als Tempel Gottes) wohne, auf die jüdische Schekinah-Vorstellung zurück und vergleicht ihn dann mit dem Qumran-Motiv, "daß die heiligen Engel in der Mitte der Gemeinde wohnen". KLINZING formuliert in seiner Kritik an GÄRTNER, man könne im Höchstfall "zu dem Ergebnis kommen, daß sowohl in Qumran (wenn hier auch nirgends betont!) als auch im Neuen Testament bei der Übertragung der Tempelvorstellung auf die Gemeinde an die Anwesenheit Gottes gedacht ist"[118].

Auch KLINZING zieht bezüglich 1 Kor 3 und der "Verwandtschaft" von 1 QS 8,4f; 11,8; 4 QpPs 37,3.15f mit dieser Stelle einen falschen Schluß, wenn er behauptet, "daß Paulus nicht von sich aus die Bilder zusammenstellte, sondern sie samt ihrer Anwendung auf die Gemeinde einer auf die Qumrantradition zurückgehenden Überlieferung entnahm"[119]. Die Bezeichnung "Verwandtschaft" führt bei KLINZING dazu, nicht zu beweisende traditionsgeschichtliche Abhängigkeiten der Paulus-Textstellen von der Qumrantradition zu postulieren. Auf Grund des vorliegenden Befundes kann man aber nur davon sprechen, daß die Stellen der Paulusbriefe und die entsprechenden Texte der Qumrangemeinde möglicherweise auf gleiche traditionsgeschichtliche Linien zurückgehen.

Besonders GÄRTNER hat auf den Zusammenhang von Tempelwohnvorstellung und dem Motiv von der Einwohnung Gottes bzw. des heiligen Geistes hingewiesen. Zu 2 Kor 6,16-18 vertritt Gärtner die These, daß hier bewußt nicht der Terminus ἱερόν, sondern ναός gewählt ist, um die Gemeinde nicht nur als Tempel, sondern als das Allerheiligste des Tem-

---

116 Bertil GÄRTNER, The Temple and the Community in Qumran and the New Testament, Cambridge 1965; zum folgenden 56f. - GÄRTNER (vgl. 50f) gehört zu jenen Autoren, die Paulus vorschnell eine "spirituelle" Nutzung des Konzeptes "Tempel" unterstellen, ohne das Wort "spirituell" genauer zu hinterfragen; vgl. bei GÄRTNER zu "spiritualization" 18f.

117 GÄRTNER, Temple 58f.

118 KLINZING, Umdeutung 171.

119 KLINZING, a.a.O. 168: "Die Verwandtschaft der angegebenen Stellen mit 1 Kor 3 ist vor allem deshalb so groß, weil hier wie dort eine ausgegrenzte eschatologische Gemeinde gemeint ist." Außer den genannten Stellen verweist er noch auf 1 QS 5,5f (Fundament, Tempel, Haus); 8,8f; 9,6 (Tempel und Haus ohne Bau-Motive); CD 3,19 (Haus, "bauen", aber bereits als Tempel verstanden). - Auch SCHÜSSLER-FIORENZA, a.a.O. 405, spricht davon, daß die "Übertragung des Tempelbegriffs auf die empirische Gemeinde, die sich vor allem in der ntl Briefliteratur findet", "durch qumranisches Denken beeinflußt sein dürfte".

pels[120] zu bezeichnen, das eine kubische Form hatte und in dem Jahwe unsichtbar anwesend war[121].

Aus den frühjüdischen Schriften sind als Aussagen von "Tempel/Heiligtum" in Verbindung mit der Gemeinde zunächst Jub 1,17 und Hen 91,13 zu nennen:

> Und ich werde erbauen mein Heiligtum in ihrer Mitte, und ich werde wohnen mit ihnen, und ich werde ihnen Gott sein, und sie werden mir mein Volk sein, welches in Wahrheit und welches in Gerechtigkeit. (Jub 1,17)

Hier ist die Tempelsymbolik ähnlich wie in 1 Kor 3,16f etc. mit der Wohnvorstellung verbunden, so daß mit Jub 1,17 ein Text vorliegt, der auf ähnliche traditionsgeschichtliche Linien zurückgeht wie die Stellen der Paulusbriefe (1 Kor 3,16f; 6,19; 2 Kor 6,14-16; auch Eph 2,22). G. SASS hat zuletzt darauf aufmerksam gemacht, daß der Kontext von Jub 1,17, nämlich Jub 1,15-26, in der Zusammenstellung der Zitate und vor allem auch in ihrer Interpretation "eine bemerkenswerte traditionsgeschichtliche Parallele" bildet zum Abschnitt 2 Kor 6,14 - 7,1.[122]

Auch in äthHen 91,13 klingt das Motiv der Anwesenheit Gottes unter den Menschen an, wenn auch hier in abgeschwächter Form:

> An ihrem Schluß erwerben sie Häuser durch ihre Gerechtigkeit, und ein Haus wird für den großen König in Herrlichkeit für immer erbaut werden. (äthHen 91,13)

---

[120] Vgl. GÄRTNER, a.a.O. 53.

[121] Vgl. SCHÜSSLER-FIORENZA, a.a.O. 407, mit Berufung auf: H. SCHULT, Der Debir im salomonischen Tempel: ZDPV 80 (1964) 46-54; M. NOTH, Könige (BK XII/2), Neukirchen 1965, 120f.; A. KUSCHKE, Der Tempel Salomos und der "syrische Tempeltypus", in: F. MAASS (Hg.), Das ferne und das nahe Wort (BZAW 105) (FS L. Rost), 1967, 124-132.131.

[122] Vgl. G. SASS, Noch einmal: 2 Kor 6,14 - 7,1, 45f, Zitat 45. In 2 Kor 6,14ff führe der Verfasser die Zitate nicht wie sonst zumeist als Schriftworte ein, sondern als direkte Gottesworte; dies entspreche Jub 1, wo sie Bestandteil der Gottesrede seien (a.a.O. 45). An beiden Stellen werde "die in vergleichbarer Weise veränderte und nun in einem eschatologischen Zusammenhang auf das ganze Volk bezogene Zusage aus 2 Sam 7,14 angeführt" (ebd.). SASS führt noch weitere Beispiele an.

Das Verhältnis von Philo von Alexandrien zum Tempel ist nicht leicht zu erfassen, da er sich in seinem Verhältnis zu dieser Kultinstitution als eine Grenzgänger-Existenz zwischen alttestamentlich-jüdischer und hellenistischer Begriffswelt darstellt. Auf der einen Seite schlägt sich in seinen Äußerungen zum Thema "Tempel" die Notwendigkeit des Tempels und seines Kultes nieder, wobei ihm die Tugendhaftigkeit des Opfernden wichtig ist (Cher 94). So kann Philo sagen: "Eile darum, meine Seele, Gottes Haus zu werden, ein heiliger Tempel." (Som I,149); oder Som I,215: "Es gibt anscheinend zwei Heiligtümer Gottes: das eine ist dieser Kosmos, dessen Hoherpriester sein erstgeborner Sohn, der Logos, ist, das andere die denkende Seele, deren Priester der wahre Mensch ist . . . ." Philo sieht in solchen Aussagen als den wahren Tempel kein Haus, sondern Welt und Seele, trotzdem läßt er aber dem empirischen Kult ein gewisses Recht zukommen.[123]

Josephus verwendet ναός unterschiedlich. Anders als Philo ist ihm der Tempel in Jerusalem vertrauter. Doch auch Josephus kennt neben dem realen Gebrauch von ναός, bezogen auf den Tempel als Gebäude (Bell V,207.209.211 u.a.m.) oder den Tempelbezirk (Bell VI,293), eine allegorisierende Ausdeutung des Tempels auf die Welt und von Teilen des Tempels auf Teile des Kosmos.[124]

6.5 Zusammenfassung zu den Tempelaussagen

Die Tempelaussagen in den Briefen des Paulus haben eine gemeinsame Struktur. Unter Berücksichtigung der Stelle Eph 2,22, die erst später ein-

---

[123] Vgl. I. HEINEMANN, Philons griechische und jüdische Bildung, 45ff; er führt noch Plutarch an (Tranq § 20), nach dem "der heiligste, Gottes würdigste Tempel das Weltall (ist); in ihn wird der Mensch durch Geburt eingeführt, um nicht unbewegliche Bildsäulen von Menschenhand zu schauen . . . "; Übersetzungen der Texte Philos und Plutarchs hier nach I. HEINEMANN. - Zum Verständnis Philos über das σῶμα s. oben in Kap. 6.2 die Ausführungen zum σῶμα-Begriff.

[124] Vgl. WENSCHKEWITZ, a.a.O. 86f; als Beleg wird neben Ant III,181ff und Bell V,213ff vor allem noch Bell V,458 angeführt; dort heißt es, die Zeloten erklärten dem Titus, sie fürchteten keine Eroberung der Stadt Jerusalem, die ja, wie Titus sage, zugrunde gehen müsse; denn Gott habe noch einen schöneren Tempel als diesen, nämlich die Welt.

gehend aufgegriffen werden soll (s. Kap. 8.1), läßt sich folgendes Schaubild[125] erstellen:

2 Kor 6,16	1 Kor 3,16	1 Kor 6,19	Eph 2,22
ναός	ναός (17: ἅγιος)	ναός	εἰς ναὸν ἅγιον .
θεοῦ . . .	θεοῦ . . .		
	τὸ πνεῦμα	2) ἁγίου πνεύματος	3) ἐν πνεύματι
	τοῦ θεοῦ	. . . ἀπὸ θεοῦ	2) τοῦ θεοῦ
ἐνοικήσω	2) οἰκεῖ		1) κατοικητήριον
ἐν αὐτοῖς	1) ἐν ὑμῖν	1) τοῦ ἐν ὑμῖν	

Aus diesem Schaubild und den vorhergehenden Textuntersuchungen ergibt sich:

(1) Die Aussagen stehen in Beziehung zum Geist Gottes (1 Kor 3,16; 6,19) bzw. zu Gott selber (2 Kor 6,16). Wenn vom Geist Gottes bzw. von Gott die Rede ist, wird vom Wohnen Gottes bzw. des Geistes gesprochen. So zeigen bei Paulus die "Tempelaussagen" bezogen auf die Gemeinde das "Wohnen Gottes" in ihr an.

(2) Die Aussagen werden zweimal mit einer geläufigen, pädagogischen Wendung des Diatribenstils eingeleitet, mit dem dialogischen οὐκ οἴδατε (1 Kor 3,16; 6,19). Auch in 2 Kor 6,16 kommt der Aussage eine ähnliche Funktion zu (γάρ). Diese Einleitungen der Tempelaussagen weisen auf die grundsätzliche und generalisierende Funktion dieser Aussagen hin: Alle drei Formulierungen dienen im jeweiligen Kontext dem ekklesiologischen Ziel der "Reinerhaltung der reinen Gemeinde", in der "der Geist Gottes wohnt". In 1 Kor 3,16 folgt der Tempelaussage sogar eine Fluchformel, um die Mahnung, die Gemeinde reinzuhalten, noch zu verschärfen. In 1 Kor 6,19 schließt die Aussage das Kapitel 6 mit der Thematik "Rechtsstreitigkeiten/ Ungerechte/Unzucht in der Gemeinde" ab, so daß 6,19f für Kap. 6 eine ähnliche Funktion zukommt, wie sie für Kap. 5 der

[125] Vgl. zum Schaubild KLINZING, a.a.O. 191. Die Reihenfolge der Worte ist z.T. um der Parallelen willen geändert. Die Zahlen geben dann die richtige Reihenfolge an.

V 13 hat. In 2 Kor 6,16 ist mit der Tempelaussage der Grund (γάρ) für die Warnung vor der Vermischung mit Gesetzlosigkeit, Finsternis, Ungläubigen und Götzendienst (2 Kor 6,14-16a) formuliert.

(3) In unserer Untersuchung zum Tempelbegriff und, damit verbunden, zur Tempelsymbolik haben sich interessante traditionsgeschichtliche Ähnlichkeiten entdecken lassen. Neben der Verbindung von Tempelsymbolik und Wohnvorstellung im Jubiläenbuch sind vor allem die Beobachtungen aus der Betrachtung der Tempelrolle festzuhalten.

Im Jubiläenbuch und in der Qumranliteratur erweisen sich die kultischen Deutungskategorien als Mittel der Identitätssicherung, d.h. als Mittel, die Anwesenheit Gottes in der Mitte der Gemeinde und so die Exklusivität der Gruppe gegenüber anderen, speziell den Heiden, auszudrücken. Für Qumran kommt als weiteres hinzu, daß man durch die Tempelsymbolik das Geschiedensein vom Jerusalemer Tempel "zu verarbeiten" sucht. Auch Paulus nutzt die Tempelaussagen und die damit verbundenen kultischen Kategorien zur Identitätssicherung der Gemeinde nach innen und außen. Denn die Einwohnung des Geistes Gottes ist für ihn Kennzeichen der Gemeinde und die Zugehörigkeit zur Ekklesia Merkmal des in Christus zuteil gewordenen Heiles (1 Kor 3,16f; 2 Kor 6,16).

(4) Für den Gebrauch der kultischen Deutungskategorien in den Briefen des Paulus, speziell den Tempelbegriff, lassen sich weitere Folgerungen festhalten. Für Paulus ist die Gemeinde der Ort, an dem Gott anwesend ist, und deshalb heiliger Ort. Während in Qumran wegen der Illegitimität des Jerusalemer Kultes mit der Nutzung kultischer Kategorien zugleich kultische Funktionen verbunden sind, nämlich "Sühne zu schaffen für das Land" (1 QSa 1,3) und "für alle, die sich willig erweisen" (1 QS 5,5f), ist für Paulus das in kultischen Kategorien Aussagbare in den angeführten ekklesiologischen Kontexten mit Gottes Anwesenheit und mit der Erfahrung dieser Gottesgegenwart für die Gemeinde verbunden. Wer diese Anwesenheit Gottes "verdirbt", zerstört oder einfach durch sein Handeln nicht achtet (vgl. 1 Kor 5 u. 6), ist aus der Gemeinde auszuschließen (1 Kor 3,16f; 5,13) bzw. erst gar nicht zur Gemeinde hereinzulassen. Auch hier geht es Paulus wieder darum, die Identität der Gemeinde zu

sichern, speziell gegenüber den Heiden bzw. heidnischen Verhaltensweisen.

(5) Paulus orientiert sein Denken von Heiligkeit grundsätzlich am Tempel als Heiligtum, aber nicht mehr am Tempel als Zentralheiligtum, von dem her verschiedene Grade der Heiligkeit konzentrisch abgestuft werden[126]. Auch hat der Jerusalemer Tempel für ihn durch das Christusgeschehen jede Heilsbedeutung verloren. Die Gemeinde ist für ihn ein "personaler Tempel"[127]. Anders als die Qumrangemeinde, die weiter von der Gültigkeit des Tempels, aber von der Ungültigkeit des dortigen Opferdienstes ausgeht, hat im Denken des Paulus eine räumliche Vorstellung von Heiligkeit, wie sie in Qumran noch zugrundeliegt, keinen Platz.

(6) Interessante traditionsgeschichtliche Ähnlichkeiten ergaben sich zwischen den Inhalten der Paulus-Briefe und der Tempelrolle, hinsichtlich der Verbindung von Tempelsymbolik und Wohnvorstellung (J. MAIER: "Tempelwohnvorstellung") und, damit verbunden, hinsichtlich der Reinhaltung der Gemeinde von inneren oder äußeren Verunreinigungen. Die angeführten traditionsgeschichtlichen Ähnlichkeiten weisen auf alttestamentlich-frühjüdische Vorstellungen als Leitidee hin, die Paulus bewogen haben, die Vorstellung vom "Tempel Gottes" auf die Gemeinde zu beziehen. Kennzeichen des paulinischen Sprachgebrauchs ist die Rede von der Einwohnung des Geistes im Tempel der Gemeinde und vom Geist Gottes als eschatologischer Gabe der Endzeit. Diese traditionsgeschichtliche Nähe zu alttestamentlich-frühjüdischen Vorstellungen schließt nicht aus, daß auch hellenistische, speziell stoische Gedanken[128] das paulinische Denken beeinflußt haben.

6.6 Zusammenfassung der bisherigen Untersuchung zur Heiligkeit der Gemeinde

Aus den Kap. 4 - 6, die allesamt die Gemeinde in ihrer Heiligkeit zum Thema gehabt haben, läßt sich folgendes zusammenfassen:

---

126 Vgl. HANSSEN, Heilig 196.

127 a.a.O. 196.

128 S. oben Anmerkung 102.

A. Paulus nutzt die Gemeindebezeichnungen οἱ ἅγιοι bzw. ἐκλεκτός, um die Sonderstellung der Gemeinde herauszustellen (vgl. Kap. 4.2), deren Wesensmerkmal Heiligkeit ist. Wie diese Heiligkeit der Gemeinde zukommt, ist an den betreffenden Stellen nicht ausformuliert. Für Paulus ist die Heiligung ein christologisches Geschehen, und sie beginnt mit der Bekehrung zu Christus und der Abkehr von den Götzen. Gottes Geist ist es, der die Heiligung bewirkt und der eine fortwährende heiligende Wirkung auf die Gemeinde ausübt[129].

B. Aus der Untersuchung von 1 Kor 3,16f und den übrigen Tempelaussagen bei Paulus kann gefolgert werden, daß die Heiligkeit der Gemeinde nach Paulus auf einer besonderen Erwählung Gottes beruht, so daß die Gemeinde zu einem besonderen unantastbaren Eigentum Gottes wird[130]. Die Heiligkeit der Gemeinde hat zur Folge, daß sie vor Entweihung bzw. Verunreinigung zu bewahren ist, da allein Gott über die Gemeinde verfügen darf. Von atl. bzw. frühjüdischen Kriterien, die einer Heiligung oder Heiligkeit entgegenstehen bzw. Entweihung zur Folge haben, übernimmt Paulus vor allem die Warnung vor Unzucht (vgl. 1 Kor 5 und 6).[131] Indem er die Unzucht als Sünde bewertet, der kultisch-rituelle Qualität zukommt, hat für ihn von den Bestimmungen aus Dtn 23,1-9 allein das Verbot der Unzucht als Unterscheidungsmerkmal der christlichen Gemeinde Gültigkeit behalten.

C. Paulus nutzt kultische Kategorien in ihrem ursprünglichen Sinn (Reinheit, Tempel- und Heiligkeitsaussagen etc.), um die Würde der Gemeinde herauszustellen, nämlich ihre Heiligkeit aufgrund der Erwählung Gottes. Wenn Paulus in Aussagen über die Identität der Ekklesia Gottes bewußt kultische Kategorien nutzt, zeigt dies, wie sehr sein Denken auch hinsichtlich der Ekklesiologie kultisch gesprägt ist. Ihm geht es gerade nicht um eine "Versittlichung"[132] oder "ethische Interpretation"[133] des

---

129 Vgl. oben Kap. 4.2 zum Wortfeld ἅγιος κτλ. im 1Thess.

130 Vgl. HANSSEN, a.a.O. 196.

131 Vgl. Aloys FUNK, Status 148-151: Es galt als "jüdisches Autostereotyp", daß die Heiden sich von den Juden durch ihre Unzucht unterscheiden. Vgl. oben S. 249.

132 WINDISCH, Art. ζυμή κτλ., in: ThWNT II 904-908, hier 906.

Kultischen, auch wenn die Identifizierung der Gemeinde mit dem Tempel ethische Implikationen hinsichtlich der Bewahrung der Reinheit und Heiligkeit der Gemeinde zur Folge hat. Allerdings sind die Modifikationen in seiner Verwendung der kultischen Terminologie zu beachten: Die christliche Gemeinde *ist* nun (personal, nicht räumlich wie in Qumran gesehen) der Bereich der Heiligkeit aufgrund des in Christus geschehenen Erwählungshandelns Gottes. Paulus geht es also um die Heiligung der Welt in der Entgrenzung des Kultischen und des kultischen Temenos.

D. Der entscheidende Wendepunkt im paulinischen Denken bei der Verwendung kultischer Begrifflichkeit zur Deutung ekklesiologischer Sachverhalte dürfte in der stark eschatologischen Ausrichtung seiner Theologie überhaupt liegen. Alles Kultische ist ent-eschatologisiert, weil in Christus das entscheidende Heilsdatum geschehen ist. Hier zeigt sich, daß Paulus die kultischen Kategorien in den ekklesiologischen Aussagen nicht "spiritualisierend" gebraucht. Denn er zieht keinen Vergleich zwischen Gemeinde und Tempel, sondern er kann in eigentlicher, sehr konkreter Rede die entscheidende Aussage machen: Die Gemeinde *ist* der Tempel Gottes, sie ist der Ort, an dem Gott in seinem Geist unter seinem Volk Wohnung genommen hat. Indem Paulus die Gemeinde als Ort der Gegenwart Gottes reklamiert, kommt diesen Aussagen eine ganz anders gelagerte Qualität als einer wie immer gemeinten bildlich-metaphorischen Redeweise zu. Es geht eben nicht um einen Vergleich "Tempel - Gemeinde", sondern um eine Identitätsaussage: Jetzt, in Christus, *ist* die Gemeinde Tempel Gottes. Alle alttestamentlichen Aussagen über den Tempel haben sich nun eschatologisch erfüllt, da Gott die Gemeinde als Ort des Wohnens seines Geistes auserwählt hat. Die Gemeinde *ist* Tempel, weil Gottes Verheißungen vom Wohnen unter seinem Volk (Lev 26,11; Ez 37,27; 2 Sam 7,14) jetzt eschatologisch Wirklichkeit geworden sind. In diesem Anspruch steht die urchristliche Gemeinde einzigartig und unvergleichlich da. Die kultische Terminologie hat in den behandelten Kontexten *sinnstiftende Funktion*, da sie unzweideutig auf den Sinngrund der Gemeinde im Heilsgeschehen verweist, durch das der Gemeinde die Gegenwart Gottes geschenkt ist.

---

[133] Vgl. diese Überschreibung zum Umgang Philos mit kultischen Begriffen bezogen auf Heiligkeit bei HANSSEN, a.a.O. 199.

7. ANDERE KULTISCHE TERMINI ZUR BEZEICHNUNG EKKLESIOLOGISCHER SACHVERHALTE

In den Paulusbriefen gibt es auch solche kultische Begrifflichkeit, die aus sich nicht explizit auf den Tempel hinweist, aber dennoch mit dem Vorstellungskreis "Tempel" in Verbindung steht. Hierhin gehören neben Röm 5,1f und 12,1f auch Phil 2,17; 3,3 und 4,18.

7.1 "Durch ihn haben wir Zugang zu der Gnade" (Röm 5,1f)

Die Stelle Röm 5,1f[1] ist bisher bei der Betrachtung von kultischen Deutungskategorien aus dem Vorstellungsbereich "Tempel" wenig beachtet worden, zumal wenn es um den ekklesiologischen Textzusammenhang gegangen ist:

> (1) Gerecht gemacht aus Glauben haben wir Frieden zu Gott durch unseren Herrn Jesus Christus. (2) Durch ihn haben wir auch im Glauben[2] den Zugang zu dieser Gnade erhalten, in der wir stehen, und rühmen uns der Hoffnung auf die Herrlichkeit Gottes.

Syntaktisch betrachtet bestehen diese Verse aus vier kurzen Verbalsätzen, die zum Teil präpositionale Bestimmungen enthalten. Eingeleitet werden die Verse durch die Partizipialkonstruktion δικαιωθέντες οὖν ἐκ πίστεως. Dieses Partizip im Aorist steht im Nominativ Plural und bezieht sich so auf das Prädikat des ersten Hauptsatzes (ἔχομεν), das wie die übrigen Verben von der 1. Person regiert wird. Der gesamte Abschnitt

---

1 Vgl. zu Röm 5,1f neben den Kommentaren bes. Michael WOLTER, Rechtfertigung und zukünftiges Heil: Untersuchung zu Röm 5,1-11, Berlin 1978 (BZNW 43), vor allem 105-126.

2 Trotz uneinheitlicher Bezeugung darf τῇ πίστει an dieser Stelle als gesichert gelten. WILCKENS bemerkt in seinem Kommentar (Röm I 290 Anm. 953): "Das Fehlen von τῇ πίστει in B D G it Or (lat) beruht wohl auf früher versehentlicher Auslassung. Falls die LA ursprünglich sein sollte, ist τῇ πίστει eine sekundäre Verdeutlichung des von Paulus Gemeinten." Ähnlich SCHLIER zur Stelle in seinem Kommentar 142.

Röm 5,1-11 wird von der 1. Person Plural bestimmt. Das Verb des ersten Hauptsatzes besteht neben ἔχομεν aus dem Prädikatsnomen εἰρήνην. Zwei präpositionale Bestimmungen, eingeleitet mit πρός und διά schließen sich an. Von diesem zweiten präpositionalen Ausdruck ist der mit δι' οὗ eingeführte Relativsatz abhängig, der eine präpositionale Bestimmung des Ortes (εἰς) enthält, der sich ein zweiter mit ἐν ᾗ eingeführter Relativsatz anschließt. Mit καί wird zu einem zweiten Hauptsatz übergeleitet, der den Hauptsatz aus V 1 aufnimmt und weiterführt.

In den übergeordneten Hauptsatz 5,1.2b eingeschoben ist also ein von Ἰησοῦς Χριστός abhängiger Relativsatz, eingeleitet mit δι' οὗ, in dem mit προσαγωγὴν ἐσχήκαμεν ein neuer Gedanke formuliert ist, der die Aussage εἰρήνην ἐσχήκαμεν aus V 1 ergänzt. Interessant an dieser Stelle ist in V 2 der Terminus προσαγωγή und der weitere Kontext der beiden zitierten Verse, in dem in V 9 von "seinem Blut" gesprochen wird, durch das wir gerecht geworden sind. Schauen wir zuerst auf den Terminus προσαγωγή:

Der Terminus προσαγωγή und sein semantisches Umfeld

Im NT finden wir diesen Terminus außer Röm 5,2 noch in Eph 2,18 und 3,12:

Röm 5,2: δι' οὗ καὶ τὴν προσαγωγὴν ἐσχήκαμεν τῇ πίστει εἰς τὴν χάριν ταύτην ἐν ᾗ ἑστήκαμεν.

Eph 2,18: ὅτι δι' αὐτοῦ ἔχομεν τὴν προσαγωγὴν οἱ ἀμφότεροι ἐν ἑνὶ πνεύματι πρὸς τὸν πατέρα.

Eph 3,12: ἐν ᾧ ἔχομεν τὴν παρρησίαν καὶ προσαγωγὴν ἐν πεποιθήσει διὰ τῆς πίστεως αὐτοῦ.

Obwohl an allen drei Textstellen auch ein transitiver Gebrauch ("Hinführung") vorliegen könnte, ist die intransitive Bedeutung ("Zugang") wahrscheinlicher.[3] In Eph 3,12

[3] So auch Udo BORSE, Art. προσαγωγή, in: EWNT III 388f; ausführlich zu der Frage des transitiven oder intransitiven Sprachgebrauchs K. L. SCHMIDT, Art. ἀγωγή κτλ., in: ThWNT I 128-134, hier 133f. Dort weist er auch daraufhin, daß die Bedeutung des Wortes in der Hauptsache durch die Erörterung des entsprechenden Verbs προσάγω geklärt werden kann. So bemerkt K.L. SCHMIDT (a.a.O. 133) zu der Verwendung von προσάγειν in 1 Petr 3,18: "Daß dabei das Wort προσάγειν von der Opfersprache, der Rechtssprache, der Hofzeremoniellsprache her seine Färbung bekommen kann, ohne daß sich die zutage tretenden verschiedenen Bildkreise störend überschneiden, liegt nicht an einer

liegt ein absoluter Gebrauch des Wortes vor, Röm 5,2 betont die Beziehung zu etwas εἴς τι, Eph 2,18 die Beziehung zu einer Person πρός τινα. Sachlich ist es kein entscheidender Unterschied, ob der Christ selbst zur Gnade, zu Gott Vater hinzugehen kann oder ob er hinzugeführt wird. "Denn selbst, selbständig geht der Christ nicht, sondern er wird geführt durch Christus, sein Hinzugehen vollzieht sich in Christus."[4] Die drei neutestamentlichen Stellen stimmen darin überein, daß wir (Christen) es sind (aus Juden und Heiden gleicherweise, in einem Geiste, so Eph 2,18), die den Zugang (Röm 5,2 Perfekt: empfangen) haben, der uns durch Christus eröffnet wurde. Röm 5,2 und Eph 3,12[5] betonen, daß der Zutritt "im Glauben" geschehen bzw. "durch den Glauben" (an Christus) in Besitz genommen wird.

Entscheidend mehr Gewicht kommt der Frage zu, *wozu* der Christ Zugang hat. SCHLIER meint zu Eph 2,18 in seinem Kommentar, daß an eine Thronszene gedacht sei, wie sie etwa 1 Henoch 47,3ff beschrieben ist: "In jenen Tagen sah ich, wie sich der Betagte auf den Thron der Herrlichkeit setzte . . . Die Herzen der Heiligen waren von Freude erfüllt, weil die Zahl der Gerechtigkeit nahe, das Gebet der Gerechten erhört . . ."[6] Die von SCHLIER hergestellte Verbindung mit der Sprache einer Thronszene trifft den sachlichen Gehalt dessen, was mit der neutestamentlichen Rede von der προσαγωγή gemeint ist (s.u.).[7]

Im frühjüdischen Schrifttum fehlt προσαγωγή bei Philo und Josephus. Eine Verwendung des Wortes findet sich einzig im Aristeasbrief 42,7, wo es die Darbringung der Opfer (εἰς προσαγωγὴν θυσιῶν) bezeichnet. Auch in der LXX fehlt das Substantiv προσαγωγή, während das entsprechende Verb vor allem in priesterschriftlichen Tex-

---

Verschwommenheit des Ausdrucks oder an der Überbetonung eines einfachen Ausdrucks durch den Exegeten, der sich nicht an die Grenzen der Lexikographen hielte, sondern an dem Geschehnis in seiner Eindeutigkeit von oben und in seiner Vielstimmigkeit von unten, dh in seiner Komplexität, zu deren Erfassung man verschiedene Bilder nebeneinander, besser: übereinander legt."

4 K. L. SCHMIDT, a.a.O. 134.

5 Vielleicht in Anlehnung an Röm 5,2, so J. GNILKA, Epheserbrief 146.

6 H. SCHLIER, Epheser 139.- Bei Xenophon, Cyrop VII 5,45 kommt das Wort in rein profanem Textzusammenhang für das Zulassen der Gesandten zur Audienz beim Großkönig vor.- Bemerkenswert sind die Ausführungen von SCHLIER zu Eph 3,12, wo neben προσαγωγή die παρρησία tritt (a.a.O. 158): "Diese meint nach 2 Kor 3,7ff und der im Hintergrund stehenden jüdisch-apokalyptischen Mutation eines echt griechischen Begriffs das aufrechte Stehen vor dem Throne des Herrschers und Richters, das nichts verbergen muß und sich dem Anblick der Doxa Gottes frei darbietet." Vgl. zu παρρησία auch den entsprechenden Artikel von SCHLIER, ThWNT V 869-884.

7 GNILKA, a.a.O. 146, wagt gar zu sagen, "daß die Gemeinde gerade bei ihren Zusammenkünften diesen durch Christus geschaffenen Zutritt zu Gott nacherlebte". Diese Vermutung geht zu sehr in Spekulationen über. Zudem liegen in den προσαγωγή-Formulierungen keine Sachaussagen über die Art und Weise des Zusammenseins der Gemeinde oder gar des Gottesdienstes vor, sondern eine Beschreibung des neuen ekklesiologischen Standes auf christologisch-ekklesiologischer Basis.

ten in der Bedeutung von "hinführen" oder "opfern" zahlreich zu finden ist[8]. Die LXX nutzt προσάγειν zur Wiedergabe von etwa einem Dutzend hebräischer Verben, in erster Linie קרב hi. und נגש, mitunter auch בוא hi. Diese hebräischen Verben werden umgekehrt in der LXX auch mit προσέρχεσθαι (für קרב qal z.B. Ex 12,48; Num 9,6; 18,4; Lev 9,5.7.8; 10,4.5), ἐγγίζειν (für קרב qal z.B. Ex 3,5; Lev 21,21; Ez 40,46 jeweils für das Nahen zu Gott) und εἰσέρχεσθαι (Ex 20,21; Lev 18,14.19; 2 Chr 29,16) übersetzt. Diese griechische und hebräische Wortgruppe weist innerhalb des AT in einen ganz bestimmten, nämlich kultischen Sachzusammenhang, wobei sich durchaus ein spezifisch technischer Gebrauch der hebräischen Termini feststellen läßt.

קרב und נגש werden zunächst als feststehende termini technici des Opferkultes gebraucht. Mit ihnen wird das Darbringen der Opfer bezeichnet, wobei sich die beiden Begriffe vor allem in den Opfervorschriften des Lev finden[9], aber auch sonst noch recht zahlreich sowohl im AT als auch in der Qumranliteratur (s.u.) bezeugt sind. Die LXX gibt diesen Vorgang durchweg mit προσάγειν, aber auch oft mit προσφέρειν wieder.[10] Προσάγειν ist auch in den selbständigen Schriften der LXX (Tob 12,12; Sir 14,11 u. 2 Makk 12,43)[11], bei den anderen jüdisch-hellenistischen Autoren, in den Schriften der Alten Kirche und auch in der Profangräzität in diesem Sinne bezeugt.

Daneben findet sich קרב (vor allem im hi.) etc. als terminus technicus innerhalb des Vorstellungszusammenhangs des Dienstes der Priester im Heiligtum.[12] Mit den Ver-

---

8 In den folgenden Ausführungen zum Wortfeld von προσαγωγή stütze ich mich wesentlich auf die Ausführungen von Michael WOLTER, a.a.O. (s. Anm. 1; im folgenden: = WOLTER) 107-120.

9 Lev 1,2f.14f; 2,8; 3,6f; 4,14; 7,33; 8,18.22; 16,1; 23,8; Num 15,7.13; 26,61.

10 Zwischen den beiden Verben προσφέρειν und προσάγειν besteht eine enge Sinn-Verwandtschaft: Beide Worte werden in der LXX zur Wiedergabe von בוא/נגש/קרב verwendet. Lev 1,2 (LXX) zeigt z.B., daß קרב (MT) an dieser Stelle durch beide Verben wiedergegeben werden kann (vgl. oben zu Kap. 2.4.1).

11 Vgl. die anderen Stellen im frühjüd. Schrifttum: EpArist 45; TestLev Bodl Fr. 4 (s. GRELOT, Notes, und CHARLES, Apocrypha II, 364); Philo hat προσάγειν fast ausschließlich in der Bedeutung "darbringen" bezogen auf Opfer: All I,50; II,52; III,141; Cher 96 u.ö.; in der sonstigen Literatur: 1 Clem 31,3; Diogen 3,2; Barn 2,9; Hdt 3,24; S. Tr. 762; Lucianus, JConf 5; Pollux 1,26f; vgl. K.L. SCHMIDT, a.a.O. 131.- Von den drei LXX-Stellen des Verbs soll Tob 12,12 ausdrücklich genannt werden, weil diese Stelle die Verwendung des Verbs im Kontext einer Aussage über den himmlischen Kult zeigt:

> Wisset also: als ihr gebetet habt, du und Sara, brachte ich (προσήγαγον) eure Bitten vor die Herrlichkeit des Herrn, und las sie vor; . . . (Tob 12,12)

Der Engel Raphael, "einer von den sieben Engeln, die allezeit bereitstehen, vor die Herrlichkeit des Herrn hinzutreten" (12,15), bringt vor Gott das Gedächtnis der Gebete (μνημόσυνον τῆς προσευχῆς ὑμῶν).

12 G. v. RAD, Theologie II 227, spricht von einem "Fachausdruck der Priestersprache".

ben wird zunächst ganz allgemein das Hineingehen des kultischen Personals, der Priester und Leviten also, in das Heiligtum[13] als ein Herantreten zu Gott[14] bezeichnet. In aller Regel geht es dabei konkret um das Ausüben ihres priesterlichen Amtes.[15] Dieses 'Herantreten' ist ein Privileg, das wenigen Auserwählten vorbehalten ist[16]; diese ihre Kultfähigkeit setzt ihre kultische Reinheit und Heiligkeit voraus, die so zur Einlaßbedingung in den Raum der Heiligkeit wird.[17] Auch von der gesamten kultischen Versammlung wird gesagt, daß sie 'vor Gott tritt' und vor ihm steht (Lev 9,5; Dtn 29,9; Jos 24,1). Konsequenterweise wird darum Fremden und Unreinen der Eintritt ins Heiligtum verwehrt[18]. Wer unrein oder unlegitimiert das Heiligtum betritt und sich dem Herrn nähert, wird durch dessen Heiligkeit getötet.[19] Grundlegende Denkvoraussetzung für diesen Vorstellungszusammenhang ist die Annahme eines bestimmten räumlichen Heiligkeitsbereiches, der den Aufenthaltsort Jahwes umgibt - ob sich dieser nun in der Stiftshütte, im Tempel oder auf dem Gottesberg befindet.[20]

Der hier skizzierte Vorstellungszusammenhang steht auch im Hintergrund jener Kultzulassungs- bzw. Torliturgie, wie wir sie in Ps 15 und 24 finden können.[21] Nur wer für gerecht und heilig erklärt worden ist, darf den Tempelberg besteigen[22] und an den heiligen Ort in der Nähe Jahwes treten[23]. In diesen Zusammenhang gehört auch der für die neutestamentliche Ekklesiologie wichtige Text Dtn 23,2-9, wo mit der hier besprochenen Terminologie (εἰςέρχεσθαι; בוא) die Zulassungsbedingungen zur kultischen Versammlung formuliert werden. Gleiches gilt für Ex 12,48, wo קרב /προσέρχεσθαι auf die Teilnahme der Heiden an der Passahfeier bezogen ist. Noch im AT wird in der Rezeption von Dtn 23,2-9 die aktuelle Kultzulassung entschränkt auf die

---

13 Vgl. Lev 9,23; 10,9; 16,2.17.23; 21,23; Num 4,5.19.20; 8,15.22; 16,9; 18,4; Ez,14; 44,13.15.16.21.27; 2 Chr 7,2; 23,6; vgl. auch 2 Makk 14,3.

14 Vgl. Ez 40,46; 45,4; Lev 7,35; Num 16,5.

15 Es steht darum auch sehr häufig mit עבד: Ex 30,20; Num 8,19; 16,9; 18,4; 2 Chr 23,6; Ez 44,13.15f.27; 45,4; vgl. auch TestLev 11; s. dazu unten Anm. 29.

16 Auf Moses beschränkt: Ex 20,21; 24,1f; s. auch Lev 16,17; Num 4,20; 18,3; Ez 44,13 u.ö.. Vgl. die Auseinandersetzung mit den Leviten und der Rotte Korah in Num 16 - s. dazu NOTH, Num 104ff.

17 Ex 19,22; 30,20; 40,32; Lev 10,9; Num 16,5; und die Vorschriften in Lev 21.

18 Vgl. Lev 21,17ff; 2 Sam 5,8b; Ez 44,9.

19 Num 3,10.38; 4,20; 17,28; 18,7; Ex 28,43; Lev 10,9; 22,3.

20 Vgl. Ex 20,21; Lev 10,9; 16,2; 21,23; Num 4,20; Ez 45,4.

21 Vgl. dazu K. KOCH, Tempeleinlaßliturgien; v. RAD, Theologie I 389ff; ders., "Gerechtigkeit" und "Leben" in den Psalmen 237-247; H.-J. KRAUS, Gottesdienst 246f; W. PASCHEN, Rein 68f; s. auch Ps 118,20; Jes 26,2.

22 עלה als term. techn. für das Hingehen zum (höhergelegenen) Heiligtum und besonders zum Tempel: Ex 34,24; 1 Sam 1,3; 10,3; 2 Kön 12,11; Jer 26,10.

23 Vgl. Ps 132 (131),7:(LXX: εἰςέρχεσθαι; MT: בוא) εἰς τὰ σκηνώματα αὐτοῦ/προσκυνεῖν εἰς τὸν τόπον, . . .

allgemeine Zugehörigkeit zum Volksverband Israel (Neh 13,1-3; Thren 1,10) und findet dann ihre traditionsgeschichtliche Fortsetzung in der jüdischen Proselytentheologie, wie wir oben bereits in der Untersuchung zum Begriff ἐκκλησία gesehen haben.[24]

Die Frage, welche traditionsgeschichtlichen Vorstellungen hinter der Formulierung von Röm 5,2a stehen, ob nun eher alttestamentliche oder hellenistische[25], läßt sich gar nicht beantworten. Wenn die LXX קרב etc. durch προσάγειν oder προσέρχεσθαι wiedergibt, so wird dies von daher verständlich, daß die entsprechende Terminologie im griechischen Sprachraum semantisch ganz analog besetzt ist: Sie wird ebenfalls kultisch verwendet, um das Hintreten zum König oder zur Gottheit (D.C. 56,9,2; X Cyr I,3,8; VII,5,45; P. Giess 20,24; Porph Abst 2,47) zu bezeichnen, und diese Bedeutung findet sich auch in der LXX: Jer 7,16 und Sir 1,28 (jeweils προσέρχεσθαι); 12,13 und 2 Makk 6,19 (jeweils προσάγειν); und vor allem Dan 7,13Θ (προσάγειν; MT: קרב[26]). Der Grundgedanke ist also "hier wie dort derselbe - hinzutritt in der atl.-jüdischen kultischen Verwendung die konsequente Verknüpfung dieses Gedankens mit bestimmten Sündlosigkeits- und Reinheitsforderungen."[27]

In der frühjüdischen Literatur ist der Vorstellungszusammenhang des priesterlichen Zugangs zum Tempel abgesehen von einem dem AT entsprechenden Gebrauch vor allem an die Person Levis gebunden. "Die betreffende Terminologie findet sich sehr häufig in den sog. 'Levi-Juda-Stücken'[28] (TestJud 21,5; Jub 31,14) und in priesterlichen Reinheitskatechesen (TestIss 4,19.21; 5,3; TestLev 9,11; TestLev Bodl Frgmt 14ff; TestLev(e) 11=4Q Levi[b])."[29] Der Skopos dieser Texte (vgl. bes TestLev Bodl Frgmt 14ff) besteht in der Hervorhebung des priesterlichen Prinzipats Levis.[30] Bisweilen findet sich in diesem Zusammenhang auch ein Hinweis auf die priesterliche Gemeinschaft mit den Engeln im Heiligtum (Sach 3,7; TLevi Bodl Frgmt 18; vgl. 1 QH 3,21f; 1 QS 11,7-9; 1 QSb 4,25f; 4Q 181 1,4).

---

24 Vgl. dazu K. BERGER, Volksversammlung 189f; H. WINDISCH, Sprüche 184ff, wo er auf Dtn 23,2-9 verweist. - Vgl. die Untersuchung des Begriffs ἐκκλησία oben in Kap. 4.1.

25 Diese Alternative klingt so bei F. HAHN, Hoheitstitel 234 an.

26 Das Verb קרב findet sich in dieser Bedeutung z.B. noch Jos 17,4.

27 WOLTER 110.

28 Siehe dazu M. DE JONGE, The Testaments of the Twelve Patriarchs, (GTB 25) 1953, 86ff; J. BECKER, Untersuchungen 178f.

29 WOLTER 110. - Dazu merkt er in Anm. 339 u.a. an: "Nach der Zählung von Milik in seiner Veröffentlichung von 4Q Levi[b], RB 62, 1955, 401. Außerdem noch: Sach 3,7: Josua wird zum Hohepriester eingesetzt und erhält Zugang zu Gott, nachdem er reine Kleider als Symbol der Entsündigung erhalten hat. Eine ähnliche Verbindung von Kleiderwechsel und Zutritt zu Gott findet sich slavHen 22,6ff."- Zu Sach 3,7 vgl. H. GESE, Sühne 99f.

30 S. auch TestJud 21,5 im Kontext, wobei α den Stilwechsel durch eine Einleitungswendung glättet.

Wie wir bereits (vgl. Kap. 2.4.1) bei der Untersuchung des Wortfeldes προσφορά in ähnlicher Weise feststellen konnten, findet sich προσαγωγή/προσάγειν in Korrespondenz zur zunehmenden Entrückung Gottes in die himmlische Transzendenz, wodurch der Himmel zum Ort der Anwesenheit Gottes und zum Heiligtum wird, wird unser Wortfeld in einigen visionären Aufstiegsberichten verarbeitet. Dabei dürfte die Vision in Jes 6 traditionsgeschichtlicher Anknüpfungspunkt sein, wo Jahwe zwar in der Transzendenz gesehen wird, die Vision selbst jedoch im Tempel stattfindet. Hier ist vor allem TestLev 2 zu nennen[31], wo das bekannte Motiv des priesterlichen Herantretens zum Kult verknüpft ist mit dem visionären Himmelsaufstieg Levis, der in seiner Einsetzung zum himmlischen Priesterdienst in der Nähe der μεγάλη δόξα (3,4) gipfelt. In diesem Zusammenhang wird das Motiv der prophetischen Berufungsvision, wie sie in Jes 6 und Ez 1 vorliegt, auf die priesterliche Berufung Levis (vgl. Jub 31,14) umgedeutet und mit dem Motiv der Himmelsreise verbunden, die dann in den Apokalypsen eine wichtige Rolle spielt. Hierzu gehört vor allem slHen 22. In slHen 21 führt Gabriel den Henoch nach der Himmelsreise vor Gott (21,3-5). Dann folgen die Motive Hinzutreten zum Herrn/ Stehen vor seinem Angesicht (22,6)/ Kleiderwechsel (22,8) [vgl. den Kontext von Sach 3,7]/ Salbung (22,9)/ Gemeinschaft mit den Engeln (22,10)/ Einsetzung zum Schreiber (22,11f).[32]

Während wie oben gesagt bei Philo[33] der Terminus προσαγωγή fehlt, wird das priesterliche Betreten des Tempels als Betreten des Aufenthaltsortes Gottes allegorisiert (SpecLeg I, 66: der Tempelraum ist der Himmel; Imm 8) und unter Zuhilfenahme der Gottesbergspekulation (vgl. vor allem VitMos II,66ff; QEx II,29) auf den mystisch-pneumatischen Auszug der Seele aus dem Leibe und ihren Aufstieg in den Himmel und der dortigen Gottesschau als der höchsten Stufe des Aufstiegs mit ihrer Vergottung (QEx II,40) hin ausgedeutet. Deutlich sieht man, wie Philo die einzelnen Züge des alttestamentlichen Kultes auf sein Auszugs- und Aufstiegsmotiv hin allegorisiert. Im AT war der Tempel der Ort der Gegenwart Gottes und so die Stätte der Gottesschau: Ps 65,5; 63,3; 27,4. Für Philo hat allein die 'unwandelbare', dem Leib entstiegene Seele 'Zugang' (πρόσοδος) zu Gott (Post 27; vgl. auch SpecLeg I,66: Die allein zum Zutritt zum Heiligtum berechtigten Priester sind ἀσώματοι ψυχαί). "Dabei wird das Motiv der himmlischen Wohnung Gottes mitunter dergestalt in die philonische Weisheitsspekulation hineingenommen, daß Philo die Sophia räumlich als Heils-

31 Vgl. WOLTER 111 mit Verweis hier auf M. de JONGE, Testaments 46f; und J. BECKER, Untersuchungen 259f.

32 Vgl. WOLTER 111; weiter schreibt er: "Ganz losgelöst vom spezifischen priesterlichen Nahen und ausschließlich bezogen auf das Visions- und Aufstiegsmotiv findet sich der Grundgedanke unserer Terminologie in Hen 14,25 und ApcMos 34. Beide Texte reden vom Aufstehen und Herantreten zum Offenbarungsempfang und weisen sehr weitgehende Parallelen auf. Wie im oben skizzierten priesterlichen Sachzusammenhang ist auch hier das Stehen vor Gottes Angesicht impliziert." Hen 14,25 innerhalb der Thronszene lautet: μοι εἷς τῶν ἁγίων ἤγειρέν με καὶ ἔστησέν με καὶ προσήγαγέν με μέχρι τῆς θύρας . . . Zur traditionsgeschichtlichen Nachgeschichte s. die Bemerkung von J. MAIER, Texte II 78: "Dieser Zutritt zum himmlischen Heiligtum führt schließlich über Hen 14; 71; grBar; VitAd 25ff; ApcMos 33ff u.a.m. zur jüdischen Merkabah- und Hekhalotmystik."

33 Im folgenden schließe ich mich wieder WOLTER (112f) an; er bezieht sich auf J. PASCHER, Η ΒΑΣΙΛΙΚΗ ΟΔΟΣ. Der Königsweg zur Wiedergeburt und Vergottung (SGKA 17), 1931, und H. KAISER, Bedeutung I 70f.

bereich verstehen kann, in den die Seele nach ihrem Auszug aus dem Leib übersiedelt."[34] In Congr 116f ist die Sophia explizit als Wohnstätte Gottes begriffen. Entsprechend ist mitunter vom 'Haus der Weisheit' die Rede: Fug 50.52; All III, 3.152; Som I,208; Agr 65. - Räumliche Aussagen über die Weisheit finden sich noch in Her 112 (die Stiftshütte [!] ist Abbild der Sophia); All III,46 (hier ist die Sophia nach Ex 33,7 das heilige Zelt, in dem der Weise Wohnung nimmt); Migr 28.46. - WOLTER bezeichnet diese der Sophia zukommende Räumlichkeit, der auf der anderen Seite die Räumlichkeit des Körperlich-Irdischen entspricht, als "eine Analogie zu der als Heilsraum vorgestellten Gnade in Röm 5,2".[35]

"Dafür, daß der Aufstieg der Seele bei Philo in räumlichen Kategorien begriffen wird (vgl. Imm 151; Som I,46) ist von entscheidender Bedeutung, daß Philo die ihm aus der griechisch-hellenistischen und orientalischen Tradition überkommene Auszugs- und Aufstiegsmystik und die damit zusammenhängende Begrifflichkeit im Alten Testament in geographischen (lokalen) Kategorien allegorisch dargestellt sieht, wie z.B. neben dem oben besprochenen Hineingehen ins Heiligtum und dem Besteigen des Gottesberges den Auszug aus Ägypten und den Einzug in Kanaan sowie Abrahams Wanderung von Haran nach Sichem."[36]

Der hier und bereits bei der Betrachtung von προσφέρειν vielfach genannte hebräische Terminus קרב und der mit diesem hebräischen Verb verbundene Vorstellungszusammenhang des Hineingehens des Priesters bzw. des kultischen Dienstpersonals in das Heiligtum als ein Hintreten vor Gott findet sich verstärkt in der Qumranliteratur. Die Rezeption in diesem Schriftkreis ist entscheidend bestimmt durch das priesterliche Selbstverständnis der Gemeinde. נגש/קרב etc. werden nun nicht mehr wie im Alten Testament auf das Hineingehen der Priester in den Tempel bezogen, sondern beschreiben in den Qumrantexen in erster Linie den Eintritt in die Gemeinde[37], bzw. die Wie-

34 WOLTER 112; Zitat ebd.

35 Vgl. a.a.O.; Zitat ebd.

36 WOLTER 112f; zum Ganzen (Anm. 349) verweist WOLTER auf E. BRANDENBURGER, Fleisch 197ff; B.L. MACK, Logos und Sophia. Untersuchungen zur Weisheitstheologie im hellenistischen Judentum (StUNT 10), 1973, 118ff, "der hier auch den Isis-Mythos hereinspielen sieht"; und bes. auf H. KAISER, a.a.O. 123. - WOLTER (113 Anm. 349) wendet gegen MACK kritisch ein, daß die Vorstellung von der Sophia als Zelt, Tempel und Stadt keineswegs allein auf eine entsprechende Deutung der Isis zurückgehe (119f), sondern ebenso auch eine Allegorisierung alttestamentlicher Vorgänge darstelle.

37 קרב: 1 QS 6,16.19.22; 9,19; נגש: 1 QS 9,16; 11,13; 1 QH 14,18f; 4Q 181 1,3; בוא: sehr häufig, meistens jedoch in Verbindung mit ברית als Bezeichnung für die Gemeinde partizipial gebraucht: CD 2,2; 6,11.19; 8,1; 9,2f; 13,14; 15,5; 19,13f.- Vgl. dazu H.-W. KUHN, Enderwartung 131ff; MAIER, Texte II 107f; KLINZING, Umdeutung 117f; PASCHEN, Rein 92; GANE/MILGROM, Art. קרב, in: ThWAT V 147-161, bes. 160; קרב wird hier als ein "Begriff des Qualifiertseins" bezeichnet: das Verb meine nicht bloß 'eintreten', sondern 'als Qualifizierter zugelassen werden'". - WOLTER 113 Anm. 350: "Darüberhinaus findet sich (was durchweg übersehen wird) auch noch עבר als term. techn. des Eintritts, und zwar ausschließlich in dem Formular für die jährliche Erneuerung des Bundes in 1 QS 1,16ff."

deraufnahme der zwischenzeitlich ausgeschlossenen Poenitenden.[38] Die Qumrangemeinde gewann diesen Vorstellungszusammenhang aus dem AT über ihre Tempelsymbolik: Nicht mehr der Tempel in Jerusalem ist der Ort der Gegenwart Gottes, da er nun als vom 'Frevelpriester' und seinem Anhang als verunreinigt galt, sondern die Gemeinde ist dies selbst.[39] Dieses Selbstverständnis der Gemeinde als Gemeinschaft von Priestern kommt in CD 6,12 zum Ausdruck, wo das kultische Betreten des Tempels zum Opfern untersagt wird und an diese Stelle der Eintritt in die Gemeinde, dem wahren Tempel Gottes, tritt.[40] An die Stelle des Opferkultes treten eigene kultische Begehungen, wie z.B. das Gemeinschaftsmahl und die täglichen Tauchbäder und vor allem der Wandel in Heiligkeit der Gemeindemitglieder, die dadurch anstelle der Opfer für das ganze Land Sühne schaffen.[41] Von ihren Mitgliedern verlangte die Gemeinde dieselbe Reinheit, wie sie sonst nur den Priestern abverlangt wurde. Auch die in Qumran praktizierte Gütergemeinschaft ist ein Ausdruck ihres priesterlichen Selbstverständnisses.[42] Nach einer Rekonstruktion von MILIK[43] bringt CD 15,15-17 "einen Katalog all jener körperlichen Leiden und Gebrechen, die eine Mitgliedschaft in der Gemeinde unmöglich machen. Diese Liste erinnert auf der einen Seite an Lev 21,16ff und auf der anderen an die Aufzählung im Mischnatraktat Kelim I,7-9"[44].

Da die gesamte Gemeinde sich so als "Priester im Dienst"[45], das heißt als im Bereich der in der Gemeinde gegenwärtigen Heiligkeit Gottes lebend verstand, wird wie im AT קרב etc. auch als Zugang unmittelbar zu Gott verstanden (1 QH 7,30). Zahlrei-

---

38 1 QS 7,21; 8,18.

39 Vgl. ROST, Gruppenbildungen; MAIER, Gottesvolk, bes. 137f; ders., Tempel 384f.390; ders., Aspekte, bes. 37; GÄRTNER, Temple; KLINZING, Umdeutung 50ff; SCHÜSSLER-FIORENZA, Cultic Language.

40 Vgl. JosAnt 18,19: δι' αὐτὸ εἰργόμενοι τοῦ κοινοῦ τεμενίσματος ἐφ' αὐτῶν τὰς θυσίας ἐπιτελοῦσιν.

41 Vgl. 1 QS 8,4-11; 9,3-5; KLINZING, a.a.O. 93ff.

42 Vgl. CD 6,15f ("sich zu trennen vom Besitz der Gottlosigkeit, der unrein ist durch ein Gelübde oder einen Bannfluch"); JosBell 2,122; Ez 44,28; auch TestLev 2,12. Zur Gütergemeinschaft in Qumran s. J. MAIER, Geschichte 60, dort weitere Literatur. - Auch das Tragen weißer Gewänder durch die Gemeindemitglieder (JosBell 2,123) ist vom priesterlichen Selbstverständnis der Gemeinde her zu betrachten.

43 MILIK, Ten Years 114: "Fools, madmen (mswg[c]), simpletons an imbeciles (mswgh), the blind (. . .), the maimed (hgr), the lame, the deaf, and minors, none of these may enter the midst of the community, for the holy angels (are in the midst of it)." (4QD[b]) S. auch in 1 QSa 2,3f: 'Und kein Mann, der mit irgendeiner Unreinheit des Menschen geschlagen ist, darf in der Versammlung Gottes eintreten.' und 1Q 7,6; 4 QFl 1,3f.

44 WOLTER 114; er weist hin (Anm. 358) auf JosBell 5,228; Ant 3,278f und SCHÜRER, Geschichte II 284.

45 K.G. KUHN, RGG[3] V 749f.- Vgl. J. MAIER, Texte II 77-79 zu 1 QH 3,19-23, hier 78; ders., Begriff, bes. 163f; ders., Dissertation 56f; ders., Tempel, bes. 383/9.

che Stellen machen dieses Selbstbewußtsein deutlich, so besonders 1 QH 12,22f: ". . . entsprechend ihrer Einsicht (23) läßt du sie nahe kommen, und entsprechend ihrer Herrschaft dienen sie dir . . . ". Vor diesem Hintergrund wird der Eintritt in die Gemeinschaft zum entscheidenden Heilsereignis.[46] Das alttestamentliche Hineingehen des Priesters in das Heiligtum entspricht in Qumran dem Eintritt in die Gemeinde; hier wie dort liegt die Vorstellung eines besonderen, von der übrigen Umwelt ausgegrenzten Heiligkeitsbereiches zugrunde; hier wie dort müssen von den Eintretenden bestimmte Reinheitsvorschriften erfüllt werden.

Wie der Tempel in sich mehrere abgestufte Heiligkeitsbereiche aufwies, so wird auch eine Interdependenz von mehreren Graden der Sündlosigkeit und Reinheit und dem entsprechend abgestuften Eintritt in die Gemeinde deutlich in den Aufnahmeformularen wie 1 QS 6,13b-23, indem der Prozeß der Integration des in die Gemeinde Eintretenden sich über ein Jahr hinzieht und er dabei mehreren Prüfungen unterworfen ist.[47] "Wenn er hereinkommt, um vor die Vielen zu treten, sollen sie alle befragt werden über seine Sache. Und wie das Los fällt nach dem Rat der Vielen, soll er sich nähern oder entfernen" (1 QS 6,15f). Die Frage ist hier, ob der als neues Mitglied Eintretende qualifiziert ist oder nicht. Nach einem Jahr wird er wieder geprüft "und wenn ihm das Los fällt, daß er sich dem Rat der Gemeinschaft nähern darf nach der Weisung der Priester und der Mehrzahl der Mitglieder", erhält er eine höhere Stellung (1 QS 6,18f). Nach einem weiteren Jahr erfolgt die endgültige Prüfung, und er wird in die Gemeinschaft eingeführt (קרבpi: 6,22). קרב meint hier also über das bloße "eintreten" hinaus "als Qualifizierter zugelassen werden".[48]

---

[46] Vgl. WOLTER 114f dazu: "Verständlich wird von daher, daß detaillierte Agenden entworfen wurden, die die Aufnahme eines neuen Mitglieds regeln sollten, wie sie z.B. in 1 QS 6,13b-23 vorliegt."

[47] Vgl. dazu JosBell 2,137; J.A. LOADER, An Explanation of the Term 'Proselutos': NT 15 (1973) 270-277, hier 271f; PASCHEN, a.a.O. 94ff.- Eine fast identische Abstufung findet sich in der Bußvorschrift 1 QS 7,18-21. Das entscheidende Motiv dieser beiden genannten Bußvorschriften ist jeweils mittels קרב ausgesagt.- In Zusammenhang mit diesen Eintrittsvorschriften ist die Meinung vertreten worden, daß in Qumran der Eintritt in die Gemeinde mit einem rituellen Tauchbad analog dem jüdischen Proselytentauchbad (vgl. O. BETZ, RdQ 1, 213ff) oder auch nur mit einem kultischen Zulassungsbad verbunden war. Letzteres nimmt PASCHEN an (Rein 91ff), der an einen Akt denkt, "durch den der Kandidat das Recht erhält, von nun an die rituellen Bäder anzuwenden, . . ." (93). Diese Auffassungen wurden jedoch mit Recht mehrfach bestritten: J. GNILKA, Tauchbäder; MAIER, Texte II 23; H.W. KUHN, Enderwartung 84. Zur Kritik vgl. zuletzt WOLTER 115f Anm. 361, wo es heißt: JosBell 2,138 spreche "auch nicht von einem einmaligen Tauf- oder Zulassungsbad; dagegen spricht schon der Plural καθαρωτέρων τῶν πρὸς ἁγνείαν ὑδάτων". Mit GNILKA u.a. sei anzunehmen, "daß es sich hier um die täglichen Reinigungsbäder handelt, zu deren Zulassung, das geht aus JosBell 2,138 klar hervor, eine geringere Stufe der Reinheit erforderlich ist als zu den anderen kultischen Begehungen der Gemeinde, wie z.B. dem Mahl" (Jos Bell 2,129; K.G. KUHN, EvTh 10; J. v.d. PLOEG, The Meals of the Essenes: JSST 2 [1957] 163-175).

[48] Vgl. GANE/MILGROM, Art. קרב, in: ThWAT V 147-161, hier 160; dort Hinweis auf S. LIEBERMANN (JBL 71 [1952] 199f.202), der gezeigt hat, daß קרבpi in der rabbinischen Literatur zusammen mit קבל ('akzeptieren') "als ter-

Diesem Heiligkeitsbewußtsein der Gemeindemitglieder (vgl. 1 QM 3,5; 6,6; 10,10; 16,1; 1 QH 11,11f; 4Q 181 1,3f) entspricht die erwähnte priesterliche Gemeinschaft mit den Engeln, in der nun nicht mehr nur die Priester, sondern alle Gemeindemitglieder stehen.[49]

Aus der Untersuchung der Begriffe προσαγωγή/προσφέρειν und der entsprechenden hebräischen Äquivalente (קרב u.a.) ergibt sich, daß Paulus hier auf einen kultischen Vorstellungszusammenhang zurückgreift, für den (1) das Hinzutreten zur Gottheit und die Annahme eines räumlichen Heilsbereiches in der Nähe Gottes konstitutiv sind. (2) Da dieser Bereich von besonderer Sündlosigkeit und Heiligkeit gekennzeichnet ist, verlangt die Aufnahme bzw. der Zutritt in diesen Bereich vom Eintretenden eine bestimmte Reinheit und Heiligkeit im Sinne der Kultfähigkeit. Wenn Paulus den Terminus προσαγωγή in Röm 5,2 benutzt, knüpft er an die Rezeption dieses Vorstellungszusammenhangs im ekklesiologischen Selbstverständnis der urchristlichen Gemeinde an und modifiziert den Gedanken. Die Zulassungsbedingungen zur χάρις sind für Paulus christologisch (5,1f) realisiert. Mit χάρις ist hier mehr als das neue Gottesverhältnis des Christen beschrieben, nämlich der überindividuelle "Heils- und Machtbereich, in dem die aus Glauben Gerechtfertigten sich nun aufhalten"[50]. (3) Für Paulus eröffnet und bedeutet die Zugehörigkeit zur Gemeinde den Zugang zu Gott. Die christliche Ekklesia ist zwar *nicht*, wie für den Verfasser des Epheserbriefes, selbst der Bereich des Heils (vgl. unten Kap. 8.1), doch kommt für Paulus der Ekklesia *Heiligkeit* zu, die durchaus der priesterlichen Heiligkeit des Alten Testaments und des Judentums entspricht (vgl. oben vor allem die Kap. 4 und 5).

ἕστηκα

Auch das Verb ἵστημι kann zu dem hier durch den Terminus προσαγωγή repräsentierten und eben skizzierten Vorstellungszusammenhang gehörig identifiziert werden.

---

minus für die Aufnahme in eine pharisäische h^a^bûrah gebraucht wird. Wir finden hier denselben Begriff des Qualifiziertseins" (nach GANE/MILGROM, a.a.O. 160).

49 1 QH 3,21f; 6,13; 1 QS 11,7-9; u.ö. s. H.W. KUHN, Enderwartung 66-73, Exkurs: Die Gemeinschaft mit den Engeln in den Qumrantexten; auch 90-93.

50 WOLTER 125.

"Mehr noch: Es korrespondiert notwendig, wie sich zeigt, mit dem Gedanken des Zugangs und gehört zu demselben kultischen Traditionshintergrund."[51]

In der LXX wird ἵστημι, das von sich aus keinerlei kultische Konnotation aufweist, besonders zur Wiedergabe von קום und עמד benutzt und "ist auf den Kult im allgemeinen und den priesterlichen Dienst im besonderen bezogen und meistens auch mit προσάγειν o.ä. verbunden"[52].

Ausgehend von der Frage nach dem, was Bestand hat, und von der Feststellung, daß Gott allein "der Stehende" ist (ὁ ἑστώς Mut 87.91; vgl. Post 30; Som I 241: μόνος ἕστηκα ἐγώ [Ex 17,6])[53] und so Menschen festen Stand zu geben vermag, wird bei Philo das alttestamentliche Motiv allegorisiert und in den Zusammenhang des mystischen Auszugs und Aufstiegs der Seele eingearbeitet. In dem Maße nämlich, in dem die Seele aufsteigt und sich Gott nähert und ihn schaut, läßt sie die irdische Unruhe und Instabilität hinter sich und gewinnt Anteil an Gottes Unwandelbarkeit und seiner Ruhe (Post 27; Som II,225ff) und zieht in die feststehende Wohnstadt Gottes ein (QEx II,40).

Die Stelle Röm 5,2 erinnert an zahlreiche Stellen aus der Qumranliteratur, wo ein "Stehen der Menschen vor Gott" angesprochen wird: ". . . du willst, daß die auserwählten Menschen für immer vor dir stehen sollen" (1 QS 11,16; für "stehen" hier das Verb יצב hithpa.). Wenige Verse vorher klingt noch stärker Röm 5,2 an, wenn es heißt: "Durch sein Erbarmen hat er mich nahe gebracht" (1 QS 11,13). Und 1 QH 3,21f: "Den verkehrten Geist hast du gereinigt von großer Missetat, daß er sich stelle (hier: יצב hithpa.) an den Standort mit (22) dem Heer der Heiligen und in die Gemeinschaft eintrete mit der Gemeinde der Himmelssöhne." Gott reinigt den Menschen und schenkt ihm sein Erbarmen, damit "er hintrete an den Standort vor dir mit dem ewigen Heer und den Geistern [des Wissens]" (1 QH 11,13). In Qumran gewann der Mensch seinen Stand vor Gott durch den Eintritt in die Gemeinde. Eintritt in die Gemeinde und Eintritt in die himmlische Gemeinde werden ineins gesetzt, da "himmlischer und irdischer Kult, Engel und Menschen in einer schillernden Einheit stehen".[54]

---

51 WOLTER 121.

52 WOLTER 121, mit Beispielen in Anm. 382: "Aus der Fülle der Belege vgl. nur Ex 34,2 (1.Kön 19,11); Lev 9,5; Dtn 10,8; 1.Kön 3,15; 2.Chr 5,14; 29,11; Ps 24,3; 134,1; 135,2; Jer 7,10.- קרב und עמד können sogar in kontextueller Synonymität stehen: Lev 21,17ff/1.Kön 3,15)."

53 Vgl. Walter GRUNDMANN, Art. στήκω, ἵστημι, in: ThWNT VII 635-652, hier 643,25ff; dort weitere Belege; s. auch ders., Stehen und Fallen.

54 Vgl. J. MAIER, Begriff 163-165; Zitat ebd. 165. Dies geht von Voraussetzungen aus, daß sich der Opferkult לפני יהוה vollzieht, der Priester Gott nahetritt und wird geradezu unter die Angesichtsengel gerechnet; vgl. ders., Beobachtungen 182-184; vgl. ders., Begriff 163, mit Hinweis auf TestLev 2-5 und Jub 31,13-17. Interessant ist die Aussage von MAIER (a.a.O. 164 Anm. 90): "Dadurch dienen Pflanzungs- wie Tempelsymbolik demselben esoterischen Anliegen, die Unmittelbarkeit des Gottesverhältnisses der Gemeinde darzustellen". Dazu auch: ders., Kultus 111; ders., Tempel 384.- Vgl. auch WOLTER 121; er nennt außer den genannten Qumranstellen noch 1 QH 7,30f; 11,13; 16,12f; 18,28f; 4Q 181,1,3f

Wie an den genannten Stellen die Verben יצב hithpa. bzw. עמד im Horizont des priesterlichen Selbstverständnisses der Gemeinde den Aufenthalt und das Feststehen im Heilsbereich der Gemeinde beschreiben, nutzt Paulus die Verben ἱστάναι bzw. στήκειν zur Kennzeichnung der konkreten christlichen Existenz. Das Perfekt des Verbums ἱστάναι in der Bedeutung "stehen" findet sich bei Paulus neben Röm 5,2 noch Röm 11,20; 1 Kor 7,37; 10,12; 15,1 und 2 Kor 1,24. Zweimal ist das Verb mit πίστις verbunden, in Röm 11,20 als Mittel, wodurch man Stand faßt, und 2 Kor 1,24, wo der Glaube das ist, worin man steht; in 1 Kor 15,1 ist es das Evangelium, worin der Christ "steht".[55] Die Gnade (Röm 5,2) ist der "Ort", an dem der Glaubende Stand gefaßt hat, sein Standort. - Wo ἱστάναι bzw. στήκειν absolut gebraucht wird, nimmt das Verb "einen durchaus chiffreartigen Charakter an (1 Kor 10,12; Gal 5,1). 'Ιστάναι ist in diesem Zusammenhang bedeutungsgleich mit μένειν, das vor allem in der johanneischen Literatur einen wichtigen Platz einnimmt (Joh 8,31; 15,4. 5.6.7.9.10; 1 Joh 2,6.10.14.17.24.27f; 3,24; 4,16; 2 Joh 9; vgl. auch 1 Tim 2,15; 2 Tim 3,14)."[56] Der traditionsgeschichtliche Anknüpfungspunkt für derartige Aussagen sind "jüdische Aussagen, in denen vom 'stehen' bzw. 'bleiben' 'in Gott', 'im Gesetz', 'im Bund' etc. gesprochen wird"[57].

Die durch die Korrespondenz von προσαγωγή und ἱστάναι "assoziierte räumliche Vorstellung vom überindividuellen Heilsbereich, wie sie mit der ursprünglichen kultischen Bedeutung dieser Terminologie im Alten Testament und ihrer nachalttestamentlichen (auch urchristlichen) Rezeption verbunden ist"[58], gilt es im Zusammenhang mit ähnlichen Aussagen des Paulus zu vergleichen und einzuordnen, um eine durch derartige Formulierungen bestimmte Ekklesiologie des Paulus genauer verifizieren zu können.

Im NT finden sich durch kultische Deutungskategorien angedeutete Spuren dieser Vorstellung neben Hebr 4,16 (προσερχώμεθα οὖν μετὰ

---

als Belege dafür, daß das Stehen vor Gott mit der Eintrittsterminologie verbunden sei.

55 Vgl. WOLTER 122, dazu: "Paulus umschreibt damit pauschal die christliche Existenz und bezieht es meistens mit ἐν auf theologisch und soteriologisch fundamentale Kategorien".

56 WOLTER 122f.

57 Vgl. WOLTER 123, mit zahlreichen Belegstellen (in Anm. 394): "LibAnt 9,4 (in den Vorschriften); 1.Reg 26,19 (στηρίζειν ἐν κληρονομίᾳ κυρίου im Gegenüber zum Götzendienst); 2 Makk 8,1 (ἐν τῷ 'Ιουδαισμῷ); TestJos 1,3 (in der Wahrheit des Herrn); 4.Reg 23,3; Sir 11,20 (im Bund); TestNaph 2,9 (in der Furcht Gottes); Sir 43,10 (ἐν λόγοις ἁγίου); 1QH 2,8; 3,24.- In Bar 4,12 heißt es dementsprechend: ἐξέκλιναν ἐκ νόμου θεοῦ und in TestJud 21,4 δι' ἁμαρτίας ἐκπέσῃ ἀπὸ Κυρίου (vgl. dazu Gal 5,4; 2 Petr 3,17). Direkt zu Röm 5,2a hin führen LibAnt 19,9 (das Gesetz und Satzungen, in quibus viverent et intrarent sicut filii hominum) und 16,5 (das Gesetz des Allmächtigen belehrt uns, vias suas non intramus legitime, nisi in eis ambulemus)."

58 WOLTER 123.

παρρησίας τῷ θρόνῳ τῆς χάριτος)[59] auch Eph 3,8-12. Diese Stelle bietet mehrere Motive, die sonst auch bei Paulus zusammengeordnet sind: (1) Eph 3,8-12 steht innerhalb des Abschnitts 3,1-13, in dem Paulus als der Verkündiger des Evangeliums (VV 6.8) für die Heiden (VV 1.6.8) herausgestellt wird; (2) Eph 3,8 kommt auf die Gnade (χάρις in VV 2.7.8) zu sprechen, die Paulus zuteil geworden ist, um den Heiden das Evangelium zu verkündigen (ähnlich Gal 1,16); (3) in Eph 3,12 wird mit den Begriffen παρρησία[60] und vor allem προσαγωγή der uns interessierende Vorstellungszusammenhang angedeutet, so daß hier "die Freiheit des Zugangs durch den Glauben an ihn" (SCHLIER) ausgesagt ist. "Paulus" verteidigt in Eph 3,8-12 also sein Apostolat, das vor allem in der Verkündigung des Evangeliums an die Heiden besteht, und spricht zugleich vom "offenen Zugang (προσαγωγή) zu Gott", der hier ähnlich wie in Röm 5,2 mit dem Glauben als "Ermöglichungsbedingung" des Zugangs verbunden ist. An anderen Stellen (Röm 15,16; Eph 2,18) sind derartige Aussagen mit dem Geist verbunden, der dann diese neue Gemeinschaft mit Gott bewirkt. Diese Themenzusammenstellung erinnert an den durch die Thematik und die kultischen Termini angedeuteten Vorstellungszusammenhang von Röm 15,15f, wo auch die Unmittelbarkeit des Zugangs zu Gott für die Heiden in kultischen Kategorien formuliert ist (vgl. Kap. 2).

---

59 Auch WOLTER (124) nennt diese Stelle; er läßt im Zitat die Worte οὖν μετὰ παρρησίας aus, obwohl auch παρρησία zu dem hier behandelten Vorstellungszusammenhang zugehört (s.u.).

60 Vgl. SCHLIER, Eph 158: παρρησία meine "nach 2 Kor 3,7ff und der im Hintergrund stehenden jüdisch-apokalyptischen Mutation eines echt griechischen Begriffs das aufrechte Stehen vor dem Throne des Herrschers und Richters, das nichts verbergen muß und sich dem Anblick der Doxa Gottes frei darbietet"; auch SCHLIER, Art. παρρησία, in: ThWNT V 869-884, 881: Gerade die Nebeneinanderstellung von παρρησία und προσαγωγή zeige "deutlich den Charakter der παρρησία als Offensein zu Gott". - Es ist bedenkenswert, den Begriff παρρησία in 2 Kor 3,12 auf dem Hintergrund des uns interessierenden Vorstellungszusammenhangs zu betrachten. In 2 Kor 3,12-18 stellt Paulus die Unmittelbarkeit der δόξα heraus, wie der abschließende Vers 2 Kor 3,18 anzeigt (ἡμεῖς δὲ πάντες ἀνακεκαλυμμένῳ προσώπῳ τὴν δόξαν κυρίου κατοπτριζόμενοι).

Paulus knüpft in Röm 5,2a also an ein ursprünglich kultisches Motiv an[61], das (1) hier in Röm 5,2 seinen sprachlichen Ausdruck in dem Wortfeld προσαγωγή/χάρις/ἵστημι findet, für das (2) die Annahme eines räumlichen Heilsbereiches in der Nähe Gottes bzw. des kaiserlichen Herrschers konstitutiv ist, wobei der Aufenthalt in ihm von besonderer Heiligkeit und Sündlosigkeit abhängt; das (3) in der Urgemeinde, ähnlich wie in Qumran, ekklesiologisch rezipiert wurde und das eine besondere Affinität zum Topos der Zulassung auch der Heiden zum Heil aufweist, wie die jüdischen Aussagen und Eph 2,18 (s. dazu u. Kap. 8.1); Just Dial 11,5 und ConstApost 7,36 zeigen. Von Paulus wird schließlich (4) die Rezeption dieses Vorstellungszusammenhangs in dem ekklesiologischen Selbstverständnis der urchristlichen Gemeinde modifiziert, so daß im Vergleich mit Hebr 4,16[62] der Terminus προσαγωγή in Röm 5,2 den Zugang zum "überindividuellen Heils- und Machtbereich, in dem die aus Glauben Gerechtfertigten sich nun aufhalten"[63] beschreibt.

Wenn man diese Folgerungen aus Röm 5,1f mit denen aus Röm 15,16 zusammen betrachtet, ergibt sich für beide Stellen als verbindendes Motiv, daß (1) ein mit kultischen Deutungskategorien angedeuteter Vorstellungszusammenhang aufgegriffen und ekklesiologisch modifiziert wird, und (2) speziell durch die Verbindung mit den Heiden sein unterscheidendes Charakteristikum erfährt [gegenüber der Verwendung der Motive in Qumran]. (3) Die kultischen Kategorien werden in Röm 5,1f wie in Röm 15,16 benutzt, um kulttypologisch das Zu-Gott-Kommen der Heiden in der neuen Ekklesia aus Heiden und Juden auszusagen: Gerade die Heiden sind dem Kreuzesgeschehen Jesu "inkorporiert" gedacht und bedürfen keiner weiteren Sühnehandlung mehr. "Durch Christus" haben sie nämlich Zugang zur χάρις, in der sie stehen. (4) In Röm 5,1f ist eine ekkle-

---

61 Vgl. zum folgenden WOLTER 125f.

62 In Hebr 4,16 steht der ursprünglich kultische Gedanke von προσαγωγή stärker im Vordergrund, wenn vom "Hinzutreten mit Freimut zum Thron der Gnade" gesprochen wird; zugleich ist χάρις hier der Stand der Barmherzigkeit und Gnade, mit dem ein neues Gottesverhältnis einhergeht. Weiter wird in Hebr 4,16 - wie im gesamten Hebräerbrief - die kultische Terminologie nicht zur Deutung eines *ekklesiologischen* Sachverhalts eingesetzt.

63 WOLTER 125.

siologische Aussage zum Selbstverständnis der Gemeinde - in der Sichtweise des Paulus - überliefert. Offensichtlich konnte Paulus mit derartigen Motiven in Verbindung mit kultischer Begrifflichkeit die Identität der Gemeinde aussagen, nämlich nach innen zur Darstellung des Selbstverständnisses der Ekklesia, in der alle früheren Grenzen (gerade auch die kultischen) eschatologisch aufgehoben sind und der Zugang zu Gott christologisch eröffnet ist, und nach außen zur Abgrenzung gegenüber heidnischen und jüdischen Gruppierungen.

7.2 Röm 12,1f: λογικὴ λατρεὶα ὑμῶν

Die beiden Verse zu Beginn des 12. Kapitels des Römerbriefes haben in den letzten Jahren immer wieder über die Kommentare hinaus Beachtung gefunden.[64] Die Verseinheit Röm 12,1.2 bildet die Einleitung zum paränetischen Teil des Römerbriefes (Kap. 12 - 15,13), so daß die in V 1 enthaltenen kultischen Deutungskategorien an dieser exponierten Stelle besondere Beachtung verdienen.

ÜBERSETZUNG RÖM 12,1f

12,1a Ich ermahne euch nun, Brüder,
durch das Erbarmen Gottes,
b darzubringen eure Leiber
als lebendiges, heiliges, Gott wohlgefälliges Opfer,
c [das ist] euer vernünftiger Gottesdienst.

12,2a Und gleicht euch nicht dieser Welt an,
b sondern (ver-)wandelt euch durch Erneuerung des Denkens,
c damit ihr prüfen [und entscheiden] könnt,
d was der Wille Gottes [ist],
das Gute, Wohlgefällige und Vollkommene.

Bevor die in 12,1 enthaltenen kultischen Kategorien (παρίστημι; θυσία ζῶσα ἁγία; εὐάρεστον τῷ θεῷ; λογικὴ λατρεία) näher untersucht werden sollen, wird kurz die Syntax dieser beiden Verse betrachtet.

Vorangestellt ist ein Verb in der 1. Person Singular mit zugehörigem Akkusativ-Objekt, das durch eine Apposition im Vokativ näherhin spezifi-

64 Vgl. H. SCHLIER, Die Eigenart; ders., Wesen; E. KÄSEMANN, Gottesdienst; Ch. EVANS, Rom 12,1-2: The True Worship; J. BLANK, Paulus 169-191; H.D. BETZ, Problem 211f. Auch KLAUCK, Gemeinde 353f; RADL, Kult 61ff.

ziert wird (ἀδελφοί). Darauf folgt ein mit διά eingeleiteter präpositionaler Ausdruck. Die Konjunktion οὖν hat konsekutiven Charakter. Von dem vorangestellten Verb παρακαλῶ ist ein finaler Infinitiv abhängig (παραστῆναι: Inf. Aorist), zu dem ein Akkusativ-Objekt, ergänzt durch ein Personalpronomen der 2. Person Plural (ὑμῶν), gehört. Dem mit Objekt erweiterten Infinitiv schließt sich eine längere appositionelle Bestimmung im Akkusativ an, bestehend aus einem Substantiv im Akkusativ-Singular und einem Asyndeton aus drei das Nomen attributiv erläuternden Adjektiven, wobei das letzte der Adjektive noch durch ein Dativ-Objekt näher konkretisiert wird. Eine weitere appositionelle Bestimmung im Akkusativ, rückbezogen auf παραστῆναι τὰ σώματα ὑμῶν, schließt die Aussage des Verses ab.

Vers 12,2, mit καί angeschlossen, enthält zwei Verben mit Imperativen in der 2. Person Plural im Präsens, die syntaktisch durch καὶ μή und ἀλλά miteinander adversativ korrespondieren. Das erste Verb mit Imperativ führt ein Dativ-Objekt mit zugehörigem Demonstrativpronomen bei sich (τῷ αἰῶνι τούτῳ), das zweite einen Dativus Instrumentalis mit beigefügtem Genitiv-Objekt. Die Antithese wird in dem finalen Infinitiv (εἰς τὸ δοκιμάζειν) weitergeführt, an den sich eine mit τ5 eingeleitete Aufzählung anschließt, zunächst ein Substantiv mit Genitivergänzung, darauf folgen auf diese Formulierung appositionell bezogen syndetisch drei Adjektive, die durch den einmalig vorgestellten Artikel substantiviert sind.

Wie die Kommentare einhellig feststellen, leiten diese Verse in Art einer Überschrift[65] den paränetischen Teil des Römerbriefes ein, der 12,1 - 15,13 umfaßt und sich in zwei Abschnitte gliedert, nämlich die Kap. 12 und 13 mit allgemeinen Mahnungen ohne unbedingten Adressatenbezug und die Kap. 14,1 - 15,13 mit Mahnungen, die eine konkrete römische Situation aufgreifen, indem sie sich auf zwei Gruppen der Gemeinde beziehen, die "die Starken" und "die Schwachen" genannt werden. Die Verseinheit 12,1f wird durch die persönliche Anrede der Adressaten bestimmt:

---

65 J. BLANK, a.a.O. 172, formuliert noch deutlicher: "Röm 12,1 ist zweifellos als eine Art Grundsatzprogramm oder Manifest für alle nachfolgenden Mahnungen und Weisungen gedacht; der Text will die Grundausrichtung des gesamten christlichen Verhaltens umreißen."

"Ich ermahne euch, Brüder."[66] Hinter dem παρακαλεῖν steht nicht die Autorität des Paulus[67], sondern diejenige Gottes[68], ausgedrückt im präpositionalen Ausdruck διὰ τῶν οἰκτιρμῶν τοῦ θεοῦ.[69] Das direkte Subjekt der Aussage ist Paulus selbst, das indirekte aber ist das Erbarmen Gottes, so daß dieser selbst hinter der Mahnung des Apostels steht. Wie an anderen wichtigen Stellen seiner Briefe verweist Paulus ausdrücklich auf die Autorität Gottes, sprachlich eingeleitet wie an unserer Stelle mit διά, aber verbunden mit dem Nomen χάρις (Röm 1,5; 12,3; 15,15; Gal 1,15).- In Röm 12,1 liegt im Plural οἰκτιρμοί eine Entsprechung zum LXX-Sprachgebrauch vor, wo das Wort für רחמים im MT steht.[70]

Der erste Teil der Mahnung wird in Form eines Infinitivs (παραστῆσαι)[71] an παρακαλῶ angeschlossen, während V 2 mit dem zweiten Teil der Mahnung selbständige Imperative, gegliedert mit μὴ - ἀλλὰ enthält. Diese sind präsentische Imperative, die - im Unterschied zum Infinitiv Aorist in V 1 - iterative Bedeutung haben.

66 Zu ἀδελφοί vgl. im Römerbrief neben 12,1 noch 1,13; 7,1.4; 8,12; 10,1; 11,25; 15,14 ἀδελφοί μου. [30]; 16,17.

67 So etwa MICHEL, Röm 368: "ein wuchtiges παρακαλῶ des apostolischen Amtes, das die Autorität des Paulus hervorhebt." Eher ist hier von einem autoritativen Reden des Paulus zu sprechen, das in diesem paränetischen Verbum sich ausdrückt. - Zu παρακαλεῖν vgl. im Römerbrief neben 12,1 noch 15,30 u. 16,17; bei Paulus und in den paulinischen Briefen 1 Kor 1,10; 4,16; 16,15; 2 Kor 2,8; 10,1; Phil 4,2; Eph 4,1; 1 Thess 4,1.10; 5,14; 2 Thess 3,12; 1 Tim 2,1. - παράκλησις im Römerbrief 12,8; 15,4.5. - Zum Begriff παρακαλεῖν κτλ. s. vor allem SCHLIER, Röm 351f, und ders., Wesen 75-80. - Mit παρακαλεῖν ist das Verb νουθετεῖν verwandt (vgl. Röm 15,14 und die entsprechenden Ausführungen in Kap. 2.4.1).

68 Vgl. 2 Kor 5,20: ὑπὲρ Χριστοῦ οὖν πρεσβεύομεν ὡς τοῦ θεοῦ παρακαλοῦντος δι' ἡμῶν.

69 So richtig bes. SCHLIER, Röm 354: "Nicht als ob er, der Apostel, über das Erbarmen Gottes verfüge, sondern umgekehrt: der Apostel ist der, über den das Erbarmen Gottes verfügt, so daß es in seinem, des Apostels Wort, zu Wort kommt."

70 Vgl. WILCKENS, Röm III 2 Anm. 9 im Anschluß an KÄSEMANN, Röm 311, und CRANFIELD, Rom II 596; so auch schon BULTMANN, οἰκτίρω κτλ., in: ThWNT V 161-163, der den LXX-Sprachgebrauch als Semitismus bezeichnet (ebd. 162 Anm. 16).

71 Der Infinitiv Aorist meint das "immer von neuem" sich zur Verfügung stellen (SCHLIER, Röm 355).

Das Verb παριστάνειν

Für das Verb παρίστημι (παριστάνω) sind eine Fülle von verschiedenen Bedeutungen belegt, sowohl transitiv ("zur Verfügung stellen; bereitstellen; darstellen; darbringen") wie intransitiv ("herantreten; beistehen; dastehen; anwesend sein; vorhanden sein"). Schon die Konstruktion des Wortes weist auf die Mannigfaltigkeit der Bedeutungen hin: es kommt vor mit dem Infinitiv, mit dem Dativ und Akkusativ und mit nicht weniger als 12 verschiedenen Präpositionen, wobei allerdings der logisch-grammatische Zusammenhang ein unterschiedlicher, oft sehr loser ist: εἰς, ἐξ, ἐν, ἔναντι, ἐνώπιον, ἐπί, κατά, μετά, παρά, πρό, πρός und ὑπό.[72]

Es ist auffallend, daß das Verb in der LXX nicht als Opferterminus in der Bedeutung "darbringen"[73] benutzt wird. Für das Darbringen der verschiedenen Opfer stehen dort die Verben προσάγειν oder προσφέρειν. Interessant sind alttestamentliche Stellen, die von Menschen reden, die vor dem König stehen (1 Kön 10,8; 2 Chr 9,7; Spr 22,29; auch 2 Kön 5,25) und so den Vorzug des Zutritts zum König haben. Von solchen Stellen aus ist der religiös-kultische Gebrauch im AT zu sehen. So bezeichnet παραστῆσαι vor allem im Buch Deuteronomium[74] die priesterlich-liturgische Dienstfunktion des Vor-Gott-Stehens, das Gott-zur-Verfügung-Stehen im priesterlichen Dienst, also den Stand aufgrund besonderer Erwählung im Dienst am Altar in der Gegenwart Gottes.

Ähnlich drücken auch Tob 12,15S; Hiob 1,6; 2,1; Dan 7,10.13S; 2 Chr 18,8 und Sach 6,5 ein Unmittelbarkeits-Verhältnis zu Gott aus, wenn jeweils von Engelwesen das "Stehen" vor Gott ausgesagt ist.[75] Alle hier genannten Stellen kulminieren in der Möglichkeit des unmittelbaren Zutritts zu Gott, in dem von Gott selbst eröffneten Recht der Unmittelbarkeit.

Im NT findet sich das Verb an zahlreichen Stellen in den Evangelien, der Apg[76] und der paulinischen Briefliteratur. Bei Paulus begegnet das Verb im transitiven Gebrauch[77] neben Röm 12,1 noch Röm 6,13.16.19; 1 Kor 8,8; 2 Kor 4,14; 11,2. Die

72 Vgl. Bo REICKE u. Georg BERTRAM, παρίστημί, παριστάνω, in: ThWNT V 835-840, hier 836 Anm. 6.

73 Vgl. im klassischen Griechisch Xenoph An VI 1,22 für das "Darbringen von Opfern": παραστησάμενος δύο ἱερεῖα; vgl. JosAnt 4,113. - LIETZMANN, Röm 107f, meint, in Röm 12,1 sei "wohl zugleich daran gedacht, daß παριστάναι θυσίαν Terminus technicus des Opferns ist"; er führt zahlreiche weitere Belege an.

74 Vgl. Dtn 10,8; 17,12; 18,5.7; 21,5; auch Ri 20,28.

75 Vgl. die Verwendung des Simplex ἵστημι im AT in Jes 6,2; im NT in Röm 5,2 oder Apk 7,2. Zu ἵστημι vgl. 5,2.1.

76 In den Evangelien u. der Apg transitiv: Mt 26,53; Lk 2,22; Apg 1,3; 9,41; 23,24.33; 24,13; intransitiv: Mk 4,29; 14,47; 15,35.39; vgl. Lk 19,24; Joh 18,22; 19,26; sowie Lk 1,19; Apg 1,10; 4,10.26; 9,39; 27,23.24:

77 Intransitiver Gebrauch bei Paulus in der Bedeutung "stehen vor dem Richterstuhl Gottes" (Röm 14,10) und "beistehen" (Röm 16,2).

Stelle 2 Kor 4,14 entspricht frühjüdischen Belegen, die in Beschreibungen von Thronszenen zu finden sind (vgl. Röm 14,10; auch 1 Kor 8,8).

Mit Röm 12,1 ist der Kontext aus Röm 6,12ff am nächsten verwandt: Christen sollen ihre Glieder (τὰ μέλη) nicht "als Waffen der Ungerechtigkeit der Sünde zur Verfügung stellen, sondern sich selbst Gott zur Verfügung stellen". Christen sollen "aus ihrer Taufe die Konsequenz ziehen und ihre Glieder bzw. sich selbst Gott zum Dienst der Gerechtigkeit 'zur Verfügung stellen'"[78]. Ähnlich meint Röm 12,1: Die römischen Christen sollen ihre Leiber (τὰ σώματα ὑμῶν) "zur Verfügung stellen". Anders als in Röm 6,12ff erhält in Röm 12,1 παραστῆναι "eine kultische Nuance" (Zeller) durch die unmittelbar folgende kultische Terminologie.

Die Wortverbindung λογικὴ λατρεία

Anhand des Begriffs λογικός läßt sich nach den traditionsgeschichtlichen Voraussetzungen der paulinischen Formulierung aus Röm 12,1 fragen.

Mit dem Terminus λογικός greift Paulus einen zentralen Begriff der hellenistischen Philosophie und Frömmigkeit auf, in der Bedeutung "zum λόγος, zur Vernunft gehörig, vernünftig" ein Lieblingswort der griechischen Philosophie[79]. Das Wort fehlt in der LXX und bei Josephus, ist häufig bei Philo und auch mehrfach in hermetischen Schriften belegt. Bei den frühjüdischen Apokryphen und Pseudepigraphen begegnet das Wort lediglich TestLev 3,6 innerhalb eines Kontextes, in dem über die himmlische und irdische Liturgie gesprochen wird:

> (5) Im nächsten (Himmel)(darunter) sind die Erzengel, die Dienst tun und zum Herrn Sühne darbringen für alle (unwissentlichen) Verfehlungen der Gerechten. (6) Sie bringen dem Herrn Wohlgeruch des Räucherwerks als ein vernünftiges und unblutiges Opfer dar.[80]

Der Textzusammenhang ist vor allem deshalb interessant, weil λογικός neben ἀναίμακτος zur Näherbestimmung von προσφορά benutzt wird, so daß sich eine traditionsgeschichtliche Nähe zur Aussage von Röm 12,1 andeuten könnte. Die in der Übersetzung von J. BECKER gewählte Möglichkeit "vernünftig" dürfte - zumal neben der zweiten Spezifizierung der Opfergabe als "unblutig" - zu konkretisieren sein im Sinne der Bedeutung "angemessen" oder "wahr", ähnlich wie es sich auch für unsere zu erörternde Stelle Röm 12,1 als Interpretation der Übersetzung nahelegen wird.

In den Apostolischen Constitutionen begegnet das Wort siebenmal. Hier spiegelt sich offensichtlich der Sprachgebrauch der hellenistischen Synagoge, jeweils im Kontext

---

78 WILCKENS, Röm III 3. Er vermutet, Paulus wähle hier in Röm 12,1 "zweifellos mit Bedacht dasselbe Wort, das den Kontext in 6,12ff bestimmte".

79 LIETZMANN, Röm 108; neben den Kommentaren zu Röm und 1 Petr und den entsprechenden Lexika und der zu Röm 12,1 genannten Literatur vgl. zu λογικός Odo CASEL, Die λογικὴ θυσία der antiken Mystik in christlich-liturgischer Umdeutung: JLW 4 (1924) 37-47; bes. den Kommentar von LIETZMANN z.St. mit seinem Exkurs zu λογικός; R. REITZENSTEIN, Mysterienreligionen 328-333; ders., Poimandres 347f.

80 Übersetzung aus J. BECKER, Testamente. - Vgl. zur Stelle Kap. 2.4.1 die Ausführung zu προσφορά.

von Gebeten zu Gott, verbunden mit ζῷον bezogen auf den Menschen selber oder mit φύσις bezogen auf die menschliche Natur. So heißt es: "Und zum Schluß der Schöpfung hast du das vernünftige Wesen (τὸ λογικὸν ζῷον, τὸν κοσμοπολίτην) [geschaffen], indem du zu deiner Weisheit befehlend sprachst: Laß uns den Menschen machen nach unserem Ebenbild und Gleichnis." (VII,34,6) Ähnlich: "Darum hast du ihn gemacht aus einer unsterblichen Seele und aus einem unauflösbaren Leibe, jene aus dem Nichts, diesen aus den vier Elementen; und du hast ihm vernünftiges Urteil mitgegeben gemäß seiner Seele (αὐτῷ κατὰ μὲν τὴν ψυχὴν τὴν λογικὴν διάγνωσιν)." (VIII,12,17) Oder: "Dies alles bildest du aus kleinen Anfängen im Mutterleib und gibst die unsterbliche Seele nach der Ausgestaltung [hinein], und führst das vernünftige Wesen ans Licht, den Menschen (προσάγεις εἰς φῶς τὸ λογικὸν ζῷον τὸν ἄνθρωπον)." (VII,38,5) Ein Gebet des Bischofs beginnt: "Allmächtiger, ewiger Gott, . . . der du den Menschen als Zierde der Welt (κόσμου κόσμον) geschaffen hast, und ihm das Gesetz gabst, eingepflanzt und geschrieben (ἔφυτον καὶ γραπτόν), daß er danach lebe als Vernunftwesen (πρὸς τὸ ζῆν αὐτὸν ἐνθέσμως ὡς λογικόν)." (VIII,9,8) Und zu Gott: "Du bist der Vater der Weisheit . . ., der Gott und Vater Christi . . ., durch ihn wird dir die gebührende Anbetung dargebracht von jedem vernünftigen und heiligem Wesen (δι' οὗ σοι καὶ ἡ ἐπάξιος προσκύνησις ὀφείλεται παρὰ πάσης λογικῆς καὶ ἁγίας φύσεως)". (VII,35,10; ähnlich VIII,37,6) Schließlich noch aus einem Gebet des Bischofs, in dem dieser Gott anspricht und ihn neben anderen Gottesbezeichnungen als "wohnend in unnahbarem Lichte, von Natur aus unsichtbar, bekannt allen vernünftigen Wesen, die dich aufrichtig suchen" (ὁ γνωστὸς πάσαις ταῖς μετ' εὐνοίας ἐκζητούσαις σε λογικαῖς φύσεσιν; VIII,15,7) Dies sind stoische Allgemeinplätze, der Mensch als aus den vier στοιχεῖα gemacht, ausgestattet mit λογικὴ φύσις und einem eingepflanzten Gesetz - "and if Ap. Const. VII-VIII are correctly taken as based on a Jewish or Jewish-Christian *Grundschrift* they show deeply such conceptions had become embedded in liturgy. Here λογικός can have no other meaning than 'rational'."[81]

Ähnliches kann wohl für den Gebrauch des Wortes bei Philo gelten. Zugleich kann bei ihm anhand des Begriffs λογικός seine Opferauffassung dargestellt werden. Er kennt häufig die Verwendung von λογικός in der Bedeutung von "vernünftig/vernunftbegabt"[82], aber auch in Aussagen über das Opfer und den Opfernden, wo m.E. die Übersetzung "geistig" angemessen erscheint. "Die Voraussetzung der Gottesschau ist die Reinigung der Seele durch die Weihen der vollkommenen Tugend. Auch für diese Vorstufe des mystischen Erlebens ist das Opfer Symbol"[83]: der νοῦς, der fehlerfrei und durch die Weihen der vollkommenen Tugend geläutert ist, stellt selbst das heiligste und Gott ganz und gar wohlgefällige Opfer dar (ἡ εὐαγεστάτη θυσία καὶ ὅλη δι' ὅλων εὐάρεστος θεῷ [SpecLeg I,201]).[84]

---

81 Vgl. Ch. EVANS, Romans 12.1-2, 18; Zitat ebd.

82 Vgl. Cher 39; Somn I,255; Post 66.68; All I,10; Plant 41; Migr 3.47.185. 213; Abr 32; u.a.m.

83 WENSCHKEWITZ, a.a.O. 145.

84 Vgl. I. HEINEMANN, Philons griechische und jüdische Bildung, 67, der darauf verweist, daß "die Lehre, daß es nicht auf die Größe der Gabe, sondern auf die Gesinnung ankommt, ja daß das schlichte Opfer des Armen Gott lieber ist als das üppige des Reichen, zumal wenn er weniger fromm ist, sowohl auf griechischem wie auf jüdischem Boden gelegentlich bezeugt" ist. Dort auch einige Belege.

Bei Philo ist der Begriff νοῦς ähnlich wie der Begriff σῶμα nicht einheitlich zu fassen. "Auch hier gilt, daß die anthropologische Begrifflichkeit keine selbständige Basis bildet, sondern der Motivzusammenhang und das Aussageziel über die Einordnung des νοῦς entscheiden."[85] So kann der νοῦς bei ihm der höchste Teil[86] des Menschen und seiner Seele (ψυχή) als Sitz von moralischer Urteilskraft und Tugend sein. Gott setze "den wahren 'Menschen' in uns, d.h. den Geist, in die heiligsten Pflanzungen und Gewächse des Guten und Schönen" ein (Plant 42). "Zwei Tempel Gottes (δύο ἱερὰ θεοῦ) gibt es offenbar in uns: der eine ist diese unsere Welt, in der es auch einen Hohenpriester gibt, seinen erstgeborenen göttlichen Logos, der andere ist die vernünftige Seele (λογικὴ ψυχή), deren Priester der wahre Mensch ist (ἧς ἱερεὺς ὁ πρὸς ἀλήθειαν ἄνθρωπος), dessen sinnlich wahrnehmbares Abbild jener Priester ist, der die von den Vätern überkommenen Gebete und Opfer vollzieht." (Som I,215). Für Philo ist der νοῦς auf das πνεῦμα bezogen, aber nicht mit diesem identisch, da ja der νοῦς, und nur dieser allein, der Empfänger des πνεῦμα ist, des göttlichen Odems (All I,36), so daß dieser ein λογικὸν πνεῦμα wird. Die Tatsache, daß bei Philo λογικός so oft qualifizierend als Adjektiv zu πνεῦμα hinzutritt, zeigt, daß es nicht dasselbe bedeuten kann wie "spirituell". Es ist das Dominante im Menschen, "das leitende Prinzip in uns": τὸ ἡγεμόνικον ἐν ἡμῷν λογικὸν πνεῦμα, das geformt wird entsprechend seinem Urbild, dem Logos (SpecLeg I,171).

SpecLeg I,277: "Gott legt nicht Wert auf die Fülle der Opfer, sondern auf das völlig reine, geistige Pneuma des Opfernden" (. . . ἀλλὰ τὸ καθαρώτατον τοῦ θύοντος πνεῦμα λογικόν). Nach de SpecLeg I,290 gelten "vor Gott nicht die Opfertiere (τὰ ἱερεῖα) als Opfer, sondern die Gesinnung und der gute Wille des Opfernden, dem die Tugend Dauer und Bestand verleiht" (διάνοια καὶ προθυμία, ἐν ᾗ τὸ μόνιον καὶ βέβαιον ἐξ ἀρετῆς). Und Plant 126 heißt es: "Gott aber kann man seine Dankbarkeit nicht abstatten durch die von der Menge für richtig gehaltenen Mittel: Bauten, Weihegeschenke, Opfer - denn nicht das ganze Weltall wäre ein würdiges Heiligtum (ἱερὸν) zu seiner Ehrung -, sondern nur durch Loblieder und Gesänge, und auch nicht durch solche, die unsere Stimme singen mag, sondern, wie sie der unsichtbare, ganz reine Geist tönen und schallen läßt" (ὁ ἀειδὴς καὶ καθαρώτατος νοῦς).

Für Philo ist, so läßt sich zusammenfassend sagen, der äußere Kultus nur Hinweis "auf das viel wichtigere, innerseelische Geschehen, auf die mystische Hingabe der Seele an Gott".[87]

Der Hermetik ist "nicht die Überordnung des Sittlichen über das Kultische - das ist ja bereits in der Prophetenpredigt typisch und auch der griechischen Polemik der Philosophen wohlbekannt" - eigentümlich, sondern die Betonung, "daß die Art des Opfers dem Wesen des λόγος entsprechen muß. Dieser Gedanke ist auch ursprünglich auf dem Boden der späteren Stoa gewachsen, dann in der hellenistischen Mystik entwik-

85 Vgl. H. KAISER, Bedeutung 98; Zitat ebd.; zum Begriff νοῦς bei Philo s. ebd. 98-118.

86 Vgl. zum folgenden Ch. EVANS, a.a.O. 18f.

87 Vgl. WENSCHKEWITZ, a.a.O. 146; Zitat ebd. - Zum Priester- und Opferbegriff bei Philo vgl. ebd. 137-146; auch I. HEINEMANN, a.a.O. 62ff (zum Opferbegriff), Zusammenfassung ebd. 66. - S. auch unten Kap. 9.3 den Abschnitt über Philo von Alexandrien.

kelt und wahrscheinlich durch jüdische Vermittlung zu Pls gekommen."[88] In diesen Stellen begegnet λογικός in einer nahezu wörtlichen Parallele zu Röm 12,1, wenn es im Schlußgebet des Poimandres im Lobpreis für Gott, den Vater, heißt:

> Nimm an geistige Opfer, rein von Seele und Herz (δέξαι λογικὰς θυσίας ἁγνὰς ἀπὸ ψυχῆς καὶ καρδίας), die sich zu dir ausspannen, Unaussprechlicher, Unsagbarer, (nur) vom Schweigen Gerufener! (CorpHerm I,31 [Nock-Festugière I,19])[89]

Eine weitere Stelle lautet:

> Ich danke dir, Gott, du Kraft meiner Energien: Dein Logos preist dich durch mich. Durch dich nimm an das All im Logos als geistiges Opfer (λογικὴν θυσίαν). (Corp Herm XIII,18 [Nock-Festugière II,208])[90]

In diesen Texten sind die λογικὴ θυσία "Gebete und Hymnen, die der Myste oder eigentlich der göttliche λόγος in ihm zu Gott hin sendet und die dieser als νοῦς annimmt. Kurz gesagt, ist die λογικὴ θυσία oder auch λογικὴ λατρεία das mystische Gebet des göttlichen Logos, der durch den Mysten zu sich betet. Der Sache nach ist die λογικὴ θυσία dann das Opfer, durch das der betende Myste als der göttliche Logos zur Selbsterfüllung gelangt."[91]

Auch im ersten Petrusbrief begegnet das Wort λογικός. In 1 Petr 2,1-5 werden die Briefadressaten aufgefordert, τὸ λογικὸν ἄδολον γάλα zu verlangen, damit sie in ihr heranwachsen und so das Heil erlangen (V 2)[92]. Diese Stelle aus dem ersten Petrusbrief liefert aber keine weitere Hilfe zur Interpretation von Röm 12,1f.

Bei der Betrachtung dieses religionsgeschichtlichen Hintergrundes des Wortes läßt sich vermuten, daß Paulus λογικός an unserer Stelle bewußt oder unbewußt aus der Funktion heraus gewählt hat, die das Wort sowohl in stoischem wie in mystischem Sprachgebrauch besaß: den einzig wahren Kult als solchen zu benennen und so "von der Vielfalt vorhandenen, aber uneigentlichen Kultes zu unterscheiden". So hat λογικός hier *hermeneuti-*

---

88 LIETZMANN, Röm 108, zu diesen Stellen und anderen (u.a. Seneca Ep. 95,50; Ben I 6,3; Lactantius Inst. VI 24-25).

89 Übersetzung der griechischen Zitate aus WILCKENS, Röm III 5; vgl. dazu R. REITZENSTEIN, Mysterienreligionen 328f; ders., Poimandres 346f.

90 Vgl. CorpHerm XIII,21 [Nock-Festugière II,209]: "Dir, du Schöpfer der Schöpfung, dem Gott Tat, sende ich geistige Opfer (λογικὰς θυσίας)."

91 SCHLIER, Röm 357f; vgl. ders., Wesen 86: "Eine besondere Ausprägung fand nun dieser Gegensatz (sc. des geistigen und ethischen Opfers gegen das kultische Tieropfer) dort, wo die λογικὴ λατρεία, wie etwa im sogenannten Corpus Hermeticum, als hymnisches oder auch wortloses Gebet des Mysten verstanden wurde." SCHLIER zitiert dann CorpHerm I,31.

92 Zu 1 Petr 2,4ff s. unten Kap. 8.2.

sche Funktion im Sinne von "wahr" oder "eigentlich".[93] Als eschatologisches Opfer ist die "Darbringung der Leiber" für Paulus der eigentliche Gottesdienst.

Zugleich ist bei der Betrachtung des Wortes λογικός zu beachten, daß Paulus gerade hier in Röm 12,1 von der "Darbringung der Leiber" als dem Ort des "eigentlichen Gottesdienstes" spricht[94]. Das ist ein wichtiger Unterschied zu stoischen oder mystischen Auffassungen von der "Vergeistigung" des religiösen Tuns, die sich in Nichtbeachtung oder im "Verlassen" des Leibes zu vollziehen hatte. Paulus fordert "leibhaftige Hingabe" solcher Art, daß er dies mit kultischer Terminologie ausdrücken kann als "Gott geweihte Opfergabe", weil dieses durch Gottes Barmherzigkeit erst mögliche Opfer-Tun den Menschen in Gottes Temenos hineinstellt und so eben *das* eigentliche Opfer des Menschen ist.

Der Ausdruck τὴν λογικὴν λατρείαν ist in Röm 12,1 als Apposition zu der gesamten voranstehenden Infinitivpassage aufzufassen[95], also zu παραστῆσαι τὰ σώματα ὑμῶν θυσίαν ζῶσαν ἁγίαν τῷ θεῷ. - Das Wort λατρεία[96] begegnet bei Paulus neben Röm 12,1 nur noch Röm 9,4, hier allerdings bezogen auf den jüdischen Gottesdienst, so daß eine weitere Betrachtung dieser Stelle für unsere Zwecke wenig nützlich ist.[97]

---

93 Vgl. WILCKENS, Röm III 5f; Zitat ebd.

94 Vgl. bei EVANS, a.a.O. 48, die Erörterung der Frage, warum Paulus nicht einfach παραστῆσαι ὑμᾶς sage. Die Formulierung σώματα ὑμῶν betone stärker als ein bloßes ἑαυτούς. Zudem sei es dem Kontext mit θυσία angemessener, von der Darbringung der Leiber zu sprechen.

95 Vgl. a.a.O. III 4 Anm. 18; ähnlich ZAHN, MICHEL, LIETZMANN, SCHMIDT und SCHLIER z.St.

96 Vgl. zu λατρεύω/λατρεία STRATHMANN, ThWNT IV 58-66. λατρεία ist im griechischen Sprachgebrauch allerdings auch auf θυσία allein bezogen; in der LXX begegnet das Wort 9mal und bezeichnet den (kultischen) Dienst vor Gott im allgemeinen (vgl. Jos 22,27; in 1 Makk 2,19 steht es für "Religion"). In Ex 12,25.26 und 13,5 ist es auf das Passa selber bezogen. Bei Philo begegnet es sechsmal und kann summarisch alle Feste oder ein einzelnes Ritual (vgl. Decal 158) bezeichnen; im Plural kann es alle angemessenen Opfer umfassen (SpecLeg II,167).

97 Im NT λατρεία noch Joh 16,2 (λατρείαν προσφέρειν τῷ θεῷ) und Hebr 9,1 (δικαιώματα λατρείας).

Das Verb λατρεύειν begegnet in der LXX ca. 90mal, davon 70mal in den Büchern Ex (17mal), Dtn (25mal), Jos (19mal) und Ri (9mal); in den prophetischen Schriften nur Ez 20,32 (hier u. in Num 16,9 Wiedergabe von שרת); meist ist es Wiedergabe von עבד. Dieses wird aber auch sehr oft durch δουλεύειν wiedergegeben. Dabei läßt sich nun beobachten, daß jene durch häufige Verwendung von λατρεύειν auffallenden Schriften das Verb meist dann verwenden, wenn עבד sich auf religiöses Verhalten bezieht. Zwei Stellen in der Verwendung von λατρεύειν sollen hervorgehoben werden: Im Zusammenhang mit dem Auszug aus Ägypten wird als Ziel dieser Herausführung mehrmals genannt, daß der Pharao das Volk ziehen lassen solle, damit es Gott diene (vgl. Ex 4,23; 7,16.26; 8,16; 9,1.13 u.a.m.; vgl. Ex 3,12). Damit ist gewiß auch das kultische Tun Gott gegenüber angesprochen, wie die parallele Aussage Ex 8,4 zeigt (καὶ θύσωσιν κυρίῳ). Eine andere wichtige Stelle ist Dtn 10,12f, wo die Grundforderung Gottes an Israel zusammengefaßt ist und es schließlich heißt: καὶ ἀγαπᾶν αὐτὸν καὶ λατρεύειν κυρίῳ τῷ θεῷ σου ἐξ ὅλης τῆς καρδίας σου καὶ ἐξ ὅλης τῆς ψυχῆς σου. Hier ist mit dem Verbum die "Beschneidung des Herzens" umschrieben.

Paulus verwendet das Verb λατρεύειν an drei Stellen, von denen Röm 1,25 für uns weniger interessant ist, weil hier das Wort auf den Gottesdienst der Heiden bezogen ist. Um so mehr sind die beiden anderen Stellen zu nennen:[98]

In Röm 1,9 ist mit λατρεύειν (1) ein Dienst bei der Verkündigung des Evangeliums des Sohnes Gottes bezeichnet und zugleich (2) ein Dienst Gottes, den Paulus in seinem Geiste vollzieht.[99] In Phil 3,3 schließlich ist λατρεύειν mit dem Begriff περιτομή, dem Bundeszeichen des auserwählten Volkes, verbunden: "Denn wir sind die Beschneidung, die wir im Geist Gottes dienen . . .".[100] An beiden Stellen ist das Verb λατρεύειν von Paulus also in übertragenem Sinn "zur Bezeichnung eines Gottesdienstes durch den Geist in der Form des Gebetes und des rechten Handelns"[101] verwendet, um den Dienst im nun eschatologisch-gegenwärtigen Heilsgeschehen zu kennzeichnen, wie die Hervorhebung des Geistes an beiden Stellen ausdrückt. Für Paulus ist der jetzige Dienst der wahre und end-gültige, wobei diese letzte Bestimmung geradezu wörtlich zu nehmen ist: denn der Dienst am Evangelium im Geist ist im in Christus angebrochenen Endgeschehen der einzig gültige Dienst. So gesehen läßt sich der von Paulus mit λατρεύειν bezeichnete Dienst als eine typologische Gegenüberstellung zu allen früheren Dienste verstehen.

Wenn Paulus den Begriff λογικὴ λατρεία verwendet, will er also in für ihn eindeutiger Weise das angemahnte Tun des Menschen in der "Darbringung der Leiber" als das *eigentliche* Opfer herausstellen, das allen anderen Opfern überbietend gegenübergestellt ist.

---

98 Im NT λατρεύειν sonst Mt 4,10 (par Lk 4,8); Lk 1,74; 2,37; Apg 7,7.42; 24,14; 26,7; 27,23; 2 Tim 1,3; Hebr 8,59; 9,9.14; 10,2; 12,38; 13,10; Apk 7,15; 22,3.

99 Vgl. WENSCHKEWITZ, Spiritualisierung 190.

100 Vgl. zur weiteren Erörterung von Phil 3,3 unten Pkt. 7.4.

101 WENSCHKEWITZ, a.a.O. 191, Zitat ebd.

Beachtung in unserer Textstelle verdient in der Aufforderung (2b): ἀλλὰ μεταμορφοῦσθε τῇ ἀνακαινώσει τοῦ νοός das Verb μεταμορφοῦν[102].

"Verwandelt werden" ist ein rein hellenistischer Begriff mit breiter Bezeugung in der griechischen Mythologie, der keinen direkten Bezug zur LXX oder zum frühjüdischen Schrifttum aufweist. Das Wort bringt "aus der Sakralsprache der Mysterien schon den Wundercharakter des mit ihm bezeichneten Vorganges" mit[103]. In den hellenistischen Mysterienreligionen ist die Verwandlung (μεταμόρφωσις) eine Parallelvorstellung zur Wiedergeburt oder Vergottung. "In ein gottgleiches Wesen verwandelt zu werden, ist das große Ziel, das der Myste, von Weihe zu Weihe fortschreitend, durch Schau der Gottheit zu erreichen strebt."[104]

Paulus gebraucht μεταμορφοῦν noch in 2 Kor 3,18:

18a: Wir alle aber schauen mit unverhülltem Angesicht wie in einem Spiegel die Herrlichkeit des Herrn,
18b: und werden so in dasselbe Bild verwandelt (μεταμορφούμεθα),
18c: von Herrlichkeit zu Herrlichkeit gleichwie vom Herrn des Geistes.

Das Verb μεταμορφοῦν ist von Paulus neben Röm 12,2 hier in 2 Kor 3,18 in einer Stelle verwendet, wo er "die gegenwärtig im Anblick der Herrlichkeit Christi durch den Geist sich vollziehende Verwandlung in das Bild Christi bezeichnet (2 Kor 3,18)", also in einem Zusammenhang, der thematisch auch das "Schauen auf den Kyrios Jesus" behandelt.[105] Wir sind dabei nicht mehr weit entfernt von den Aussagen über den durch Christus gewonnenen Zugang zu Gott und der mit dem Begriff "Immediatverkehr" bezeichneten neuen Qualität der Gottesbeziehung, die nun auch und gerade den Heiden ermöglicht ist. Eine sachliche Parallele liegt hinter Röm 12,1f und 2 Kor 3,18 in der gemeinsamen Rede von der Verwandlung vor, die in 2 Kor 3,18 christologisch umschrieben ist.

---

[102] Vgl. zu μεταμορφοῦν Johannes BEHM, Art. μορφή κτλ., in: ThWNT IV 750-767; Johannes M. NÜTZEL, Art. μεταμορφόω, in: EWNT II 1021/2; REITZENSTEIN, Mysterienreligionen 39ff.262ff.357.- Das Verb im NT jeweils passivisch neben Röm 12,2 u. 2 Kor 3,18 noch Mk 9,2 par Mt 17,2 in den Verklärungserzählungen; bei Philo 3mal: SpecLeg IV,147 in einer Aussage über die innere, unsichtbare Umwandlung: τὸν αὐτὸν τρόπον κἂν τῇ βασιλίδι τῶν ἀρετῶν, εὐσεβείᾳ, προσθῇ τις ὁτιοῦν μικρὸν ἢ μέγα ἢ τοὐναντίον ἀφέλῃ, καθ' ἑκάτερον ἐπαλλάξει καὶ μεταμορφώσει τὸ εἶδος; sonst noch bei Philo (über Hermes) LegGai 95 und (vom Übergang in den ekstatischen Zustand) VitMos I,57.

[103] SCHLIER, Wesen 87. - Vgl. vor allem REITZENSTEIN, Mysterienreligionen 357f, der auf den Zusammenhang von der Verwandlung der Seele (μορφὴ θεοῦ), die Gott bewirkt, indem er in sie eintritt, und der Verwandlung der Seele durch die Schau Gottes in der hellenistischen Mystik hinweist.

[104] Vgl. J. BEHM, a.a.O. 764, Zitat ebd.

[105] Vgl. SCHLIER, a.a.O. 87, Zitate ebd.; weiter heißt es dort: "Paulus kennt auch schon jetzt eine wunderbare Verwandlung des Menschen, die sich im unverwandten Schauen auf den Kyrios Jesus als den Spiegel Gottes durch die Kraft des Heiligen Geistes vollzieht."

Neben dem Verb μεταμορφοῦν steht συσχηματίζεσθε. Bei Paulus bezeichnen die Begriffe σχῆμα und μορφή in gleicher Weise "nicht die äußere Erscheinungsgestalt gegenüber dem inneren Wesen, sondern die Gestalt, in der sich das Wesen selbst manifestiert". Beide Begriffe sind darin, wie Phil 3,21 zeigt, synonym.[106]

Der Imperativ μεταμορφοῦσθε wird durch den Ausdruck τῇ ἀνακαινώσει τοῦ νοὸς ergänzt. Der Begriff νοῦς an dieser Stelle bezeichnet als erneuerter νοῦς den Ort im Menschen, der in der Lage ist, das δοκιμάζειν τί τὸ θέλημα τοῦ θεοῦ zu vollziehen. In diesem Verständnis meint νοῦς, wie zuvor der Begriff σῶμα, den Menschen in seiner Gesamtheit, hier in seiner anthropologischen Voraussetzung der Gottesbeziehung, so daß die Übersetzung "Denken" oder "Urteilen"[107] angemessen ist. In Röm 12,2 ist der Mensch als Subjekt-Nous derjenige, der sein irdisches νοῦς verwandeln lassen soll, damit (εἰς τό) dieser der unterscheidenden Erkenntnis des göttlichen Willens fähig wird. Im Abschnitt Röm 12,1f bildet νοῦς also den Parallelbegriff zu σῶμα in 12,1, wobei der Unterschied wesentlich auch darin liegt, daß bezogen auf das σῶμα der Mensch selber als Aktant imperativisch gefordert ist, während bezüglich des νοῦς der Mensch Gott als Aktanten gewähren lassen soll.[108] In beiden Formulierungen geht es Paulus um den "Existenzwandel"[109] des Menschen hin unter die Herrschaft des Willens Gottes: Da, wo Gottes Wille zur Herrschaft kommt, ist der Mensch unter diesem Willen und so unter der Herrschaft Gottes.

Zusammenfassende Beobachtungen zu Röm 12,1f

Die Betrachtung von Röm 12,1 hat uns mit einem philosophisch geprägten Kultverständnis stoischer oder mystischer Ausformung konfrontiert. Gerade die Verbindung von kultischen Deutungskategorien mit dem Terminus σῶμα, also der konkreten menschlichen Leiblichkeit, zeigt, daß Paulus in Röm 12,1f keinesfalls eine "Spiritualisierung" dieser kultischen

---

[106] Vgl. WILCKENS, Röm III 7; Zitat ebd.

[107] Vgl. dazu SCHLIER, Röm 361: " . . . aber mit dem Nebensinn eines entschiedenen oder auch existentiellen Denkens, das die Voraussetzung für eine kritische Entscheidung ist". SCHLIER bietet eine Zusammenstellung der unterschiedlichen Übersetzungsvarianten in den Kommentaren.

[108] Vgl. MICHEL, Röm 371, zu μεταμορφοῦσθαι: "Das Passiv (nicht Medium) ist beachtlich: Gottes Werk vollzieht sich dadurch an uns, daß wir uns in unserem Sinn erneuern lassen." - Zugleich ist dieser Verwandlungsvorgang ein iteratives Geschehen (Imperativ Präsens), während in Röm 12,1 die zentrale Aussage mit dem Infinitiv Aorist formuliert ist (vgl. dazu WILCKENS, Röm III 7).

[109] WILCKENS, a.a.O. 7, mit Verweis auf Röm 6: "In der Taufe wirkt die endzeitliche Heilswirklichkeit des Christusgeschehens als Rechtfertigung und Heiligung (1 Kor 6,11) so in das konkrete Leben herein, daß das Alte vergangen und Neues entstanden ist (2 Kor 5,17)."

Begrifflichkeit beabsichtigt hat. Kennzeichen der Christen ist es gerade, "in Unterschied zu unpersönlichen Objekten (vgl. 1 Petr 2,4f)"[110], selber eine lebendige Opfergabe werden zu können, eben in der Fähigkeit, sich in der eigenen Leiblichkeit Gott zu übereignen. So sehr also gerade in Röm 12,1 die "eindeutig heidnische Kultterminologie"[111] ins Auge fällt, darf nicht übersehen werden, daß und wie Paulus an dieser Stelle die spiritualisierende Tendenz des hellenistischen Wortfeldes modifiziert. Während griechischer Religiösität die Forderung entsprechen würde, die Leiblichkeit abzulegen, um z.B. wie nach Philo die Seele als die eigentliche Opfergabe darzubringen[112], ist für Paulus gerade das Tun des Christen gegenüber Gott in und mit seiner konkreten Leiblichkeit ausschlaggebend: "Rechte Vergeistigung heißt in Wahrheit Verleiblichung."[113] Dies geschieht darin, daß die Christen sich in ihrer ganzen, personalen, leibhaften Existenz[114] vorbehaltlos Gott zur Verfügung stellen (Röm 12,1), ihren Leib als "Tempel des heiligen Geistes" erkennen (1 Kor 6,19) und Gott in ihrem Leib verherrlichen (1 Kor 6,20; ähnlich 1 Kor 10,31; vgl. Kol 3,17). Im Zusammenhang dieser anderen Stellen wird ersichtlich, daß es Paulus in Röm 12,1 um die gesamte somatische Seite der menschlichen Existenz geht, deren Darbringung als "lebendig" bezeichnet wird, weil das "Leben des Christen in seiner Gesamtheit als solches Opfer aufzufassen ist"[115]. Durch Gottes Barmherzigkeit ermöglicht haben die Christen die Möglichkeit des Zugangs zu Gott.

---

[110] ZELLER, Röm 207.

[111] KLAUCK, Gemeinde 353.

[112] Vgl. z.B. Philo Imm 87; SpecLeg I,247f; Philo spricht vom "großen Gebet", bei dem - als alle drei Opferarten zusammenfassendes Opfer - sich die Opfernden nach den materiellen Gaben von ihrem Selbst trennen und es Gott weihen.

[113] BLANK, Paulus 184.

[114] Vgl. MICHEL, Röm 370: "Paulus dagegen geht es um den konkreten und völligen Gehorsam gegen den Anspruch des Evangeliums in der ganz unmystischen Sphäre des 'Leiblichen'."

[115] H.D. BETZ, a.a.O. 212; an gleicher Stelle wendet sich BETZ dagegen, bei der heutigen Interpretation auf so vage Ausdrücke wie "Spiritualität" oder "Spiritualisierung" zurückzugreifen, "Begriffe, die derzeit sehr beliebt sind, obwohl oder weil sie wenig besagen".

Es trifft allerdings nicht zu, wenn KÄSEMANN sagt, daß da, "wo der Gottesdienst der Christen im leiblichen Gehorsam erfolgt, das für die nicht durch die Aufklärung bestimmte Antike als Stätte der eigentlichen Gottesverehrung charakteristische kultische Temenos grundsätzlich preisgegeben"[116] werde. KÄSEMANN geht zu weit, wenn er hier die Profanisierung alles Kultischen und das Ende jedes anderen Kultes zu sehen glaubt.[117]

Paulus verbleibt vielmehr bewußt in kultischer Terminologie und kultischem Denken, weil (1) so für ihn in höchster Form die neue Qualität des unmittelbaren Gottesverhältnisses aussagbar ist, in dem allen Christen priesterliche Funktionen zukommen, wie sie bisher nur Priester am Jerusalemer Tempel besaßen. Und er muß (2) auf die Betonung der Leiblichkeit Wert legen, da er so einem falschen kultischen Verständnis in mehrfacher Hinsicht begegnen kann: Es geht weder um ein veräußerlichtes Tun gegenüber Gott wie im herkömmlichen Kultablauf am Tempel, wie es ja auch schon bei den Propheten (Hos 6,6; Amos 5,21; Mich 6,8 u.a.) und in den Psalmen (z.B. Ps 40,7-9; 50,5-15; 51,18-19) lange vor Paulus kritisiert wurde, noch geht es um eine Mißachtung des Leiblichen wie für die stoische oder auch mystische Lehre von der "geistigen Religion". Der Mensch in seiner gesamten Existenz - deshalb sagt Paulus σῶμα[118] - ist gefordert, und nur in seinem σῶμα und in der Darbringung seines σῶμα kann er die λογικὴ λατρεία als εὐάρεστον τῷ θεῷ vollziehen. (3) Indem er die Adressaten in Rom zur Darbringung der Leiber" auffordert, ruft er sie zugleich auf, "Priester und Opfer zugleich zu sein"[119], d.h. in das durch das Kreuzesgeschehen Christi eröffnete neue Gottesverhältnis einzugehen. (4) Schließlich ist noch ein vierter Gesichtspunkt in der Verwendung der kultischen Deutungskategorien in Röm 12,1f zu sehen. Die eschatologisch-radikale Vergegenwärtigung des Heilsgeschehens ermöglicht Paulus die kultisch geprägte Aussageform (auch) in Röm 12,1f.

---

[116] KÄSEMANN, Gottesdienst 201.

[117] Mit CRANFIELD, Rom II 601f; SCHLIER, Röm 358; WILCKENS, Röm III 7; gegen KÄSEMANN, Röm 314; Gottesdienst 201.

[118] Zu σῶμα (bei Paulus u.a. 1 Kor 5,3; 6,13ff.20; 7,4.34; 9,27; 10,16f; 13,3; 15,35ff; 2 Kor 4,10; 5,10; 10,10; Gal 6,17; Phil 1,20; 3,21) schreibt SCHLIER, Röm 355: "Leib ist also der Mensch in seiner leibhaftigen, kommunikativen Gegenwart und wirksam verfügenden, verfügten Wirklichkeit."

[119] SCHLIER, Röm 355.

7.3 "Beim Opfer und Gottesdienst eures Glaubens" (Phil 2,17)

Nach J. GNILKA gehört Phil 2,17 innerhalb des kanonischen Philipperbriefes zum Brief A, der 1,1 - 3,1a; 4,2-7.10-23 umfaßt und Gefangenschaftsbrief genannt wird, da er eine Gefangenschaft des Apostels voraussetzt (δεσμοί: 1,7.17) und mit der Möglichkeit eines nahen Todes rechnet (1,19f; eventuell auch 2,17).[120] Phil 2,17f bildet innerhalb dieses Gefangenschaftsbriefes den Abschluß des Abschnittes 1,27 - 2,18, in dem Aufgaben der Gemeinde behandelt werden.

Übersetzung von Phil 2,17f

17a Aber wenn ich auch als Trankopfer ausgegossen werde
b beim Opfer und Gottesdienst für euren Glauben,
c so freue ich mich und freue mich mit euch allen.

18a Ebenso sollt auch ihr euch freuen
b und euch freuen mit mir.

Phil 2,17 ist geprägt von drei kultischen Begriffen (σπένδομαι - θυσία - λειτουργία)[121]. In zweifacher Weise ist hier vom Opfer gesprochen:

(a) Paulus sagt von sich selbst, daß er geopfert wird und drückt dies mit dem Terminus σπονδή aus.[122] Wiederum also macht Paulus mit

---

[120] Vgl. GNILKA, Phil 5f; 11-18. - Andere Teilungsvorschläge (s. dazu GNILKA 6f) beziehen sich in modifizierter Form auf Walter SCHMITHALS (Die Irrlehrer des Philipperbriefes: ZThK 54 [1957] 297-341, hier 299), der im Philipperbrief drei Briefe unterscheiden möchte: einen Brief A 4,10-23 ("Dankesbillet" an die Gemeinde für durch Epaphroditus überbrachte Spende); B 1,1 - 3,1; 4,4-7 (Stellungnahme des Paulus aus dem Gefängnis heraus zu den Irrlehrern); C 3,2 - 4,3.8f (dieser Brief sei in Freiheit verfaßt; Paulus setze sich mit den Irrlehrern auseinander).

[121] Zu σπένδομαι vgl. Otto MICHEL, Art. σπένδομαι, in: ThWNT VII 529-537; auch H.J. KLAUCK, Herrenmahl und hellenistischer Kult. Eine religionsgeschichtliche Untersuchung zum 1. Korintherbrief (NTA NF 15), Münster 1982, 258-272; zu θυσία den entsprechenden Artikel von Johannes BEHM, θύω κτλ., in: ThWNT III 180-190; zu λειτουργία siehe in Kap. 2 die Ausführungen zu λειτουργός.

[122] Vgl. zu dem damit verbundenen Ritus H.-J. KLAUCK, Gemeinde 355: "Das Ausgießen von etwas Flüssigkeit - meistens war es Wein - auf den Erdboden oder auf den Altar gehört zum Grundbestand der Opferriten. Es kann selbständig auftreten, als Begleitzeremonie beim Mahl, beim Symposion oder beim Vertragsabschluß und vor allem auch als begleitende Handlung bei größeren Opferfeiern, dies gleichermaßen im heidnischen wie im jüdischen Kult." Zum Trankopfer

Hilfe einer kultischen Deutungskategorie eine Aussage über seinen eigenen Verkündigungsdienst. Ob er mit σπένδομαι ausschließlich sein Martyrium anspricht, darf bezweifelt werden, wenn man diese paulinische Formulierung mit anderen ähnlichen Aussagen vergleicht, z.B. 2 Kor 2,14[123], wo Paulus ebenfalls im Zusammenhang mit kultischen Kategorien eine passivische Aussage über seinen Verkündigungsdienst macht. Sein Dienst am Evangelium ist die eigentliche σπονδή, und Ziel all seines Mühens ist die θυσία und λειτουργία der Gemeinde (s. dazu Pkt. b). Das schließt nicht aus, daß Paulus durch bewußte Wahl des Verbums σπένδομαι seinen bevorstehenden Märtyrertod mitausdrücken will.

Außer in Phil 2,17 begegnet σπένδομαι im NT auch 2 Tim 4,6, wo von Paulus gesagt ist: "(6a) Ich werde nämlich schon geopfert (σπένδομαι), (6b) und die Zeit meines Hinscheidens (ὁ καιρὸς τῆς ἀναλύσεώς μου) ist gekommen." Aufgrund von V 6b bezieht sich hier das Bild des Trankopfers auf die Lebenshingabe des Apostels, der sein Blut vergießt, wie das Trankopfer an den Fuß des Altars gegossen wird.[124]

(b) Parallel zur Paulus-Aussage über *sein* Opfer in V 17a ist in V 17b mit kultischen Deutungskategorien (θυσία - λειτουργία) eine Aussage über den Glauben der Gemeinde von Philippi gemacht. Hier ist die entscheidende Frage, wie der Genitiv τῆς πίστεως (17b) grammatisch zu verstehen ist. Entweder ist der Genitiv epexegetisch zu fassen; dann wäre der Opferdienst der Gemeinde angesprochen, und der Glaube der Philipper wäre der von ihnen selbst vollzogene Opferdienst, dem Paulus als Trankopfer noch hinzugefügt wird.[125] Im anderen Fall (Genitivus objectivus) würde Paulus, ähnlich wie in Röm 15,16 ausgesagt, den Glauben der Philipper als Opfergabe darbringen. Für diese zuletzt genannte Möglich-

---

selbst s. den entsprechenden Artikel "Trankopfer", in: PRE (2. Reihe) Bd. 12 (= Bd. VI A,2), Stuttgart 1937, 2131-2138.

[123] Bereits LIGHTFOOT verweist in seinem Kommentar auf diese Stelle.

[124] Vgl. MICHEL, a.a.O. 534,22 und 537,5ff.

[125] So GNILKA, Phil 154f (mit Verweis auf LIGHTFOOT, HAUPT, BONNARD, E. SCHWEIZER); auch BARTH, Phil 51; VINCENT, Philippians 71f; KLAUCK, Gemeinde 355f; NEWTON, Concept 74; HAWTHORNE, Philippians 105, plädiert bei ähnlicher Lösung für einen Genitivus subjectivus.

keit spricht, daß das Opfer für den Glauben der Gemeinde im Sinne des Paulus das eigentliche Opfer ist, dem sein eigenes Trankopfer begleitend hinzugefügt wird. So wird das hier mit dem Begriff σπένδομαι angedeutete Bild des Trankopfers und das darin enthaltene Moment beibehalten, daß die Trankspende das eigentliche Opfer begleitet. Ähnlich wie in Röm 15,16 ist hier in Phil 2,17 die Verkündigung des Evangeliums für den Glauben der Gemeinde als Opferdienst des Paulus bezeichnet, so daß sich paraphrasieren ließe: "Aber wenn mein Leben auch ausgegossen wird wie eine Trankopferspende, hinzugefügt zu dem Opferdienst, der euren Glauben bewirkt hat . . . ". Zudem spricht für diese Lösung, daß Paulus in Phil 2,12-18 eine den Abschnitt 1,27 - 2,18 abschließende Aussage über seinen Dienst der Verkündigung macht (vgl. V 16), auf den er nun freudig zurückblickt.[126]

Hier in Phil 2,17 verwendet Paulus λειτουργία ausgesprochen im Sinn kultisch-priesterlichen Vollzugs neben θυσία und bezieht das Wort auf seinen apostolischen Dienst für den Glauben der Gemeinde[127]. Nicht die Gemeinde selbst vollzieht also den Opfer- und Gottesdienst ihres Glaubens. Vielmehr vollzieht Paulus den Opfer- und Gottesdienst durch die Verkündigung des Evangeliums, die den Glauben der Gemeinde erweckt. Der Begriff πίστις rahmt geradezu den Abschnitt 1,27 - 2,18, so daß von daher dem Begriff in 2,17 die Kennzeichnung aus 1,28 zukommt, nämlich die πίστις τοῦ εὐαγγελίου. Paulus geht es um das rechte πολιτεύειν ἀξίως τοῦ εὐαγγελίου τοῦ Χριστοῦ (1,27a)[128] und um den Kampf "für den Glauben des Evangeliums" (1,27d).

---

[126] Vgl. H. BALZ, Art. λειτουργία κτλ., in: EWNT II 858-861, hier 860; LOHMEYER, Phil 113; auch K. WEISS, Priester 358, dessen weitere Interpretation des Abschnitts Phil 2,12-17, den er "mit kultisch-priesterlichen Vorstellungen gesättigt" sieht, wohl zu weit geht (vgl. a.a.O. 359; Zitat ebd.); auch SCHLIER, Liturgie 172; H. THYEN, Art. θυσία κτλ., in: EWNT II 399-405, hier 403.

[127] Vgl. SCHLIER, Liturgie 172.

[128] Zu πολιτεύειν in Abgrenzung zu περιπατεῖν vgl.GNILKA, a.a.O. 97f; ebd. 98: "Paulus hat das Wort πολιτεύεσθε bewußt gewählt, um die Philipper an die neue Basis der Gemeinschaft, die sie durch das Evangelium in der Gemeinde gewonnen haben, zu erinnern. . . . Nicht an das Verhältnis der Ortsgemeinde zu anderen Ortsgemeinden ist gedacht, sondern an ihr Verhalten als Gemeinde in der heidnischen Umgebung."

Was Paulus sachlich meint, wenn er πίστις als Opfergabe darstellt, die er durch die Verkündigung des Evangeliums darbringt, läßt sich auch in Phil 1,27 erkennen. Das rechte πολιτεύειν ἀξίως τοῦ εὐαγγελίου τοῦ Χριστοῦ der Gemeinde ist angesprochen. Das Evangelium allein soll die Christen bestimmen, um so das Leben der Gemeinde evangeliumsgemäß zu gestalten oder, um es mit einem anderen Wort des Paulus zu sagen, zu heiligen. Da, wo Paulus θυσία καὶ λειτουργία τῆς πίστεως sagen kann, sieht er das Ziel seiner Evangeliumsverkündigung erreicht, die Heiligung der Gemeinde (vgl. Röm 15,16), oder, in Phil 2,17 formuliert, das Opfer und den priesterlichen Dienst *für* den Glauben der Gemeinde.

Da hier in Phil 2,17 mit kultischen Deutungskategorien eine Aussage über Paulus bzw. über die Gemeinde gemacht ist, wobei näherhin mit dieser Aussage der Dienst der Verkündigung beschrieben ist, liegt hier eine hilfreiche Parallele zu Röm 15,16 vor, da die πίστις im Rahmen des Abschnitts 1,27 - 2,18 als πίστις des Evangeliums gekennzeichnet ist. Die kultischen Begriffe werden hier als Deutungskategorien am Ende eines längeren Abschnitts zum Thema "Gemeinde" (1,27 - 2,18) benutzt, um die Sachaussage pointiert zusammenzufassen. Offensichtlich können für Paulus kultische Deutungskategorien die Funktion haben, den Themenkreis "Evangelium/Gemeinde" gerade bezogen auf die Heiden in verdichteter Form pointiert zusammenzufassen (vgl. Röm 15,16) oder das Ziel des Evangeliums, den Glauben und das Heil der Gemeinde, ihr Zu-Gott-Kommen zu unterstreichen.

7.4 "Denn wir sind die Beschneidung" (Phil 3,3)

Die Verse Phil 3,1b-4a[129], innerhalb derer der hier zu behandelnde Vers steht, werden von J. GNILKA als einleitender Abschnitt des sogenannten "Kampfbriefes" bezeichnet. Wegen der darin in V 2 erwähnten "Hunde" wird diesem Abschnitt die Gliederungsüberschrift "Warnung vor den

---

129 Anders als diese von GNILKA vorgenommene Gliederung zieht G.F. HAWTHORNE, Philippians 122-128, V 1 nicht auseinander; für GNILKA bilden 1,1 - 3,1a und 4,2-7.10-23 den sogenannten Gefangenschaftsbrief; vgl. GNILKA, Phil 5-11; s. auch oben Anm. 120.

Hunden" gegeben.[130] Der Kampfbrief selbst verfolgt in leidenschaftlicher Sprache eine einheitliche Zielrichtung, nämlich die in Philippi aufgetretenen Irrlehrer zum Schutz der Gemeinde zu bekämpfen.

ÜBERSETZUNG von Phil 3,1b-3

1bα Dasselbe euch (nochmals) zu schreiben,
1bβ ist mir nicht lästig,
1bγ (gibt es) doch euch (größere) Sicherheit.

2a Gebt acht auf die Hunde,
2b gebt acht auf die Übeltäter,
2c gebt acht auf die Zerschneidung.

3a Denn wir sind die Beschneidung (ἡ περιτομή)
3bα die wir im Geist Gottes dienen (λατρεύοντες)
3bβ und uns in Christus Jesus rühmen (καυχώμενοι)
3bγ und nicht auf das Fleisch vertrauen (πεποιθότες),
4a obgleich auch ich auf das Fleisch Vertrauen setzen könnte.

Phil 3,3 mit der Aussage zur περιτομή steht in einem polemischen Kontext. Paulus drückt sich hier äußerst emotional aus, deutlich erkennbar nicht nur an der lebendigen und auffälligen Sprache, mit der er seine Gegner beschreibt ("Hunde"[131], "Übeltäter"[132], "Zerschneidung"[133]), sondern auch an den zahlreichen Redefiguren[134]: (1) die Anapher[135] in V

[130] Vgl. GNILKA, Phil 184. - "Kampfbrief" wird dieser Teil des kanonischen Philipperbriefes (3,1b - 4,1.8-9) deshalb genannt, weil hier in leidenschaftlicher Sprache "thematisch und inhaltlich eine einheitliche Zielrichtung" verfolgt wird: "die Bekämpfung der in Philippi aufgetretenen Häretiker zum Schutz der Gemeinde" (GNILKA, a.a.O. 184); ähnlich wie GNILKA auch Rudolf PESCH, Paulus und seine Lieblingsgemeinde, Freiburg 1985.

[131] Zum Schimpfwort "Hunde" vgl. GNILKA, Phil 186; zu den "Beschimpfungen" in Phil 3,2 H. ULONSKA, Gesetz und Beschneidung 318-321.

[132] So treffend die Übersetzung von HAWTHORNE, a.a.O. 122 ("evil doers"), Übeltäter; SCHLIER, Philipperbrief 55, übersetzt "Pfuscher", GNILKA, Phil 184, "schlimme Arbeiter", ders. in der Geistlichen Schriftlesung Bd. 11, Düsseldorf 1968, 58, "die schlechten Missionare", EÜ: "falsche Lehrer", LB: "böswillige Arbeiter", R. PESCH, a.a.O. 95, übersetzt "die üblen Arbeiter"; G. BARTH, Phil z.St., übersetzt "falsche Prediger".

[133] Zur κατατομή vgl. GNILKA, Phil 186 Anm. 6; dort Verweis auf Einschnitte, "die Heiden an sich vornahmen, bei Juden verboten waren"; vgl. Lev 21,5; 1 Kön 18,28; Josephus Ant. 4,291.

[134] Vgl. zum folgenden G.F. HAWTHORNE, a.a.O. 123.

2 durch die dreimalige Wiederholung des imperativischen βλέπετε; (2) die Paronomasie[136] durch das Wortspiel κατατομήν/περιτομή verstärkt sogar noch die ausgesagte Opposition; (3) das Polysyndeton[137] durch die Wiederholung der Konjunktion καί; (4) die Alliteration[138] des Buchstaben κ (κύνας . . . κάκούς . . . κατατομὴν); (5) die kurze Ausdrucksweise in den VV 1b-3 und (6) der Chiasmus der Nomina und Partizipien in V 3 und 4a (λατρεύοντες - καυχώμενοι - πεποιθότες). Diese Beobachtungen zu den Versen zeigen, wie geradezu sarkastisch Paulus hier am Beginn des Kampfbriefes redet und auf regelrechte Beschimpfungen zurückgreift, um die Irrlehrer innerhalb der Gemeinde von Philippi bloßzustellen. Besonders aufschlußreich ist die Kennzeichnung dieser Falschlehrer als κατατομή, als "Verschnittene", da sie sich ihrer eigenen Beschneidung rühmen und, so ist mit Sicherheit anzunehmen, "das Bundeszeichen Israels nun auch zum Bundeszeichen der Kirche machen möchten"[139].

Die Aussage zur περιτομή in Phil 3,3

Die Vergeistigung des körperlichen Ritus der περιτομή[140] ist schon im AT (Jer 4,4; Deut 10,16; 30,6; Ez 44,7; auch Lev 26,41) und im Frühjudentum (1 QS 5,5.26; 1

---

135 Zur Anapher vgl. BDR § 491,1.

136 Zur Paronomasie vgl. BDR § 488,1.

137 Zum Polysyndeton vgl. BDR § 460,3.

138 Zur Alliteration vgl. BDR § 488[7]

139 R. PESCH, a.a.O. 101. - Umstritten ist allerdings, ob die Irrlehrer in einer heidenchristlichen Gemeinde wie Philippi die Beschneidung predigten; wahrscheinlicher ist, daß die philippischen Irrlehrer "die Beschneidung als Zeichen der Erwählung verkündet haben. Möglicherweise forderten sie diese nicht von den Philippern, sondern rühmten sie sich nur der eigenen Beschnittenheit" (GNILKA, Phil 186f); s. auch HAWTHORNE, Philippians 123. - Zu den philippischen Irrlehrern vgl. den Exkurs bei GNILKA, Phil 211-218.

140 Zum Begriff περιτομή vgl. neben den Kommentaren zu Röm u. Gal: K. BERGER, Abraham, bes. 63ff; Otto BETZ, Art. Beschneidung II, in: TRE V 716-722; Rudorf MEYER, Art. περιτέμνω κτλ., in: ThWNT VI 72-83; H.-J. HERMISSON, Sprache 64-76. HERMISSON weist auf (a.a.O. 64), daß die Beschneidung in den "Rahmen des Kultus" hineingehöre; der Ritus sei "zweifellos nicht erst in der Priesterschrift Bedingung der Zulassung zum Kult, wenn er schon in ältester Zeit Bedingung der Zugehörigkeit zum Volk ist"; David FLUSSER, "Der den Geliebten geheiligt von Mutterleib an". Betrachtungen zum Ur-

QH 18,20; 1 QpHab 11,13; Jub 1,23; bei Philo Migr 16; u.a.m.)[141] anzutreffen und eine Konsequenz daraus, daß man die Beschneidung als Bundeszeichen (vgl. Gen 17,9-14) und so zugleich fälschlicherweise als Heilsgewißheit ansah.[142] Besonders für Jeremia gilt dieses Zeichen nichts, wenn ihm nicht die innere Treue, eben "die Beschneidung des Herzens", entspricht. Wenn Israel sich weigert, Jahwe zu hören, hat es "unbeschnittene Ohren" (Jer 6,10). Wenn es sich weigert umzukehren, hat es "ein unbeschnittenes Herz" (Jer 9,24-25). Solche prophetische Kritik wollte nicht einen eventuellen defizitären Charakter der institutionellen Beschneidung als solcher herausstellen, sondern auf das in den Augen Gottes völlig unbegreifliche Faktum hinweisen, daß die tatsächliche Existenz Israels der im Bund gegebenen Gerechtigkeit nicht entspricht. Selbstverständlich war man damals in Israel der Ansicht, daß Beschnittensein ohne das Halten der Gebote nicht zum Ziel führt, aber umgekehrt konnte man "sich ein Rechtsein des Menschen vor Gott ohne die Voraussetzungen des Bundes und seiner Institutionen nicht vorstellen".[143]

Interessant sind die Aussagen des Jubiläenbuches zur Beschneidung, so Jub 1,23f:

> ". . . Und ich werde beschneiden die Vorhaut des Herzens ihres Samens. Und ich werde ihnen schaffen einen heiligen Geist. Und ich werde sie rein machen, damit sie sich nicht von mir wenden von diesem Tag bis in Ewigkeit."

Diese Stelle spricht (1) von der Beschneidung des Herzens, (2) von der Vermittlung des heiligen Geistes und (3) von der Reinigung durch Gott, damit Israel auf ewig Gott angehört. Im Kontext dieser Aussage steht Gottes Verheißung vom "Wohnen mit ihnen in alle Ewigkeit der Ewigkeit" (Jub 1,26) und Gottes Zusage, daß sein Heiligtum unter ihnen sei für die Ewigkeit der Ewigkeiten (Jub 1,27).[144] In Jub 15,26, im Kon-

---

sprung der Beschneidung: FrRu XXXI (1979), 171-175, weist auf den apotropäischen Charakter der Beschneidung hin; sie habe diese Wirkung "ähnlich wie das Pessachopfer" (171); FLUSSER vermutet weiter, daß Paulus in Röm 4,9ff möglicherweise einen alten, bei der Beschneidung gesprochenen Segensspruch stichwortartig ("Zeichen"; "Siegel") aufgreife. - Zum apotropäischen Charakter der Beschneidung bzw. ihrem Schutz vor bösen Geistern vgl. Jub 15,31f u. 48,2.

141 Vgl. OdSal 11,1-3: "Mein Herz war beschnitten . . . Denn der Höchste beschnitt mich durch den heiligen Geist . . . und so ward die Beschneidung mir zur Erlösung." - Der Begriff der περιτομή wird in TestLev 6,6 und im Artapanos-Fragment HArt 9 27,10 im körperlichen Sinn der Beschneidung der Vorhaut gebraucht.

142 Vgl. dazu M. KÖCKERT, Leben 40: Die ältere priesterschriftliche Schicht bediene sich "eines uralten, ja gewiß vorisraelitischen Brauchs, der in den älteren Gesetzescorpora völlig fehlt, weil er als 'ethnisch begründeter Ritus' keiner theologischen Begründung bedurfte". Die ursprüngliche Bedeutung der Beschneidung verliere sich "im Dunkel der Vorgeschichte". - Vgl. zur Vorgeschichte der Beschneidung H.-J. HERMISSON, a.a.O. 64f.

143 Vgl. Paul C. BÖTTCHER, Paulus und Petrus in Antiochien: NTS 37 (1991), 77-100, hier 84, Zitate ebd.

144 SCHLIER, Röm 89: "Was hier als Verheißung des Jubiläenbuches für das gehorsame Israel gesehen ist, bezieht Paulus auf den gegenwärtigen, das Gesetz erfüllenden Heiden(-Christen)." SCHLIER drückt hier etwas Richtiges

text eines Kommentars zum Beschneidungsgebot von Gen 17, ist die Beschneidung stärker als in Gen 17, eher der Apk vergleichbar, als Bundeszeichen bzw. als Siegel-Zeichen, das "bewahrt und dessen Fehlen dem Verderben ausliefert", herausgestellt.[145]

Vom Gedanken der Beschneidung als Bundeszeichen her gilt von Fremden demnach die Aussage, sie seien "Unbeschnittene an Herz und Leib" (Ez 44,7). Umgekehrt wurde die Beschneidung bei den Heiden als stärkster Ausdruck des ἰουδαίζειν, der Sympathie mit dem Judentum, empfunden und deshalb scharf verurteilt (JoseAnt XX,47; Philo, SpecLeg I,2).[146]

Philo stellt einen von ihm übernommenen und der jüdischen Apologetik entstammenden Katalog von natürlichen Vorzügen der Beschneidung zusammen, indem diese als medizinisch notwendig und als Zeichen eines reinen Volkes verteidigt werden (vgl. SpecLeg I 1-12; 304f; Migr 92). Er verschweigt den Charakter der Beschneidung als Bundeszeichen.

All das bisher über den Begriff περιτομή Gesagte wird noch deutlicher, wenn damit **der Vorstellungskreis der kultischen Reinheit** verbunden wird. Die Vorhaut nämlich machte den Menschen verächtlich als die Unreinheit schlechthin, während die περιτομή in die Sphäre des Reinen gehörte. Mit diesem Gegensatz von Rein und Unrein war auch eine soziale Grenze gesetzt. Alles Unreine wurde vom Reinen geschieden, die Gemeinschaft der περιτομή von der ἀκροβυστία, Israel von den Heiden. Der durch die περιτομή bzw. durch die Tora als Ganze[147] eröffnete Raum galt als Raum Gottes, der von allen Verunreinigungen rein zu halten war.[148]

---

mißverständlich aus: Paulus sieht als erfüllt an, wovon das Jubiläenbuch in Form der Verheißung spricht. Die Verheißung der "Reinigung" hat sich für Paulus im Christusgeschehen erfüllt, in der Beschneidung des Herzens und in der Sendung des heiligen Geistes. - Gewiß wollte auch Schlier nicht behaupten, Paulus habe das Jubiläenbuch gekannt.

145 Vgl. K. BERGER, Jubiläen 408 (zu Jub 15,26), Zitate ebd.; BERGER faßt die Tendenz der Aussagen von Jub 15,25-34 so zusammen (Jubiläen 405): "Die Beschneidung ist nicht nur Zeichen, sondern bedeutet konkret Gemeinschaft mit den Engeln und Gottunmittelbarkeit: Die Geister haben keine Macht mehr über Israel." - E. SCHWARZ, Identität 88f, weist daraufhin, daß im Blick auf die Beschneidung nicht nur im Jubiläenbuch die Verbindung zwischen Engeln und Israel betont wird, sondern auch in den Schriften von Qumran.

146 Gerade der Eifer um die Beschneidung und um die Reinheit des Landes Israel richtete sich gegen die Fremden (vgl. Ant XIII,257f.318; Ant XX,145; Jub 30,4-20; auch Jdt 9,2-4; TestLev 6,3-8; JosAs 23,14).

147 Zum Zusammenhang von περιτομή und Tora vgl. die Aussage von BERGER, Abraham 63, zur "Beschneidung des Herzens [im Geiste]": "Die 'Beschneidung des Herzens im Geiste' als radikal verinnerlichte Beschneidung im Sinne der prophetischen Predigt ist in der Tat ein Konkurrenzweg zur Gewinnung der Gerechtigkeit aus dem Glauben. Die Beschneidung des Herzens ist nichts anderes als die vollständige Erfüllung des Gesetzes mit dem Herzen. Dies zu tun konstituiert den wahren Juden, der nach Gottes Maßstab vor Gott gerechtfertigt ist."

148 So auch von der möglichen levitischen Verunreinigung durch Verkehr mit Unbeschnittenen (vgl. Jub 30,13ff). - Wenn περιτομή so sehr mit dem Vorstellungs-

Paulus verwendet das Substantiv περιτομή 21mal, neunmal allein an den erwähnten Stellen im Röm 2,25ff und 4,9ff: Interessant sind im Vergleich zu Phil 3,3 vor allem jene Stellen, wo Paulus mit περιτομή die Juden in Gegenüberstellung mit ἀκροβυστία für die Heiden bezeichnen kann (vgl. Gal 2,7-9; Röm 3,30; 4,9.12; 15,8; vgl. Kol 3,11; Eph 2,11) oder wo die Judenchristen als "die aus der Beschneidung" (οἱ ἐκ περιτομῆς) den Heidenchristen gegenübergestellt werden (Gal 2,12; vgl. Kol 4,11; Tit 1,10; Apg 10,45; 11,2). Paulus kennt also durchaus den abgrenzenden Sprachgebrauch des Wortes, wodurch seiner Aussage in Phil 3,3 um so mehr Bedeutung zukommt.

In Röm 2,25-29 relativiert Paulus zunächst die jüdische Meinung, die der leiblichen Beschneidung heilvermittelnden Charakter zuspricht, und er scheint somit die von Jeremia gezogene Linie fortzusetzen, die sich auch in Texten von Qumran wiederfinden läßt, wenn dort von der Beschneidung "der Vorhaut des Triebes und der Halsstarrigkeit" gesprochen wird (1 QS 5,5; vgl. 1 QpHab 11,13). Paulus überschreitet nun die mit dem Bundeszeichen der Beschneidung gezogenen Grenzen und verabsolutiert gewissermaßen die "Beschneidung des Herzens", wenn für ihn nur der wirklich Jude ist, der "im Verborgenen Jude ist": Die wahre Beschneidung ist, was am Herzen durch den Geist, nicht durch den Buchstaben geschieht (vgl. Röm 2,28f). Für Paulus ist die Bedeutung der leiblichen Beschneidung aufgehoben zugunsten der Beschneidung des Herzens, die für ihn offensichtlich identisch ist mit der in Christus geschehenen Erlösung.

In Röm 4,9-11 stellt Paulus in konsequenter Weiterführung seiner Gedanken über die περιτομή aus Röm 2,28f diese als "Siegel der Glaubensgerechtigkeit" heraus, die Abraham besessen habe "in der Unbeschnittenheit, damit er zum Vater all derer werde, die in der Unbeschnittenheit glauben" (Röm 4,11). Da mit dem Erwerb der Gerechtigkeit das Heil selbst schon vorgegeben ist, kann dieses also nicht mehr der Beschneidung entspringen. Die Beschneidung hat für Paulus "eine positive Funktion: sie bestätigt sichtbar die erworbene Gerechtigkeit; aber sie tut n u r dies, nicht mehr"[149]. Zugleich will er die Beschneidung gegenüber dem Glauben als sekundär erweisen.

Anders verhält es sich in Gal 5,12, wo Paulus die Beschneidung der Heidenchristen deutlich, zum Teil sogar ebenfalls wieder sarkastisch ablehnt. Paulus läßt zwei Motive für seine ablehnende Haltung erkennen: (1) Wer sich beschneiden läßt, "ist verpflichtet, das ganze Gesetz zu tun" (Gal 5,3)[150]. So läuft die Beschneidung "auf ein ἐν νόμῳ δικαιοῦσθαι hinaus (Gal 5,4), das von Christus trennen bzw. aus der Gnade herausfallen lassen würde (Gal 5,2.4)".[151] (2) Dieses wird dadurch konkretisiert, daß die Beschneidung, wenn sie vom Glaubenden gefordert würde, "das Ärgernis des Kreuzes beseitigen würde" (Gal 5,11).

---

kreis der kultischen Reinheit verbunden ist, kann der Begriff durchaus als kultisch konnotiert bezeichnet werden.

149 Vgl. BERGER, a.a.O. 67f, Zitat ebd. 68.

150 Daß die Beschneidung zur Einhaltung des ganzen Gesetzes verpflichtet, ist gemeinjüdische Auffassung (vgl. Apg 15,5). F. MUSSNER, Gal 347 Anm. 33, betont zu Recht, daß die Beschneidung "jener Akt (ist), mit dem man sich unter das Gesetz stellt, sich zum gesetzlichen Leben verpflichtet".

151 Vgl. H. MERKLEIN, Bedeutung 100; Zitat ebd.

Hier in Phil 3,3 erscheint die im Frühjudentum erkennbare Entwicklung, die von Paulus - wie gezeigt - in Röm 2,28f und 4,11f aufgegriffen und weitergeführt worden (vgl. auch Kol 2,11) ist, "auf die höchste Spitze getrieben"[152]. Denn περιτομή wird hier, wenn auch in antithetischem, polemischem Kontext, zur Bezeichnung des neuen Gottesvolkes, das nicht durch Beschneidung, sondern durch Glaube konstituiert wird, und ist so ein ekklesiologischer Terminus (vgl. Gal 6,15). Mit dem "Wir sind die Beschneidung" läßt sich Paulus offensichtlich auf die Argumentation seiner Gegner ein und setzt sie zugleich durch eine neue Bezugsgröße ins Unrecht.[153] Diese nämlich gehören zur κατατομή, er selbst aber zur περι- τομή, weil er im Geist Gottes dient. Paulus wertet die Beschneidung als solche aber keineswegs ab[154], sondern gibt seinem Verständnis der Beschneidung durch den Zusatz οἱ πνεύματι θεοῦ λατρεύοντες eine neue Qualität, die seine Beschneidung von der seiner Gegner unterscheidet, indem er argumentativ deren Dienst der σάρξ zuordnet[155]. Allerdings bilden nicht πνεῦμα und σάρξ die eigentliche Antithese in der paulinischen Argumentation, sondern "die auf das Fleisch vertrauen" (vgl. V 3bγ) und "wir, die im Geist Gottes dienen" (V 3bα).[156] Waren für Paulus früher Formulierungen wie "sich der Beschneidung rühmen", "Gott dienen" und "dem sichtbaren Zeichen vertrauen" Werte seiner Zugehörigkeit zum auserwählten Volk, so stellt er nun durch die

[152] J. GNILKA, Phil 187.

[153] Vgl. H. ULONSKA, a.a.O. (s. Anm. 131) 322f; Paulus sage zwar "Wir", meine aber "Ich"; "denn beschnitten sind nur er und die Gegner. Durch das 'Wir' schließt er die Gemeinde in seine Beschneidung ein" (vgl. ULONSKA, a.a.O. 322 Anm. 36; Zitat ebd.).

[154] So G. BAUMBACH, Die von Paulus im Philipperbrief bekämpften Irrlehrer, in: K.-W. TRÖGER (Hg.), Gnosis und Neues Testament, Gütersloh 1973, 293-310, hier 300.-

[155] Zum Begriff σάρξ s. A. SAND, Begriff; zu Phil 3,3f ebd. 134f: "'Fleisch' ist der aufgrund der Beschneidung entstandene Vorzug der Volkszugehörigkeit, die Mitgliedschaft im Pharisäerkreis, der Eifer bei der Verfolgung der Kirche, die Gesetzestreue (V. 4b-6)"; σάρξ meine "Vorzüge und Vorrechte, die dem Juden heilig sind und auch Paulus heilig waren; denn sie brachten ihm religiösen Gewinn (v. 7)".

[156] Vgl. A. SAND, a.a.O. 135; auch ULONSKA, a.a.O. 322.

Zugehörigkeit zu Christus und die Betonung des Geistes die Umkehrung dieser bisherigen Werte heraus.

An dieser Umformung des einstigen Bundeszeichens ist bemerkenswert, daß dasjenige Zeichen, was das Volk Israel einst von den Heiden unterschied[157], von Paulus nun dazu benutzt wird, gerade die neue Qualität auch der Heiden als Volk Gottes herauszustellen. περιτομή als Bezeichnung für das neue Gottesvolk erinnert untrüglich an die Beschneidung als Zeichen des Abrahambundes. In Gen 17,9-14 ist die Beschneidung Zeichen, das Gott an seinen Bund erinnern soll und den Menschen an seine Zugehörigkeit zum erwählten Volk und an die Verpflichtungen, die hieraus erwachsen. Die Aussage des Paulus kann nicht anders verstanden werden als: 'Wir, die wir die Beschneidung sind, stehen im Bund der Beschneidung und damit im Bund der Verheißung, jener Verheißung, die Gottes Gegenwart gewährt.'[158]

Die Aussage "ἡμεῖς . . . ἡ περιτομή" wird zweifach erläutert, pneumatologisch und christologisch. Wie bereits in einigen der behandelten Aussagen zur Evangeliumsverkündigung (Röm 1,1-5; 15,16) und in den Tempelaussagen über die Gemeinde (1 Kor 3,16f; 6,19), ist an unserer Stelle auf den Geist Gottes verwiesen, der das Neue zuwege gebracht hat und durch den sich das Dienen vollzieht. Die Verbindung der περιτομή-Aussage mit dem Geist erinnert an die in Christus geschehene eschatologische Ausgießung des Gottesgeistes, die alle Menschen in gleicher Weise erfaßt hat, so daß Paulus mit der Erwähnung des Geistes in ekklesiologischem Kontext möglicherweise bewußt an Ez 36,26-28 anknüpft. Hier in Phil 3,3 setzt er durch die Verbindung mit dem Geist die pneumatologische neben die christologische Deutung (vgl. καυχώμενοι ἐν Χριστῷ Ἰησοῦ).

Zur Bezeichnung des Dienens meint GNILKA, daß λατρεύοντες an unserer Stelle sich nicht auf den Dienst der Evangeliumsverkündigung be-

---

157 So wird in Est 8,17 LXX die Aufnahme in das Judentum sogar als Beschneidung wiedergegeben: καὶ πολλοὶ τῶν ἐθνῶν περιετέμοντο καὶ ιουδάιζον διὰ τὸν φόβον τῶν Ιουδαίων. Vgl. M. HENGEL, Judentum 560f.569.

158 Zum Zusammenhang von Gottes Gegenwart und Beschneidung vgl. vor allem M. KÖCKERT, Leben 33-44; dort auch weitere Literatur; auch E. SCHWARZ, Identität 86-89.

ziehe, den Paulus und seine Mitarbeiter leisten. Wie das Partizip λατρεύοντες sich auf das das Hauptverb regierende Subjekt ἡμεῖς beziehe, so sei damit das "Dienen aller jener gemeint, die zur geistigen περιτομή gehören und diesen Dienst kraft dieser Zugehörigkeit vollziehen".[159] Zugleich gilt aber für alle, die im Geist dienen und so zur geistigen περιτομή gehören, daß sie durch den Dienst der Evangeliumsverkündigung diese Zugehörigkeit erst erlangt haben. Wie die περιτομή bzw. die Tora als Ganze die Sphäre Gottes eröffnete[160], so wird jetzt durch das Evangelium der Raum der neuen περιτομή eröffnet, dessen besonderes Kennzeichen die Gabe des Geistes ist. So ist in dieser Aussage von Phil 3,3 eine Parallele zu anderen Stellen zu sehen, wo Paulus den Geistbesitz der Ekklesia herausstellt und deren neues Bewußtsein als priesterlich kennzeichnet.[161]

So läßt sich zu Phil 3,3 zusammenfassend folgendes feststellen, wobei diese Stelle in mehrfacher Hinsicht Parallelen zu unserer Ausgangsstelle Röm 15,16 aufweist:

(1) Wie in Röm 15,16 wird auch hier in Phil 3,3 ein kultisch konnotierter Terminus (λατρεύειν) zur Deutung eines ekklesiologischen Sachverhaltes benutzt. Mit περιτομή verwendet Paulus in Phil 3,3 einen Terminus, der exklusiv die Zugehörigkeit zur jüdischen Glaubensgemeinschaft aussagen kann, um gerade, wenn auch in einem äußerst polemischen Kontext, eine ekklesiologische Aussage über die neue Gemeinde zu machen, zu der gerade die Heiden gehören. Wie in Röm 15,16 ist also auch hier eine besonders auf die ἐκκλησία aus den Heiden bezogene Aussage formuliert. Die περιτομή in Phil 3,3 als Identitätsterminus des jüdischen Volkes entspricht dem kultisch konnotierten Terminus προσφορά in Röm

[159] Vgl. GNILKA, a.a.O. 187; Zitat ebd. - Aus dem Sprachgebrauch der LXX ist besonders Dtn 10,12f zu nennen (vgl. oben Seite 299).

[160] Vgl. oben S. 311.

[161] Zu λατρεύειν in Phil 3,3 vgl. bes. HAWTHORNE, a.a.O. 126f; die Wahl dieses Verbums "for worship, modified as it is by πνεύματι θεοῦ, stresses the fact that the Spirit of God is the divine initiator at work in the depths of human nature, profoundly transforming a person's life so as to promote a life of love and service, so as to generate a life for others, for 'such a life is the only worship [λατρεύειν] acceptable to God'" (ebd. 127).

15,16. Beide Termini werden von Paulus als Identitätsbegriffe der christlichen Ekklesia genutzt.

(2) Das Verb λατρεύειν enthält durch die nominale Erweiterung πνεύματι θεοῦ eine Konkretion, die das Wesen des Dienstes vor Gott näherhin als eschatologischen Dienst bestimmt und zugleich der paulinischen Aussage "Wir sind die Beschneidung" ihre besondere Qualität verleiht. In Röm 15,16 und Phil 3,3 ist der Geist Gottes in der Aussage ausdrücklich erwähnt; er stellt jeweils die eschatologische Komponente des in Christus geschehenen Heiles heraus und ist zugleich das Kennzeichen derer, die zur Ekklesia Jesu Christi gehören.

(3) Möglicherweise deutet Paulus mit der positiven Anwendung des Begriffs περιτομή auf die Ekklesia ein Verständnis von περιτομή an, das sich im Jubiläenbuch spiegelt, nämlich daß Beschneidung konkret "Gemeinschaft mit den Engeln und Gottunmittelbarkeit"[162] bedeutete, mit dem für Paulus nun entscheidenden Unterschied, daß die, "die wir im Geist Gottes Dienst tun", in solcher Gemeinschaft stehen.

7.5 Kultische Deutungskategorien in Phil 4,18

Dieser Vers Phil 4,18 steht nach J. GNILKA innerhalb des sogenannten Gefangenschaftsbriefes (1,1 - 3,1a; 4,2-7.10-23) im letzten inhaltlichen Abschnitt (2,19 - 3,1a; 4,2-7.10-20), in dem Pläne, Mahnungen und Dankworte des Apostels zur Sprache kommen. Genauer betrachtet steht V 18 darin innerhalb des Unterabschnitts Phil 4,10-20, der den Dank des Paulus an die Gemeinde von Philippi für die ihm zuteil gewordene finanzielle Unterstützung zum Thema hat.[163] In Phil 4,18 fallen drei kultische Begriffe besonders auf: ὀσμὴ εὐωδίας, θυσία δεκτὴ, εὐάρεστος τῷ θεῷ:

---

[162] K. BERGER, Jubiläenbuch 405 zu Jub 15.

[163] Vgl. GNILKA, a.a.O. 171f. - Manche Ausleger (so u.a. W. SCHMITHALS [s. Anm. 120]; F.W. BEARE, A Commentary on The Epistle to the Philippians, London 1959, 4f; 101f; zuletzt R. PESCH, Paulus und seine Lieblingsgemeinde, bes. 40-67) wollen aus diesem Unterabschnitt Phil 4,10-20 einen eigenen Brief konstruieren. Die Gründe jedoch, die dafür ins Feld geführt werden, "sind zwar ernst zu nehmen, aber nicht zwingend" (GNILKA, a.a.O. 172; auch 5-11).

Übersetzung von Phil 4,18

18a Ich habe aber alles erhalten und habe Überfluß;
18b ich habe in Fülle, da ich über Epaphroditus empfangen habe, was von euch kam:
18c ein Wohlgeruch, ein willkommenes Opfer, Gott wohlgefällig.

Der kleine Abschnitt VV 10-20 ist formell gekennzeichnet von "apostolischer Sachlichkeit" (GNILKA) und zugleich geprägt von persönlichem Redestil, inhaltlich von Worten des Dankes für die empfangene Gabe, verbunden mit Begriffen aus dem Geschäftsleben (V 15: "auf Geben und Nehmen"). Dennoch geht es dem Apostel nicht so sehr um die Gabe als solche, als vielmehr um die geistliche Gesinnung, um die aus der Gabe sprechende Opfergesinnung.[164]

In V 18 steht wieder zunächst ein geschäftlicher Terminus (ἀπέχω)[165], mit dem Paulus die empfangene Geldspende schriftlich quittiert. Dann versichert er unmißverständlich, genügend zu haben (πεπλήρωμαι), damit die Philipper nur ja keine falschen Wünsche aus seinen Dankworten herauslesen. Wie in Phil 2,25 wird Epaphroditus als der Bote der Gemeinde erwähnt, und wie in Phil 2,30[166] erhebt der Apostel ihren Dienst auf die Ebene des Sakralen, wie es in den drei mit kultischen Deutungsbegriffen formulierten Spezifizierungen der empfangenen Gabe zum Ausdruck kommt: ὀσμὴ εὐωδίας, θυσία δεκτή, εὐάρεστος τῷ θεῷ. Eigentümlich an dieser Stelle ist, daß als θυσία δεκτὴ nicht eine Gabe an Gott, sondern an Paulus bezeichnet wird.[167] WENSCHKEWITZ vermutet, daß die Tat der Philipper als Erweis ihrer Liebe Gott wohlgefällig ist, "oder vielleicht

---

164 Vgl. H. SCHLIER, Philipperbrief 80.

165 ἀπέχω (V 18) im Sinne von "ich quittiere": Paulus gebraucht das Wort in diesem Sinn noch Phlm 15; vgl. die Belege bei GNILKA, Phil 179 Anm. 151 mit Verweis auf PREISIGKE I 163.

166 Phil 2,30: ". . . παραβολευσάμενος τῇ ψυχῇ, ἵνα ἀναπληρώσῃ τὸ ὑμῶν ὑστέρημα τῆς πρός με λειτουργίας."

167 LOHMEYER hat in seinem Kommentar diese Schwierigkeit zu lösen versucht, indem er ὀσμὴ εὐώδια mit πεπλήρωμαι zu verbinden sucht und dann diese Aussage auf das Martyrium des Paulus beziehen will: "Weil er (Paulus) nun durch die Gabe der Philipper mit lieblichem Duft erfüllt ist, weiß er, daß er durch die Gabe der Philipper als Opfer geheiligt ist und mit ihm auch die Gabe der Philipper."

ist der Gedanke dahinter, daß die Philipper Gott danken, indem sie den Träger seiner Botschaft unterstützen"[168]. K. WEISS geht im Anschluß daran in seinem Versuch, Paulus in seiner Rolle als Priester herauszustellen, eindeutig zu weit, wenn er für Phil 4,17f, wo Paulus die ihm für seine Bedürfnisse überbrachte Gabe als Opfer bezeichnet, vermutet, hier sei die Regel angewendet, "daß die Priester Anteil haben am Altare, eine Regel, deren Geltung er (sc. Paulus) 1. Kor. 9,13f. ausdrücklich für den Verkünder des Evangeliums in Anspruch nimmt"[169]. Für Paulus aber ist die θυσία δεκτὴ der Philipper, die εὐάρεστον τῷ θεῷ ist, Zeichen dafür, daß seine Verkündigung des Evangeliums Gottes auf fruchtbaren Boden gefallen ist. Die Geldspende der Philipper ist für ihn das äußere Zeichen für das Geschehen innerhalb der Gemeinde, Ausdruck für den Vollzug des Lebens der Gemeinde und damit Ausdruck für die Annahme des Evangeliums, das nun das Leben der Gemeinde prägt und heiligt[170].

Festzuhalten bleibt der Ort innerhalb der Argumentation und innerhalb des Gefangenschaftsbriefes überhaupt, an dem hier die kultischen Begriffe als Deutungskategorien verwendet sind: Wieder (vgl. oben Kap. 7.3 zu Phil 2,17) dienen diese Deutungskategorien dazu, einen Abschnitt mit Aussagen über das Evangelium und die Gemeinde, näherhin den Dank und die Freude des Paulus über die Annahme des Evangeliums durch die Gemeinde von Philippi, pointiert abzuschließen und das Faktum der Annahme des Glaubens zu umschreiben.

7.6 Zusammenfassung zu Kap. 7: Andere kultische Termini zur Bezeichnung ekklesiologischer Sachverhalte

Aus der Beobachtung von kultischen Termini, die zum Teil unserer Thematik zunächst nicht unbedingt zugehörig erschienen (προσαγωγή, περιτομή), läßt sich folgendes festhalten: (1) In der Verwendung der kultischen Kategorien geht es thematisch um den unmittelbaren Zugang zu

---

168 WENSCHKEWITZ, Spiritualisierung 194.

169 Vgl. K. WEISS, Paulus 357, Zitat ebd.

170 R. PESCH, Paulus 67: Die Spende der Philipper sei vielmehr als Opfergabe für Gott "Teil im Vollzug des Lebens der Gemeinde, das als ganzes 'Opfer' ist, d.h. Gott und seinem Heilsplan in der Ausbreitung des Evangeliums zur Verfügung gestellt ist"; vgl. auch K. WEISS, a.a.O. 358.

dem (für den Menschen sonst unzugänglichen) Heiligkeitsbereich Gottes und dabei zugleich und speziell um das Zu-Gott-Kommen der Heiden in der Ekklesia Gottes aus Juden und Heiden. Zudem ist es Paulus in der verwendeten Terminologie in eindeutiger Weise möglich, das Selbstverständnis und die Identität der Ekklesia auszusagen. (2) Paulus betont in Röm 12,1 (vgl. 1 Kor 6,19.20) die somatische Seite der menschlichen Existenz und ihre Bedeutung für die Beziehung zu Gott: Der Mensch hat nun die Möglichkeit des Immediatverkehrs mit Gott in seiner leiblichen Existenz. (3) Aus der Verwendung der Bezeichnung περιτομή in Phil 3,3 läßt sich erkennen, daß der Begriff, der zuerst einmal die Voraussetzung für die Zugehörigkeit zur jüdischen Gemeinde bezeichnete, bei Paulus nun auch und vor allem die Zugehörigkeit der Heiden zur Ekklesia impliziert. Dies ist als ein entscheidendes Kennzeichen im theologischen Denken des Paulus festzuhalten. Dabei entspricht die περιτομή (Phil 3,3) als Identitätsterminus des jüdischen Volkes dem kultisch konnotierten Terminus προσφορά in Röm 15,16. Beide Termini werden von Paulus als Identitätsbegriffe der christlichen Ekklesia genutzt. (4) Sowohl in der Betrachtung von Röm 5,1f als auch von Phil 3,3 war eine weitere interessante Beobachtung zu machen: Paulus knüpft möglicherweise bewußt in diesen ekklesiologischen Kontexten an kultische Vorstellungszusammenhänge an, in denen es entweder um den Zutritt zum Heiligkeitsbereich Gottes oder um die "Gemeinschaft mit den Engeln" geht, also jeweils um die damit verbundene Gottunmittelbarkeit. Für Paulus stehen nun die, "die wir im Geist Gottes Dienst tun", in solcher Gemeinschaft. Offensichtlich ist diese Gottunmittelbarkeit, von Paulus in den Texten auf unterschiedliche Weise herausgestellt, ein besonderes Kennzeichen seines ekklesiologischen Denkens.

8. PAULINISCHE TRADITION

8.1 Eph 2,11-22: Die Einheit von Juden und Heiden in Christus

Eph 2,11-22 leitet zum ersten Hauptteil des Briefes über, "den theologischen Hauptteil" (2,11 - 3,21), "der das Thema der einen Kirche aus Juden und Heiden behandelt bzw. das 'Christusmysterium' (3,4), das der Verf in der Kirche Jesu Christi verwirklicht sieht". Zugleich birgt dieser Teil (2,11 - 3.21) trotz des spürbaren pastoralen Anliegens "das Herzstück der Theologie des Verfassers, einer aus der Christologie entwickelten Ekklesiologie, die das ganze Schreiben theologisch durchdringt".[1]

Der Abschnitt Eph 2,11-22[2] behandelt als Thema den neuen, in Christus erschlossenen Zugang zu Gott in der Kirche aus Juden und Heiden und ist allein schon aufgrund dieser Thematik, aber auch wegen der hier begegnenden Terminologie von Interesse. Diesen kultischen Kategorien in ekklesiologischem Kontext soll in unserer Untersuchung wieder die besondere Aufmerksamkeit gelten. In Zusammenhang mit der Frage, warum

---

1 Vgl. SCHNACKENBURG, Epheser 101f, Zitate ebenda. Zur Eigenständigkeit der theologischen Konzeption des Epheserbriefes s. neben den Einleitungen zu den Kommentaren MERKLEIN, Christus, 79-98; der neuere Forschungsstand zum Epheserbrief ist zusammengefaßt bei MERKEL, Hans, Der Epheserbrief in der neueren Diskussion.

2 Vgl. dazu neben den Kommentaren MERKLEIN, Amt 118-158; ders., Tradition; ders., Paulinische Theologie; ders., Christus und die Kirche; ders., Eph 4,1 - 5,20 als Rezeption von Kol 3,1-17, in: Paul-Gerhard MÜLLER und Werner STENGER (Hgg.), Kontinuität und Einheit (FS F. MUSSNER), Freiburg 1981, 194-210; SCHLIER, Die Kirche nach dem Brief an die Epheser; LINDEMANN, Aufhebung 145-192; ders., Bemerkungen 247-250; MUSSNER, Christus 106ff; ders., Beiträge; ders., Was ist die Kirche?; ders., Was ist durch Jesus von Nazareth Neues in die Welt gekommen?, in: ders., Die Kraft der Wurzel. Judentum-Jesus-Kirche, Freiburg 1987, 140-150; FINDEIS, Versöhnung 446-538; SCHNACKENBURG, Zur Exegese; MERKEL, a.a.O. 3230-3237; zur kultischen Terminologie vgl. WENSCHKEWITZ, Spiritualisierung 178f; GÄRTNER, Temple 60-66; KLINZING, Umdeutung 184-191; zur Frage einer Verbindung mit den Qumrantexten s. neben den drei zuletzt genannten Veröffentlichungen auch K.G. KUHN, Epheserbrief; MUSSNER, Beiträge.

der Verfasser des Eph diese Kategorien zur Deutung ekklesiologischer Sachverhalte einsetzt, soll in diesem Kapitel der Textpragmatik ein besonderer Stellenwert zukommen.

Die Frage nach der Tradition, d.h. ob in Eph 2,14-18 "ein Christuslied verwendet und eingeschmolzen ist, ob ursprünglich gnostisch-kosmologische Vorstellungen aufgenommen und christlich adaptiert sind", bleibt im folgenden ausgeklammert.[3] Wir verzichten auf eine diachronische Betrachtungsweise und beschränken uns synchronisch auf eine Analyse des Textes.

---

3 Vgl. dazu SCHNACKENBURG, Exegese 481, Zitat ebd.; ders., Eph 105-107 u. 112; er wendet sich gegen die verschiedenen Theorien, die hier Tradition verarbeitet sehen, und sieht die Verse 13-18 als eine "christologische Exegese von Jes 9,5f; 52,7; 57,19" (ders., Eph. 112, im Anschluß an P. STUHLMACHER, "Er ist unser Friede" 347-358). Vgl. auch FINDEIS, a.a.O. 470 Anm. 40 (hier weitere Literatur) u. 501-519, bes. 506f; vgl. MERKLEIN, Christus 88-98; ders., Paulinische Theologie bes. 442-446.

8.1.1 Der Text von Eph 2,11-22

11a	Διὸ μνημονεύετε
11bα	ὅτι ποτὲ ὑμεῖς τὰ ἔθνη ἐν σαρκί,
11bβ	οἱ λεγόμενοι ἀκροβυστία
	ὑπὸ τῆς λεγομένης περιτομῆς ἐν σαρκὶ χειροποιήτου,
12a	ὅτι ἦτε τῷ καιρῷ ἐκείνῳ χωρὶς Χριστοῦ,
12b	ἀπηλλοτριωμένοι τῆς πολιτείας τοῦ Ἰσραὴλ
	καὶ ξένοι τῶν διαθηκῶν τῆς ἐπαγγελίας,
12c	ἐλπίδα μὴ ἔχοντες καὶ ἄθεοι ἐν τῷ κόσμῳ.
13a	νυνὶ δὲ ἐν Χριστῷ Ἰησοῦ
13bα	ὑμεῖς οἵ ποτε ὄντες μακρὰν
13bβ	ἐγενήθητε ἐγγὺς ἐν τῷ αἵματι τοῦ Χριστοῦ.

14a	Αὐτὸς γάρ ἐστιν ἡ εἰρήνη ἡμῶν,
14b	ὁ ποιήσας τὰ ἀμφότερα ἓν
14c	καὶ τὸ μεσότοιχον τοῦ φραγμοῦ λύσας,
14d	τὴν ἔχθραν
14e	ἐν τῇ σαρκὶ αὐτοῦ,
15a	τὸν νόμον τῶν ἐντολῶν ἐν δόγμασιν καταργήσας,
15bα	ἵνα τοὺς δύο κτίσῃ ἐν αὐτῷ εἰς ἕνα καινὸν ἄνθρωπον
15bβ	ποιῶν εἰρήνην
16a	καὶ ἀποκαταλλάξῃ τοὺς ἀμφοτέρους ἐν ἑνὶ σώματι τῷ θεῷ
	διὰ τοῦ σταυροῦ,
16b	ἀποκτείνας τὴν ἔχθραν ἐν αὐτῷ.
17a	καὶ ἐλθὼν
17b	εὐηγγελίσατο εἰρήνην
17c	ὑμῖν τοῖς μακρὰν καὶ εἰρήνην τοῖς ἐγγύς·
18a	ὅτι δι᾽ αὐτοῦ ἔχομεν τὴν προσαγωγὴν
18b	οἱ ἀμφότεροι ἐν ἑνὶ πνεύματι πρὸς τὸν πατέρα.

19a	Ἄρα οὖν οὐκέτι ἐστὲ ξένοι καὶ πάροικοι
19b	ἀλλὰ ἐστὲ συμπολῖται τῶν ἁγίων καὶ οἰκεῖοι τοῦ θεοῦ,
20a	ἐποικοδομηθέντες
	ἐπὶ τῷ θεμελίῳ τῶν ἀποστόλων καὶ προφητῶν,
20b	ὄντος ἀκρογωνιαίου αὐτοῦ Χριστοῦ Ἰησοῦ,
21a	ἐν ᾧ πᾶσα οἰκοδομὴ συναρμολογουμένη αὔξει
21b	εἰς ναὸν ἅγιον ἐν κυρίῳ,
22a	ἐν ᾧ καὶ ὑμεῖς συνοικοδομεῖσθε
22b	εἰς κατοικητήριον τοῦ θεοῦ ἐν πνεύματι.

8.1.2 ÜBERSETZUNG von Eph 2,11-22

11a Deshalb erinnert euch,
11bα daß einst ihr, die Heiden im Fleisch,
11bβ Unbeschnittene genannt wurdet von der sogenannten Beschneidung, die am Fleisch mit Händen gemacht wird,
12a daß ihr zu jener Zeit ohne Christus wart,
12b fremd der Gemeinde Israels und fern den Bundesverheißungen
12c ohne Hoffnung und gottlos in der Welt.
13a Jetzt aber, in Christus Jesus,
13bα seid ihr, die einst Fernen,
13bβ zu Nahen geworden im Blute Christi.

14a Denn er ist unser Friede;
14b er hat die beiden zu einem gemacht
14c und die Scheidewand des Zaunes niedergerissen
14d die Feindschaft;
14e indem er in seinem Fleisch
15a das Gesetz der Gebote samt den Satzungen vernichtet hat,
15bα damit er die zwei in sich zu einem einzigen neuen Menschen schaffe,
15bβ Frieden stiftend,
16a und die beiden in einem einzigen Leib mit Gott versöhne durch das Kreuz,
16b indem er die Feindschaft tötete in seiner Person.
17a Und er kam
17b und verkündete Frieden
17c euch den Fernen und Frieden den Nahen.

18a Denn durch ihn haben wir den Zugang,
18b beide in einen einzigen Geist, zum Vater.

19a So seid ihr nun nicht mehr Fremde und Heimatlose,
19b sondern ihr seid Mitbürger der Heiligen und Hausgenossen Gottes,
20a aufgebaut auf dem Fundament der Apostel und Propheten,
20b - der Eckstein ist Christus Jesus selbst,
21a in dem der ganze Bau zusammengefügt wächst
21b zu einem heiligen Tempel im Herrn,
22a in dem auch ihr mitaufgebaut werdet
22b zu einer Wohnung Gottes im Geist.

8.1.3 Syntaktische Analyse

Der Abschnitt besteht aus sechs in sich geschlossenen Sätzen (11.12 - 13 - 14.15.16 - 17 - 18 - 19.20.21.22). Auffallend in den Sätzen sind die zahlreichen Partizipialkonstruktionen und die wenigen abhängigen Nebensätze, die mit ὅτι (11b u. 12) und ἵνα (15b.16b) bzw. mit ἐν ᾧ (Relativsätze in 21 u. 22) eingeleitet werden. Der Text enthält außer den 14 Partizipien 12 Verbformen, die sich auf die übergeordneten Hauptsätze (11a.14a.19a.19b), die Hauptsätze ohne Nebensätze (13.17.18) und die Nebensätze (12a.15bα.16a.21.22) verteilen. Die beiden ὅτι-Sätze stehen asyndetisch hintereinander und haben ein gemeinsames (Hilfs-)Verb; der ἵνα-Satz enthält zwei parataktisch aneinandergereihte Glieder (15bα.15bβ; 16a.b), die jeweils durch eine Partizipialkonstruktion erweitert sind (15bβ.16b). Zählt man die über- und untergeordneten Sätze einschließlich ihrer parataktischen Glieder je für sich, ergeben sich 26 Einheiten (11a - 11bα - 11bβ - 12a - 12b - 12c - 13a - 13bα - 13bβ - 14a - 14b - 14c.14d.14e - 15a - 15bα - 15bβ - 16a - 16b - 17a - 17b.17c - 18a.18b - 19a - 19b - 20a - 20b - 21 - 22).

Folgende syntaktische "Gesetzmäßigkeiten" lassen sich festhalten:

(1) Der Text enthält nur drei nominale Subjekte: ὑμεῖς (11bα.13bβ.22a), αὐτός (14a) und οἰκοδομή (21a); zweimal regieren diese nominalen Subjekte eine längere Textsequenz, ὑμεῖς (11-13) und αὐτός (14-18), was sich besonders in den Partizipien widerspiegelt, die sich auf diese Subjekte beziehen. Nur eines der drei nominalen Subjekte (αὐτός) regiert einen Hauptsatz.

(2) Die Verben weisen die 2. Person Plural (11a.12a.13b.19a.19b.22a), die 3. Person Singular (14a.15a.15bα.16a.17b) und die 1. Person Plural auf (18a). Wenn man die 14 Partizipialkonstruktionen diesen Subjekten zuordnet, beziehen sich von den Partizipien fünf auf die 2. Person Plural, sieben auf die 3. Person Singular und eines auf die 1. Person Plural, so daß sich zwischen der 2. Person Plural und der 3. Person Singular eine gewisse Relation ergibt, nicht jedoch eine Polarität, da jeweils eine dieser beiden Personen eine längere Textsequenz ohne Unterbrechung bestimmt (11-13: 2. Person Plural; 14-17[18]: 3. Person Singular und 19-22: 2. Person Plural). Die Tempora wechseln in den konjugierten Verbformen zwischen Präsens (siebenmal: 11a.14a.18a.19a.19b.21a.22a), Imperfekt (12a) und Aorist (viermal: 13bβ.15bα.16a. 17b), bei den Partizipien zwischen Partizip Präsens (11bβ[bis].12c.13bα.15bβ.20b. 21a), Partizip Aorist (14b.14c.15a.16b.17a.20a) und Partizip Perfekt Passiv (12b). Der Aorist ist in den Verben der VV 14-18 das vorherrschende Tempus, dreimal nur begegnet hier das Präsens. In den VV 11-13 und 19-22 findet sich der Aorist jeweils nur einmal, das Präsens jeweils fünfmal. In den VV 14-18 ist der Aorist ausnahmslos mit der 3. Person Singular Aktiv verbunden.

(3) Der Text enthält relativ viele Präpositional-Objekte (11b[ter].12c.13a.13bβ. 14e.15a.15bα[bis].16a[bis].16b.18a.18b[bis].20a.21a.21b[bis].22a.22b[bis]). Hinzu kommt das präpositionale Adverb χωρίς (12a). Bemerkenswert ist, daß allein 15mal (einschließlich der Relativsätze in 21a u. 22a) die Präposition ἐν einen präpositionalen Ausdruck einleitet.

Insgesamt ergeben sich syntaktisch zwei Zäsuren zwischen den VV 13 und 14 und zwischen den VV 18 und 19, bedingt durch den Paradigmenwechsel der Tempora und den Wechsel bei den die Verben regierenden Personen. Dies wird noch dadurch unterstrichen, daß in den VV 11-13 zwei Personalpronomina der 2. Person Plural begegnen (ὑμεῖς), in den VV 14-18 fünfmal ein Personalpronomen der 3. Person Singular und in den VV 19-22 wieder ein Personalpronomen der 2. Person Plural (ὑμεῖς).

8.1.4 Semantische Beobachtungen

Die bei der Syntax sich andeutende Relation zwischen der 3. Person Singular Aktiv in den VV 14-18, verbunden mit dem Aorist, und der 2. Person Plural, verbunden mit dem Imperfekt (V 12a) in den VV 11-13 und mit dem Präsens in den VV 19-22, soll im folgenden zusammengestellt werden:

a) Wichtige präpositionale Ausdrücke, meistens mit ἐν eingeleitet, und einige Zeitbestimmungen ("einst - jetzt"), da sich in ihnen die unterschiedlichen Stufen des Seins widerspiegeln.

b) Die sich daraus ergebenden antithetischen Formulierungen:

I. Realisierte Oppositionen

ποτέ (ἦτε) --- --- --- νυνὶ

χωρὶς Χριστοῦ --- --- --- ἐν Χριστῷ Ἰησοῦ

μακράν --- --- --- ἐγγύς

εἰρήνη (4mal) --- --- --- ἔχθρα (2mal)

ξένοι καὶ πάροικοι --- συμπολῖται τῶν ἁγίων καὶ οἰκεῖοι τοῦ θεοῦ.

II. Nicht realisierte Oppositionen

ἀπηλλοτριωμένοι τῆς πολιτείας τοῦ Ἰσραὴλ

καὶ ξένοι τῶν διαθηκῶν τῆς ἐπαγγελίας

ἐλπίδα μὴ ἔχοντες καὶ ἄθεοι ἐν τῷ κόσμῳ

c) Der Paradigmenwechsel im Tempus von Vergangenheit (ἦτε) zu Gegenwart (ἐστέ bzw. ἐστίν); die Aorist-Aussagen, die mit der 3. Person Singular verbunden sind (14b-17); die 1. Person Plural verbunden mit dem Präsens (18).

d) Die inhaltlichen Aussagen aller Verben in den VV 14-17, die mit der 3. Person Singular verbunden sind:

ἐστιν (14a)
ὁ ποιήσας ἡ εἰρήνη ἡμῶν (14b)
λύσας (14c)
καταργήσας (15a)
ἵνα κτίσῃ ἐν αὐτῷ εἰς ἵνα (15bα)
ποιῶν εἰρήνην (15bβ)
καὶ ἀποκαταλλάξῃ ἐν ἑνὶ σώματι τῷ θεῷ (16a)

ἀποκτείνας τὴν ἔχθραν (16b)
καὶ ἐλθὼν (17a)

εὐηγγελίσατο εἰρήνην (17b).

Die Aufforderung, sich zu erinnern (11a), führt den ersten Textabschnitt VV 11-13 ein und läßt die Adressaten, die im ὑμεῖς (11bα; 13bα) ausdrücklich genannt werden, auf ihren ποτέ-Zustand zurückblicken (ὅτι-Aussagen in den VV 11b.12), dem als Tempus das Imperfekt entspricht. V 13a schildert dazu semantisch entsprechend den νυνὶ-Zustand, dessen einziges Merkmal das ἐν Χριστῷ Ἰησοῦ ist. Zusammenfassend ist in 13b der Zustandswechsel noch einmal semantisch dargestellt mittels der

Opposition μακράν - ἐγγύς; zugleich ist ausdrücklich genannt, worin diese grundsätzliche Änderung geschehen ist: ἐν τῷ αἵματι τοῦ Χριστοῦ.

In 14a wird der zuletzt genannte "Christus" im αὐτός zu Beginn des Verses aufgegriffen, pointiert herausgestellt und als ἡ εἰρήνη ἡμῶν bezeichnet. In den VV 14-17 regiert dann dieses αὐτός alle Verben, um so die Aussage ἐν τῷ αἵματι τοῦ Χριστοῦ zu explizieren. Dabei können an deren Stelle andere semantisch gleiche Aussagen treten: ἐν τῇ σαρκὶ αὐτοῦ (14e) und διὰ τοῦ σταυροῦ (16a). Wie in den VV 11-13 bestimmen auch zahlreiche Oppositionen den Abschnitt VV 14-17, um antithetisch den vollzogenen Zustandswechsel zu beschreiben: der εἰρήνη (14a; vgl. 15bβ u. 17b.17c) steht die ἔχθρα (14d; vgl. 16b) gegenüber, ἀμφότερα (14b; vgl. 16a) und δύο (15bα) das ἕν (14b) bzw. das ἕνα (15bα) und das ἑνί (16a). Die Verben umschreiben Tätigkeiten des im Subjekt αὐτός genannten Christus, die sich alle in dem bündeln, was in 13bβ angekündigt wurde: ἐν τῷ αἵματι τοῦ Χριστοῦ. Bei den Verben wechseln sich Formulierungen ab, in denen das Zerstören des Trennenden beschrieben ist (14c: "niederreißen"; 15a: "vernichten"; 16b: "töten"), mit solchen, in denen das Schaffen des Neuen und Geeinigten dargestellt ist (14b: "zu-einem-machen"; 15bα: "schaffen"; 16a: "versöhnen mit Gott"). Zu diesen Aussagen, die vom neuen Zustand reden, gehören die über den "Frieden". So heißt es: αὐτός (Christus) *ist* "unser Friede" (14a), er *macht* Frieden (14b) und *verkündet* "Frieden euch den Fernen und Frieden den Nahen" (17b.c). Der Ausrichtung der Verse (V 11) entspricht es, daß der "Friede" an die Adressaten "in der Ferne" zuerst genannt und so hervorgehoben wird.

Innerhalb der VV 11-22 stellen die VV 14-17 eine sachliche Begründung dar. Das Stichwort "Christus" aus 13bβ wird im αὐτός aufgegriffen und bestimmt die Aussagen des Abschnitts, um diese als das Tun Christi zu qualifizieren. Diese Begründung beschreibt im Aorist ein in der Vergangenheit liegendes Geschehen, das sich auf die Adressaten in der Gegenwart erstreckt. Das pointierte αὐτός zu Beginn der VV 14-18 wird in diesen Versen mehrfach aufgenommen: in den Personalpronomina αὐτοῦ (14e), ἐν αὐτῷ (15bα.16b) und δι᾽ αὐτοῦ. Auffallend ist, daß "Christus" in diesen Versen zwar als der entscheidende Aktant dargestellt, selbst aber nicht explizit genannt wird. Dagegen ist in den VV 11-13 "Christus" bzw. "Christus Jesus" dreimal explizit genannt, jeweils innerhalb präpositionaler Ausdrücke. Der V 13, der als ein Abschluß der VV 11-13 anzusehen ist, bildet zugleich die Überleitung zu der folgenden Begründung, da das diese Begründung bestimmende Subjekt "Christus" zweimal genannt und auch das Thema dieses Abschnitts hier eingeführt wird: ἐν τῷ αἵματι τοῦ Χριστοῦ (13bβ).

In V 18a wird die 1. Person Plural aus dem Possessivpronomen ἡμῶν (14a) im Prädikat wieder aufgegriffen. Nur in diesen beiden Versen schließt sich der Autor mit den Adressaten auf diese Weise zusammen. V 18 erweist sich als Klammer zwischen den VV 14-17, wo "Christus" handelndes Subjekt ist, und den VV 19-21, wo die Adressaten, genannt im ὑμεῖς (22a), handelndes Subjekt sind. Das Stichwort der προσαγωγή in 18a wird in den VV 19-22 näherhin spezifiziert, vor allen in den Verben mit dem Praefix συν- in 21a und 22a und in den εἰς-Aussagen in 21b und 22b. So kann V 18 noch als zusammenfassender Abschluß des Exkurses gelten und diesem zugerechnet werden.

Daß es sich in den VV 14-18 um eine Begründung des Kontextes handelt, zeigt sich auch in zwei anderen Beobachtungen, die sich an den Konjunktionen, den Personen der Verben und einigen Oppositionen festmachen lassen: Die VV 14-18 werden mit der Konjunktion γάρ eingeleitet (14a), die auf das vorher Gesagte begründend zurückweist; abgeschlossen werden die Verse mit der Konjunktion ὅτι, mit der das Gesagte zusammenfassend begründet wird; die Verse 19-22 werden dann mit der konsekutiven Konjunktion ἄρα οὖν eingeleitet. Die 2. Person Plural als handelndes Subjekt der VV 11-13 wird in den VV 19-22 aufgegriffen. Auch die Antithetik der VV 11-13 mit den Oppositionen ποτέ/νυνί und μακράν/ἐγγύς wird in den VV 19-22 in den Stichworten οὐκέτι/ἀλλά wieder aufgenommen.

In zwei Schaubildern[4] wird im folgenden versucht, die semantische Linie des Abschnitts darzustellen, in Schaubild 1 die VV 11-13, in Schaubild 2 die VV 14-22. In Schaubild 1 (8.1.4/1) sind dem Text entsprechend den "Heiden" die Oppositionen "Juden" und "christlich/Ekklesia" gegenübergestellt. Anhand des Schaubilds wird deutlich, daß nach dem Epheserbrief der Jude bzw. Israel unter ekklesiologischer Rücksicht nicht in derselben desolaten Lage ist wie der Heide. "Der Jude ist nicht 'ohne Gott in der Welt', er ist nicht 'außerhalb des Christus', er gehört zur 'Gemeinde Israels', und als solchem gelten ihm die 'Bündnisse der Verheißung', als solcher hat er 'Hoffnung' (vgl. 2,11f)."[5]

Das zweite Schaubild (8.1.4/2) stellt das Handeln Christi dar: Auf der linken Seite sind alle Christus-Aussagen aufgelistet, indem die entsprechenden Verben, die von "Christus" als Subjekt regiert werden, genannt sind. In der Mitte ist zu erkennen, was Christus zerstört bzw. verändert hat; auch die christologisch-soteriologischen Momente sind hier zu finden. Schließlich stehen in der rechten Bildseite das durch Christi Neuschaffen bewirkte "Einssein" als das Merkmal der Ekklesia, die in Christus versöhnt ist. Der untere Teil des Schemas veranschaulicht die Aussage der VV 19-22. Das οὐκέτι ist dem ἀλλὰ ἐστὲ gegenübergestellt und so die frühere und jetzige Situation der Adressaten. Darunter ist abschließend die christologische Ausrichtung der Verse zu erkennen.

---

4 Vgl. zu Schaubild 8.1.4/1: MERKLEIN, Eph 4,1 - 5,20 als Rezeption von Kol 3,1-17, 203f; zum Schaubild 8.1.4/2: SCHNACKENBURG, Eph 105f.

5 MERKLEIN, a.a.O. 203.

Schematisierung von Eph 2,11-13 (Schaubild 8.1.4/1)

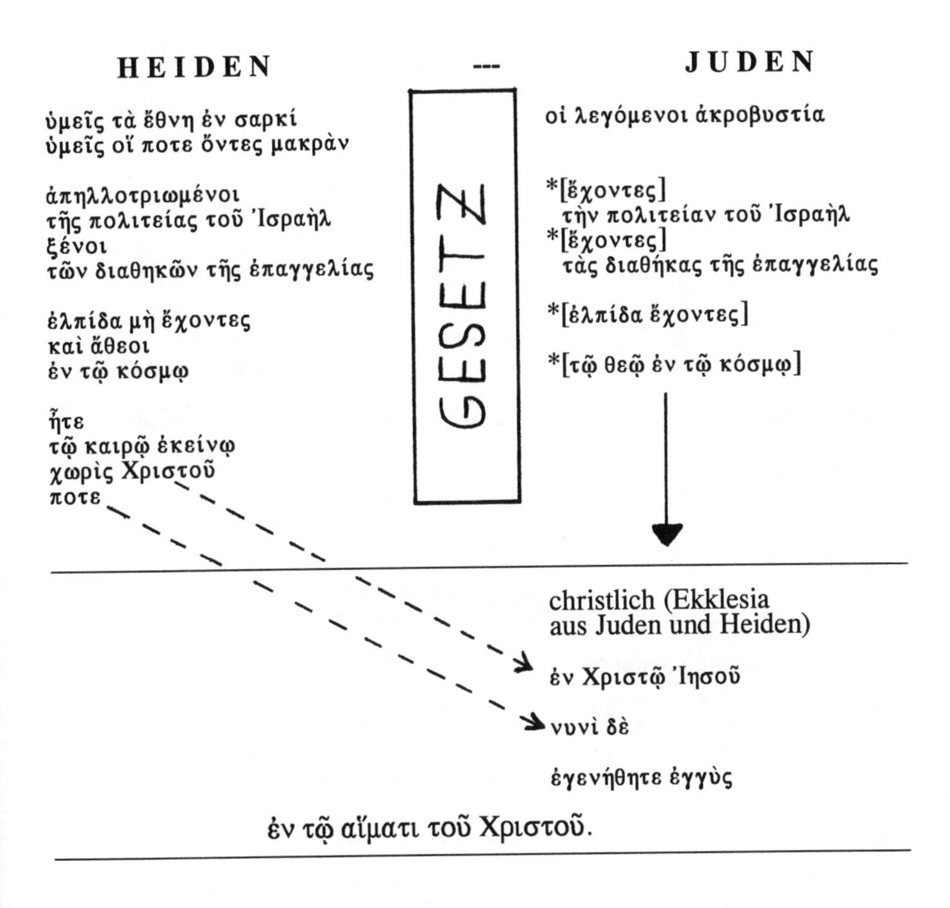

Erläuternder Hinweis zum Schaubild 8.1.4/1: Die mit (*) bezeichneten Aussagen sind im Text nicht zu finden, können jedoch aus den Aussagen über die Heiden positiv erschlossen werden.

Schematisierung von Eph 2,14-22 (Schaubild 8.1.4/2)

Αὐτὸς γάρ
ἐστιν ἡ εἰρήνη ἡμῶν,

ὁ ποιήσας τὰ ἀμφότερα ἕν
λύσας τὸ μεσότοιχον τοῦ φραγμοῦ
τὴν ἔχθραν

ἐν τῇ σαρκὶ αὐτοῦ

καταργήσας
τὸν νόμον τῶν ἐντολῶν ἐν δόγμασιν

ἵνα κτίσῃ ἐν αὐτῷ τοὺς δύο εἰς ἕνα
καινὸν ἄνθρωπον
ποιῶν εἰρήνην
ἀποκαταλλάξῃ τοὺς ἀμφοτέρους ἐν ἑνὶ σώματι
τῷ θεῷ
ἀποκτείνας τὴν ἔχθραν
ἐν αὐτῷ

ἐλθὼν
εὐηγγελίσατο εἰρήνην
ὑμῖν τοῖς μακρὰν
καὶ εἰρήνην τοῖς ἐγγύς

διὰ τοῦ σταυροῦ

ὅτι δι' αὐτοῦ ἔχομεν τὴν προσαγωγὴν οἱ ἀμφότεροι ἐν ἑνὶ πνεύματι πρὸς τὸν πατέρα

Ἄρα οὖν οὐκέτι ἐστὲ ξένοι καὶ πάροικοι ⟷ ἀλλὰ ἐστὲ συμπολῖται τῶν ἁγίων καὶ οἰκεῖοι τοῦ θεοῦ

ἐποικοδομηθέντες
ἐπὶ τῷ θεμελίῳ τῶν ἀποστόλων καὶ προφητῶν
ὄντος ἀκρογωνιαίου αὐτοῦ Χριστοῦ Ἰησοῦ

ἐν ᾧ . . .
εἰς ναὸν ἅγιον ἐν κυρίῳ

ἐν ᾧ καὶ ὑμεῖς . . .

εἰς κατοικητήριον τοῦ θεοῦ ἐν πνεύματι

8.1.5 Pragmatische Beobachtungen

Pragmatisch erfüllt der Abschnitt die Funktion, am Beginn des ersten Hauptteils des Epheserbriefes (Eph 2,11 - 3,21) das ekklesiologische Anliegen des Verfassers zu behandeln, nämlich den neuen, in Christus erschlossenen Zugang (προσαγωγή) zu Gott in der Kirche aus Juden und Heiden.

Die VV 11-13, eingeleitet mit der illokutiven Sprachintention μνημονεύετε in referentiellem Kontext (vgl. das temporale Pronominaladverb ποτέ und das Imperfekt in 12a: ἦτε), haben die Funktion, in das Thema des Abschnitts einzuführen, indem die Adressaten mit ihrem früheren gottlosen Stand konfrontiert werden. Dem entspricht, daß der zweite ὅτι-Satz (V 12) das Prädikatsnomen "ohne Christus" zweifach durch jeweils mit καί gegliederte Bestimmungen konkretisiert (12b.c). Diese Ergänzungen des Prädikatsnomens "ohne Christus" blicken auf den ehemaligen Status der Adressaten zurück, der prägnant in den Worten von V 12c auf den Punkt gebracht ist: "ohne Hoffnung und gottlos in der Welt", während zuvor das Verhältnis der ehemaligen Heiden zur judenchristlichen Gemeinde als "fremd" und "fern" beschrieben ist (12b). V 13 schließt die Verseinheit zusammenfassend ab: "Jetzt aber, da ihr euch im Bereich Christi befindet, seid ihr durch das Blut Christi aus Fernen Nahe geworden." Die entscheidende Antithese besteht also zwischen den unterschiedlichen Seins-Zuständen, nämlich zwischen dem einstigen "ohne Christus" (12a) und damit "ohne Hoffnung und gottlos in der Welt" (12c) und dem jetzigen in Christus-Jesus-Sein (13a)[6], wobei sich diese Antithetik für den Verfasser des Eph einzig und allein aus der Sicht der Ekklesia ergibt und auch in der Ekklesia begründet ist[7].

War in den VV 11-13 das Thema zunächst der einstige Nicht-Christen-Stand der Angesprochenen, dient der exkursartige Teil der VV 14-18 dazu, den Adressaten die Art und Weise des Zustandswechsels vor Augen zu führen, der die in V 18 genannte Konsequenz hervorgerufen hat, den Zugang zum Vater. Eingeleitet mit dem pointiert herausgestellten, auf Christus (V 13) rückbezogenen αὐτός wird der neue Stand der Christen noch einmal vertieft, indem die soteriologische Formulierung ἐν τῷ αἵματι τοῦ Χριστοῦ (aus V 13b) expliziert wird (14b-16b).

Ist in den VV 11-13 der Rückblick auf den ehemaligen Heiden-Stand thematisiert und in den VV 14-18 der Rückblick auf den durch Christus bewirkten Zustandswechsel in der Vereinigung der Heiden mit der Gemeinde Israels, den Judenchristen, so geht es in den VV 19-22 um das ekklesiologische "Jetzt", das positiv als Beheimatung in Gott (19) auf dem Fundament Christi (20) und zugleich als dynamischer Prozeß (22) dargestellt wird. Dem entspricht terminologisch, daß das "fremd" aus V 12b in 19a aufgenommen und antithetisch in 19b kontrastiert wird. War in den VV 11-13 die Nicht-Teilhabe an Gottes Gegenwart betont ("ohne Christus"; "fremd"; "fern"; "nicht Hoffnung habend"; "gottlos"), ist in den VV 19-22 die Teilhabe an Gott mittels der beiden συν-Begriffe ("Mitbürger"; "mitaufgebaut"), dem Begriff "Hausgenossen" und den

---

6 Vgl. SCHNACKENBURG, Exegese 480; Zitat ebd. Weiter sagt er, die zweimalige Konstruktion mit ἐν in V 13, sachlich jeweils auf Christus Jesus bezogen, könne "kaum anders verstanden werden, als daß die erste Wendung einen lokalen, die zweite einen instrumentalen Sinn" habe (ebd. 480). So auch SCHLIER, Eph 112.

7 Vgl. MERKLEIN, Christus 22f; s. auch die Einzelauslegung, die die Frage der Antithetik in V 11f noch einmal kurz aufgreift.

beiden mit εἰς eingeleiteten präpositionalen Ausdrücken (21b.22b) besonders hervorgehoben.

8.1.6 Gliederung des Abschnitts

Nach der Analyse läßt sich der Abschnitt wie folgt in drei größere Texteinheiten gliedern[8]:

I. VV 11-13 führen von der Gegenüberstellung der (ehemaligen) Heiden mit der "Gemeinde Israels" (VV 11-12) über das Schema "einst und jetzt" zu der neuen Situation, in der die Heiden durch das Blut Christi zu "Nahen" geworden sind.

II. An die Nennung Christi knüpft der zweite Teil an, der die Bedeutung Christi (pointiert: αὐτὸς γάρ) für die Vereinigung der ursprünglich getrennten Gruppen "der beiden" herausstellt und die neue Heilssituation in den Blick bringt: ὅτι δι᾽ αὐτοῦ ἔχομεν τὴν προσαγωγὴν οἱ ἀμφότεροι ἐν ἑνὶ πνεύματι πρὸς τὸν πατέρα (V 18).

III. Schlußfolgernd schließt sich der dritte Teil an (VV 19-22). Der ekklesiale Status der Adressaten wird vorwiegend positiv beschrieben, indem sie als "Mitbürger der Heiligen und Hausgenossen Gottes" (V 19b) Teil der Kirche Gottes sind, wobei ἐκκλησία nicht explizit genannt wird, aber in V 19 umschrieben ist. Diese wird näherhin unter den Bildern von Bau, Tempel und Wohnung des Geistes in ihrer irdisch-himmlischen, geschichtlich-eschatologischen Gestalt geschildert (VV 21f).

8.1.7 Die Terminologie

Dieser Abschnitt mit dem ekklesiologischen Thema der Juden und Heiden bringt einige kultische Deutungskategorien, die uns bereits an Stellen in den Paulusbriefen begegnet sind: προσαγωγή, ναὸς ἅγιος, ἅγιοι.[9] Daneben tritt in οἰκεῖοι τοῦ θεοῦ (V 19) und κατοικητήριον τοῦ θεοῦ (V 22) die Tempelwohnvorstellung, die hier übertragen wird auf die neue

---

8 Vgl. diese Dreiteilung des Abschnitts bei SCHNACKENBURG, Eph 104f.

9 Bereits in anderen Kapiteln erörtert worden sind die Begriffe προσαγωγή (Kap. 7.1 zu Röm 5,1f), ἅγιοι (Kap. 4.2) und ναὸς ἅγιος (s. oben Kap. 6.4 zum Begriff ναὸς θεοῦ).

Gemeinde Gottes aus Juden und Heiden, die Kirche. Zweimal begegnen Verbindungen dieser Aussagen mit der Rede vom Geist [Gottes] bzw. einmal mit der Rede "vom Herrn" (VV 18.22). Ferner sind die Begriffe ξένοι, πάροικοι und συμπολῖται aus V 19 beachtenswert, da hier die Nähe zur Gemeinde als Nähe zum Bereich Gottes beschrieben wird.[10]

Die Bezeichnung ἅγιοι in Eph 2,19b meint hier nicht die Engel als Repräsentanten der himmlischen Gemeinde[11]. Der Begriff ist auch nicht unmittelbar auf die Adressaten bezogen.[12] Vielmehr werden diese nun συμπολῖται τῶν ἁγίων genannt. Im Kontext kann dies nur bedeuten, daß ihnen jetzt die bisher nicht mögliche Zugehörigkeit zum eschatologischen Israel zugesagt sein soll.[13] Zu dieser Aussage nutzt der Eph jedoch die Vorstellung von den Bürgern der zukünftigen Stadt, die hinter der Bezeichnung συμπολῖται τῶν ἁγίων steht,[14] und drückt so die eschatologische Erfüllung des ἀπηλλοτριωμένοι τῆς πολιτείας τοῦ Ἰσραήλ (V 12b) aus. Wenn hier die Adressaten und somit die (ehemaligen) Heiden nur als "Mitbürger der Heiligen" und nicht als die Heiligen selbst bezeichnet werden, zeigt dies, daß die Heiden nun eben nicht einfach den Judenchristen gleichgesetzt werden, da diesen aufgrund der Verheißung eine heilsgeschichtliche Priorität zukommt[15], die aber in Christus in der Ekklesia aufgehoben ist.

---

10 Vgl. hier KLINZING, Umdeutung 184-191 (Literatur!); B. GÄRTNER, Temple 60-66; allgemein zu Parallelen des Epheserbriefes mit Qumrantexten s. K. G. KUHN, Epheserbrief; MUSSNER, Beiträge; KLINZING, ebd.

11 Die Meinung, hier seien mit den "Heiligen" die Engel gemeint (vgl. u.a. SCHLIER, Eph 140f; zuletzt vor allem KLINZING, a.a.O. 186), dürfte so nicht haltbar sein. Die "Heiligen" sind die, die im Bereich Gottes leben; vgl. dazu MERKLEIN, Amt 130-132. SCHNACKENBURG, Eph 121f, sieht die Alternative - die Heiligen als "alle Mitglieder der Kirche" oder als "die Engel als Repräsentanten der himmlischen Gemeinde" - so: Es seien die Christen gemeint, "die durch ihre Eingliederung in die Kirche zum himmlischen Gottesstaat gehören (vgl. Phil 3,20) und mit der Gemeinde der Engel und vollendeten Gläubigen verbunden sind (vgl. Hebr 12,2f; auch Offb 7,1-10; 14,1-5)" (Eph 122).- Zu ἅγιοι als Gemeindebezeichnung s. oben die genannte Ausführung Kap. 4.2.

12 DIBELIUS, Eph 71, wehrt sich gegen diese Differenzierung: "Man darf den Ausdruck (sc. τῶν ἁγίων) nicht pressen, als wären die Leser keine ἅγιοι; der Sinn ist 'ihr gehört zu den Heiligen'."

13 Vgl. MERKLEIN, Amt 132; er paraphrasiert den Vers folgendermaßen: "Da nach Eph das eschatologisch qualifizierte Israel sich in der Kirche realisiert, will der ganze Ausdruck συμπολῖται τῶν ἁγίων besagen: Ihr, die ehemaligen Heiden, seid zusammen mit den ehemaligen Juden Angehörige des eschatologischen Gottesvolkes (der Kirche) geworden." (a.a.O. 132)

14 Vgl. SCHLIER, Eph 140f; H. STRATHMANN, Art. πόλις κτλ., in: ThWNT VI 516-535, hier 530-533; KLINZING, a.a.O. 185.

15 Vgl. MERKLEIN, Amt 132, mit Verweis auf "Röm 11,16ff und das heilsgeschichtliche Axiom: Zuerst Juden, dann Griechen (Röm 1,16; 2,9.19)" (a.a.O. Anm. 101); auch a.a.O. 134.

Mit dem Ausdruck οἰκεῖοι τοῦ θεοῦ wechselt das Bildmotiv von der Stadt zum Bild des Hauses.[16] Nach F. MUSSNER will οἰκεῖοι τοῦ θεοῦ vor allem zum Ausdruck bringen, daß die Heiden "in der Heilszeit als gleichberechtigt zum Gottesdienst der israelitischen Gemeinde zugelassen werden in dem einen 'Hause' Gottes"[17]. Diese Aussage bedarf aber der Einschränkung und Ergänzung: Auch wenn der Ausdruck von seinem atl. Ursprung her gar nicht vom Kult zu trennen ist, ist mit dem Bild vom 'Haus' und dem damit skizzierten Vorstellungskreis (noch) nichts über die eigene kultische Erfahrung der Gemeinde ausgesagt. Vielmehr geht es um den eschatologischen Gottesdienst im Alltag, so daß darin in aller Kontinuität zu bisherigen Maßstäben hinsichtlich dessen, was der Kult intendierte, eine Diskontinuität deutlich ist.

In Qumrantexten zeigt sich, daß die Vorstellungen von der Gemeinde als "Haus" oder als "Tempel" ineinander übergehen können (1 QS 8,5; 8,8-10). So ist hier auch keinesfalls an eine Differenzierung innerhalb der Gemeinde zwischen "Tempel" und "Haus" zu denken, so daß der priesterliche Teil den Tempel und der aus Laien bestehende Teil das "Haus" bilden. Vielmehr stellen alle Glieder der Gemeinde sowohl den Tempel als auch das Haus dar; denn die ganze Gemeinde leistet Sühne (1 QS 5,5; 9,4) und hält die priesterliche Reinheit.[18] - In äthHen 89f wird mit "Haus" der eschatologische Heilsort bezeichnet, wobei im einzelnen nicht immer festzustellen ist, "ob die zukünftige Stadt oder der zukünftige Tempel gemeint ist, da die beiden Vorstellungen, wie in der Apokalyptik häufig, ineinander übergehen"[19].

Auffallend ist, daß an der Stelle im NT, wo das mit "Haus Gottes" Gemeinte weiter expliziert wird, nämlich 1 Petr 2,4ff[20], der Kult unmittelbar mitkonzipiert ist: "um geistliche Opfer darzubringen, die Gott angenehm sind durch Jesus Christus".

κατοικητήριον τοῦ θεοῦ: Der Terminus κατοικητήριον begegnet u.a. als Bezeichnung der Wohnung Gottes auf dem Sinai (Ex 15,17), für den Tempel in Jerusalem (1 Kön 8,13), von der himmlischen Wohnung Gottes (1 Kön 8,39.43.49; 2 Chr 6,30.33. 39 u. Ps 32,14) und für den Zionsberg selber (Ps 75,3).[21] Im NT tritt als Belegstelle

---

16 Frühjüdische Texte zeigen (so KLINZING, a.a.O. 186), daß dieser Motivwechsel nicht überraschend ist: es wird hier von der zukünftigen Stadt (äthHen 90,29f.33-36; vgl. 89,50f.56; 90,27; TestLev 10,5), von der himmlischen Wohnung Gottes (äthHen 71,5ff; 14,10f) und vom eschatologischen Tempel (4 QFl 1,2f; äthHen 91,13; vgl. Sib V, 398) als einem Haus gesprochen; s. zum Motiv "Haus" auch KLINZING, a.a.O. 62f.

17 MUSSNER, Christus 106f; Zitat hier 107; a.a.O. 112 ntl. und atl. Vergleichsstellen zum Begriff οἶκος.

18 Vgl. KLINZING, a.a.O. 62f.

19 Vgl. ebenda 63; zum Motiv der himmlischen Stadt s. H. BIETENHARD, Die himmlische Welt 192-204; P. VOLZ, Eschatologie 373-375.

20 Zu den Ähnlichkeiten zwischen Eph 2,11-22 und 1 Petr 2,4f vgl. W. NAUCK, Eph 2,19-22 - ein Tauflied? EvTh 13 (1953) 362-371, hier 363; auch KLINZING, a.a.O. 191-196; s. unten Kap. 8.2.

21 Außerhalb der kanonischen Schriften begegnet das Wort u.a. für das menschliche Herz: 3 Makk 2,15; Barn 6,15 (ναὸς γὰρ ἅγιος, ἀδελφοί μου, τῷ κυρίῳ τὸ κατοικητήριον ἡμῶν τῆς καρδίας). Das Simplex οἰκητήριον begegnet im NT

für κατοικητήριον[22] neben Eph 2,22 nur noch Apk 18,2 als Bezeichnung für die "Wohnung der Dämonen" (vgl. Bar 4,35)[23].

Mit dem Terminus προσαγωγή (18a) und der damit unmittelbar verbundenen Aussage οἱ ἀμφότεροι ἐν ἑνὶ πνεύματι πρὸς τὸν πατέρα nennt Eph 2,18 "das Heilsziel schlechthin"[24], "das letzte und eigentlichste Ziel der gesamten Heilsgeschichte"[25]. Das, was die aus Juden und Heiden geeinte Ekklesia, von der der Verfasser des Eph im "wir" (VV 14.18) spricht, in besonderer und somit kennzeichnender Weise prägt, ist der Zugang zum Vater, so daß frühere Unterschiede keine Bedeutung mehr haben. Solches Denken ist, wie wir gesehen haben, durchaus von Paulus vorbereitet und begründet[26] und in der Urkirche festgehalten und entfaltet worden[27]. An unserer Stelle Eph 2,18 ist es bemerkenswert, daß das, was im kultischen Terminus προσαγωγή beschrieben wird, pneumatologisch realisiert ist (vgl. neben V 18 auch V 22a). Auch Paulus hat mehrfach ekklesiologische Sachaussagen mit Hilfe kultischer Kategorien formuliert unter besonderer Rückbindung an den Geist (Gottes): Röm 15,16; 1 Kor 3,16; 6,19; Phil 3,3. Darin stimmt der Eph mit Aussagen der Homologumena überein: Christus hat uns den Zugang zum Vater aufgetan und in ihm (Röm 5,2) oder im Geist (Röm 15,16) vollzieht sich pneumatologisch der Zugang zum Vater bzw. zur Gnade (Röm 5,2). In der Rückbindung der kultischen Terminologie an den Geist bei Paulus wie beim Verfasser des Epheserbriefes zeigt sich die eschatologische Rezeption dieser Terminologie.

Bereits die Analyse hat Hinweise zur Funktion dieser Deutungskategorien im Kontext gegeben. Da, wo der Verfasser auf den neuen Stand der Christen zu sprechen kommt, nutzt er aus der Sprache des Kultes entlehnte Deutungskategorien, die allesamt in den Versen 18-22 begegnen: προσαγωγή, ναὸς ἅγιος, ἅγιοι. Zu dem mit diesen Begriffen umgrenzten traditionsgeschichtlichen Vorstellungskreis gehören auch οἰκεῖοι τοῦ θεοῦ (V 19) und κατοικητήριον τοῦ θεοῦ (V 22): Die Gemeinde ist der

---

zweimal: 2 Kor 5,1f neben οἰκοδομή und οἰκία als Bezeichnung für den himmlischen Ursprung der neuen Leiblichkeit; Jud 6 für die himmlische Wohnung.

22 Bei Philo und den Pseudepigraphen des AT fehlt das Wort, bei Flavius Josephus begegnet es nur Ant 9,241 in der Bedeutung "Lagerstatt" (τὸ κατοικητήριον τῶν λεόντων), vgl. Jer 9,10; 50,39.

23 Vgl. im äthHen die Aussagen über die "Wohnung der Geister", wo allerdings jeweils κατοίκησις steht: Hen 1,3; 15,7.8.10[bis].

24 MUSSNER, Was ist die Kirche?, 168; er spricht "vom kerygmatischen Spitzensatz des Briefes" (ebd.).

25 MUSSNER, Eph 70; vgl. ebd. 85-88 zur Vorstellung, die mit dem Terminus προσαγωγή verbunden ist. S. aber vor allem Kap. 7.1 zu Röm 5,1f.

26 Vgl. Gal 3,28; 1 Kor 12,13; Röm 3,21-24; 10,12.

27 Vgl. Kol 3,11; Tit 2,14; Offb 5,9; 7,9; s. Kap. 8.2 zu Petr 2,4-6.

Ort, wo die der Gemeinde Zugehörigen an Gottes Gegenwart teilhaben. Der Zugang zur Gemeinde eröffnet den Zugang zu Gott. Der Verfasser des Epheserbriefes entwickelt die Gedanken des Paulus für seine ekklesiologisch geprägte Theologie folgerichtig weiter. Die kultische Begrifflichkeit ist hier in Eph 2,11-22 gerade nicht "spiritualisiert", sondern der Verfasser nutzt vom Kult entlehnte Kategorien zur Verbalisierung des ihm entscheidenden ekklesiologischen Sachverhalts, nämlich daß die Ekklesia der in Christus eingeräumte Heilsraum ist.[28] Dem Verfasser des Epheserbriefes war also kultisch geprägtes Denken zur Formulierung seiner Ekklesiologie geradezu willkommen: War früher der Kult im Tempel Ort der Erfahrbarkeit und der Gegenwart Gottes, ist nun in der Gemeinde selbst genau dieses kultische Grundanliegen verwirklicht.

Gerade der Abschnitt 2,11-22 zeigt, wie das alte und das neue Sein vor allem der Heiden z.T. mit kultischen Kategorien einander gegenübergestellt werden. Dabei dient diese Terminologie in Verbindung mit der Tempelwohnvorstellung dazu, der Gemeinde ihren Ort in und gegenüber der Welt zuzuweisen. Es geht hier nicht um den eigenen christlichen Gottesdienst, sondern um eine ganz andere Wirklichkeit. Die Existenz der Gemeinde als pneumatische Existenz (VV 18b.22b), gründend auf dem Christusgeschehen, verwirklicht sich im Alltag mit all seinen Lebensäußerungen, so daß hier die Grenzen zum Profanen zwar im Prinzip durchgehalten werden, aber neu definiert sind: Innerhalb der Ekklesia sind sie aufgehoben zugunsten des "Sein in Gott", außerhalb der Ekklesia gilt weiterhin diese Grenzziehung zum Profanen. Die Grenze zwischen der Ekklesia als dem (sakralen) Ort der Wohnung Gottes und dem Bereich des Profanen ist für den Epheserbrief gerade gegenüber dem gottlosen, heidnischen Umfeld zu sehen.

---

[28] Vgl. MERKLEIN, Amt 134.

8.1.8 Einzelauslegung

Diese Einzelauslegung[29] geschieht hier lediglich im Überblick und greift vorwiegend die exegetischen Probleme auf, die für unsere Fragestellung relevant erscheinen.

8.1.8.1 VV 11 - 13

Der Abschnitt greift mit der einleitenden Aufforderung "Deshalb erinnert euch" (11a) auf den vorangehenden Abschnitt 2,1-10 zurück und ist mit diesem durch das Schema "einst - jetzt" verklammert. Das ποτέ in 11b greift wie in Eph 2,2 die heidnische Vergangenheit der Adressaten auf, jetzt deutlich durch die Näherbestimmung "ihr, die Heiden" hervorgehoben. Nach den VV 1-10 befanden sich "sowohl die einstigen Heiden als auch die einstigen Juden hinsichtlich ihrer Vergangenheit in einem beide betreffenden, im einzelnen aber verschieden umschriebenen Unheilszustand". In den VV 11-13 dagegen bleibt das negative Vorher der Judenchristen unerwähnt; vielmehr tritt an dessen Stelle die Bundesgemeinde Israel als Kontrast zu den Heiden[30] (vgl. Röm 9,4)[31]. Entscheidender Maßstab dieser Gegenüberstellung ist "Israel", ein Begriff, der für den Eph "von vornherein offen ist für die Wirklichkeit des neuen Israel der Kirche"[32]. Hinter "Israel" steht der Gedanke des Gottesvolkes. Wenn Israel und Kirche sich einander so zuordnen lassen, dann kann die Zugehörigkeit der (ehemaligen) Juden zur Kirche theologisch kein Problem sein. Die Opposition, die sich daher in V 11f ergibt, besteht zwischen Ju-

---

29 Zur Einzelauslegung s. neben den Kommentaren vor allem SCHNACKENBURG, Exegese 476-487; FINDEIS, a.a.O. 462-500.

30 Vgl. FINDEIS, a.a.O. 462; Zitat ebenda.

31 Anders als in Röm 9,4f, "wo der Apostel die gegenwärtigen Israeliten als Träger der Verheißungen ins Auge faßt", lassen aber hier in Eph 2,11-13 der zurückgewandte Blick und die durchgängige ekklesiale Perspektive "kein Urteil über die Einschätzung des christusfernen Israels zu" (vgl. SCHNACKENBURG, Eph 109f; Zitate ebd. 110).- S. dazu auch unten die abermalige pragmatische Betrachtung.

32 MERKLEIN, Amt 118; vgl. zur Bezeichnung "Gemeinde Israels": ders., Christus 19-21.

den und Heiden, "wobei sich die Antithetik aber nur aus der Sicht der Ekklesia ergibt und auch in der Ekklesia begründet ist"[33].

Indem die einstigen Heiden so der πολιτεία τοῦ Ἰσραήλ und den διαθῆκαι τῆς ἐπαγγελίας gegenübergestellt werden, kommt diesen christlichen Bestimmungen aus jüdischer Tradition durchaus eine positive Wertung zu.[34]

MERKLEIN merkt zu πολιτεία an, daß es ein "theologischer Begriff ist, der von der Idee des in der Verheißung begründeten Gottesvolkes getragen wird"[35]. Für πολιτεία gilt, daß der Begriff hier aus der Sicht der Ekklesia betrachtet wird. "Gemeinde Israels" als Idee des Gottesvolkes ist in den V 11f nicht durch den in V 11 negativ qualifizierten Begriff "Beschneidung" gekennzeichnet, sondern durch den Begriff "Verheißungen". Von diesem Israel waren die Heiden getrennt. "Sofern aber die 'Verheißung' auf das 'in Christus' begründete eschatologische Gottesvolk der Kirche hintendiert, realisiert sich 'Gemeinde Israels' in der Kirche." Wenn die Heiden zur Kirche stoßen, sind sie nicht mehr getrennt von Israel.[36]

SCHNACKENBURG hat dagegen eingewandt, diese durchaus richtige Sichtweise, daß der Verfasser des Eph vom Standpunkt der Kirche her denke und argumentiere, erledige noch nicht die Frage, wie "Israel" (das alte Gottesvolk) vom Verfasser verstanden wird.[37] Nach Analyse der VV 11-22 kommt er zu dem Schluß, die "heilsgeschichtliche" Sicht nicht völlig abzutun, obwohl dies die Analyse für ihn nahelegt[38]. SCHNACKENBURG meint, der Verfasser erkenne "faktisch . . . für die Zeit vor dem Kommen Christi der Gemeinde Israels verglichen mit dem Heidentum eine besondere Stellung zu"[39].

---

33 MERKLEIN, Christus 23. Vgl. FINDEIS, Versöhnung 465, wo er statt der Perspektive der "Ekklesia" von der Betrachtung "vom christlichen Standpunkt aus" spricht. Sachlich ist dies zwar nicht falsch, doch ist die Formulierung "aus der Sicht der Ekklesia" dem Kontext der Stelle und des gesamten Briefes wohl eher angemessen.

34 Gegen LINDEMANN, Aufhebung 152: "denn angesichts der christlichen Gegenwart gibt es auch auf seiten der Juden keinerlei positive Vergangenheit".

35 MERKLEIN, Christus 21; vgl. zum folgenden ebenda.

36 Vgl. a.a.O. 21; Zitat ebenda.

37 Vgl. SCHNACKENBURG, Exegese 470f, hier 471; auch 478-481.

38 SCHNACKENBURG, a.a.O. 488: Nach der Analyse verneint er folgende Fragen: "Will der Verfasser 'heilsgeschichtlich' das Gottesvolk Israel als Voraussetzung oder Vorstufe für die Kirche in den Blick bringen? Will er damit ein heilsgeschichtliches Kontinuum aufzeigen, das auch Konsequenzen für das ekklesiale Selbstverständnis der Christen, besonders der Heidenchristen hat?"

39 Ebd. 489.

Da ἐκκλησία für den Verfasser des Eph die Kirche Jesu Christi "und συναγωγή wohl schon die nachchristliche Synagogengemeinde bedeutete", bot sich ihm mit der singulären Bezeichnung ἡ πολιτεία τοῦ Ἰσραήλ, so SCHNACKENBURG[40], in πολιτεία ein neutraler Ausdruck an. Durch den Kontext, hier durch den Genitiv τοῦ Ἰσραήλ, gewinne πολιτεία seine besondere Färbung: "das Gemeinwesen Gottes, das in Israel seine konkrete Verwirklichung gefunden hat"[41]. Diese Sichtweise des Begriffs πολιτεία berücksichtigt nicht die Stellung des Ausdrucks ἡ πολιτεία τοῦ Ἰσραήλ im Kontext als Opposition zum Sein der Adressaten im ποτέ-Stand, wo diese ohne dieses Israel zukommende Heimat- und Bürgerrecht vor Gott auskommen mußten. Im Rückblick stellt ἡ πολιτεία τοῦ Ἰσραήλ demnach eine Grenze gegenüber den Heiden dar, die jetzt eschatologisch aufgehoben ist.

Mit den Termini "nah" und "fern" (V 13) nimmt der Epheserbrief hier Prophetensprache auf, indem er vom Stichwort εἰρήνη her drei Schriftstellen miteinander verbindet, nämlich Jes 9,5f (V 14); 52,7 (V 17) und 57,19 (VV 13 u. 17).[42] Diese Stellen legt der Verfasser des Eph im Rahmen der VV 11-22 christologisch aus mit dem Ziel, "die Versöhnung von Juden und Heiden durch Christus mit Gott und untereinander so auszusagen, daß gleichzeitig das Wunder der Aufnahme der Heiden in die Kirche und das Wesen dieser Kirche als des versöhnten neuen Gottesvolkes sichtbar wird"[43]. Für den Verfasser des Eph hat sich das in der Schrift als

---

40 Vgl. SCHNACKENBURG, Eph 109; Zitat ebd.

41 Vgl. SCHNACKENBURG, a.a.O. 109; Zitat ebenda; s. auch MERKLEIN, Amt 132; vgl. ders., Christus 20-22: "'Gemeinde Israels' kann weder mit dem physischen Israel (der 'Beschneidung') noch mit der Kirche einfachhin identifiziert werden." (ebd. 21)

42 Vgl. STUHLMACHER, Friede 347f; zum folgenden vgl. ebd.; s. auch WOLTER, Rechtfertigung 70f, der zusätzlich noch Mich 5,4 einbezieht; SCHNACKENBURG, Eph 111, fügt noch andere Prophetenstellen an; MERKLEIN, Christus 25f bezieht nur Jes 57,19 ein; ebenso MUSSNER, Christus 29f.100f; SCHLIER, Eph 122, erwähnt lediglich Jes 57,19.

43 STUHLMACHER, a.a.O. 347.

kommend Verheißene und von Israel erst von der Zukunft Erhoffte in Christus für die Ekklesia bereits eschatologisch erfüllt.[44]

M. WOLTER hat bereits gezeigt, daß "die These von der Aufhebung des Gegensatzes von Juden und Heiden in der christlichen Gemeinde ein original christlicher (paulinischer) Topos ist"; ein zweiter traditionsgeschichtlicher Umkreis, der sich hier widerspiegele, sei der Übertritt von Heiden zum Judentum.[45] Beide Vorstellungszusammenhänge haben in V 13 einen gemeinsamen Berührungspunkt, wo wiederum Proselytenterminologie verarbeitet ist: Die Heiden als 'Ferne' (רחוקים) und die Juden selbst als 'Nahe' (קרובים) ist eine weitverbreitete Vorstellung des Übertritts eines Heiden zum Judentum, formuliert durch das Verb 'sich nähern' (קרב; ἐγγίζειν)[46]. Auch im Begriff προσαγωγή spiegelt sich Proselytenterminologie wider.[47]

In der Kombination dieser traditionsgeschichtlichen Vorstellungszusammenhänge steht der Epheserbrief in Weiterführung paulinischer Gedanken aus den Homologumena und bildet innerhalb des NT einen Gipfelpunkt. Der Hebräerbrief geht wieder andere Wege in ekklesiologischen Aussagen, auch wenn sich hier ähnliche Aussagen wie in Eph 2,11-22 finden (vgl. Hebr 4,16; 11,6; auch Hebr 19,19.22; 12,22f). In den apostolischen Schriften werden zum Teil die Gedanken des Eph zur Aussage ekklesiologischer Sachverhalte aufgenommen. So heißt es ConstApost 7,36: "Durch ihn hast du die Völker [τὰ ἔθνη] zu dir geführt [προσηγάγου] (εἰς λαὸν περιούσιον τὸν ὁρῶντα θεὸν) . . . ", und Justin Dial 11,5: "das wahre Israel sind wir, die διὰ . . . Χριστοῦ τῷ θεῷ προσαχθέντες"[48].

Hier ist also die kultische Begrifflichkeit als ein weiterer Mosaikstein innerhalb neutestamentlicher und frühchristlicher Ekklesiologie einzuordnen, da auch sie als Deutungshilfe in ekklesiologischen Aussagen dient. All diesen ekklesiologischen Aussagen ist eines gemeinsam: In ihnen geht es um die neue Identität der Ekklesia aus Juden und Heiden. Das exklusive Neue der paulinischen Homologumena und des Epheserbriefes besteht darin, die besagten Vorstellungszusammenhänge vom "sich nahen" und die kultische Terminologie speziell zugunsten der Heiden zu verwenden, eben zur Versöhnung von Juden und Heiden, so im Eph, und zur

---

44 Vgl. STUHLMACHER, a.a.O. 348.

45 Vgl. WOLTER, a.a.O. 65-73, hier 67f; Zitat ebd. 67; entsprechende Belege ebenda.

46 Vgl. WOLTER, a.a.O. 70f; Belege ebenda aus Bill III 586f u. Bill I 927.

47 Vgl. ebenfalls WOLTER, a.a.O. 71.117-120; s. oben Kap. 7.1 zu Röm 5,1f.

48 Vgl. dazu WOLTER, a.a.O. 119: Beide Texte spiegeln vom Kontext stärker jüdische Proselytenterminologie wider und bringen den Gedanken der Zulassung auch der Heiden zum Heil zum Ausdruck.

Ausformung des Selbstverständnisses der Ekklesia vor allem aus den Heiden.

8.1.8.2 VV 14 - 18

Das αὐτός, pointiert am Beginn von V 14, greift zurück auf den in V 13 zweimal erwähnten Christus und nennt so für diesen Vers und die gesamte Verseinheit das bestimmende "Generalthema"[49], nämlich Christus selbst. Ist dieser auch im Abschnitt 14-18 nicht explizit genannt, so regiert er doch, wie die semantische Analyse ergeben hat, alle Verben dieser Verseinheit bis V 17. Auch in V 18 ist "Christus" derjenige, durch den das den Verfasser und die Adressaten zusammenfassende Subjekt "wir" eigentlich bestimmt wird. In den VV 11-13 war "Christus" schon "das entscheidende Kriterium, in dem sich das Fern- und Nahesein der Heidenchristen bemaß"[50].

Das Objekt dieses Handelns Christi ist genannt in τὰ ἀμφότερα (14b) bzw. τοὺς δύο (15bα) und τοὺς ἀμφοτέρους (16a); als Ziel dieses Handelns heißt es, daß diese ἕν (14b) bzw. εἰς ἕνα καινὸν ἄνθρωπον (15bα) und ἐν ἑνὶ σώματι werden sollen. Aus dem vorigen Abschnitt VV 11-13 ergibt sich, daß hier die zwei durch das Zeichen der Beschneidung getrennten Gruppen von Juden und Heiden angesprochen sind. Der Verfasser des Eph versteht zugleich die sich aus dem Bundeszeichen ergebende Kennzeichnung dieser Gruppen als "Beschneidung" und "Unbeschnittenheit" als Umgrenzung zweier Bereiche[51], in denen er das bisherige Verhältnis von Israel und Heidenwelt zur Sprache bringt. Denn die VV 11-13 stellen bei Umkehrung der Aussagen über die einst heidnischen Adressaten die Christen aus den Juden positiv als Träger der Bundesverheißungen dar, die Hoffnung haben und vor allem mit Gott in dieser Welt sind. Wichtig ist es also zu sehen, daß von der sogenannten Beschnittenheit in den VV 11-13 im Umkehrschluß aus der Perspektive der Ekklesia gesagt ist, daß es sich bei diesen um solche in Christus handelt, da die Adressa-

---

49 SCHLIER, Eph 122.

50 FINDEIS, a.a.O. 474.

51 Vgl. MERKLEIN, Christus 29f.

ten von diesen als solche "ohne Christus" abgegrenzt werden. Die VV 14-17 "gipfeln" in V 18, der die vorigen Sachaussagen ergebnisartig zusammenfaßt und so das eigentliche Aussageziel des Verf darstellt, nämlich den gleichen Zugang zum Vater für Juden und Heiden durch Christus in einem einzigen Geist.

Umstritten ist die Deutung von τὸ μεσότοιχον τοῦ φραγμοῦ (14c).[52] Im wesentlichen lassen sich drei Lösungsversuche unterscheiden: (a) eine kosmische, namentlich gnostische Herleitung, (b) die Deutung der Aussage auf die Schranke im Tempelbezirk und (c) die Deutung auf die Tora mit ihren Vorschriften als "Zaun", der Israel schützen und von den Völkern trennen soll[53]. Der Kontext selber scheint die dritte Möglichkeit als einheitliches Anschauungsmodell auszuweisen: Die "Scheidewand des Zaunes" ist "das Gesetz der Gebote samt den Satzungen", und die verfeindeten Parteien sind die Juden und die Heiden. Als christliche, midraschartige Schriftauslegung nehme der Text den atl. Friedensgedanken auf und destruiere antithetisch das jüdische Gesetzesverständnis.[54]

Doch sprechen die verschiedenen kultischen Konnotationen im Abschnitt VV 11-22 durchaus für die Deutung auf die Tempelschranken. Innerhalb der Verseinheit 14-18 korrespondiert τὸ μεσότοιχον τοῦ φραγμοῦ (V 14c) bezogen auf die Tempelschranken mit dem Begriff προσαγωγή in V 18a, so daß diese Deutung auch innerhalb dieses Abschnitts einen guten Anhaltspunkt besitzt. Die Rede vom "Zugang", der nun möglich ist, knüpft ja ebenso wie die Rede von den "Tempelschranken" an die vom herodianischen Tempel hergeleitete Auffassung an.[55]

Die Verseinheit erreicht ihr Aussageziel in V 18 mit der Formulierung der προσαγωγή in einem Geist zum Vater. Bereits bei der Untersuchung zu Röm 5,1f (s. Kap. 7,1) waren wir auf diese Epheserbriefstelle gestoßen. Röm 5,1f und Eph 2,14-18 haben in mehrfacher Hinsicht Gemeinsamkeiten aufzuweisen[56]: (a) Beide Texte stellen Feindschaft und Ver-

---

52 Vgl. im folgenden vor allem SCHNACKENBURG, Eph 113f, wo diese drei Lösungsversuche und ihre wesentlichen Vertreter aufgeführt sind.

53 Dazu vor allem STUHLMACHER, Friede 344f.

54 Vgl. SCHNACKENBURG, a.a.O. 114; er schließt damit nochmals die mögliche Aufnahme von Tradition an dieser Eph-Stelle aus; anders GNILKA, Eph 139.

55 Gegen SCHNACKENBURG, Eph 114, GNILKA, Eph 140, und zuletzt LINCOLN, Ephesians 141.- Die Deutung auf die Tempelschranken wird in der englischsprachigen Exegese öfter vertreten (vgl. die Kommentare von ABBOTT, Eph 61; SCOTT 171; BEARE z.St.); auch MUSSNER, Eph 78, schließt diese Deutung, mit Bezug auf Apg 21,27-30, nicht aus.

56 Vgl. zum folgenden, M. WOLTER, a.a.O. 62; mit Recht schließt er eine direkte Abhängigkeit der Eph-Stelle von Röm 5,1f oder umgekehrt als "sehr unwahrscheinlich" aus (ebd. 62).

söhnung einander gegenüber; (b) jeweils wird die Versöhnung als Friede durch Jesus Christus beschrieben; (c) mit dem Zitat aus Jes 57,19, der Aussage προσαγωγὴ πρὸς τὸν πατέρα und mit dem Verweis auf den Geist sind in Eph 2,14-18 Vorstellungen angesprochen, die auch in Röm 5,1-11 von zentraler Bedeutung sind.

Wie bereits gesagt, wird die diachronische Fragestellung hier nicht weiter behandelt. Mit M. WOLTER ist zu sagen, daß eine "Alternative 'Bearbeitung einer Textvorlage (bzw. Fragmente davon) oder durchgängig selbst formuliert'" methodisch nicht ausreicht, da "jedweder Art von Sprache ein bestimmter Grad an Traditionalität zukommt".[57]

Die Sachaussagen in den VV 14-18 von der Zerstörung des trennenden Scheidezaunes und von dem nun eröffneten Zugang zum Vater haben Gemeinsamkeiten mit anderen, ähnlich gelagerten Aussagen aus den Briefen des Paulus. Das, was einst die Heiden von der Zugehörigkeit zum Volk der Verheißung und damit von der Zugehörigkeit zu Gott trennte, ja ausgeschlossen hat, ist zerstört und hat nun keinerlei Relevanz mehr. In Christus oder, anders gesagt, unter der Herrschaft Christi gilt für beide Menschheitsgruppen, Juden wie Heiden, die gleiche Zugangsmöglichkeit zu Gott.

8.1.8.3 VV 19 - 22

Die VV 19-22 bilden Abschluß und Zusammenfassung der vorausgehenden Verse 11-18[58]. Nach der Schilderung des Einst-Zustandes in den VV 11f und der des christologischen Änderungsprozesses in den VV 14-17, zieht der Verf nun die Folgerung (ἄρα οὖν) dieser Darlegungen für die Adressaten: Es geht in den VV 19-22, die "ganz allgemein als ekklesiologischer Text" zu charakterisieren sind, grundsätzlich um die Ekklesia[59],

---

57 Vgl. WOLTER, a.a.O. 65; Zitate ebenda. Zu der Frage der Verarbeitung von Tradition in Eph 2,14-18 s. neben den Kommentaren WOLTER, a.a.O. 65-73; zum Forschungsstand bes. STUHLMACHER, Friede 337-341.357; MERKLEIN, Tradition 79; auch ders., Christus 85-98; LINDEMANN, Aufhebung 156-181.

58 Vgl. zur Exegese der VV 19-22 neben den Kommentaren vor allem MERKLEIN, Amt 118-158; s. auch VIELHAUER, Oikodome 115-122.

59 Mit Recht merkt FINDEIS, a.a.O. 485 Anm. 78, an, daß, auch wenn hier in Eph 2 terminologisch nicht von der Ekklesia Gottes gesprochen sei, die VV 19.22 es durchaus erlauben würden, "die Zuordnung von Christus und Kirche durch den Begriff der Gottesgemeinde zu kennzeichnen: als Kirche Christi ist die

von deren Konstituierung die VV 14-18 gesprochen haben, und um den Ort der ehemaligen Heiden in dieser Ekklesia.[60] Charakteristisch dabei ist für die VV 19-22, daß sie als Interpretation von Kol 22b.23 zu verstehen sind, die im Sinne des ekklesiologischen Verständnisses im Epheserbrief unter Zuhilfenahme einer gehäuften Bauterminologie erfolgt, wie dies im sich entwickelnden frühen Christentum parallel zu vergleichbaren Vorstellungen im Frühjudentum - geläufig war.[61]

Eph 2,19 läßt Jes 56,6f anklingen, wonach die Heiden zum Heiligtum auf dem Zionsberg kommen und gleichberechtigt am Tempelkult teilnehmen. Das ἀλλά in V 19 ist das einzige im Abschnitt VV 11-22 und stellt noch einmal die grundlegenden Antithesen des Abschnitts einander gegenüber. Dabei greift συμπολῖται τῶν ἁγίων antithetisch zurück auf das ἀπηλλοτριωμένοι (V 12b), das οἰκεῖοι τοῦ θεοῦ auf das ἄθεοι ἐν τῷ κόσμῳ (V 12c). Die Begriffe "Fremde" und "Heimatlose" zeigen noch einmal die aussichtslose Situation des heidnischen Stands ohne Gott auf und die damit verbundene Hoffnungslosigkeit, die darin bestand, daß den Heiden im Unterschied zu den Juden kein Zugang zum Heil möglich war. Dieser Zugang zu Gott wird nun mit kultischer Terminologie als eschatologisch erfüllt dargestellt.

Zu den Aussagen hier in V 19 bietet sich aus den Qumrantexten mit der "Tempel-Stelle" 4 QFl 1,1-4 eine interessante Parallele, die negativ die Fremden vom Heil ausschließt (vgl. Dtn 23,2-9):

> 4 QFl 1,1-4: . . . (2) . . . Dies ist das Haus, welches [Er] di[r machen wird am E]nde der Tage . . . (3) . . . Das ist das Haus, in welches nicht eintreten darf (4) [einer mit einem] dauernden [Makel an seinem Leibe?] und ein Ammoniter, ein Moabiter, ein Ausländer und ein Fremdling auf ewig, denn Seine Heiligen werden dort (5) se[in . . .] für immer.[62]

Gemeinschaft von Heiden- und Judenchristen die endzeitliche Heilsgemeinde Gottes" (Zitat ebd.).

60 Vgl. MERKLEIN, a.a.O. 120; Zitat ebenda. MERKLEIN grenzt diese Verse mit der Bezeichnung "ekklesiologischer Text" von der Einordnung als "Tauftext" (so W. NAUCK, Tauflied: [s. Anm. 20] hier 36) ab.

61 Vgl. zum Verhältnis Eph/Kol MERKLEIN, Amt 121-125, bes. für Eph 2,19-22 und Kol 1,22b.23; für das Verhältnis Eph/Kol: ders., Paulinische Theologie; ders., Christus, 82-98; auch FINDEIS, a.a.O. 507-519.

62 Übersetzung nach MAIER/SCHUBERT, Qumran-Essener 307.

Wenn auch diese Stelle mit den Heiligen hier die Engel meint[63], hat dies für Eph 2,19 nichts auszusagen, da hier andere Voraussetzungen vorliegen[64]. In 1 QFl 1,1-4 ist zudem nicht von der Gemeinde als Tempel, sondern vom eschatologischen Heiligtum gesprochen. Doch sind die Vorstellungen von Tempel und Stadt im Frühjudentum durchaus eng miteinander verwandt. Interessant ist, daß diese Negativ-Parallele zu Eph 2,19 Bezug nimmt auf Dtn 23,1-3. Positiv formuliert bedeutet dies für unsere Eph-Stelle, daß derartige Unterscheidungen aus Dtn 23 für den Verfasser des Eph keinerlei Bedeutung mehr haben, sondern in der Ekklesia in Christus aufgehoben sind. Wenn man berücksichtigt, welche Bedeutung Dtn 23 im Frühjudentum besonders auch für Aussagen über die Zugehörigkeit zum Volk Gottes gehabt hat, läßt sich ermessen, wie der Verf des Eph in 2,14 von Feindschaft zwischen Juden und Heiden sprechen kann, und wie er zugleich enthusiastisch den neuen Stand der Heiden und ihren Zugang zum Heil preisen kann.

Die in den VV 19-22 anzutreffende *Bauterminologie* ist öfter untersucht worden.[65] Für unsere Arbeit ist festzuhalten: (a) Neben Eph 2,11-22 und den vergleichbaren Stellen im paulinischen Schrifttum[66] zeigt auch 1 Petr 2,4-10, eine Stelle, die eine ähnliche Häufung der Bauterminologie und dazu noch mit Eph 2,11-22 auffällig übereinstimmende Terminologie aufweist, daß die Verwendung dieser Bauterminologie einer Tendenz der urchristlichen Theologie überhaupt entspricht.[67] (b) Die eschatologische Deutung diesbezüglicher atl. Stellen (Ps 118,22; Jes 8,14; 28,16) bildet den Ansatzpunkt dieser traditionellen urchristlichen Theologie, sei es als "Deutung auf den

---

63 Anders E. LOHSE, Texte 257; doch ist wahrscheinlich seine Übersetzung nicht korrekt; vgl. 1 QSa 2,5f.

64 Vgl. zu 1 QFl 1,1-7 KLINZING, Umdeutung 80-87; s. auch oben Seite 334.

65 Neben den Kommentaren seien die Arbeiten von W. NAUCK, Tauflied; Ph. VIELHAUER, Oikodome, und SCHLIER, Christus 49-60, genannt; aus neuerer Zeit vgl. I. KITZBERGER, Bau.

66 Dazu MERKLEIN, Amt 122: "Rein terminologisch könnte es sich hier um eine *Aufnahme pl Begriffe* - mit einer gewissen Verschiebung handeln: . . . Möglicherweise hat der Verfasser des Eph diese Begriffe auch als 'paulinische' Termini verstanden"; vgl. zu οἰκοδομή u.a. 1 Kor 3,9; 14,3.5.12.26; 2 Kor 5,1; zu θεμέλιος 1 Kor 3,10ff; Röm 15,20; zu ναός 1 Kor 3,16f; 6,19; 2 Kor 6,16.

67 Vgl. MERKLEIN, Amt 122-124; Zitat hier 122; weiteres ntl. Material ist zu nennen: 1 Kor 3,9-11; (Röm 2,21f); Hebr 3,2-6; 10,21; 1 Tim 3,15; Mk 14,58; Mt 16,18; Joh 2,19; Offb 21.- In der Übersetzung haben wir ἀκρογωνιαῖος mit "Eckstein" wiedergegeben und uns so MERKLEIN, Amt 144-152, angeschlossen; der Exkurs dort diskutiert die Alternative "Eckstein"/"Schlußstein" ausführlich; im Anschluß an MERKLEIN auch SCHNACKENBURG, Eph 123-125.303-305; MUSSNER, Eph, 93-95; I. KITZBERGER, Bau 315 Anm. 506.; die Übersetzung "Schlußstein" bevorzugen Joachim JEREMIAS, Der Eckstein: Angelos 1 (1925) 65-70; ders., Art. γωνία κτλ., in: ThWNT I, 792f; im Anschluß daran VIELHAUER, Oikodome 118-120; WIKENHAUSER, Die Kirche als der mystische Leib Christi nach dem Apostel Paulus, Münster [2]1940, 126; die Kommentare von DIBELIUS-GREEVEN, CONZELMANN u. GNILKA z. St.; zuletzt auch Lorenz OBERLINNER, Die Apostel und ihre Nachfolger. Nachfragen zu einer geläufigen Vorstellung, in: A. VÖGTLE/L. OBERLINNER, Anpassung oder Widerspruch, Freiburg 1992, 9-39, hier 32 Anm. 24.

eschatologischen Heilsbringer (christologisch) oder auf die eschatologische Heilsgemeinde (ekklesiologisch)"[68]. (c) Spätestens seit der Entdeckung der Qumranschriften[69] dürfte es als gesichert gelten, daß religionsgeschichtliche Parallelen in (früh-)jüdischen Vorstellungen zu suchen sind und nicht in der Gnosis[70].

Mit dem Partizip ἐποικοδομηθέντες schließt sich V 20b an den Aussagesatz V 19 an. Syntaktisch bezieht sich dieses Partizip zurück auf das Subjekt in V 19, die in der 2. Person Plural angeredeten Adressaten und somit die Heidenchristen. Sinn der Aussage kann aber nur sein, daß diese mit den Judenchristen gemeinsam auf dem Fundament der Apostel und Propheten stehen[71], wie es sich auch in den VV 21a.22a in den beiden συν-Verben ausdrückt.

Die Ekklesia wird im Text im Bild eines dynamisch wachsenden Baus beschrieben; hier ist auf urchristliche Traditionen zurückgegriffen, auch wenn dies im Detail nicht erfaßt werden kann. So wird mit Recht immer auf die Verwandtschaft der Verse mit 1 Kor 3,9-12.16 hingewiesen, ohne daß man jedoch deswegen auf eine literarische Abhängigkeit schließen müßte.[72] Im αὔξειν bzw. αὐξάνειν ist fast immer ein organischer Vorgang im Unterschied zu einem mechanischen angesprochen, bzw. ein Vorgang, den wir "organisch" nennen würden.[73] Der Terminus "wachsen" befremdet zunächst in der Beschreibung des mechanischen Vorgangs "bauen". Das Ziel der Sachaussage ist dabei eindeutig: Mit dem "wachsen" ist beschrieben, daß der Bau im Werden steht und noch nicht vollendet ist.[74] So ist im Abschnitt ja die Rede vom "mitauferbaut werden", so daß hier im Präsens die kontinuierlich weiterwachsende Dynamik des Bauprozesses bezeichnet ist. MERKLEIN hat zu diesem "wachsen" gesagt, daß darin in dieser Eph-Stelle "das sachliche Anliegen des paulinischen eschatologischen Vorbehalts" aufgenommen wird. "Die Kirche, die alles *schon* ist, was Paulus für das Eschaton erwartet, muß dieses ihr Wesen *erst noch* durchdringen."[75]

---

68 MERKLEIN, a.a.O. 122.

69 Vgl. zu Qumran und Eph 2,19-22 B. GÄRTNER, Temple 60-66; KLINZING, Umdeutung, bes. 184-196(-213); er führt die urchristlichen Traditionen auf "Qumran-Gedanken und Traditionen" zurück (ebd. 209-213).

70 So noch VIELHAUER, a.a.O. 134f, und SCHLIER, a.a.O.; richtig bereits W. NAUCK, Tauflied 370.

71 Vgl. MERKLEIN, Amt 135; dort heißt es: "Es ist ja geradezu die Konzeption unserer Verse, daß sie am Sein der Heidenchristen das Sein der Kirche entfalten."

72 Vgl. MERKLEIN, Amt 138-140.

73 Vgl. VIELHAUER, Oikodome 121; weiter weist er darauf hin, daß das NT unseren heutigen "Begriff des organischen als der selbstverständlichen Entfaltung nach einer immanenten Gesetzmäßigkeit nicht" kannte; "für das NT ist das 'Organische' ein Wunder." (Zitate ebd.)

74 Vgl. VIELHAUER, ebd.

75 Vgl. MERKLEIN, Paulinische Theologie 51; Zitate ebd. Weiter beschreibt er nach dem Epheserbrief die Aufgabe der Kirche, "ihres Wesens in Christus innezuwerden, es zu durchmessen. Daher nehmen die Wortfelder 'erkennen',

Als Abschluß und Zusammenfassung dieser Einzelauslegung läßt sich folgendes Schaubild erstellen (**Schaubild 8.1.8/1**)

VV 11 u. 12: HEIDEN sind das angeredete Subjekt
und sind beschrieben als:

ohne Christus

fern der Gemeinde Israels und den Bundesverheißungen

ohne Hoffnung und **ohne** Gott

V 13: JETZT aber in Christus Jesus ist das einst ohne Gültigkeit, denn:

VV 14-17: Handelndes Subjekt ist Christus.

Sachlich geht es um die Schilderung des christologischen Annäherungsprozesses zu Gott, in positiven u. negativen Aussagen:

-- destruierend: die Scheidewand des Zaunes; die Feindschaft; das Gesetz der Gebote samt Satzungen; die Feindschaft.

-- schaffend: beide zu einem; die zwei zu einem Menschen; Frieden (stiftend/ verkündend) als Frieden für alle (Ferne und Nahe).

V 18: Die "Summe" des Handelns Christi: die gleiche Möglichkeit des Zugangs für alle.

VV 19-22: Diese Verse schildern die Folgen dieses Zustands: das Sein-in-Gott auf christologischer Basis:

also: nicht mehr: Fremde/Heimatlose,
sondern: Mitbürger der Heiligen/Hausgenossen Gottes

aufgebaut auf dem Fundament der Apostel u. Propheten ....

zu: einem heiligen Tempel des Herrn
zu: einer Wohnung Gottes im Geist.

8.1.9 Folgerungen für die Ekklesiologie des Abschnitts 2,11-22

In der Exegese wurde bisweilen die Ekklesiologie des Eph alternativ beurteilt: H. MERKLEIN sah im Zentrum der Ekklesiologie des Eph den

---

'erfüllen', 'wachsen', 'bauen' einen weiten Raum in den beiden Briefen ein." (ebd.)

Gedanken der Vereinigung von Juden und Heiden in der Kirche.[76] Dagegen wendet A. LINDEMANN ein, daß im Abschnitt 2,11-22 jede positive Bezugnahme auf Israel und auf Judenchristen fehle; wenn der Verfasser die Adressaten ausdrücklich als die "einst Fernen" anspreche, die in Christus "nahegekommen" oder "Nahe" geworden seien, so gehe "es dabei nicht um die Nähe zu den Juden oder zu Israel, sondern um das Nahekommen zu Gott (2,14-18)".[77] Dem Verfasser des Eph kommt es aber auf eine parallele Gedankenführung an: Einerseits werden die Grenzen zwischen Juden und Heiden als beseitigt dargestellt, andererseits wird positiv die Nähe zu Gott und so die Gegenwart Gottes als den Heiden geschenkt dargestellt. Oder anders gesagt: "Frieden zwischen Heiden und Juden, darauf zielt Eph 2,14-18 ab, gibt es - prononciert formuliert - erst und allein im Horizont des Friedens beider mit Gott."[78] Wie im gesamten Epheserbrief die Ekklesiologie dominiert, so prägt sie auch diesen Abschnitt, so daß selbst die Soteriologie als Funktion der Ekklesiologie erscheint.[79]

Der Verfasser des Eph betont die Kirche aus Juden und Heiden, ist aber am einstigen oder jetzigen Israel, wie der Abschnitt zeigt, nicht weiter interessiert. Dies zeigt auch, daß die Gesetzesproblematik für ihn keine Rolle mehr spielt.[80] Anders als in den Schriften aus Qumran (4Qflor I,3f; 1QH VI,27) steht der Verf des Eph in seiner eschatologischen Perspektive nicht einfach in der Traditionslinie von Dtn 23,2-9, sondern drückt gerade für die Heiden den freien Zugang zum Herrn aus und zieht so in seiner eschatologischen Sichtweise die letzte Konsequenz der Aussage von Dtn 23,4f: In der Gemeinde Gottes sind die Grenzen auch zwischen "Moabiter und Ammoniter"

---

76 Vgl. MERKLEIN, Christus 98.

77 Vgl. A. LINDEMANN, Bemerkungen 247f; Zitat 248.

78 WOLTER, a.a.O. 71; er spricht von einer eigentümlichen "Doppelstruktur der Versöhnungsaussage" im Text (ebd. 71).

79 Vgl. MERKLEIN, a.a.O. 100; weiter schreibt er: "Die Rechtfertigungslehre tritt zurück bzw. wird der Ekklesiologie untergeordnet. Das geschieht freilich nicht auf Kosten der Christologie. Christus bleibt - wie bei Paulus - die Mitte der Verkündigung des Epheserbriefes. Er macht das Wesen der Ekklesia aus." S. auch ders., a.a.O. 88f.

80 Vgl. MERKLEIN, Christus 78: Im Epheserbrief lege das "jüdisch (kultisch-rituelle) Gesetz . . . die 'Verheißung', und damit auch was 'Gemeinde Israels' beinhaltet, auf die 'Beschneidung' fest, schafft Trennung, Feindschaft zwischen Juden und Heiden". Damit geschehe genau das Umgekehrte wie in den Aussagen von Röm 2.

in Christus aufgehoben, d.h. innerhalb der Ekklesia gibt es angesichts des "Seins in Gott" keine völkischen oder wie immer gezogenen Grenzen.

Gerade die im Text enthaltene Terminologie zeigt, daß es dem Verfasser des Eph entschieden um das Nahekommen zu Gott geht. Die im Abschnitt enthaltenen Deutungskategorien verfolgen den einen Zweck: Sie wollen die in Christus gerade den Heidenchristen geschenkte Gottesnähe mit aus dem Kult entlehnten Kategorien deuten. Der Verfasser des Eph verbindet dabei Motive, die in anderen traditionsgeschichtlichen Vergleichstexten vom Nahen zum Thron Gottes[81] und zu Gott selbst sprechen, mit der Tempelwohnvorstellung.[82] Bedeutsam für das ekklesiologische Verständnis des Abschnitts sind die Oppositionen (s. die semantische Analyse), in denen "einst" und "jetzt", "fern" und "nah", "ohne" und "in Christus", "Frieden" und "Feindschaft", "Fremde und Beisassen" und "Mitbürger der Heiligen und Hausgenossen Gottes" einander gegenübergestellt werden, um einzig die neue Qualität des Heils in der Gegenwart Gottes darzustellen.

Im Eph ist erstmals in 1,22 explizit die Kirche genannt, indem durch die Aufnahme von Motiven aus Ps 110,1 die Herrschaft Christi als allumfassend und zugleich Christus als Haupt der Kirche dargestellt werden. Dadurch daß der Verfasser des Eph die kosmologischen Momente der Herrschaft Christi in Relation setzt zur Herrschaft Christi als Haupt der Kirche, ist diese Kirche der Ort, die diese Herrschaft Christi als Zugang zum Vater in Aufhebung aller Grenzen und Distanzen (Eph 2,13.14.18) in bevorzugter Weise erfährt: Sie partizipiert von Christus her an der Durchsetzung dieser Herrschaft (vgl. 3,10; 4,15)[83]. Bemerkenswert ist, wie das Motiv der Herrschaft Christi als Allzusammenfassung in Christus das Himmlische und das Irdische erfaßt, indem sich zugleich dieses Geschehen auf die beiden Gruppen der Juden und Heiden in Christus auswirkt: Die Zugehörigkeit zu Christus in der Kirche ist so Partizipation an der

---

81 Vgl. oben in Kap. 7.1 zu Röm 5,1f die Erörterungen zum Begriff προσαγωγή.

82 Vgl. oben in Kap. 6.4 zu ναός.

83 Vgl. FINDEIS, a.a.O. 498f.

Herrschaft Christi über das All und bedeutet für die Christen "die Versetzung mit Christus in den himmlischen Bereich Gottes" (Eph 2,6).[84]

Für den Verfasser des Eph hat sich hier die dem Kult entlehnte Terminologie angeboten, um den für die Gemeinde entscheidenden Sachverhalt auszusagen: Wie der Kult intendierte, Himmlisches und Irdisches ineins zu setzen, so konnten nun die kultischen Kategorien die Versetzung mit Christus in den himmlischen Bereich Gottes darstellen. So läßt sich die Verbindung ekklesiologischer Aussagen mit kultischer Terminologie in Eph 2,11-22 folgendermaßen zusammenfassen:

1. Die Ekklesia aus Juden und Heiden in gleicher Weise ist der "ekklesiale Heilsraum", und mit diesem Leben in der Heilssphäre Gottes ist "eigentlich alles weitere schon gegeben"[85]. Terminologisch gehören hierhin die Aussagen vom Niederreißen des Zaunes und der Versöhnung mit Gott durch das Kreuz in den VV 14-16.

2. In der Ekklesiologie des Verfasser geht es um die Herrschaft Christi im Heilsraum der Kirche, da nun in Christus Grenzen abgebaut und der Zugang zum Vater aufgetan ist. Terminologisch spiegelt sich dies wieder in der Opposition "nah"/ "fern", in der Überwindung des "Zaunes" (V 14) und im Nomen **προσαγωγή** mit der präpositionalen Ergänzung "zum Vater".

3. In der Opposition "einst"/"jetzt" drückt der Verfasser neben den unterschiedlichen Zustandsbeschreibungen der einstigen Heiden und jetzigen Christen die eschatologisch realisierte Gegenwart des Heils im Raum der Ekklesia aus.

4. Konsequenterweise kann der Verfasser des Eph himmlische und irdische Wohnstatt ineins setzen (Eph 2,20-22), so daß hier die größte Nähe zu Vorstellungen der Qumrantexte aufscheint.

5. Dem Verfasser geht es um das neue Gottesverhältnis der Ekklesia, wobei es ihm darum gehen muß, diese Ekklesia primär als Einheit darzustellen, die im Zusammenschluß zweier einst völlig getrennter Teilglieder besteht.

---

[84] Vgl. FINDEIS, a.a.O. 500; Zitat ebenda. FINDEIS (a.a.O. 499) sieht die Auswirkung des Versöhnungsgeschehens im soteriologischen Verständnis der auf die Menschheitsgruppen bezogenen Tat deutlich vom Geschehen am All unterschieden: "der ekklesiale Heilsraum (Leib Christi) ist der geschichtliche, aber nicht-weltliche Vollzugsbereich der heilshaften Beziehung zum herrscherlichen Haupt Christus, in der sich die Heilsgemeinschaft mit Gott realisiert". (ebd. 499 Anm. 101)

[85] H.-W. KUHN, Enderwartung 184.

8.1.10 Noch einmal: Das pragmatische Anliegen des Autors

Daraus ergeben sich noch einmal Folgerungen für die Textpragmatik, die in unserem Abschnitt umstritten ist, da der zeitgeschichtliche Hintergrund weder auf seiten des Autors noch der Adressaten schärfer erkennbar ist.[86] Die pragmatische Tendenz des Abschnitts ist nämlich von folgenden Fragen abhängig: (a) An wen richtet sich der Epheserbrief als Ganzes - nur an Heidenchristen oder an Heidenchristen und Judenchristen? (b) Werden im Abschnitt 2,11-22 Aussagen zum Verhältnis Juden- und Heidenchristen gemacht?

Dazu läßt sich feststellen: **(1)** Der Abschnitt Eph 2,11-22 nimmt positiven Bezug auf Israel und so auf die Judenchristen insofern, *da die Gemeinde an ihre heilsgeschichtliche Wurzel erinnert wird* (s.u.).[87] Möglicherweise geht es dem Verfasser um das aktuelle Verhältnis zwischen Juden- und Heidenchristen. Betont wendet er sich den Adressaten zu und redet sie an als die "einst Fernen", die in Christus "nahegekommen" oder "Nahe geworden" seien[88], um ihnen so mit diesen judenchristlich vertrauten Motiven in einer aktualisierten Exegese von Jes 9,5f; 52,7; 57,19 (vgl. auch Mich 5,4) und in einer christologisch-ekklesiologisch konzentrierten Uminterpretation kosmologischer Christologie (vgl. bes. Kol 1,15-20) die ekklesiale, präsentisch-eschatologische, aber kreuzestheologisch fundierte Heilssituation darzulegen.[89]

(2) Dem Abschnitt geht es positiv um die Christen aus den Heiden, denen vor Augen gestellt wird, wie sie einst im Verhältnis zur Gemeinde Israels dagestanden haben, nämlich "ohne Hoffnung und gottlos in der Welt". Dies, daß nämlich die Adressaten zu dieser Zeit der Gemeinde Is-

---

86 Vgl. SCHNACKENBURG, Eph 119; zur Adressatenfrage s. vor allem auch a.a.O. 25f; STUHLMACHER, Friede 354-357; MERKLEIN, Rezeption 207f.

87 Gegen LINDEMANN, Bemerkungen 247, für den "jede positive Bezugnahme auf Israel und Judenchristen" fehlt; richtig SCHNACKENBURG, Exegese 487/9: Es gehe nicht um "einen heilsgeschichtlichen Vorrang" für Israel, wohl aber erkenne "der Verfasser für die Zeit vor dem Kommen Christi der Gemeinde Israels, verglichen mit dem Heidentum, eine besondere Stellung zu" (ebd. 489).

88 S. oben die Analyse.

89 Vgl. FINDEIS, a.a.O. 524.

raels fremd waren, ist in einem anderen, hier ekklesiologischen Bild als Fernsein von Gott ausdrückt.[90] Die Beschreibung des einstigen Zustandes der Heiden spricht den Juden darin (ποτέ) einen Vorzug zu, nicht aber in aktueller Hinsicht. Dies würde der Struktur und dem theologischen Denken des ganzen Eph widersprechen. Vielmehr ist der einstige Stand der Heiden in einer rückprojizierten Relation zur judenchristlichen Gemeinde dargestellt, um diesen ehemaligen Stand als "gottlos" zu charakterisieren. Der frühere Status mit seiner Trennung von Heiden und Israel bedeutet für die Heiden Heillosigkeit (2,11-13). "Ihre Fremdheit gegenüber dem Gemeinwesen Israels und seinen Bundesverheißungen ist gleichgesetzt mit dem Fernsein von Gott und dem Getrenntsein von Christus."[91] Zugleich ist mit der Erwähnung dieser Charakterisierungen der Juden die Gemeinde an ihre heilsgeschichtliche Wurzel erinnert. Dies bleibt ekklesiologisch so lebenswichtig für die Gemeinde, "weil das Wunder und Wesen der Gemeinde gerade darin besteht, daß die Heiden zusammen mit den Juden in ihr zu dem einen neuen Gottesvolk berufen worden sind, in welchem sich die Verheißung Gottes konkretisiert"[92]. Gerade das jetzige präsentisch-eschatologische Bewußtsein vom "Jetzt" des Heils bedarf der kritischen Erinnerung des "Einst" und der im Kreuzestod vollzogenen Wende, um das Erbarmen Gottes und die Gnadenhaftigkeit der Rettung nicht in Vergessenheit geraten zu lassen (vgl. Eph 2,4-9).[93]

(3) Aus dieser Darstellung ergibt sich das pragmatische Anliegen des Textes, die (Heiden-) Christen vor einem Rückfall in den gottlosen Stand zu warnen und gleichfalls die (Heiden-) wie (Juden-)Christen in der Gefährdung des Glaubens zu stärken. Die (ehemaligen) Heiden sind jetzt als Glaubende (als "Kinder des Lichtes", 5,8-14) stark in der Macht des

---

90 Vgl. SCHNACKENBURG, a.a.O. 489, der "die 'heilsgeschichtliche' Sicht nicht völlig abtun" möchte: "Denn faktisch erkennt der Verfasser für die Zeit vor dem Kommen Christi der Gemeinde Israels, verglichen mit dem Heidentum, eine besondere Stellung zu. Nur hat das für ihn nicht den gleichen Sinn wie für Paulus in Römer 9-11. Das Israel, das den Glauben an Jesus Christus (bisher) nicht angenommen hat, liegt außerhalb seines Blickkreises." (ebd. 489)

91 FINDEIS, a.a.O. 468f.

92 STUHLMACHER, Friede 355.

93 Vgl. FINDEIS, a.a.O. 523.

Herrn (6,14) und in der "Waffenrüstung Gottes" (6,11.13), um in einer nicht-christlichen Umgebung zu bestehen. Dieser pragmatischen Ausrichtung entspricht im Abschnitt 2,11-22 die Adressatenorientierung auf die Heidenchristen, um "unter ethischem Vorzeichen . . . das Unterscheidend-Christliche in Abgrenzung vom Nicht-Christlichen der heidnischen Umwelt" herauszustellen[94], nämlich die Gottzugehörigkeit im Heilsraum der Kirche. Dem entspricht die Verwendung der vom Kult entlehnten Terminologie, die positiv diese Gegenwart Gottes für die Gemeinde, das Sein im Bereich Christi, unterstreicht. Die heidnische Umwelt erscheint dagegen im Eph nicht in positiver oder wenigstens neutraler Darstellung, "sondern als bedrohlicher Raum der Finsternis unter dem Einfluß der kosmischen Mächte und damit in Trennung von Christus (2,12) und Gott (4,18; vgl. 5,5)", so daß der Verfasser eine "Grundopposition von ekklesialem Heilsraum und kosmischem Unheilsraum" den Adressaten vor Augen stellt.[95]

(4) Aussagen über die Adressaten, die auf ein problematisches Nebeneinander von Juden- und Heidenchristen hinweisen, verbleiben hinsichtlich der nicht zu durchschauenden konkreten Schwierigkeiten im Bereich des Spekulativen.[96] Die Thesen von K.M. FISCHER über Krisenerscheinungen im Übergang zur nachapostolischen Epoche[97] sind so zumindest als überzeichnet[98] zu bezeichnen, da die Einordnung der Aussagen über Israel bzw. über das Judentum in die Argumentationstrategie des gesam-

---

94 Vgl. FINDEIS, a.a.O. 529f; Zitat ebenda 530.

95 Vgl. FINDEIS, a.a.O. 530; Zitate ebenda.

96 Vgl. SCHNACKENBURG, a.a.O. 490; er kommt zu der Feststellung: "Die theologische Argumentation in unserem Abschnitt gibt kein Recht, die Rücksichtnahme auf die Judenchristen für das Hauptanliegen des Verfassers zu halten." (a.a.O. 490) Vgl. auch ders., Eph 110; FINDEIS, a.a.O. 523f.

97 Vgl. FISCHER, Tendenz 21-33.39.40-48.79-83.88-94.201-203; er rechnet als solche "Krisenphänomene", so faßt FINDEIS (a.a.O. 521) zusammen, "die Auflösung der gesamtkirchlichen Gemeinschaft im ursprünglich paulinischen Missionsverbund und die Vereinzelung der Ortsgemeinden, in denen sich die episkopale Kirchenordnung durchsetzt und Ämter zur institutionellen Größe werden; zum anderen die Emanzipation der Heidenchristen (als Mehrheit in den Gemeinden) von den traditionell enger verbundenen Judenchristen".

98 So mit Recht FINDEIS, a.a.O. 521.

ten Eph einzuordnen sind, wie es ja auch bei der Untersuchung des Abschnitts Eph 2,11-22 deutlich geworden ist. P. STUHLMACHER erfaßt das zweite Anliegen des Verfasser, wenn er zusammenfaßt: "Weit entfernt davon, nur eine lebensferne theologische Lehre vorzutragen, zielt unser Ephesertext vielmehr hinein in die Welt des antiken Antisemitismus und der jüdischen Heidenverachtung und verkündet *hier* die Überwindung der Juden und Heiden bislang trennenden Feindschaft durch Christus den Versöhner." In einer solchen Zeit kam der Gemeinde dann die Aufgabe zu, "in ihrer Zeit ein die alten ethischen und religiösen Antagonismen überwindendes Modell von Realversöhnung zu bieten"[99].

8.1.11 Zusammenfassende Beobachtungen zu Eph 2,11-22

Die Verwendung der kultischen Kategorien zur Deutung ekklesiologischer Sachverhalte ist im Eph eine durchaus konsequente, wenn auch eigenständige Weiterführung der durch Paulus vorgegebenen Grundlagen, die in gewissem Sinn parallel zur Weiterführung der Ekklesiologie des Paulus gesehen werden kann:

a) In Eph 2,11-22 liegt u.a. die Idee von der Gemeinde als Tempel Gottes zugrunde. Zwar konnte auch Paulus den Korinthern zurufen: "Wißt ihr nicht, daß ihr Gottes Tempel seid und der Geist Gottes in euch wohnt?" (1 Kor 3,16). Doch war bei Paulus diese Aussage als Abschluß, wenn auch einer ekklesiologischen Gedankenführung, mit einer paränetischen Warnung an die Korinther verbunden, die Gemeinde als Ort der Gegenwart Gottes, deshalb Tempel Gottes, nicht zu verderben.

b) Von den paulinischen Homologumena unterscheidet sich der Epheserbrief wesentlich durch die starke Betonung der Heilsgegenwart, so daß es zutreffend ist, hier von "realized eschatology" zu sprechen. Der konkrete Berührungspunkt, an dem der Mensch des Heilshandelns Gottes teilhaftig wird, ist der Eintritt in die Ekklesia.[100] Ähnlich jedoch wie in den paulinischen Homologumena bleibt für den Verfasser des Eph der "Verpflichtungscharakter der Teilhabe am präsentischen Heil", so daß sich

---

99 Vgl. STUHLMACHER, a.a.O. 355f; Zitate 356.

100 Vgl. GNILKA, Epheserbrief 122.124.

hier sogar ein Wechselverhältnis erkennen läßt: "Je präsentischer das Heil, desto größer ist die Verpflichtung."[101]

c) Mit dem "Zugang zum Vater" ist den Christen die Möglichkeit der Teilhabe an der himmlischen Welt gegeben. Das Kriterium der Gemeindezugehörigkeit ist offenbar identisch mit dem des Gott-Nahe-Sein; der Gemeindezugehörigkeit entspricht die Zugehörigkeit zum Bereich Gottes und so zu Gott selbst.

d) Ähnlich wie die Homologumena nimmt auch der Epheserbrief Dtn 23, ein Kapitel, das im Frühjudentum bedeutsam gewesen und häufig aufgenommen wurde, um Aussagen zu Volk und Gemeinde zu formulieren[102], nicht unverändert, sondern nur modifiziert auf. Für den Verfasser des Epheserbriefes haben nun alle Zugang zum Vater, d.h. vor allem auch die bisher vom Heil ausgeschlossenen Heiden, so daß hier Dtn 23,4f positiv gewendet und geradezu umgekehrt wird. Die ehemaligen Heiden sind nicht mehr durch kultische Bestimmungen von der Heilsgemeinschaft ausgeschlossen, sondern sind vollwertig aufgenommen und ein konstitutiver Teil der endzeitlichen Gottesgemeinde[103]. In der Ekklesia Gottes sind alle früheren Unterschiede eschatologisch aufgehoben.

e) Die kultischen Begriffe verhelfen dem Verfasser des Epheserbriefes dazu, die neue Identität der beiden Menschheitsgruppen aus Juden und Heiden zu formulieren. Die neue Identität bemißt sich für den Epheserbrief einzig und allein nach dem Kriterium "Ekklesia", d.h. die Bewertung der Aussagen über Heiden und Juden auch im Abschnitt Eph 2,11-22 muß aus der Sicht der Ekklesia geschehen. Ist in den paulinischen Homologumena die Rechtfertigungslehre Basis aller ekklesiologischen Aussagen, so formuliert der Epheserbrief soteriologische Aussagen als Funktion der Ekklesiologie. Kultische Kategorien deuten sowohl in den Homologumena wie im Epheserbrief die neue Identität der Christen. Während im Epheserbrief dieser neue Stand der Christen aufgrund seiner ekklesiologi-

---

101 Vgl. GNILKA, a.a.O. 128; Zitate ebenda.

102 Vgl. dazu oben Kap. 4; als Literatur zu Dtn 23 im Frühjudentum K. BERGER, Volksversammlung 188-190.

103 Vgl. FINDEIS, Versöhnung 485.

schen Aussagebasis ausschließlich als neue Identität der Ekklesia verstanden wird, ist in den Homologumena auch vom einzelnen Christen die Nähe zu Gott pointiert formuliert (s. 1 Kor 5; 6,19), wenn auch in ethischem Kontext.

f) Die kultischen Kategorien im Abschnitt 2,11-22 zeigen, wie sehr das alte und neue Sein vor allem der Heiden einander gegenübergestellt wird. Dabei dient diese Terminologie in Verbindung mit der Tempelwohnvorstellung dazu, der Gemeinde ihren Ort in der Welt zuzuweisen. Die Gemeinde ist der Ort, wo die der Gemeinde Zugehörigen an Gottes Gegenwart teilhaben, so daß der Zugang zur Gemeinde den Zugang zu Gott ermöglichte. Der Verfasser des Epheserbriefes entwickelt die Gedanken des Paulus für seine ekklesiologisch geprägte Theologie folgerichtig weiter. Die kultische Begrifflichkeit ist hier in Eph 2,11-22 gerade nicht "spiritualisiert", sondern der Verfasser nutzt vom Kult entlehnte Kategorien zur Verbalisierung des ihm entscheidenden ekklesiologischen Sachverhalts, nämlich daß die Ekklesia der in Christus eingeräumte Heilsraum ist.[104] Dem Verfasser des Epheserbriefes war also kultisch geprägtes Denken zur Formulierung seiner Ekklesiologie geradezu willkommen: Wurde früher der Kult als Ort der Erfahrbarkeit und der Gegenwart Gottes angesehen, ist nun in der Gemeinde selbst genau dieses kultische Grundanliegen eschatologisch verwirklicht.

Es wird hier nicht auf den eigenen christlichen Gottesdienst Bezug genommen. Vielmehr geht es um die Existenz der Gemeinde als pneumatische Existenz (VV 18b.22b), gründend auf dem soteriologischen Christusgeschehen. Diese verwirklicht sich im Alltag mit all seinen Lebensäußerungen, so daß alle möglichen Grenzen *innerhalb* der Ekklesia wie auch die Grenzen zwischen irdischem und himmlischen Bereich in der Ekklesia aufgehoben sind zugunsten des "Seins in Gott". Die Grenze zwischen der Ekklesia als dem (sakralen) Ort der Wohnung Gottes und dem Bereich des Profanen ist für den Epheserbrief gerade gegenüber dem gottlosen, heidnischen Umfeld zu sehen. Die Gemeinde selbst ist der durch

---

[104] Vgl. MERKLEIN, Amt 134.

Christus eröffnete Heilsraum, "in den der Glaubende hineinversetzt und damit gerettet wird (vgl Eph 2,1-10)"[105].

In Eph 2,18 ist das, was mit dem Terminus προσαγωγή beschrieben wird, pneumatologisch realisiert. Auch Paulus hat mehrfach ekklesiologische Sachverhalte mittels kultischer Terminologie unter besonderer Rückbindung an den Geist (Gottes) formuliert (vgl. Röm 15,16; 1 Kor 3,16; 6,19; Phil 3,3). In derartigen Aussagen werden prophetische Verheißungen von der Sendung des Geistes (vgl. Ez 11,19; 36,26-28; 37,14; vgl. auch Jer 31,31-34), dem Wohnen Gottes unter den Menschen (vgl. neben den genannten Stellen Ez 37,26-28) und der damit verbundenen Zusage der Bundesformel ("Ihr sollt mein Volk sein, und ich will euer Gott sein") eschatologisch rezipiert.

8.2 1 Petr 2,4ff

Innerhalb des 1Petr bilden die VV 2,4-10 eine grundsätzliche christologische und ekklesiologische Aussage, die seit der Patristik über Martin Luther bis in die Texte des Konzils hinein ihre Nachwirkungen gehabt hat. Für uns ist aber weniger diese Wirkungsgeschichte[106] von Interesse, als vielmehr die Terminologie dieser Verse und ihre Bedeutung im Kontext des 1Petr. Auf die Verbindung des Abschnitts mit Eph 2,19-22[107] oder auf die Verwandtschaft zu den Qumrantexten wurde bereits hingewiesen. Letztere besteht nicht nur in der Vorstellung vom Tempel und den damit verbundenen Motiven, sondern, so G. KLINZING, wie in der Gemeinde von Qumran ist in 1 Petr 2,4-10 "der gesamte Kultus umgedeutet, und

---

105 MERKLEIN, Theologie 446.

106 Vgl. dazu den kleinen Exkurs bei N. BROX, 1Petr 108-110; bei diesen Nachwirkungen hinsichtlich des Abschnitts handelte es sich vor allem um Versuche, anhand des Begriffs βασίλειον ἱεράτευμα (V 9) nach dem Wesen des allgemeinen Priestertums zu fragen.- Zu 1 Petr 2,4-10 vgl. neben den Kommentaren WENSCHKEWITZ, Spiritualisierung 225f; VIELHAUER, Oikodome 136-142; SCHLIER, Adhortatio; W. NAUCK, Tauflied 363; GÄRTNER, Temple 72-88; ausführlich J.H. ELLIOTT, The Elect and the Holy. An Exegetical Examination of I Peter 2:4-10 and the Phrase βασίλειον ἱεράτευμα (NT.Suppl. 12), Leiden 1966; H. GOLDSTEIN, Gemeinde 55-59; KLINZING, Umdeutung 191-196.

107 Vgl. W. NAUCK, a.a.O. 363.

zwar in ganz ähnlicher Weise: Tempel, Opfer und Priestertum werden auf die Gemeinde und ihren Wandel bezogen"[108]. Auch wenn der Text relativ lang ist und die anschließende Erörterung nur einleitende Bemerkungen zur Ekklesiologie des 1Petr im Rahmen unserer Untersuchung machen will, sollen die entsprechenden Verse in einer Übersetzung einer weiteren Erörterung vorangestellt werden:

8.2.1 ÜBERSETZUNG

4a Zu ihm kommt hinzu (πρὸς ὃν προσερχόμενοι),
4b zum lebendigen Stein, der von den Menschen verworfen,
4c bei Gott aber auserwählt und wertvoll (ἐκλεκτὸν ἔντιμον) ist.

5a Und ihr selber (seid) wie lebendige Steine,
5b laßt euch aufbauen als ein geistliches Haus (οἶκος πνευματικὸς), zu einer heiligen Priesterschaft (εἰς ἱεράτευμα ἅγιον),
5c um darzubringen geistige Opfer, Gott wohlgefällig, durch Jesus Christus (ἀνενέγκαι πνευματικὰς θυσίας εὐπροσδέκτους [τῷ] θεῷ διὰ Ἰησοῦ Χριστοῦ).

6a Deshalb steht in der Schrift:
6b "Siehe, ich lege in Zion einen Stein, einen Eckstein, auserwählt und wertvoll (ἐκλεκτὸν ἔντιμον);
6cα und wer an ihn glaubt,
6cβ wird nicht zuschanden."

7a Euch also (gilt) sein Wert, den Glaubenden,
7b den Ungläubigen aber ist der Stein, den die Bauleute verworfen haben, zum Eckstein geworden
8a und zum Stein des Anstoßes und zum Fels des Ärgernisses.
8b Sie stoßen sich an ihm,
8c weil sie dem Wort nicht gehorchen,
8d [und] dazu sind sie auch bestimmt.

9a Ihr aber seid ein auserwähltes Geschlecht (γένος ἐκλεκτόν), ein Königshaus (βασίλειον), eine Priesterschaft (ἱεράτευμα), ein heiliges Volk (ἔθνος ἅγιον), ein Eigentumsvolk (λαὸς εἰς περιποίησιν),
9bα daß ihr die guten Taten dessen verkündet,
9bβ der euch aus der Finsternis in sein wunderbares Licht gerufen hat;
10a die einst nicht (sein) Volk, jetzt aber Gottes Volk,
10bα die nicht Erbarmen fanden,
10bβ jetzt aber Erbarmen gefunden haben.

[108] Vgl. KLINZING, a.a.O. 193; Zitat ebd.

8.2.2 Stellung des Abschnittes 2,4-10 im Kontext

Nach dem Briefeingang (1,1-12) folgt der erste Hauptteil des Briefes mit allgemeinen Mahnungen zum rechten Leben aufgrund des gegenwärtigen und zukünftigen Heils (1,13 - 2,10). Der Abschnitt 2,4-10 schließt diesen ersten Hauptteil mit prinzipiellen Ausführungen über die Gemeinde in den Bildern von "Haus" und "Volk" ab. Ein zweiter Hauptteil bringt konkrete Mahnungen zu verschiedenen Anliegen: zum Verhalten unter den Heiden (2,11f), zum Verhältnis zur staatlichen Obrigkeit (2,13-17), zum Sklavenstand (2,18-25), zur Ehe (3,1-7), zum Christsein in der Gemeinde und in der heidnischen Umwelt (3,8-12), zum Leiden in der Welt mit dem Vorbild Christi (3,13 - 4,6) und zur gegenwärtigen eschatologischen Stunde (4,7-11). Auch der dritte Hauptteil (4,12 - 5,11) beginnt mit der Mahnung, in den Leiden der Verfolgungen auszuhalten (4,12-19). Es folgen Mahnungen an die Ältesten und Jüngsten der Gemeinde (5,1-5) und zu Demut, Sorglosigkeit, Wachsamkeit und Glaubenskraft. Mit persönlichen Grüßen und Wünschen (5,12-14) schließt der Brief.

Mit den vorhergehenden Versen 2,1-3, in denen das Verlangen nach Christus thematisiert wird, ist der Abschnitt 2,4-10 durch den relativischen Anschluß mit πρὸς ὃν verbunden. Die Verse 3 und 4 haben gemeinsam, daß beide christologische Grundaussagen machen. In V 3 wird Ps 33,9 (LXX) zitiert, um die Erfahrbarkeit von Gottes Güte[109] im Bild des Schmeckens herauszustellen. In V 4 wechselt das Bild hin zur Baumetaphorik, die zunächst auf Christus angewandt und mit kultischer Terminologie verknüpft wird.

8.2.3 Beobachtungen zur Terminologie

Diese Verse haben eine auffällige atl. Färbung sowohl durch ihre Terminologie als auch durch ihre zahlreichen alttestamentlichen Zitate oder Anspielungen[110]. Statt einer Einzelexegese soll im folgenden die Terminolo-

---

109 Diese Güte meint hier das Neuwerden des Menschen in der Taufe (vgl. SCHRAGE, 1Petr 83).

110 Vgl. zu V 4: Jes 28,16; Ps 118,22; V 6: Jes 28,16; V 7: Ps 118,22; V 8: Jes 8,14; V 9: Jes 43,20f; Ex 19,6; V 10: Hos 1,9; 2,5; s. dazu im einzelnen die Kommentare; vgl. auch Kap. 8.1 zu Eph 2,11-22.

gie, die für diesen Text wie für unsere gesamte Untersuchung von Interesse ist, betrachtet werden.

προσέρχεσθαι: In den frühjüdischen Schriften begegnet das Verb bei Philo und meint das Hinzutreten zu Gott (Imm 8; Sacr 12); in VitAd 29,4 ist es (ausgesagt von Engeln) ebenfalls auf das Hinzukommen zur Gottheit bezogen (ebenso äthHen 14,24; 15,1; Jubiläen 17,16; ähnlich grBar 11,9). In äthHen 14,25, in der Thronvision, ist es auf das Herankommen eines der Heiligen zu Henoch bezogen. Profan gebraucht im Sinne eines Herantreten zu anderen ist das Verb TestSeb 4,7 und TestJos 15,7 (auch JosAs 8,4.5; Job 20,4; Arist 233,4; 301,3; u.a.m.).

Im NT begegnet das Verb häufig in den Evangelien (allein Mt mehr als 50mal) und in der Apg, neben 1 Petr 2,4 noch 1 Tim 6,3 und vor allem im Hebräerbrief[111]: In Hebr 4,16 ist vom "Hinzutreten zum Thron der Gnade mit Freimut" gesprochen und das Verb προσέρχεσθαι in einem Vorstellungszusammenhang benutzt, der an die Verbindung von himmlischem und irdischem Kultgeschehen anknüpft; Hebr 7,25: er (sc. der eine Hohepriester) vermag für immer die selig zu machen, "die durch ihn zu Gott hintreten"; das Verb bezeichnet hier das "sich nähern" zu Gott; auch in Hebr 10,1 sind mit dem Verb die zu Gott "Herzutretenden" (προσερχομένους) bezeichnet. Ähnlich wie 1 Petr 2,4 heißt es Hebr 10,22 auffordernd: προσερχώμεθα; als Ziel ist das durch das Blut Jesu offene Heiligtum gemeint, also wiederum der Zugang zu Gott selber. Auch in Hebr 11,6 ist der Zugang zu Gott angesprochen. In einer Gegenüberstellung wird in Hebr 12,18.22 gesagt, daß die Adressaten nicht zu einem lodernden Feuer etc. hingetreten sind (V 18), sondern "zum Berg Zion, zur Stadt des lebendigen Gottes, dem himmlischen Jerusalem, zu Tausenden von Engeln, und zur Versammlung (23) und Gemeinde der Erstgeborenen, die im Himmel verzeichnet sind und zu Gott . . . "; wieder ist das mit προσέρχεσθαι anvisierte Ziel Gott selbst, zu dem die zu Christus Gehörenden Zugang erlangt haben.

Wenn also die Adressaten aufgefordert werden, hinzutreten zum lebendigen Stein (2,4), so werden sie zu Beginn dieser Verse in die Nähe Christi und so in Gottes Nähe gerufen.[112] Während also V 4 mit dem vorausgestellten πρὸς ὃν auf Christus verweist, stehen zu Beginn von V 5 die Adressaten (καὶ αὐτοὶ), um sie in ihrer Christus-Bezogenheit anzusprechen.

ἐκλεκτός: Der Begriff wurde bereits in Kap. 4.3 als Gemeindebezeichnung behandelt.

οἶκος πνευματικός: Im Kontext mit dem Terminus ἱεράτευμα und dem in V 4 anklingenden Vers Jes 28,16 liegt es nahe, an unserer Stelle an den Tempel zu den-

[111] Vgl. zum Begriff προσέρχεσθαι im Hebräerbrief: THÜSING, Wilhelm, "Laßt uns hinzutreten . . . " (Hebr 10,22): BZ 9 (1965) 1-17.

[112] Treffend hat W. THÜSING, a.a.O. 6, das "Hinzutreten" charakterisiert: "Auf jeden Fall bedeutet es die Realisierung der Gottesbeziehung".

ken.[113] Dieses Bild läßt sich in der urchristlichen Tradition vielfach wiederfinden, wenn die Gemeinde mit dem Bau verglichen wird (vgl. 1 Kor 3,16 u.a.; 1 Tim 3,15; Hebr 3,6; 10,21; 2 Klem 9,3; Barn 16,10; IgnMagn 7,2)[114].

πνευματικός: Das in seiner Bedeutung eng mit dem Nomen πνεῦμα verwandte Wort begegnet im NT 28mal[115], mit einer Ausnahme (Apk 11,8) ausschließlich in den paulinischen Homologumena und in der paulinischen Tradition einschließlich dem 1Petr. Pointiert deutlich wird der Sprachgebrauch des Wortes dort, wo das Wort in Opposition zu anderen Begriffen verwendet ist[116]: In Röm 7,14 ist das Gesetz als πνευματικός im Gegensatz zu σάρκινος bezeichnet, zum Menschen der als σάρκινος unter die Sünde verkauft ist; 1 Kor 2,13-15 bezeichnet πνευματικός den Menschen, der kraft des Gottesgeistes Gottes Heilshandeln erkennt im Gegensatz zum ψυχικός, dem dafür Blinden. Der Gegensatz ist für Paulus eindeutig: Das πνεῦμα τοῦ θεοῦ nicht haben zu, heißt vom πνεῦμα τοῦ κόσμου (1 Kor 2,12) bestimmt sein. Hier ist eine Nähe zu Gal 6,1 gegeben, da der mit πνευματικός bezeichnet wird, der die Botschaft vom Kreuz verstanden hat. In 1 Kor 15,44.46 ist σῶμα ψυχικόν dem σῶμα πνευματικόν gegenübergestellt. In 1 Kor 9,11 tritt πνευματικά in Opposition zu σαρκικά: "Geistliches säen - Leibliches ernten".

Es lassen sich fünf Bedeutungen unterscheiden, die auch ineinander übergehen können: (a) vom Geist erfüllt, beseelt und initiiert; (b) geistliche Existenz oder Ursprung im Gegensatz zu irdisch materieller Existenz; (c) geistlich im Sinne von geistdurchwirkt und somit göttlich, gottgerichtet oder gottgemäß; nicht als Träger des Pneuma selber jedoch, wohl im Sinne von geistvermittelt; (d) im (Neutrum-) Plural im Sinne von "Geistwesen" oder "Geister" (nur Eph 6,12); (e) als Nomen im Sinn von Geistträger. In dieser letztgenannten Bedeutung begegnet das Wort Gal 6,1 in einer Gemeindeanrede. Doch ist aus der Anrede πνευματικοί keine übliche Gemeindebezeichnung geworden, obwohl das Wort durchaus paulinischem Denken entsprochen hätte. Dies war Paulus wahrscheinlich wegen mißbräuchlicher Verwendung dieses Be-

---

113 Anders BROX, 1Petr 98: Die Deutung des Hauses als "Tempel" sei "Eintragung (von ἱεράτευμα her und aus anderen ntl. Texten)"; BROX verweist auf die diesbezüglich vergleichbare "Steine-Allegorie aus Herm v III 2,3 - 7,6; Herm s IX 3,3 - 9,7", wo es sich um einen Turm handle: "Der Sinn der Metapher liegt (ohne Sakralbau) im Zusammenfügen der passenden, würdigen Bauelemente. Das genügt auch zur Erklärung von λίθοι und οἶκος in 1 Petr 2,5." (ebd. 98 Anm. 328) - BROX unterläßt es, den Kontext von ἱεράτευμα mit den zahlreichen kultischen Begriffen für die Bedeutung des Wortes ausreichend zu würdigen.

114 Vgl. oben die Ausführungen zum Begriff οἰκεῖος in Kap. 8.1.

115 Röm 1,11; 7,14; 15,27; 1 Kor 2,13[bis].15; 3,1; 9,11; 10,3.4[bis]; 12,1; 14,1.37; 15,44[bis].46bis; Gal 6,1; Eph 1,3; 5,19; 6,12; Kol 1,9; 3,16; 1 Petr 2,5[bis]; zweimal begegnet das Wort als Adverb: 1Kor 2,14; Apk 11,8; πνευματικός fehlt in 2Kor, in beiden Thessalonicherbriefen, in Phil und Phlm; ebenso fehlt es in der LXX. Zu πνευματικός vgl. Eduard SCHWEIZER, Art. πνεῦμα κτλ., in: ThWNT VI 330-453, vor allem 435f; Jacob KREMER, Art. πνευματικός, in: EWNT III 291-293.

116 Diese Oppositionen, sofern sie in 1Kor begegnen, sagen etwas über das Verständnis von πνευματικός in der dortigen Gemeinde aus. Vor allem 1 Kor 15,44.46 versucht Paulus, den Begriff vom einem irdisch-endgültigen Denken zu lösen und das Eschatologische im Begriff selbst zu betonen.

griffs in der korinthischen Gemeinde nicht möglich.[117] So redet er auch nicht die Korinther, sondern die Adressaten in Galatien in Gal 6,1 als οἱ πνευματικοί an, also als solche, die "im Pneuma leben" (Gal 5,25).[118]

In 1 Petr 2,5 begegnet πνευματικός zweimal, jeweils zur Kennzeichnung eines Nomen, das in ekklesiologischem Kontext ohne diese Spezifizierung auch anders verstanden werden könnte: οἶκος πνευματικός und πνευματικὰς θυσίας[119]. Der Begriff πνευματικός ist hier ähnlich dem λογικός in Röm 12,1 zu sehen. Deshalb ist eine Übersetzung von πνευματικός im Sinne von "metaphorisch"[120] unpassend. Es geht nicht einfach um die "Spiritualisierung" des Opfers[121] oder des Opferbegriffs. Denn die Benennung von 'Haus' und 'Opfer' mit πνευματικός ist hier nicht in Opposition zu sehen gegen einen irdischen, leiblichen vom Menschen gemachten Kult, sondern stellt den Unterschied zum herkömmlichen Kult dar, "nämlich den durch den Geist gegebenen Charakter"[122]. Die Zufügung des πνευματικός zu οἶκος entspricht der zu θυσίας. Das durch πνευματικός bezeichnete 'Haus' ist das endzeitliche Haus Gottes, weil in ihm als dem geistlichen Haus der Geist Gottes herrscht (vgl. 1 Kor 3,16)[123]. Zwar sachlich modifiziert, aber dennoch zum Ausdruck οἶκος

---

[117] E. SCHWEIZER meint, die Außergewöhnlichkeit des πνεῦμα wirke so weit nach, daß οἱ πνευματικοί nicht Gemeindebezeichnung geworden sei (a.a.O. 421 Anm. 605). Sollte Paulus dies so empfunden haben, dürfte ihn letztlich aber die Furcht, mißverstanden zu werden, von dieser Gemeindebezeichnung abgehalten haben.

[118] Vgl. MUSSNER, Galater 398.

[119] Vgl. Dan G. McCARTNEY, λογικός in 1 Peter 2,2: ZNW 82 (1991) 128-131 Anm. 24: "Had the author of 1 Peter said simply 'to offer sacrifices', he might have been misunderstood."

[120] Vgl. McCARTNEY, a.a.O. 131 Anm. 24; nach ihm meinen die Aussagen mit πνευματικός in 1 Petr 2,5 "metaphorical house" und "metaphorical sacrifices"; er verweist auf Röm 12,1, "where the literal physical sacrifices (and thus temple) are symbolic and thus the 'spiritual' are the real" (ebd.).

[121] Es sei hier die schon im AT begonnene 'Spiritualisierung' des Kultes "konsequent zu Ende geführt" (SCHRAGE, 1Petr 84); ähnlich SCHELKLE, Petrusbriefe 58f; vgl. richtig die Unterscheidung bei J.R. MICHAELS, 1Peter 100: "πνευματικός, like λογικόν in v 2, characterizes the word it modifies as metaphorical, but in a distinctly Christian sense"; MICHAELS sieht die Gemeinde in diesen Motiven als unvergleichlich zu Gott und zu Christus gehörend beschrieben.

[122] Vgl. GOPPELT, a.a.O. 144 Anm. 29; Zitat ebenda; GOPPELT gibt darin E. SCHWEIZER, a.a.O. 435 Anm. 706 recht, der als Analogien 1 Kor 10,3f; Did 10,3 (jeweils geistliche Speise und geistlicher Trank); Barn 16,10 (geistlicher Tempel) nennt.

[123] Vgl. SCHRAGE, a.a.O. 84; ähnlich J.R. MICHAELS, 1Peter 100: "'Spiritual house' is a metaphor for the community where the Spirit of God dwells", allerdings dies nur, um die Gemeinde darzustellen als "a community belonging uniquely to God and to Jesus Christ" (ebd.); anders GOPPELT, der die Formulierung 'geistliches Haus' hier "im übertragenen Sinn" sieht, "ein Organismus le-

πνευματικός korrespondierend, verhält es sich bei der Erläuterung des Begriffs θυσία. Nicht im Opfer selbst ist Gott als Geist anwesend, sondern die Zufügung des πνευματικός besagt, daß es bei dieser θυσία um die Hingabe des ganzen Menschen an Gott geht, die der Geist wirkt.[124] Hier liegt eine ähnliche Aussage vor wie im hellenistischen λογικὴ θυσία (vgl. CorpHerm I,31; XIII,18.21; vgl. Röm 12,1: λογικὴ λατρεία)[125]. Doch lassen sich die einzelnen Ausdrücke in V 5 nicht isoliert betrachten: εἰς ἱεράτευμα ἅγιον ist Apposition zu οἶκος πνευματικός; das Ziel der durch ἅγιος gekennzeichneten Priesterschaft ist es, ἀνενέγκαι πνευματικὰς θυσίας εὐπροσδέκτους [τῷ] θεῷ διὰ Ἰησοῦ Χριστοῦ, d.h. die Gemeinde hat nach Ansicht des Briefautors Gottes Geist empfangen und ist so ein Haus des Geistes. Der Geist als Zeichen der eschatologischen Heilszeit verlangt dieser Zeit entsprechende Handlungen, eben geistliche Opfer.

ἱεράτευμα [ἅγιον]: Nach dem Stand der Forschung kommt ἱεράτευμα nur in LXX und in von ihr abhängigem Schrifttum vor. In Ex 19,6 finden wir die gleiche Begriffszusammenstellung, wie in 1 Petr 2,4: ὑμεῖς δὲ ἔσεσθέ μοι βασίλειον ἱεράτευμα καὶ ἔθνος ἅγιον (vgl. Ex 23,22).[126]

In 2 Makk 2,17 wird in einem Schreiben der Juden in Jerusalem an die in Ägypten eine Aussage darüber gemacht, was Gott dem jüdischen Volk verliehen hat:

> ὁ δὲ θεὸς ὁ σώσας τὸν πάντα λαὸν αὐτοῦ καὶ ἀποδοὺς τὴν κληρονομίαν πᾶσιν καὶ τὸ βασίλειον καὶ ἱεράτευμα καὶ τὸν ἁγιασμόν.

Hier ist in den vorliegenden Grundbegriffen λαός (Ex 19,5), βασίλειον, ἱεράτευμα und ἁγιασμός (entspricht ἔθνος ἅγιον) ganz offenbar Bezug auf Ex 19,5f genommen. In 2 Makk 2,17 haben wir eine Spur vorliegen, wie man die einzelnen Begriffe aus Ex 19,5f in frühjüdischen Texten jeden für sich oder gemeinsam dazu benutzte, die Israel als Volk verliehene Würde zu beschreiben. Der βασίλειον ἱεράτευμα entsprechende hebräische Ausdruck lautet ממלכת בהנים. Wahrscheinlich stammt dieser Ausdruck aus einer Epoche - man nimmt dafür einen späten Zeitpunkt in exilisch oder nachexilischer Zeit an -, in der gerade dieser Gedanke in der Mitte des Theologisierens gestanden hat, nämlich daß alle Glieder des Volkes Israel Priester sein sollen.

---

bendiger Menschen . . . , vor allem aber ein vom Heiligen Geist geschaffenes, gestaltetes und erhaltenes Haus (1 Petr 4,10f.; 1 Kor 12,13)" (GOPPELT, 1Petr 144); zwar spricht GOPPELT nicht vom "Wohnen" des Geistes im Haus, wohl aber davon, daß das Haus "die Stätte der Gegenwart Gottes unter den Menschen, der eschatologische, neue Tempel" sei (ebd. 144).

124 Vgl. GOPPELT, a.a.O. 146; wie SCHRAGE (1Petr 84), SCHELKLE (1Petr 58f) und MICHAELS, 1Peter 101 weisen auf ähnliche Aussagen im AT und in Qumran hin.

125 Zu Röm 12,1 s. oben Kap. 7.2.

126 Die quellenmäßige Einordnung und Auslegung von Ex 19,3-6 ist umstritten; vgl. neben den Kommentaren GÄRTNER, a.a.O. 79f; E. SCHÜSSLER-FIORENZA, Priester 141-151; O. CAMPONOVO, Königtum 81f.384-386; vgl. auch oben Kap. 2 die Ausführungen zu Röm 15,16 und zum Verständnis von ἱερουργεῖν; dort auch weitere Literatur.

Bei Philo findet sich ἱεράτευμα nur in Zitaten bzw. Anspielungen von Ex 19,6 und dabei angewendet auf das ganze Volk Israel; in Sobr 66 heißt es: "Dieser (Jakob) ist der Stammvater der zwölf Stämme, welche die heilige Schrift 'βασίλειον' und 'ἱεράτευμα θεοῦ' entsprechend diesem Zusammenhang mit ihrem Ahnherrn Sem nennt . . . "; und Abr 56: ". . . diese verehrungswürdige und bedeutsame Dreiheit (Mose-Noah-Adam) aber als die Ahnherrn eines Geschlechts, das die Schriften 'βασίλειον καὶ ἱεράτευμα καὶ ἔθνος ἅγιον' nennen". - Flavius Josephus verwendet ἱεράτευμα nicht.

Im TestLev 18 2B 067 heißt es: ". . . [ihm] und [seinem Samen] wird die Herrschaft über die Könige sein, das Priestertum für Israel". Wie bei Philo ist ἱεράτευμα an dieser Stelle auf Israel als Volk bezogen. - Im Jubiläenbuch finden sich an zwei Stellen mögliche Anklänge an Ex 19,6.[127] Die Aufnahme von Ex 19,6 in Jub 16,17f ist nicht ganz klar. Auffallend ist der Kontext, daß alle Söhne Abrahams zu Völkern werden und unter die (Heiden-)völker gerechnet werden, bis auf einen Sohn Isaaks, den Jakob:

> (18) "Denn er werde Anteil des Höchsten sein, und unter das, was Gott besitze, falle all sein Same, damit er für den Herrn ein Volk der Sohnschaft sei vor allen Völkern und daß er ein Königreich sei und ein Priestertum und ein heiliges Volk."[128]

Die Erwählung Jakobs und mit ihm des ganzen Volkes Israel wird hier mit den Begriffen 'Priester', 'heiliges Volk' und 'Königreich' ausgedrückt. Die Begriffe 'Priester' und 'heiliges Volk' setzen in sich eine Beziehung zu Gott voraus.[129] - Die weitere Stelle ist Jub 33,20, die in anderer Form Ex 19,6 aufnimmt und aus dem Sonderstatus Israels eine Konsequenz zieht:

> (20) "Und es gibt keine größere Sünde als die Unzucht, die sie auf Erden treiben. Denn ein heiliges Volk ist Israel dem Herrn, seinem Gott. Und ein Volk des Erbes ist es. Und ein Volk von Priestern des Königtums [ist es] und des Priestertums ist es. Und ein Besitz ist es. Und das gibt es nicht, daß solche Unreinheit gesehen wird mitten im heiligen Volk."[130]

An dieser Stelle wird das Verbot der Hurerei mit dem besonderen Verhältnis Israels zu seinem Gott begründet, eben mit seinem priesterlichen Status. Wie in der Vorlage Ex 19,6, die den Prolog zur Sinaigesetzgebung bildet, ist hier der Zusammenhang von

---

127 Vgl. zum folgenden CAMPONOVO, a.a.O. 235f.

128 Übersetzung nach K. BERGER, Jubiläen 412.

129 Vgl. CAMPONOVO, a.a.O. 236; möglicherweise, so vermutet er, sei auch mit 'Königreich' ausgedrückt, daß "Israel Gottes Königreich, sein Herrschaftsbereich ist" (ebd.).

130 Übersetzung wieder nach BERGER, Jubiläen 490; zur "Unzucht" heißt es bei BERGER: "Weil das Volk als priesterlich gilt, ist Unzucht oder Geschlechtsverkehr überhaupt zu meiden." (ebd. 490 Anm. 20a).

Auserwählung und Gesetzgebung gegeben, um offensichtlich die Würde Israels zu betonen.[131]

In den Qumrantexten ist Ex 19,6 nicht zitiert, wie auch die Umdeutung des Priestertums in Qumran nie ganz vollzogen wurde.[132] Anders als in 1 Petr 2,4-10 begegnen in den Texten von Qumran die Umdeutungen von Kultort, Kulthandlung und Kultpersonal nicht in ein und demselben Zusammenhang.[133] G. KLINZING weist auf den wichtigen Unterschied bei der Aufnahme kultischer Begrifflichkeit und Motive hin, daß Begriffe wie πνευματικός und ζῶν, die in 1Petr auf den von Gott gegebenen Geist und das von Gott gewirkte Leben hinweisen, bei der Umdeutung des Kultes in den Qumrantexten keinerlei Entsprechung haben.[134]

Zugleich muß gegen KLINZING eingewandt werden, daß er vorschnell auch für 1 Petr 2,4f "eine wesentliche Umbildung der Qumrantradition"[135] annimmt. Es kann jedoch auch für den 1Petr lediglich von der Rezeption ähnlicher Traditionsstränge gesprochen werden. Eine traditionsgeschichtliche Abhängigkeit läßt sich beim bisherigen Textbestand nicht aufweisen.

In all diesen Aussagen, wo der Begriff ἱεράτευμα bzw. ein Synonym (wie im Jub) verwendet ist, ist traditionsgeschichtlich auf Ex 19,5f zurückgegriffen, um den Gedanken des Gottesvolkes bezogen auf Israel auszusagen, wobei in besonderer Weise die Würde Israels als Gottesvolk im Vordergrund steht. Im NT schließlich findet sich ἱεράτευμα nur im 1 Petr 2,5.9, wo dieser Begriff mit den anderen aus Ex 19,5f auf die heidenchristliche Gemeinde in einer solchen Weise angewandt wird, daß sie durch diese Bezeichnung mit dem korporativen Begriff "Priesterschaft" als "unmittelbar zu

---

131 Vgl. dazu BERGER, a.a.O. 490 (Anm. d zu V 20): "Das Volk besteht aus Priestern, und dieses Priestertum ist königlich und priesterlich zugleich. Dieses entspricht auch der Theologie des Jub, wie an XXXI 15 leicht erkennbar ist."

132 Vgl. KLINZING, a.a.O. 142f.194; der einzige Text der bekannten Qumranschriften, in dem "Priesterbegriffe" auf die ganze Gemeinde bezogen werden, ist wahrscheinlich im Abschnitt CD 3,18 - 4,10 die Aufnahme von Ez 44,15. Priester, Leviten und Söhne Zadoks werden darin auf die Gemeindemitglieder gedeutet (vgl. KLINZING, a.a.O. 74-80). Die Stelle ist als Ausdruck des priesterlichen Selbstverständnisses der Gemeinde zu werten. Weiter bemerkt KLINZING (142): "Inwieweit hier schon ein Versuch vorliegt, den traditionellen Priester*begriff* über seine abstammungsmäßigen Grenzen hinaus auszuweiten, läßt sich schwer sagen, zumal die Stelle mit ihrer Aussage allein steht. Eine ausgeprägte Vorstellung vom allgemeinen Priestertum in der Gemeinde liegt mit Sicherheit noch nicht vor."

133 Vgl. a.a.O. 193f.

134 Vgl. a.a.O. 194; KLINZING wendet sich gegen den von GÄRTNER, a.a.O. 73 Anm. 1, gemachten Versuch, daß πνευματικός in 1 Petr 2,5 als Bezeichnung des "wahren" Tempels gegenüber dem falschen zu verstehen und entsprechend in CD 3,19 einen vergleichbaren Ausdruck zu finden.

135 KLINZING, a.a.O. 195.

Gott" gedacht ist.[136] In Apk 1,6 und 5,10 (vgl. Apk 20,6) ist Ex 19,6 jeweils in modifizierter Form aufgenommen.[137]

Für den Begriff ἱεράτευμα läßt sich also festhalten:

(a) Der 1Petr kann anders als Paulus diesen Terminus aus Ex 19,6 aufnehmen und als Bezeichnung seiner Adressaten verwenden. Abgesehen von der Aufnahme von Ex 19,6 liegt hier eine Gemeindebezeichnung vor, die sachlich durchaus in den paulinischen Homologumena vorbereitet ist: Die Bezeichnung der Adressaten als ἱεράτευμα ἅγιον spricht diesen Heiligkeit zu, die sich in der Zugehörigkeit zu Gottes Heiligkeitssbereich und in der Teilhabe am Heil selbst realisiert. "Priesterschaft" und "heilig" heben die Angeredeten aus ihrer Umgebung hervor und erinnern sie an ihre einzigartige Erwählung durch Gott, aufgrund derer die Gemeinde "heilig" ist im Sinne von Lev 19,2: "Seid heilig, denn ich bin heilig" (vgl. 1 Petr 1,15f). So ist die Gemeinde heilig, d.h. Gott zugeeignet, und soll sich diese Heiligkeit rein bewahren.

Das Bild von der Priesterschaft[138] ist ebenso wie das vom Königshaus in 1Petr so zu verstehen, wie diese wahrscheinlich auch Ex 19,6 schon gemeint und zumindest in der jüdischen Tradition gebraucht worden waren (vgl. oben). Dort nämlich war der Begriff auf das Volk als Zugehörigkeitsbegriff bezogen, der das Volk als Gottes-Volk qualifizierte. Auch 1Petr verwendet den Topos aus Ex 19,6 βασίλειον ἱεράτευμα als "korporativ bezogene Chiffre für Erwählung, Aussonderung"[139] und Identitätssicherung eines Volkes durch Gott, um dieses in seiner heidnischen Umgebung aufzuwerten.

(b) Der Dienst dieser heiligen Priesterschaft besteht darin, "geistige Opfer darzubringen". Die Bezeichnung der Opfer als πνευματικαὶ θυσίαι geschieht ähnlich wie

---

[136] Vgl. dazu W. SCHRENK, Art. ἱερός κτλ., in: ThWNT III 221-284, hier 249-251 zu ἱεράτευμα, bes. 250/28ff zu 2 Petr 2,5.9; die Wahrheit aus Ex 19 werde "hier als Erfüllung durch Christus der heidenchristlichen Gemeinde zugesprochen"; ähnlich Horst GOLDSTEIN, Art. ἱεράτευμα, in EWNT II 426; er sagt, daß die Gemeinde "sich in einer bisher nicht gekannten Gottunmittelbarkeit befindet und daß sie als Priesterkorporation nicht in sich selbst abgeschlossen ein solches Verhältnis zu Gott hat, sondern Gottes heiliges Volk in bezeugendem und missionarischem Dienst ist" (ebd.).

[137] Vgl. zu Apk 1,6; 5,10 vor allem SCHÜSSLER-FIORENZA, Priester 167; diese beiden Textstellen gingen "auf den atl Grundtext entweder in einer vom MT verschiedenen hebräischen oder einer neben der LXX bestehenden griechischen Textfassung" zurück.

[138] Die Bewertung der Aussage in 1Petr 2,4-10 bei GÄRTNER, a.a.O. 72, ist unzutreffend: "the text also 'spiritualizes' the concept of the priests and of the sacrifices". Der Text "spiritualisiert" gerade nicht, sondern erkennt der Gemeinde die Bezeichnung ἱεράτευμα bewußt im Vollsinn des Wortes zu, eben als Zugehörigkeitsbegriff.

[139] BROX, 1Petr 105; richtig 106: "Teilhabe am Priestertum Christi (von dem der 1Petr nicht spricht), Verleihung dieser Teilhabe in der Taufe, dadurch gleiche Würde aller Christen unter Ein- und Ausschluß eines besonderen (hierarchischen) Priestertums,- das alles sind im Zusammenhang des 1Petr Probleme und Produkte späterer Auslegung, nicht schon dieser frühchristlichen Schrift selbst."

an Stellen im AT, in Qumran oder auch bei Paulus (Röm 12,1; Phil 2,17; 4,18; vgl. Apk 8,3)[140]. Hier in 1 Petr 2,5 wird die christliche Existenz mit dem Opferbegriff verbunden. Der Begriff θυσία wird vom Verfasser des 1Petr näherhin spezifiziert mit πνευματικός (s.o.) und durch die Formulierung εὐπροσδέκτους [τῷ] θεῷ διὰ Ἰησοῦ Χριστοῦ. Der auf Gott hin ausgerichtete Dienst der Gemeinde, der im Zeugnis der Gemeinde für Gott besteht, ist durch Jesus Christus von Gott als willkommen angenommen.[141]

(c) Das Verständnis von ἱεράτευμα ist innerhalb der VV 4-10 aus dem Kontext und seiner semantischen Struktur zu klären. Der Gedanke der "Priesterschaft" ist mit den beiden Kriterien "Heiligkeit" und "Erwählung" verbunden, verstärkt und auch ergänzt um die Kontrastierung mit den Ungläubigen[142]. Mit den Termini "Priesterschaft", "Heiligkeit" und "Erwählung" wird das Wortfeld von Ex 19,6 aufgegriffen und zur Kennzeichnung der Gemeinde des 1Petr genutzt. Diese steht in einem besonderen Verhältnis zu Christus und ist wie Christus auserwählt und wertvoll (ἐκλεκτὸν ἔντιμον).

Die kultische Terminologie zur Beschreibung eines ekklesiologischen Sachverhalts läßt ähnliche Beobachtungen machen wie schon zu den paulinischen Homologumena: Es geht in 1 Petr 2,4-10 um das Selbstverständnis einer Gemeinde, die, stärker als die paulinischen Gemeinden, von außen durch eine heidnische Umwelt bedroht ist (vgl. 1 Petr 2,12). Die kultischen Kategorien deuten die Gemeinde als "erwählt" und "heilig". Es geht darum, der Gemeinde ihren elitären und unvergleichlichen Status vor Augen zu stellen, und zugleich diese bedrängten Christen "darüber aufzuklären, daß die von ihr erlebte Polarisierung zwischen den Christen als neuer Gemeinschaft und den Ungläubigen unausweichlich ist".[143] In den VV 4-10 zeigt sich dies in den Antithesen von "Glaubende/Ungläubige" (V 7), "Licht/Finsternis" (V 9b), "Nicht-Volk/Volk" und

---

140 Hebr 13,15f kommt 1 Petr 2,5 am nächsten: "Durch ihn (Christus) laßt uns das Opfer des Lobes alle Zeit darbringen, das die Frucht der Lippen ist, die seinen Namen bekennen. Vergeßt nicht das Gute-Tun und das Mitteilen. Durch solche Opfer findet man Wohlgefallen bei Gott." Wie in Hebr 13,15f scheint auch in 1 Petr 2,5 beides gemeint: die Hingabe an Gott und an die Menschen.

141 Vgl. GOPPELT, 1Petr 147; διὰ Ἰησοῦ Χριστοῦ bezieht sich wohl dem Kontext entsprechend auf εὐπροσδέκτους (vgl. ebd.; auch SCHRAGE, 1 Petr 84) und nicht auf ἀνενέγκαι (J.H. ELLIOTT, The Ellect 161).

142 Vgl. BROX, 1Petr 104, der den Terminus "Priesterschaft" den Kriterien "Heiligkeit" und "Erwählung" unterordnen will; der Sinn der Rede von der Priesterschaft in 1 Petr 2,4-10 ist aber gerade das, was auch durch diese beiden Kriterien umschrieben wird, nämlich "Heiligkeit" und "Erwählung".

143 Vgl. BROX, 1Petr 95; Zitat ebd.; vgl. auch SCHLIER, Adhortatio 290f, wo er das Bedrängtsein der Christen anhand des gesamten Briefes aufzeigt.

"Nicht-Erbarmen/Erbarmen" (V 10). Die kultische Begrifflichkeit verhilft dem Verf des 1Petr auch deshalb das Selbstverständnis der Gemeinde auszusagen, weil das Ziel allen Kultes die Erfahrung der Nähe Gottes und die Ermöglichung des Zugangs zu Gott selbst ist, die angesichts der äußeren Bedrohung mit dem eschatologischen Heil identisch ist.

Es ist hier noch die weitere Begrifflichkeit des Abschnitts zu nennen, so ἀναφέρειν, πνευματικαὶ θυσίαι und εὐπρόσδεκτος (s. oben in Kap. 2.4.1 die Erörterung zu Röm 15,15f), sowie die Gemeindebezeichnungen γένος ἐκλεκτόν, βασίλειον, ἔθνος ἅγιον, λαὸς εἰς περιποίησιν. Diese zuletzt genannten Ausdrücke bezeichnen die Gemeinde wiederum in ihrem besonderen Stand der Erwählung und Heiligkeit. "Priesterschaft", "Erwählung" und "Heiligkeit" kennzeichnen die Gemeinde als von Gott "ausgesondert". Angesichts dieser göttlichen Erwählung ist die Gemeinde gehalten, ihrer Erwählung in einer entsprechenden ἀναστροφή gerecht zu werden (vgl. Lev 19,2 in 1 Petr 1,15f).[144]

8.2.4 Folgerungen zum Verständnis der Gemeinde

Es läßt sich anhand der Terminologie ablesen, welches ekklesiologische Denken hinter diesen Formulierungen des Petrusbriefes zu erkennen ist.

1. Der erste Petrusbrief ist in seinen ekklesiologischen Aussagen auf der Linie dessen, was wir bereits für die paulinischen Homologumena feststellen konnten, und setzt dies eigenständig weiterführend fort. Die Terminologie zeigt, wie sehr die Ekklesiologie des 1Petr vom Gottesvolk-Gedanken her bestimmt wird. Vor allem in der Verwendung des Begriffs ἱεράτευμα als Gemeindebezeichnung für die angeredeten Glaubenden geht der Verfasser des 1Petr über Paulus hinaus.

2. Dem Verfasser des 1Petr geht es entschieden um ein theologisches Anliegen. Angesichts des Kreuzesgeschehens, das bereits im Präskript genannt ist (1,2)[145], kommt der Gemeinde "Heiligkeit" zu[146]. Wie Gott heilig ist, so gilt dies auch für die Gemeinde (vgl. Lev 19,2 in 1 Petr 1,16). Zugleich bedarf die Gemeinde der Sicherung ihres eigenen Selbstver-

---

[144] Vgl. BROX, 1Petr 99; MICHAELS, 1Peter lii.

[145] Der Heilstod Christi ist hier unter dem Wort αἷμα zusammengefaßt (vgl. das Blut des Bundes in Ex 24,8; das Blut, das Sühne wirkt, in Lev 17,11).

[146] Die "Heiligkeit" ist für die Theologie des 1Petr ein Schlüsselbegriff (vgl. ἁγιασμός in 1,2; ἅγιος in 1,12.15 [bis]; in 1,16 [bis] im Zitat von Lev 19,2, sowie in 2,5.9 u. 3,5; ἁγιάζειν in 3,15).

ständnisses angesichts der äußeren Bedrohung durch eine heidnische Umwelt. Für unseren Text entscheidend sind die Kategorien "Gottesvolk" und "Erwählung". Ausgehend vom Gedanken des Gottesvolkes her versteht der Autor des 1Petr die Gemeinde als eine heilige, weil von Gott erwählte Größe. Anders als Paulus greift der Verfasser auf Ex 19,6 (1 Petr 2,5.9) und den Ausdruck (βασίλειον) ἱεράτευμα und Lev 19,2 (1 Petr 1,15f) zurück. Gerade die Vielfalt in der Bezeichnung der Gemeinde (vor allem 1 Petr 2,9a) macht dieses Bemühen um die Identität der angeredeten Gemeinde deutlich: aus einem Nicht-Volk (ποτέ) ist sie zu Gottes-Volk (νῦν) geworden. Der Gedanke des Gottesvolkes in diesen Versen (ἔθνός: 1 Petr 2,9a; λαός: 1 Petr 2,9a.10bis) erweist sich als die entscheidende ekklesiologische Kategorie, an der sich die Aussagen des 1Petr orientieren und der sich in den VV 4-10 alle angeführten Begriffe semantisch zuzuordnen haben. Der Gedanke der Erwählung wird christologisch eingeführt (V 4) und geht dann in eine ekklesiologische Parallelisierung[147] über: Weil die Glaubenden Erwählte sind wie Christus selbst, werden sie "lebendige Steine" genannt. Durch den atl. Text von Ex 19,5f inspiriert konnte nun das Bild des (Königs-)Hauses erscheinen, für das nun die Bausteine gebraucht wurden. "Die Bilder für die Kirche, die in den VV 5.9f reichlich aufgeboten werden, haben miteinander den Sinn, mit den (atl.) Kategorien der Erwählung und der Heiligkeit den Vorzug, den elitären Rang der Gemeinde unter den Menschen und im Zug der Weltgeschichte zu verdeutlichen."[148]

Mit der Bezeichnung ἱεράτευμα kommt der Gemeinde des 1 Petr eine neue Qualität der Gottesnähe und Gottunmittelbarkeit zu. Die Christen haben einen neuen Status im Umgang mit Gott als "ein Volk, dessen Glieder allesamt mit ihm in vertrautem Umgang leben, wie das sonst nur bei Priestern der Fall ist"[149].

---

[147] Vgl. BROX, 1Petr 108: "Die Parallelisierung der Gläubigen mit Christus ist hier theologisch und paränetisch wichtig."

[148] Vgl. a.a.O.; Zitat ebd.

[149] H. WILDBERGER, Jahwes Eigentumsvolk 83.

3. Im Abschnitt 2,4-10 wird die Situation der Gemeinde in Leiden und Bedrängnis, die für den gesamten 1Petr kennzeichnend ist, von Christus her auf die Gemeinde übertragen. Deshalb spricht N. BROX von der "Parallelisierung"[150] der Gemeinde mit Christus und H. GOLDSTEIN von der "Gemeinde als Schicksalsgemeinschaft mit dem leidenden und erhöhten Herrn"[151]. Darin stimmt der Verf des 1Petr mit Paulus überein, daß Gemeinde sich aus denjenigen bildet, die im Glauben an den gekreuzigten und auferweckten Christus "in den Bedrängnissen ihres Lebens dem leidenden Herrn in Schicksalsgemeinschaft mit dem Ziel der Teilhabe an der Auferstehungswirklichkeit nachfolgen"[152].

4. Die Ekklesiologie ist jeweils Funktion der (soteriologischen) Christologie, wie es sich gerade an einigen Parallelaussagen im Abschnitt 2,4-10 aufweisen läßt:

CHRISTUS	GEMEINDE
lebendiger Stein	lebendige Steine (2,4f)
ausgewählter Stein (2,4c.6)	auserwähltes Geschlecht (2,9a)
bei Gott wertvoll (2,4c)	euch (gilt) sein Wert (2,7a)

Anders als im Epheserbrief ist die Ekklesiologie im ersten Petrusbrief der bestimmenden Christologie zugeordnet. Die christologischen Aussagen sind hier somit Maßstab der ekklesiologischen Formulierungen. - Diese christologischen Aussagen sind auch Ergebnis ekklesiologischer Reflexion[153], da mit der Frage nach dem Selbstverständnis der Gemeinde in heidnischer Umwelt zugleich die Frage nach dem Ursprung der Gemeinde in Christus gestellt war.

---

150 S. oben Anm. 147.

151 H. GOLDSTEIN, Gemeinde 53.

152 GOLDSTEIN, a.a.O. 54; aus den paulinischen Homologumena verweist er auf Röm 6,5; 8,17; Gal 2,19; 5,24; Phil 3,10.

153 Vgl. GOLDSTEIN, a.a.O. 57f.

8.3 Kultische Terminologie im Hebräerbrief

Wie sich bereits an den behandelten Stellen Eph 2,11-22 und 1 Petr 2,4-10 erkennen läßt, lassen sich die in den echten Paulusbriefen festgestellten Motive des Hinzutretens zu Gott und der Bewegung auf Gott hin auch an anderen Stellen des Corpus Paulinum verifizieren, dabei besonders im Hebräerbrief[154]. Ähnlich wie 1 Kor 3,16 wird die Gemeinde auch 1 Tim 3,15; Hebr 3,6 und 10,21 (vgl. auch 2 Klem 9,3; Barn 16,10; IgnMagn 7,2) mit dem Bau verglichen, wobei nicht an allen angeführten Stellen sofort an den Tempel als Bau gedacht ist.

Der Autor des Hebräerbriefes zeigt sich als Kenner des Tempels und der mit dem Tempel verbundenen Bestimmungen und Regeln, speziell auch der Gesetze, die Reinigung und Heiligung betreffen (vgl. Hebr 8 - 10). Der Brief zeigt darin ein deutliches Interesse an den Fragestellungen des Jahres 70[155]. Doch ist es für den Briefautor in seinem christologischen Selbstverständnis normal, Jesus Christus als das vollkommene Opfer (9,14) und den wahren Hohenpriester (8,1f) zu bezeichnen, da er sich durch seinen Tod den Weg zum himmlischen Heiligtum gebahnt und mit seinem Blut ein für allemal Sühne vollzogen habe. Über die kurzen Formeln bei Paulus hinaus ist im Hebräerbrief der Sühnetod als Heilsereignis wirklich entfaltet, das alttestamentliche Gesetz ist als Kult- und Heilsordnung verstanden, nur als Schatten des neuen und himmlischen Priesterdienstes (8,5; 10,1).

Auf kultische Begriffe und Motive im Hebräerbrief[156] sind wir in dieser Arbeit bei der Untersuchung einzelner Termini bereits mehrfach gestoßen.

---

154 Vgl. zu den kultischen Begriffen im Hebräerbrief WENSCHKEWITZ, Spiritualisierung 195-213.

155 Für welche Christen oder für welche Zahl von Christen der Hebräerbrief spricht, oder zu welcher Zeit er verfaßt worden ist, braucht hier nicht erörtert zu werden.

156 Zur Ekklesiologie des Hebräerbriefes E. KÄSEMANN, Das wandernde Gottesvolk (FRLANT.NF 37), Göttingen ²1957; F. SCHIERSE, Verheißung und Heilsvollendung. Zur theologischen Grundfrage des Hebräerbriefes (MThS I,9) München 1955; ders., Art. Hebräerbrief im LThK² V,45-49; E. GRÄSSER, Der Glaube im Hebräerbrief, 1965; W. THÜSING, "Laßt uns hintreten . . . " (Hebr 10,22); R. SCHNACKENBURG, Gemeinschaft 82-96.

In Hebr 13,15 wird der Opferbegriff, wie bereits erwähnt, übertragen gedeutet. Die Christen sollen das "Opfer des Lobes" und "die Frucht der Lippen" Gott darbringen.[157] - Verben wie προσέρχεσθαι[158] und εἰσέρχεσθαι[159] bezeichnen auch im Hebräerbrief das Nahen zu Gott. Allerdings fehlt hier im Vergleich zu anderen Texten der spezielle Gemeindebezug[160]. Im Hebräerbrief wird mit dem Verb προσέρχεσθαι die Relation des Christen zu Gott, das Gottesverhältnis der Christen, dargestellt[161]: die Christen, die sich durch den Priesterdienst Jesu (4,16; 7,25) bzw. durch sein Opferblut (10,19) Gott nahen dürfen[162]; daneben ist das Verb noch in der Beschreibung des jüdischen Opferdienstes verwendet (Hebr 10,1). Das Verbum εἰσέρχεσθαι ist nie mit dem Subjekt "Christen" verbunden[163].

Ein wesentlicher Unterschied der Aussagen mit kultischer Begrifflichkeit im Hebräerbrief zu Paulus besteht in der Aussage, daß das irdische Heiligtum *nur Abbild* (ἀντίτυπον) des wahren, weil himmlischen Heiligtums ist (Hebr 9,24). Paulus dagegen spricht von der jetzt vorhandenen Wirklichkeit der Gemeinde als Gottes heiliger Tempel (1 Kor 3,16f: Ihr seid [!] Tempel Gottes). Dies muß als zentraler Inhalt aller Aussagen mit kultischer Terminologie in den Briefen des Paulus beachtet werden.

---

157 Vgl. 1 QS 9,26; 10,6.14.22; PsSal 15,3; vgl. oben die Anm. 140.

158 Vgl. oben Seite 360f; vgl. Hebr 4,16; 7,25; 10,22; 11,6.

159 Im NT steht εἰσέρχεσθαι vorwiegend in den Evangelien und der Apostelgeschichte. Von den 194 Belegen im NT sind bei Paulus 4 zu finden, 17 im Hebr; 3 im Jak und 5 in der Apk. Theologisch bedeutsam ist die Rede vom "*Eingehen* in die Gottesherrschaft" (vgl. Mk 10,15 u.a.). Paulus verwendet das Verb für den Eintritt von Außenstehenden in die Gemeindeversammlung (1 Kor 14,23.24; vgl. Jak 2,2), für das Eindringen der Sündenmacht in die Welt (Röm 5,12) und absolut von den Heiden (11,25), um das Zum-Heil-Kommen der Völkerwelt auszusagen.

160 Vgl. KLINZING, Umdeutung 201 Anm. 27; auch 202: "Welche Tradition der Verfasser des Hebräerbriefes auch aufgegriffen und umgebildet haben mag, an die Gemeinde als Tempel hat er nicht gedacht."

161 Vgl. THÜSING, a.a.O. 16, bes. Anm. 58, wo er auf den Begriff der Vollendung verweist, "der analog unserem προσέρχεσθαι für den Hebr die Gottesbeziehung des Christen kennzeichnet"; dazu SCHIERSE, a.a.O. 156: Die "Vollendung" der christlichen Gemeinde bedeutet "die volle Verwirklichung der kultischen Gottesgemeinschaft im eschatologischen Sinne".

162 Vgl. THÜSING, a.a.O. 6-9, hier 9: "Das προσέρχεσθαι bedeutet die Realisierung der Gottesbeziehung durch eine Verbindung mit dem *gegenwärtig* vor Gott befindlichen Blut Jesu, d.h. mit Jesus selbst, der mit seinem Blut vor dem Vater steht."

163 εἰσέρχεσθαι steht im Hebräerbrief für das Hineingehen des jüdischen Hohenpriesters in das Heiligtum (9,25) und entsprechend für das Hineingehen Christi in das himmlische Heiligtum (9,12.24; 6,20); 6,19 wird es bildlich von der Hoffnung gebraucht, die in das "Innere des Vorhangs" hineingeht.

Wenn man die Aussagen des Hebräerbriefes mit den in dieser Arbeit erwähnten Autoren oder Gruppen, in denen Tempel, Kult und Priesterschaft in je eigener Weise aufgenommen worden sind, vergleicht, so erinnert der Verfasser dieses Briefes an Philo. Wie dieser nutzt der Hebräerbriefautor den Kult rein metaphorisch, gleichsam als Bilder einer anderen, höheren Wirklichkeit. Der Autor des Hebräerbriefes blickt auf die bis zum Jahre 70 übliche Kultpraxis historisierend zurück, kann so ohne Schwierigkeiten alles bisher im Kult Gültige christologisch modifizieren und auf diese Weise den Kult zum typologischen Konzept seines Denkens machen. Diese gegenüber Paulus andere Art und Weise des Umgangs mit dem Kult ließ uns in dieser Arbeit das kultische Anliegen des Hebräerbriefes ausklammern.

9. SPIRITUALISIERUNG BEI PAULUS?

Der Begriff der "Spiritualisierung" ist vor allem seit Hans WENSCHKEWITZ und seiner umfassenden Arbeit aus dem Jahre 1932 "Die Spiritualisierung der Kultusbegriffe Tempel, Priester und Opfer im Neuen Testament"[1] oft ohne genaue Prüfung verwendet worden, vor allem da, wo Kultbegriffe in nicht ursprünglichem Sinn verwendet worden sind. Dies geschah bei der Beschreibung derartiger Phänomene im Alten Testament, bei Philo, in der Qumranliteratur und anderen frühjüdischen Schriften und auch im Neuen Testament. Für diese Arbeit wird noch einmal ein Blick auf die erwähnte Literatur gerichtet, und anschließend die Frage untersucht, ob die in dieser Arbeit bei Paulus festgestellte Verwendung kultischer Deutungskategorien mit dem Begriff "Spiritualisierung" adäquat bezeichnet werden kann. Zunächst wird der Begriff "Spiritualisierung" betrachtet.

9.1 Einige Positionen zur "Spiritualisierung"

Daß der Begriff der "Spiritualisierung" für den bei Paulus anzutreffenden Sprachgebrauch unpassend ist, ist bereits hinreichend deutlich geworden. Im folgenden werden einige Positionen zum Begriff der "Spiritualisierung" zusammengestellt.

A. H. WENSCHKEWITZ hat durch seine Arbeit der Bezeichnung "Spiritualisierung" bleibende Bedeutung verliehen. Seitdem wird diese Bezeichnung wie selbstverständlich in Bibelkommentaren und darüber hinaus verwendet, ohne nach ihrer genauen Bedeutung zu fragen. WENSCHKEWITZ zog die Bezeichnung "Spiritualisierung"

---

1 Angelos Beih. 4, Leipzig 1932. - Aus jüngerer Zeit vgl. u.a.: G. FOHRER, Kritik an Tempel, Kultus und Kultausübung in nachexilischer Zeit, in: ders., Studien zu alttestamentlichen Texten und Themen (1966-1972) (BZAW 155), Berlin/New York 1981; H.-J. HERMISSON, Sprache; SCHÜRMANN, Marginalien; KLAUCK, Gemeinde, Amt, Sakrament. Neutestamentliche Perspektiven, Würzburg 1989, bes. 338-358; G. KLINZING, Umdeutung; J. MAIER, Tempel, bes. 389f; O. HANSSEN, Heilig 155-203; J. PONTHOT, L' expression cultuelle du ministère; W. RADL, Kult und Evangelium bei Paulus; E. SCHÜSSLER-FIORENZA, Cultic language; ZELLER, Charis, bes. 119ff.

der Bezeichnung "Vergeistigung" vor, da mit dieser leichter ein Werturteil verbunden würde, das er vermeiden wolle[2]. Mit "Spiritualisierung" bezeichnet er den Sachverhalt, daß kultische Begriffe "auf ein nicht im strengen Sinne des Ritualismus kultisches Geschehen" angewandt werden[3].

B. H.J. HERMISSON hat mit seiner Arbeit aus dem Jahre 1965[4] versucht, am Beispiel des Alten Testaments die Bezeichnung "Spiritualisierung" zu erhellen. Für ihn ist "Spiritualisierung" formal-sprachlich "die Lösung kultischer Begrifflichkeit und Sprache von der damit verbundenen oder bezeichneten kultischen Erscheinung"[5]. So ist für ihn der sachliche Grund der "Spiritualisierung" nicht in Strömungen neben dem Kultus zu finden, sondern zuerst im Kultus selbst. Am Alten Testament weist er Gründe auf, warum die kultsymbolische Deutung des Kultes sich zunehmend gegenüber dem kultischen Vollzug verselbständigt[6]. Maßgeblich für das Phänomen der "Spiritualisierung" sei die Veränderung des Weltverhältnisses[7]. Die "Spiritualisierung" sei der Versuch, die Spannung zu überwinden, in die der Mensch gegenüber dem Kultus geraten sei. Da seine Welt nicht mehr vom Kultus umschlossen ist, sondern er vielmehr dem Kultus gegenübertreten kann, steht der Mensch "vor der Aufgabe, die Distanz zwischen sich und dem Kultus 'aufzuheben'"[8]. Dies beinhalte immer sowohl "eine innere Freiheit vom Kultus, eine gebrochene Stellung zu ihm", andererseits aber auch "immer eine direkte Anerkennung des Kultus"[9]. Dieses Phänomen "Spiritualisierung" werde deutend zur Lösung von Fragen genutzt, die den Menschen unmittelbar angehen. Dies geschehe in zwei Richtungen: "explizit gar nicht auf den Kultus, sondern auf die andringenden Fragen aus den verschiedensten Bereichen; aber implizit eben doch auf den Kultus", der dabei in die Welt des Menschen hineingenommen werde und in einer solchen Interpretation selbst ein anderer werde[10]. Es gehe nicht darum, Grundsätzliches über den Kultus auszusagen, sondern im "Charakter des Okkasionellen" "*eine* Deutung des Kultischen" zu implizieren[11]. Deshalb sieht HER-

---

2 Vgl. WENSCHKEWITZ, Spiritualisierung 70f.

3 Vgl. a.a.O. 228; Zitat ebd.

4 Sprache und Ritus im altisraelitischen Kult. Zur "Spiritualisierung" der Kultbegriffe im Alten Testament (WMANT 19), Neukirchen-Vluyn 1965.

5 HERMISSON, a.a.O. 27.

6 Vgl. ebd. 147-156.

7 Vgl. ebd. 15f.150f.

8 Vgl. ebd. 151.

9 Vgl. WENSCHKEWITZ, a.a.O. 73, auf den sich HERMISSON hier bezieht. Dieser Aspekt, nämlich die Spannung von Distanz und Anerkennung, ist auch für die Aufnahme kultischer Motive bei Paulus zu beachten, da sich bei ihm darin die Kontinuität und Diskontinuität des Kultus widerspiegelt.

10 Vgl. HERMISSON, a.a.O. 151; Zitat ebd.

11 Vgl. ebd. 152; Zitate ebd. (Hervorhebung von HERMISSON); weiter heißt es: "Diese Spannung zwischen dem Kultus und dem in der Distanz zum Kult befind-

MISSON das wesentliche Merkmal der "Spiritualisierung" darin, daß sie dem Kultus ausschließlich auf der Ebene der Sprache begegne. Sie hat "es möglich gemacht, daß man, unter dem Zwang äußerer Ereignisse, auf den ausgeübten Kultus auch verzichten konnte"[12]. In der Frage der zeitlichen Anordnung kommt HERMISSON zu dem Schluß, daß sich das Phänomen "Spiritualisierung" als eine Bewegung des Geistes nicht in ein festes Koordinatensystem von Raum und Zeit einordnen läßt[13].

C. H. SCHÜRMANN hat sich in einem Aufsatz aus dem Jahre 1968[14] mit dem Phänomen der "Spiritualisierung" auseinandergesetzt. Aus zwei Gründen sei diese Bezeichnung unpassend: einmal sei "die neue Verwendung der Sakralbegriffe" im Neuen Testament "schon sehr 'eigentlich' gemeint"; zudem handele es sich dabei "ja primär nicht um eine Übertragung religionssoziologischer Begriffe auf ethische bzw. innerseelisch-geistige Vorgänge wie im Hellenismus (und teilweise auch im Spätjudentum)"[15]. Statt von "übertragenem" Gebrauch oder "Spiritualisierung" spricht SCHÜRMANN von einer "'Entwindung' der Sakralbegriffe", da diese "dem antiken Kultwesen - dem natürlich-religiösen wie dem alttestamentlich verordneten - entwunden und neutestamentlichen Gegebenheiten zugeordnet" sind "mit dem Urteil: Hier sind sie endgültig erfüllt, eigentlich, Gottes eschatologischem Willen entsprechend gebraucht."[16] So sieht er hier "eine '*Eschatologisierung*' der Sakralbegriffe in Erfüllung alttestamentlicher Gegebenheiten und Erwartungen" vorliegen. Um diese "Eschatologisierung" näher zu qualifizieren, müsse man "von einer '*Pneumatisierung*' von Kultbegriffen im Urchristentum" sprechen, da die "Kult- und Sakralbegriffe da gebraucht werden, wo Einbrüche, Wirken und Gaben des Pneumas erkennbar werden"[17]. Theologisch genüge für den "Eschatologisierungsvorgang des Kultgeschehens im Neuen Testament" die Bezeichnung "Pneumatisierung" nicht: In seiner Mitte sei

---

lichen Menschen" wird im Alten Testament aber nicht, auch nicht bei den Propheten, "durch eine radikale Verwerfung des Kultus aufgehoben" (ebd. 152).

12 Vgl. ebd. 153; Zitat ebd.; Das sprachliche Element des Kultus nennt er "die Bedingung der Möglichkeit einer Spiritualisierung des Kultus" nennt. - "Spiritualisierung" von Kultbegriffen geschehe in einer Welt, deren ursprüngliche Einheit von sakraler und säkularer, vom kultischen emanzipierter Welt unmittelbar vom Kultus bestimmt war - "das ist jetzt nicht mehr möglich. Aber die Spiritualisierung zielt jedenfalls auf eine neue Einheit, die in der Sprache als eine Entsprechung von Ordnungsverhältnissen entdeckt wird" (ebd. 150).

13 Vgl. ebd. 156. "Nur soviel ist zu sagen, daß mit einer frühzeitigen *Möglichkeit* der Spiritualisierung auch kein Grund mehr vorliegt, sie erst einer relativ späten Zeit zuzuweisen" (ebd. 155; Hervorhebung von HERMISSON). Als früheste mögliche Zeit sieht er die der "salomonischen Aufklärung" an, weil hier erstmals die Voraussetzungen im Denken und in der Sprache vorlagen mit der 'Entdeckung des Geistes' in Israel (vgl. ebd. 155; auch 15f).

14 Neutestamentliche Marginalien zur Frage der Entsakralisierung; der Untertitel dieses Aufsatzes "Recht und Grenzen des theologischen Säkularismus" zeigt die von SCHÜRMANN intendierten apologetischen Tendenzen auf. - Zum Thema Kult im NT s. SCHÜRMANN, Art. Kult III, in: LThK VI (1961) 662-665.

15 Vgl. SCHÜRMANN, Marginalien 306f.

16 Vgl. a.a.O. 306f; Zitate ebd.

17 Vgl. a.a.O. 307; Zitate ebd; Hervorhebungen von SCHÜRMANN.

dieser Vorgang vielmehr eine "*Christologisierung*" der Kultwirklichkeit[18]. SCHÜRMANN betont in all diesen Deutungsversuchen die Gültigkeit der alttestamentlichen Kultwirklichkeit und deren eschatologische Erfüllung im Christusgeschehen.

D. Einen kritischen Einwand gegen die vorschnelle Bezeichnung mit "Spiritualisierung" gibt auch J. MAIER: "Die Tatsache, daß dem äußerlichen rituellen Akt oder einem kultisch relevanten Sachverhalt symbolische Bedeutung zugeschrieben wird, beweist noch lange nicht, daß eine Spiritualisierung vorliegt." Ziel der "Spiritualisierung" sei es ja, den äußeren Sachverhalt abzuwerten "und letztlich für unwesentlich zu erklären, während die Kultsymbolik gerade umgekehrt der Vertiefung der Bedeutsamkeit eines äußeren Sachverhaltes diente"[19]. Diese Kritik von MAIER wehrt sich gegen die mit der Bezeichnung "Spiritualisierung" häufig verbundene Abwertung des kultischen Geschehens.

E. Auch U. WILCKENS wehrt sich gegen die Bezeichnung "Spiritualisierung"; er sieht den entscheidenden Grund des christlichen Exodus aus dem Tempel als der zentralen Kultstätte Israels in der eschatologischen Sühnewirkung des Todes Christi[20]. "Nicht der Kult als dem 'geistigen' Wesen des Christentums unangemessene 'Verdinglichung' der Frömmigkeit, sondern die Sühnekraft des Jerusalemer Tempelkults - und von daher alles irdischen Kults - wird bestritten; denn allein im Tode Christi ist eine eschatologisch wirksame Sühne für die Sünden aller Menschen geschaffen worden." An die Stelle alles Tuns zur Schaffung von Sühne am bisherigen zentralen jüdischen Kultort tritt nun der Tod Christi als der neue Ort endgültiger Sündentilgung. Schon darum hat es "mit 'Spiritualisierung' im wesentlichen nichts zu tun, daß in der Sprache urchristlicher Soteriologie wichtige jüdische Kultbegriffe auf das Kreuzesgeschehen übertragen werden". Theologisch sei es sehr zu fragen, "ob nicht - statt einer generellen Eliminierung des Kultes - in der Sühnebedeutung des Kreuzes der jüdische Sühnekult vielmehr vergeschichtlicht und so die kultische Sühne *radikalisiert* worden ist"[21]. In dieser Interpretation von WILCKENS wird der Kreuzestod Christi als Sühnetod im Kontext des jüdischen Tempelkultes verstanden und zugleich als entscheidende eschatologische Zäsur verstanden, die jeglichen weiteren sühnenden Kult überflüssig macht und eine Distanzierung vom jüdischen Tempel mit seinem Kult zur Folge hat.

F. In seiner Dissertation "Heilig" nennt O. HANSSEN zwei forschungsgeschichtliche Probleme zum Thema "Spiritualisierung". Einerseits verleite diese Bezeichnung zu unterschiedlichen Wertungen. Habe man früher vor allem die Höherentwicklung von einer kultisch-dinglichen zu einer sittlich-geistigen Religion im Blick gehabt, werte man in neuerer Zeit "die kultische Religion wieder auf, weil hier die

---

18 Vgl. a.a.O. 308; Zitate ebd; Hervorhebungen von SCHÜRMANN; in der Bezeichnung "*Christologisierung*" schließt er sich Ph. SEIDENSTICKER, Opfer, an.

19 Vgl. J. MAIER, Tempel 389f; Zitate ebd.

20 Vgl. WILCKENS, Röm I 242; zuvor übt er deutliche Kritik an Aussagen vor allem in der neuzeitlichen protestantischen Theologie, die in der Abrogation des jüdischen Tempelkultes im Urchristentum zugleich die Abrogation jeglichen Kultes durch das Evangelium gesehen haben (ebd. 241).

21 Vgl. WILCKENS, a.a.O. 242; Zitate ebd.; Hervorhebung von WILCKENS; s. auch M. HENGEL, Sühnetod 17-25.

Leiblichkeit des Menschen (im Gegensatz zur modernen Leib-Geist-Spaltung) noch integriert ist"[22]. Andererseits sei es schwierig, einen Allgemeinbegriff der "Spiritualisierung" zu finden, der sämtlichen z.T. sehr verschiedenen Formen der "Spiritualisierung" gerecht werde.

Nach HANSSEN benutzt Paulus "kulttheologische Terminologie metaphorisch, um eine spezielle 'Rolle' der Christen als Pneumatiker darstellen zu können"[23]. Dies sei eine "Form der Spiritualisierung, die mit einer pneumatologischen Interpretation kultischer Begriffe verbunden ist" und deren Voraussetzung der Geistbesitz der Christen sei[24]. Paulus könne ohne "kritische Abgrenzung ausschließlich positiv auf eine kultische Sprache zurückgreifen, deren Spiritualisierung die kultische Dimension des neuen Lebens aus dem Geist ausdrücken soll"[25]. Dieses neue Leben aus dem Geist "verwirklicht sich genau so leiblich-konkret als Gottes-Dienst bzw. Christus-Dienst, wie es sonst im jüdischen bzw. heidnischen Kult der Fall ist". Paulus verwende hier keine neue Sprache, sondern taste sich "durch eine pneumatologische Spiritualisierung traditioneller Kultterminologie an die Beschreibung einer neu entdeckten Wirklichkeit heran"[26]. Positiv herauszustellen an den Ausführungen zur Frage der "Spiritualisierung" in der Arbeit von HANSSEN ist sein Bemühen, den Begriff "Spiritualisierung" für entsprechende Phänomene bei Paulus zu erhalten, indem er diesen Begriff zugleich zu definieren versucht. Dies geschieht auch dadurch, "spiritus" in "Spiritualisierung", die Kraft, die den Prozeß der "Spiritualisierung" vorantreibe, als "identisch mit dem pneuma" zu bestimmen, "aus dem die urchristliche charismatische Bewegung lebt"[27]. Das Defizit seiner Ausführungen zur Frage der "Spiritualisierung" bei Paulus liegt darin, daß er nicht die Grundfrage stellt, *warum* Paulus überhaupt kultische Terminologie aufgreifen und zur Deutung bestimmter Sachverhalte soteriologischer und ekklesiologischer Art einsetzen kann. HANSSEN sieht im Geistbesitz der paulinischen Gemeinden die Basis für die Verwendung kultischer Terminologie

---

22 HANSSEN, a.a.O. 155f; Zitat 156.

23 HANSSEN, a.a.O. 197.

24 Vgl. HANSSEN, a.a.O. 161; Zitat ebd.; so bezeichnet er das Wort "Tempel" in 1 Kor 3,16; 6,19 als "Metapher", um dann für seine Untersuchung des Begriffs "Heilig" zu folgern: "Insofern Paulus mit der metaphorischen Bezeichnung der Korinther als Tempel paränetisch-ethische Intentionen verfolgt (. . .), hat also auch die Spiritualisierung des Tempels ethischen Sinn" (vgl. a.a.O. 155; Zitat ebd.).

25 A.a.O. 162; vgl. auch a.a.O. 161: "Das pneuma der Christen löst eine Art charismatischer Bewegung mit einem zunehmend eigenständigen Kult aus (vgl. 1Kor [11]12-14)". Die von Paulus aufgenommene jüdische und heidnische Kultterminologie bekomme zur Deutung der kultischen Dimension dieser charismatischen Bewegung "einen völlig neuen Sinn" (vgl. HANSSEN, a.a.O. 161; Zitate ebd.).

26 Vgl. a.a.O. 162; Zitate ebd; HANSSEN hätte hier sorgfältiger die von Paulus mit kultischen Kategorien gedeuteten Sachverhalte beachten müssen. Denn die für Paulus zu beschreibende Wirklichkeit ist doch offenbar so, daß sie nur mit Hilfe solcher kultischen Kategorien erfaßt werden kann (s.u.). So wird die Verbindung von kultischer Terminologie mit dem Evangelium (vgl. RADL, Kult; s. oben Kap. 3) bei HANSSEN nicht erwähnt.

27 Vgl. a.a.O. 162; Zitate ebd.

durch Paulus und möchte die pneumatologisch begründete Spiritualisierung "auf den pneumatischen Kult (und auch auf außerkultische Geisterfahrungen)" in diesen Gemeinden zurückbeziehen[28].

Die hier kurz dargestellten Positionen machen deutlich, daß die Bezeichnung "Spiritualisierung" eine Aussage über die Art der Verwendung kultischer Kategorien macht und darin zugleich eine Deutung impliziert. Dem, was Paulus in seinen Briefen mit kultischer Terminologie betreibt, muß aber anders begegnet werden, als mit den hier dargestellten Lösungsversuchen. Paulus deutet in seinem Tun nicht den Kult als solchen um, sondern deutet mit Hilfe von kultischen Kategorien den für ihn entscheidenden Sachverhalt des Heiles für die Heiden, d.h. ihr Zu-Gott-Kommen, ein von Gott in Christi Sühnetod bewirktes Geschehen, das sich in der Verkündigung des Evangeliums an die Heiden als eschatologisches Geschehen aktuell ereignet. Zugleich ist die sich in der Verkündigung des Evangeliums herausbildende Ekklesia von Paulus mit kultischen Kategorien gedeutet. Das Evangelium als Botschaft vom Heil "für jeden, der glaubt" (Röm 1,16) und die Ekklesia der Geheiligten, Reingewaschenen und Gerecht-Gewordenen (vgl. 1 Kor 6,11) können, ja müssen von ihm aus seiner Christologie heraus mit kultischen Kategorien gedeutet werden.

9.2 Kurzer Blick ins Alte Testament

Für das alttestamentliche Denken, wie es sich ins frühjüdische Schrifttum und ins Neue Testament hinein auswirkt, sind vor allem die Texte der exilisch-nachexilischen Zeit von Wichtigkeit, da sich in dieser Epoche ein neues Denken für den gesamten Kultus durchsetzte. Seit der Zerstörung des ersten Tempels 586 konnte sich die Wohntempelvorstellung und damit verbunden die "Beweglichkeit der 'Herrlichkeit' Gottes (in der Priesterschrift beim Zeltheiligtum; Ez 11,22-25 für den Tempel, vgl. später Hen 89,56; s. Bar. 8,2; 10,18; 30ff.)" entwickeln.[29] In der Untersuchung der

[28] Vgl. a.a.O. 162; Zitat ebd. HANSSEN meint, daß man, insofern man "die charismatische Bewegung des Urchristentums als eigenständige Größe anerkennt", "in diesem Sinne auch von einer eigenständigen Form der Spiritualisierung sprechen" könne. Der "spiritus, der den Prozeß solcher Spiritualisierung" vorantreibe, sei dann "identisch mit dem pneuma, aus dem die urchristliche charismatische Bewegung lebt" (vgl. a.a.O. 162; Zitate ebd.).

[29] Vgl. J. MAIER, Texte II 78, Zitat ebd.

Wortfelder der in den behandelten Texten festgestellten kultischen Deutungskategorien hat sich zudem gezeigt, daß die entsprechende Begrifflichkeit schwerpunktmäßig oder sogar ausschließlich in den Texten der exilisch-nachexilischen Zeit begegnet.

Die von uns untersuchten kultischen Termini dienten zunächst dazu, einen Sachverhalt auszusagen, der ausschließlich an den Kult gebunden war und sich im Kult selbst ereignete, nämlich das Nahen zu Gott, das Hinzutreten zu Gott und so das In-der-Nähe-Gottes-Sein. Deshalb finden sich die entsprechenden Begriffe zunächst ursprünglich in "Opfertexten", d.h. in Opfervorschriften und -beschreibungen (vgl. die Zahlenrelation der Belege von קרב bzw. προσφέρειν in Lev und im gesamten AT). Was dem Opfernden im Kultvorgang des Opfers ermöglicht wurde, war Gottesnähe, Zugang zu und Begegnung mit Gott. So sind diese Terminologie oder die mit dieser Terminologie verbundenen Motive auch in Thronbeschreibungen bzw. -visionen zu finden (Jes 6; Sach 3,7) und in solchen Texten, in denen es um die Anwesenheit Gottes unter den Menschen, um sein "Wohnen" oder "Wohnung nehmen", geht (vgl. Lev 20,25f; 26,11; Ez 36,22-28; 37,26ff; Ez 40-48). Daran anknüpfend finden sich die vom Kult her kommenden Begriffe und Motive in frühjüdischen Texten, in denen vom himmlischen Kult und einer Verbindung von himmlischem und irdischem Kult gesprochen wird (vgl. TestLev 2-5, bes. Kap. 3; Jub 31,13-17; die genannten Qumranbelege wie 1 QH 3,21f; 11,13 u.a.m.). - In kultkritischen Spätschriften des AT und solchen Texten vor allem der Propheten werden die behandelten kultischen Deutungskategorien benutzt, um das "rechte Verhalten" bzw. die "rechte Gesinnung" des Opfernden zu unterstreichen.

Verbindendes Element aller dieser genannten Themenkreise, in denen unsere behandelten kultischen Deutungskategorien zu finden sind, ist die Frage der "Gottesnähe" und des Zu-Gott-Kommens, gipfelnd aber in der Anwesenheit Gottes selber, wie sie durch die Tempelsymbolik aussagbar wurde.

H. GESE faßt die Entwicklung der exilisch-nachexilischen Zeit in folgende Worte: "Höchstes Ziel und Vollendung priesterlichen Handelns ist also der Zugang zur göttlichen Majestät, das Eintreten in die himmlische Versammlung der Gott dienenden Engelwesen, der Zutritt zum göttlichen Thron. Ziel des Kultes in nachexilischer Zeit ist der Zugang zu Gott: Die Gottesgemeinschaft Israels, die Verbindung Jahwe-Israel, der Ursinn der alttestamentlichen Offenbarung soll im priesterschriftlichen Kult zeichenhaft Erfüllung finden, nachdem schon vorher Israel als Priestertum, als heiliges Volk verstanden worden war." (Ex 19,6) Das bedeutet, daß Israel an der Gottessphäre der Heiligkeit Anteil gewinnen soll: "Ihr sollt heilig sein, denn ich, JHWH, euer Gott, bin heilig." (Lev 19,2)[30]

Interessant in diesem Zusammenhang ist die Inaugurationsvision des nachexilischen Kultes durch den dem Priestergeschlecht angehörenden Propheten Sacharja (Sach 3,1-7), wo dem Hohenpriester bei der Investitur zugesichert wird:

> "Wenn du auf meinen Wegen wandeln und meines Dienstes warten willst, sollst du mein Haus regieren und meine Vorhöfe verwalten, und ich will dir Zutritt geben unter denen, die hier stehen." (Sach 3,7)

Der nachexilische, an dem Gedanken der Sühne orientierte Kult Israels stellt mit Recht das offenbarungsgeschichtliche Endstadium der Entwicklung des allgemeinen Kultes in Israel dar. Es ist anzunehmen, daß von solchem kultischen Denken her der ganze Lebensbereich geprägt wird. Auch der Sünder konnte durch den an der Sühne orientierten Kult in die Nähe Gottes zurückgeholt werden. Dabei war Israel sich des "ganz 'provisorischen' Charakters dieses Kultes" bewußt. Dieses Provisorium eines Kultes des Als-Ob mußte Israel tief beunruhigen, und "es mangelt nicht an eschatologischen Hoffnungen auf ein Wiederauffinden der Lade (vgl. 2 Makk 2,4-8), ja auf die Erscheinung des göttlichen Thrones selbst (vgl. Jer 3,16f; Ez 43,7)".[31]

9.3 Philo von Alexandrien

Philo von Alexandrien, ein Zeitgenosse des Paulus, stammt aus angesehener jüdischer Familie, von priesterlichem Geschlecht. Für ihn ist der *geistige Akt*, alles Gott zuzuschreiben, Grundmuster allen Gottesdienstes.[32] Mit Hilfe der heidnischen und biblischen Kultkritik bekämpft er die naive

---

30 Vgl. H. GESE, Sühne 99; Zitate ebd.

31 Vgl. a.a.O. 104f; Zitate ebd.

32 Vgl. zu diesen Ausführungen vor allem I. HEINEMANN, Philons griechische und jüdische Bildung, Hildesheim 1962; ZELLER, a.a.O. 119-125; dort auch weitere Literaturangaben. - Auch zu Philo kann wieder auf die Arbeit von WENSCHKEWITZ verwiesen werden, bes. 131-151.

Auffassung, man könne Gott im Kult einen Dienst erweisen. Doch bedarf dieser nichts und alles Beten und Opfern ist allein Anerkennung seiner Gaben. Philo vergeistigt auf dieser Linie mit seiner allegorischen Interpretation[33] die äußeren Vollzüge des Kultes oder rechtfertigt diese mit einer entsprechenden Sinngebung, da er grundsätzlich am Jerusalemer Kult festhält. Wenn Philo auch den Tempelkult so nicht in Frage stellt, gibt er doch eine so weitgehende Neuinterpretation der Kultvorschriften des Pentateuch, daß damit faktisch die konkrete Kultpraxis ihre Bedeutung verliert.

Der Kult, den Philo in den LXX-Schriften geschildert vorfand, besaß für ihn keine unmittelbar erfahrbare Realität. Er vollzog sich in Jerusalem, während Philo in dem für ihn möglichen Gottesdienst in der Synagoge weder Opfer noch Tempel kennenlernen konnte. Wenn seine Kenntnisse über Tempel und Opferwesen auch verhältnismäßig gering und seine Angaben oft sehr ungenau sind, so darf man doch annehmen, daß Philo Jerusalem wenigstens einmal besucht hat, wie er es selber auch andeutet und was bei der geringen Entfernung von Alexandrien aus selbst zur damaligen Zeit kein Problem gewesen sein dürfte. Zu sehr aber geht Philo von dem aus, was sein soll, und ist weit weniger von dem Interesse geleitet zu schildern, was war.[34]

Für unsere Untersuchung ist von Interesse, *wie* Philo vom Kult redet. So stellt Philo bei den Opfern das "Ganzopfer" heraus und deutet es auf die Selbstdarbringung des Geistes, der fehlerfrei und durch die Reinigungen der vollkommenen Tugend geläutert ist. Bei dieser - dem Trend der philosophischen und biblischen Kultkritik entsprechenden - Konzentration auf die rechte Gesinnung steht naturgemäß der ethische Appell im Vordergrund.[35] Zwar ist der kultische Vollzug für Philo nötig, doch hat er keinen Sinn in sich selbst, sondern ist Funktion der Erkenntnis[36]. Für Philo

---

33 Vgl. speziell hierzu I. CHRISTIANSEN, Die Technik der allegorischen Auslegungswissenschaft bei Philon von Alexandrien (Beitr. zur Gesch. der bibl. Herm. 7), Tübingen 1969.

34 Vgl. dazu HEINEMANN, a.a.O. 41; auch 16: "Daß Philo in Palästina war, sagt er selbst (II 646 M.); daß er bei dieser Gelegenheit den Tempel gesehen hat, ist anzunehmen und geht auch aus seiner Schilderung mit ziemlicher Sicherheit hervor." Doch eine genaue Wiedergabe des Gesehenen dürfe man bei Philo nicht erwarten (ebenda 17).

35 Vgl. dazu bes. Otto SCHMITZ, Opferanschauung 133-175.

36 Vgl. HANSSEN, Heilig 173 Anm. 447, wo er von einer "anthropologischen Analogie" spricht: "Das Verhältnis von Kult zur Erkenntnis entspricht etwa dem Verhältnis vom Körper zur Seele. Auf Letztem liegt jeweils eindeutig der Hauptakzent."

ist der Kult letztlich nur "ein Symbol für eine Form der Erkenntnis, die sich vom kultischen Vollzug (jedenfalls potentiell) völlig befreit hat und nur noch an ethische Voraussetzungen gebunden ist"[37]. Die ethische "Spiritualisierung" des Tempels ist bei Philo an ein bestimmtes Weltbild, eine bestimmte kosmologische Theorie gebunden, worin die Voraussetzungen seiner "Religionsphilosophie" zum Ausdruck kommen[38]. Der Kult ist für Philo nur noch "Symbol für eine kosmos-transzendierende Erkenntnis"[39]. Philo stuft die verschiedenen Bereiche des Kosmos nach zwei Kriterien wertend ab: (1) die Reinheit der Substanz etwa im Sinne des stoischen Weltbildes; (2) die Nähe zum göttlichen Sein im Sinne einer bestimmten Interpretation der platonischen Ideenlehre[40].

O. HANSSEN betont in seiner Untersuchung des Begriffs "Heilig", daß Paulus keine Kosmologie im Sinne von Philo kenne und von daher beide eigentlich nicht miteinander zu vergleichen seien[41].

9.4 Qumranliteratur

Bis zur Entdeckung der Qumran-Schriften hatten die Exegeten behauptet, daß hellenistische "Spiritualisierung" und nicht jüdische den Gebrauch der kultischen Terminologie im Neuen Testament veranlaßt habe. Das Studium der Qumran-Schriften ließ jedoch die Forscher Ähnlichkeiten zwischen den Formulierungen hier und denen im NT erkennen, so daß

---

37 HANSSEN, Heilig 163; er hat (a.a.O. 166-203) das Weltbild Philos und sein kosmologisch bestimmtes Denken dargestellt, die beide die Basis für dessen Haltung zum Kult bilden, d.h. zum Tempel als Kultort und zum Vollzug des Kultes selbst.

38 Vgl. a.a.O. 166.

39 A.a.O. 159; hier liege dann eine "grundsätzliche Überwindung des Kultes" vor, da die kultsymbolische Sprache "nicht mehr nur einer tieferen Erkenntnis oder Verinnerlichung des Kultes" selbst diene und insofern auf den kultischen Vollzug zurückzubeziehen sei (vgl. a.a.O. 158f; Zitate ebd. 158).

40 Vgl. a.a.O. 166 mit Anm. 431.

41 Vgl. a.a.O. 174: Während Philo ausdrücklich frage, wie der Kosmos zu betrachten sei, um durch den logos, der sich hier auswirkt, indirekt etwas von der οὐσία Gottes zu erkennen, setzt Paulus mehr oder weniger selbstverständlich ein bestimmtes Weltbild voraus, ohne daß es als Kosmologie reflektiert wird (vgl. ebd.; auch 180).

schnell sogar von "traditionsgeschichtlichen Parallelen" oder von gewissen "Abhängigkeiten"[42] gesprochen worden ist. Offensichtlich teilten beide Gruppen, die Qumrangemeinschaft und die ersten urchristlichen Gemeinden, die gleichen Grundvoraussetzungen, nämlich "das apokalyptische Verständnis der Geschichte". Der Vergleich zwischen den kultischen Deutungskategorien der Qumranschriften und denen des NT zeigt, daß die theologische "Übertragung" der kultischen Institutionen in beiden Typen der Literatur in deren theologisch-apokalyptischem Verständnis der Heilsgeschichte wurzelt.[43] Beide Gruppen glaubten, in der Endzeit zu leben und das eschatologische Heil zu erfahren. Offensichtlich gebrauchten beide die kultischen Konzepte und die kultische Terminologie, um aufgrund dieser Erfahrung des eschatologischen Heiles ihr Verständnis als "Gruppe" auszudrücken.

Drei charakteristische Merkmale der Qumrangemeinde sollen noch einmal genannt und kurz umrissen werden, nämlich die besondere Eschatologie, das Kultverständnis und die Tempelsymbolik in Verbindung mit Aussagen über die Gemeinde:

(I) Für die Eschatologie Qumrans hat H.-W. KUHN in seiner Arbeit "Enderwartung und gegenwärtiges Heil" "die besondere Eschatologie"[44] der Gemeindelieder hervorgehoben, in denen er die "Vorstellung eines Nebeneinanders bzw. Ineinanders von Enderwartung und eschatologisch gegenwärtigem Heil"[45] erkennt, dessen Sinn darin liege, "daß der Anschluß an die Qumrangemeinde die Teilhabe an der neuen Welt, die von einem Endakt erhofft wird, sicher verbürgt, weil sie hier schon an *diesem* Ort, nämlich in der Gemeinde, begonnen hat sich zu verwirklichen"[46]. Dies sei

---

42 Vgl. KLINZING, a.a.O. 210: "Wenn die christliche Gemeinde von sich als dem Tempel spricht, kann kein Zweifel darüber bestehen, daß die Vorstellung aus der Qumrangemeinde stammt."

43 Vgl. SCHÜSSLER-FIORENZA, a.a.O. 163; sie spricht nicht von "Übertragung", sondern von "re-interpretation". Dieser Aufsatz greift die neuere Literatur zum Thema "Spiritualisierung" auf und zeichnet sich vor allem gegenüber B. GÄRTNER und G. KLINZING durch das Bemühen um eine saubere Differenzierung aus. SCHÜSSLER-FIORENZA gelingt eine genaue Beschreibung, wie im NT mit "cultic language" umgegangen wird. Leider belegt sie manche Behauptungen zu wenig oder gar nicht und differenziert nicht zwischen den beiden Formulierungen "cultic language" und "cultic-institutional language" (so 174). Das größte Defizit ihres Aufsatzes besteht m.E. darin, immer nur alle neutestamentlichen Schriften zusammen zu betrachten.

44 Vgl. das Kapitel "Der Sinn und das Aufkommen der besonderen Eschatologie", in: H.-W. KUHN, Enderwartung 176-188.

45 H.-W. KUHN, a.a.O. 181.

46 H.-W. KUHN, a.a.O. 179.

für Qumran möglich, weil und insofern der Raum der Gemeinde, wie es im AT der Tempel war, Raum der Präsenz des Heils ist und weil und insofern der Kult, wie es im AT der Tempelkult war, die Sphäre des Lebens bedeutet. "Von der Ineinssetzung von irdischem und himmlischem Heiligtum lag es dann für den sich als *diensttuenden Priester* verstehenden Qumran-Frommen besonders nahe, das Sein in der Gemeinde auch als himmlischen Aufenthalt zu deuten. Aber weil der Qumran-Fromme zugleich Apokalyptiker war, behauptete er damit auch das eschatologische Heil als für sich schon gegenwärtig."[47] Die Zusammenschau von Jetzt und Dann im kultischen Geschehen von Qumran und so die Verbindung von eschatologischen Aussagen mit kultischen Kategorien hatte den einen Grund: Weil die Möglichkeit der Erfahrung der Gegenwart Gottes in den raum-zeitlichen Bedingungen hellenistisch-römischer Wirklichkeit keinen Platz gewinnen konnte, ereignet sie sich unter den raum-zeitlichen Bedingungen der kultischen Sphäre.[48] Das Unaussagbare wird aussagbar.

(II) Die Gemeinde von Qumran ging von der Illegitimität und damit Wirkungslosigkeit des Jerusalemer Kultes aus. "Der hasmonäisch verwaltete bzw. usurpierte Tempelkult konnte von der Qumran-Gemeinde nur als Signum einer totalen Sündhaftigkeit Israels gedeutet werden. Die priesterliche Idee vom Kult, der durch seinen Vollzug permanent Sühne bewirkte, geriet selbst in das Gefälle einer apokalyptischen Unheilsgeschichte."[49] Auf dem Hintergrund eines solchen Sündenbewußtseins (vgl. 1 QS 1,22-26; 11,16f; 1 QH 4,34f; u.a.) konnte der Gedanke der Rechtfertigung allein aus Gnade heranreifen, der in seiner Klarheit der paulinischen Ausdrucksweise kaum nachsteht (1 QS 11,9-15). Die Gemeinde besaß nach diesen Texten deutlich die Überzeugung, daß Gottes Treue und Gerechtigkeit durch menschliche Bosheit nicht tangiert werden können, so daß Gottes Gerechtigkeit sich als seine Güte erweist. Hinter einer so verstandenen Gerechtigkeit stand die Idee kultischer Sühne, die konkret im (rituell geregelten) Lebensvollzug der Gemeinde geschieht, "welche die von den Priestern beim Tempeldienst beobachtete und auf Reinheit bedachte Gemeinschaftsform (‚jahad' = "Einung") zu ihrer permanenten Lebensform erhoben hat".[50]

Wie oben gesagt (in I) steht die Gemeinde nach eigenem Selbstverständnis in Gemeinschaft mit dem himmlischen Kult (vgl. 1 QS 11,7f) und kann im Rahmen ihres apokalyptischen Denkhorizontes das eschatologische Heil als in ihr schon gegenwärtig betrachten. Die Gemeinde selbst ist daher das wahre Heiligtum, das den Jerusalemer

---

47 H.-W. KUHN, a.a.O. 184. Weiter führt er aus (185), daß entsprechend dem hebräischen Raum- und Zeitverständnis" auf Grund der 'Tempelsymbolik' die Gemeinde der Ort ist, "wo die strenge Scheidung zwischen Erde und Himmel, zwischen Jetztzeit und eschatologischer Heilszeit nicht zutrifft". So könne man davon sprechen, "daß der Fromme in den Himmel versetzt ist (1 QH 3,20), in der Gemeinschaft mit den Engeln vor Gott steht (passim) und ihm schon die eschatologischen Heilsgüter zum Besitz gegeben sind (1 QS 11,5ff.)". (H.-W. KUHN, a.a.O. 185)

48 Vgl. Matthias KRIEG, MOED NAQAM - ein Kultdrama aus Qumran. Beobachtungen an der Kriegsrolle: ThZ 41 (1985), 3-30, hier 30.

49 H. MERKLEIN, Bedeutung 21.

50 Vgl. MERKLEIN, a.a.O. 21f; Zitat ebd. 22; J. MAIER, Zu Kult und Liturgie 570, spricht davon, daß die Gemeinschaft von Qumran "sich funktional als Ersatz für die Sühnewirkung des Tempelkults" begriff, "sogar korporativ als Repräsentation des Heiligtums im Sinne der Bau-Anlage" (Zitate ebd.).

Tempel ersetzt. Dennoch ist ihr Verhältnis zum Tempel ambivalent, da die Gemeinde trotz ihrer Distanz zu Tempel und Kult dem Opferkult grundsätzlich positiv verbunden ist, wie dies in aller Deutlichkeit die Tempelrolle zeigt. In Form eines an Mose gerichteten Gotteswortes am Sinai beziehen sich ihre Bauanweisungen "nicht auf einen idealen Tempel der Zukunft, sondern auf den - nichtexistenten - Tempel der Jetztzeit, den nach der Landnahme zu erbauen Salomo versäumt hat"[51]. Der Verfasser der Tempelrolle beschreibt, wie Salomo den Tempel hätte bauen müssen. Was "infolge des Kyrosedikts nach dem Muster des salomonischen Tempels als 2. Tempel wiederaufgebaut worden war und zur Zeit des TR-Verfassers in mehr oder minder veränderter Form real vorhanden war, ist demnach nicht gemäß Gottes Angaben gebaut worden und daher unzulänglich. So fallen schroffste Kritik am bestehenden Tempel mit höchster Bejahung des Tempelkultes ineins."[52]

Dies war der Qumrangemeinde nur möglich, indem sie die Kultfrömmigkeit nicht eliminierte, sondern unter dem Aspekt des Toragehorsams und der Erwählungsheiligkeit *radikalisierte* und den Tempel-Begriff *umdeutete*, "d.h. auf die Gemeinde (als Tempel) und deren Handeln (Lobpreis und vollkommener Wandel)" bezog.[53] Im Gehorsam gegen die Tora, die ohnehin und besonders nach priesterlichem Verständnis überwiegend Kulttora ist, vollzieht die Gemeinde von Qumran den wahren Kult[54] "als Vorwegnahme des eschatologischen Gottesdienstes am 'Tag der (Neu-)Schöpfung', auf den hin die Gemeindemitglieder in ihrem Denken, Handeln und Hoffen orientiert waren"[55].

(III) Die Gemeinde von Qumran verstand sich als Gemeinschaft von Priestern, ohne allerdings den Begriff auf die Mitglieder selber anzuwenden. Nicht der Tempel in Jerusalem, sondern die Gemeinde selbst als der alleinige und einzig reine und heilige Tempel Gottes ist der Ort der Gegenwart Gottes und seiner Heiligkeit. Aufgrund dieses Selbstbewußtseins vollzog sich dann auch zwangsläufig eine "Übertragung" der bisher ausschließlich am Tempel orientierten kultischen Vorschriften und der damit zusammenhängenden Begrifflichkeit auf die Gemeinde selbst. Auf der Basis dieser Tempelsymbolik wird auch die Terminologie, die im Alten Testament das Hineinge-

---

51 Vgl. JANOWSKI/LICHTENBERGER, a.a.O. 53, Zitat ebd.; mit Verweis auf J. MAIER, Tempelrolle 67f.

52 Vgl. J. MAIER, Tempelrolle 67f; Zitat a.a.O. 68.

53 Vgl. JANOWSKI/LICHTENBERGER, a.a.O. 53-57; Zitat ebd. 56; ebd. Hinweis auf 11QT 29,8-10 als Beleg für die "bleibende Bedeutung des Kultischen . . ., daß die Zeit des nichtmateriellen Opferkultes als ein Zwischenstadium galt, nach dessen Ablauf die Gemeinde auf eine reale, geheiligte Kultausübung im endzeitlichen Heiligtum hoffte" (a.a.O. 56).

54 Vgl. MERKLEIN, a.a.O. 23: "Sie (die Gemeinde von Qumran) ist der wahre Täter des Gesetzes (vgl. 1 QpHab 8,1-3). Der Rechtfertigung sola gratia entspricht daher auf menschlicher Seite ein sola lege im Sinne der Befähigung zum wahren Toragehorsam."

55 JANOWSKI/LICHTENBERGER, a.a.O. 57, mit Hinweis auf 1QS 4,20-22. Zum "Tag der Schöpfung" heißt es: "Am 'Tag der Schöpfung' . . . , der die Wüstenemigration der Qumrangemeinde beendet, wird der regelmäßige Tempeldienst - mit von den Zadokiden dargebrachten Sühnopfern - im eschatologischen Heiligtum wiederaufgenommen" (a.a.O. 56).

hen der Priester in den Tempel und damit das Herantreten in die Nähe Gottes bezeichnet, auf den Eintritt des Frommen in die Gemeinde bezogen. Wie die Kultfähigkeit der Priester und Leviten im Alten Testament deren Reinheit und Heiligkeit voraussetzte, so setzt nunmehr der Eintritt und die Aufnahme in die Qumrangemeinde und damit auch die Zulassung zu ihren kultischen Begehungen, die an die Stelle des nicht mehr möglichen Opferkultes getreten sind, priesterliche Reinheit und Heiligkeit voraus[56]. Nach der Vorstellung der konzentrisch abgestuften Heiligkeit des Tempels (vgl 1 QS 6) bedeuten die unterschiedlichen Rangstufen innerhalb der Gemeinde zugleich unterschiedliche Grade der Anteilnahme am Heiligen. Die priesterliche Vorstellung von einem Zentralheiligtum bleibt also bei der symbolischen personalen Deutung des Tempels auf die Gemeinde hin indirekt wirksam, auch wenn die Bezeichnung "Priester" bezogen auf die Gemeinde nicht explizit genannt ist, und verbindet sich mit der Vorstellung von ritueller Reinheit zu einer geschlossenen Konzeption von konzentrisch abgestufter Heiligkeit.

Dadurch bedingt war "Umkehr" ein weiteres Kennzeichen der Gemeinde und ein Hauptbegriff ihrer Ethik und erst recht ihrer Ekklesiologie, bis hin zur Bezeichnung "Umkehrende Israels". Dabei ist Umkehr äußerlich der Akt des Eintritts in die Gemeinde, zugleich die Abkehr von den Frevlern und Söhnen der Finsternis, dann ist sie das Durchhalten des Lebens in der Gemeinde. Umkehr ist so Abkehr von der Sünde und Hinwendung hin zur Reinheit, verbunden mit Sühneriten und Waschungen, wie sich in der Terminologie niederschlägt.[57] - Diese Umkehr, für die Qumran-Gemeinde unbedingte Voraussetzung für die Zugehörigkeit zur Gemeinde und damit für das Heil, ist dem Denken des Paulus in jeder Hinsicht fremd.[58]

Die Umdeutung der Kultbegriffe in Qumran ist demnach weniger eine "Spiritualisierung" des Kultes als eher eine "ekklesiologische Umdeutung" kultischer Inhalte[59] durch eine im Bewußtsein der göttlichen Er-

---

56 Vgl. J. MAIER, Tempelrolle, zur darin dargestellten abgestuften Heiligkeit: Die Tempelrolle von Qumran zeige eine wohldurchdachte Komposition, "die exakt entsprechend der Rangfolge der Heiligkeits- bzw.Reinheitsbereiche angelegt ist, die im kultischen Denken jener Zeit - und dies nicht nur in Qumran - unterschieden wurden. Es handelt sich um die Auffassung von der konzentrischen Heiligkeit, die sich nach innen Zone für Zone verdichtet und im Allerheiligsten des Tempels als dem Sitz der Gottesgegenwart kulminiert" (MAIER, a.a.o. 12). - Diese Vorstellung von einer konzentrisch abgestuften Heiligkeit ist in 1 QS auf die Gemeinde übertragen (vgl. 1 QS 5; 6).

57 1 QS 5,8; CD 15,9.12; 16,1.4; 4 QpPs[a] 11,1; 4QpPs 37,2,2; negativ 1 QS 10,11.

58 Vgl. zur "Umkehr" in Qumran H.-J. FABRY, Johannes der Täufer - Brückenschlag vom Alten zum Neuen Testament (bisher unveröffentlichter Vortrag), 14f; vor allem aber ders., Wurzel, bes. 19f.25-68.

59 Vgl. oben Anm. 50: Die Gemeinschaft von Qumran begriff sich *funktional* als Ersatz für die Sühnewirkung des Tempelkults, zugleich als *korporative Repräsentation des Heiligtums* im Sinne der Bau-Anlage.

wählung lebenden Gemeinde.[60] Damit hat aber eine beachtenswerte Akzentverschiebung stattgefunden: Während קרב etc. im AT stets auf ein aktuelles und zeitlich befristetes Geschehen bezogen ist, sei es das Betreten des Heiligtums durch den Priester, sei es die Versammlung der Kultgemeinde zum Gottesdienst, beschreibt es nunmehr als ein Begriff des Qualifiziertseins den Eintritt in eine zeitlich unbefristet bestehende Gemeinschaft. Damit korrespondiert die analoge Verschiebung von Dtn 23,2-9 über Neh 13,1-3; Thren 1,10 bis hin zu 4 QDb; 1 QM 7,6; 1 QSa 2,5-9; 4 QFl 1,3f: Es geht hier nicht mehr um die sich aktuell versammelnde Kultgemeinde, sondern um die fortdauernd bestehende Gruppe[61], die aufgrund ihrer Heiligkeit Zulassungsbedingungen formuliert, bzw. umgekehrt: Derjenige, der in diese Gruppe aufgenommen wird, darf sich als "heilig" betrachten.

E. SCHÜSSLER-FIORENZA formuliert in ihrem zitierten Aufsatz einige Fragen[62], um das, was in den Schriften von Qumran und im NT mit kultischen Deutungskategorien formuliert ist, genauer zu erfassen und differenzieren zu können:

(1) Warum kam dieses apokalyptisch-eschatologische Verständnis von Geschichte in nur einigen Qumran-Schriften zur "re-interpretation" der kultischen Institution, nicht aber in anderen? Warum entwickelten solche apokalyptischen Traditionen, wie sie z.B. in der Kriegsrolle gefunden worden sind, nicht den Begriff der Gemeinde als eschatologischen Tempel, eben obgleich diese Traditionen einen streng apokalyptisch-eschatologischen Ausdruck beinhalten und die Hoffnung auf einen neuen Tempel und einen neuen Kult in dem Jerusalem der Endzeit zeigen?

(2) Mehr noch, warum interpretiert und überträgt die Qumran-Theologie nicht die Bezeichnung "Priester" ausdrücklich auf alle Mitglieder der Gemeinde, sondern behält eine hierarchische, priesterliche Ordnung und Leitung bei, trotz des Glaubens, daß die Gemeinde selbst der neue Tempel der Endzeit war?

(3) Oder: Warum entwickelten die NT-Gemeinden nicht eine ähnliche hierarchisch-priesterliche Struktur, wenn sie mit den Qumran-Schriften dieselbe apokalyptisch-eschatologische Weltsicht teilten, und wenn diese Weltsicht die "re-interpretation" der kultischen Institutionen und Terminologie begründete? Also: Die Behauptung, daß die Literatur von Qumran und vom NT dasselbe theologisch-apokalyptische

---

60 Vgl. C. NEWSOM, Songs 62; sie weist auch daraufhin, daß die Qumrangemeinde "anticipated restoration of the Jerusalem cult to a condition of purity in the eschatological age and planned for its reconstitution (4 QFl i, 3-7; 1 QM ii 1-9)" (ebd. 62).

61 Vgl. BERGER, Volksversammlung 189f; er führt 1 QSa 1,25ff als Beispiel an, wo die Verschärfung durch den Satz begründet wird: " . . . denn die Engel der Heiligkeit sind in ihrer Gemeinde".

62 Vgl. SCHÜSSLER-FIORENZA, a.a.O. 163f.

Verständnis der Geschichte teilten, erklärt nicht adäquat, warum kultische Sprache in beiden Schrifttypen "re-interpreted" ist. Daher ist es methodisch irreführend, nach einem gemeinsamen theologischen Nenner der religionsgeschichtlichen Parallelen zu suchen, um ihre Beziehung zu realisieren. Für SCHÜSSLER-FIORENZA geht es darum, nach dem sozialen Kontext und dem theologischen Interesse sowie der Funktion zu fragen, die der "transference" der kultischen Sprache in der Gemeinde von Qumran und im NT zugrundegelegen haben.[63]

Diese Anfragen von SCHÜSSLER-FIORENZA zeigen die Problematik auf, die in einer gemeinsamen Betrachtung der Formulierungen der Qumranliteratur und des NT liegen. Es ist wichtig, die entscheidende Differenz in den Aussagen von Qumran und vom NT nicht aus dem Auge zu verlieren und keineswegs eine Abhängigkeit der urchristlichen Ekklesiologie (d.h. des Selbstverständnisses der urchristlichen Ekklesia) von der Selbsteinschätzung der Qumrangemeinschaft zu behaupten: Die Gemeinde von Qumran wartet trotz einer feststellbaren präsentischen Eschatologie auf das entscheidende, eben noch für die Zukunft ausstehende eschatologische Ereignis, während die christliche Gemeinde auf das entscheidende in Christus geschehene Heilsereignis zurückblickt. "Für sie hatte das letzte Opfer bereits stattgefunden. So hat für die Christen Christus am Kreuz die alte Heiligkeit vollkommen gemacht und die neue gestiftet."[64] Der Unterschied besteht in der Vermittlung des Zugangs zu Gott: Während dies in Qumran durch eine komplizierte und langwierige Aufnahmeprozedur erfolgte (s.o. in Kap. 5.1 die Ausführungen zu 1 QS 6,13b-23), ist der Zugang im NT allein durch Christus vermittelt. Dies bedingt unterschiedliche Parameter der jeweiligen Textbetrachtung.(10U

63 Vgl. SCHÜSSLER-FIORENZA, a.a.O. 164, auch 161. - Zum Begriff "transference" bei SCHÜSSLER-FIORENZA und zum Begriff "Umdeutung" bei KLINZING vgl. die Kritik von HANSSEN, Heilig 156; es führe nicht entscheidend weiter, "den Streit um die Bewertung der Spiritualisierung kultischer Begrifflichkeit letztlich nur zu verdrängen" durch "eine neutrale und möglichst nichtssagende Formulierung"; doch zeigen seine weiteren Ausführungen, daß es gerade notwendig ist, vor einer Verwendung der Bezeichnung "Spiritualisierung" das zu bezeichnende Phänomen exakt zu beschreiben und einzugrenzen; vgl. seine gute Gegenüberstellung der Phänome bei Paulus und Philo, obwohl die Ausführungen zu Paulus einiger Ergänzungen bedürfen (vgl. oben Kap. 9.1 u. unten 9.5).

64 J. NEUSNER, Judentum 23. Zu Recht sagt er (a.a.O. 22): "Die Christen ähnelten den Essenern darin, daß sie das Ende des Kultes behaupteten, bevor er tatsächlich zu Ende war."

9.5 Paulusbriefe und paulinische Literatur

Bereits K. WEISS hat in seinem Aufsatz "Paulus - Priester der christlichen Kultgemeinde" bei der Untersuchung der kultischen Begrifflichkeit festgestellt - wenn auch gewiß mit einer ganz bestimmten Zielrichtung -, "daß man Paulus mit dem Begriff der Spiritualisierung des Kultischen nicht erklären kann", da Paulus in einer kaum nachvollziehbaren Weise geschichtlich denke[65]. J. NEUSNER sieht in der Verwendung des Begriffs "Tempel" durch das frühe Christentum nur "in gewisser Weise" eine "Spiritualisierung" des alten Tempels, "denn der Tempel war nun die Gemeinde, . . . die Gemeinde war eine gegenwärtige Realität, eine Wirklichkeit wie der Jerusalemer Tempel".[66] Auch wir haben in den Briefen des Paulus eine Verwendung von kultischer Terminologie zur Deutung ekklesiologischer Zusammenhänge festgestellt, die sich mit der Bezeichnung "Spiritualisierung" nicht adäquat erfassen läßt. Gegen eine solche Deutung als "Spiritualisierung" spricht z.B. die Verbindung von kultischen Deutungskategorien mit dem menschlichen Körper, wenn dieser als "Tempel Gottes" bezeichnet wird (1 Kor 3,16f; 6,19; 2 Kor 6,16). Auch da, wo solche Begrifflichkeit auf die ἐκκλησία Gottes angewendet wird, intendiert Paulus nicht eine "Vergeistigung des Kultes"[67]. Denn er vergeistigt Kult und kultisches Geschehen gerade nicht, weil er den Kult ernst nimmt, wenn er bemüht ist, für seine Anliegen vom Kult entlehnte Begrifflichkeit zu nutzen, die sich dabei für ihn in sein christologisch bestimmtes Denksystem einbinden läßt.

---

65 Vgl. K. WEISS, Paulus 361; Zitat ebd.

66 Vgl. NEUSNER, Judentum 21; und weiter schreibt er (a.a.O. 22): "Die Antwort der Christen auf die Zerstörung des Tempels kann tatsächlich nicht vereinfacht und in seinem inneren Wesen als einheitlich betrachtet werden." - Schon bei Paulus ist die Verwendung kultischer Deutungskategorien sorgsam zu differenzieren und ergo mit dem Terminus "Spiritualisierung" nur mangelhaft erfaßt.

67 Auch die erwähnten Formulierungen (vgl. oben Kap. 9.1) von SCHÜRMANN und HANSSEN sind unpassend; es liegt hier mehr vor als eine "Pneumatisierung" (SCHÜRMANN, Marginalien 307) oder "pneumatologische Spiritualisierung traditioneller Kultterminologie" (HANSSEN, Heilig 162).

Ein Rückblick

Wenn Paulus im Zusammenhang mit seiner Evangeliumsverkündigung an die Heiden und so in ekklesiologischen bzw. missionarischen Kontexten kultische Deutungskategorien verwendet, bezeugen derartige Stellen zunächst einmal, daß ein gewisses kultisches Verständnis des Verkündigungswerkes dem paulinischen Denken nicht fremd gewesen ist. Nur die Einordnung dieser Feststellungen in das Ganze einer paulinischen Ekklesiologie bereitet Schwierigkeiten. Wenn wir das bisher zu den behandelten kultischen Deutungskategorien Gesagte betrachten, dürfen wir vermuten, daß er derartige Formulierungen nutzt, um die durch Christus jetzt eröffnete und durch sein (des Paulus) Tun den Heiden ermöglichte Unmittelbarkeit zu Gott auszusagen. So haben die kultischen Termini für Paulus eine reelle Funktion und bezeugen keinesfalls ein auf "Spiritualisierung" basierendes Denken. Es geht um die nur auf diese Weise aussagbare Gottesgemeinschaft, die den Heiden in der Verkündigung des Evangeliums eröffnet wird.

Die kultischen Deutungskategorien verhelfen ihm dazu, in den Motiven, die er vom Kult als dem (ehemaligen) irdischen (und himmlischen) Ort der Gottesnähe gewinnt, die jetzige Welt und Geschichte umspannende, "Juden und Griechen, Sklaven und Freie, Mann und Frau" (Gal 3,28) umschließende Gottesnähe zu beschreiben. So kann Paulus die durch seine Verkündigung des Evangeliums eröffnete "Unmittelbarkeit des Gottesverhältnisses" der Gemeinde darstellen. Diese Gemeinde aus Juden *und* Heiden hat Zugang zu Gott (Röm 5,2), und so ist das möglich, was der Kult selbst intendierte, nämlich Ermöglichung des "Immediatverkehrs bei Jahwe"[68]. Es geht Paulus um diesen Immediatverkehr, um das Angebot einer ganz besonderen Lebensgemeinschaft mit Gott. Hinter der προσαγωγή (Röm 5,2) steht "im Grunde der Zugang zur Gottesgegenwart im himmlischen Heiligtum"[69]. Der Eintritt in die christliche Ge-

68 Zum Begriff des Immediatverkehrs vgl. G. v. RAD, Theologie II 227.

69 M. HENGEL, Sühnetod 19. - Es ist hier modifiziert der Vorstellungskreis erkennbar, daß irdisches und himmlisches Heiligtum ineinsgesetzt werden konnten. Vgl. dazu H.-W. KUHN, Enderwartung, bes. das Kapitel "Der Sinn und das Aufkommen der besonderen Eschatologie", 176-188: Der Ort, von dem aus Israel "das Wort vom Leben, von Jahwe als dem Geber oder Verweigerer des Lebens"

meinde ist zugleich Eintritt in die Nähe Gottes, Zugang zur "Lebenssphäre Gottes". Deshalb ist die Gemeinde Gottes der Tempel Gottes.

Das in Röm 15,16 benutzte kultische Wortfeld knüpft gemeinsam mit anderen Stellen, an denen sich bei Paulus kultische Deutungskategorien in ekklesiologischen Kontexten finden, an die exilisch-nachexilischen Zeit an, in der sich, wie oben gesagt, für den gesamten Kultus ein neues Denken durchsetzte. Dabei ist wesentlich, wie Paulus die im Evangelium sich aussprechende und speziell den Heiden sich zusagende Gottesnähe verstanden hat. Das Evangelium Gottes ist der Ort, in dem Gottes "Dynamis", Gottes Macht, sein Wort und seine Nähe begegnet, wo Gottes Gerechtigkeit sich dem Menschen schenkt. Das Evangelium ist selbst "Sprachgeschehen". Wo es sich "ereignet", wird in der Verkündigung Gott und Gottes Gerechtigkeit für den gegenwärtig, der es im "Gehorsam des Glaubens" (Röm 1,5) annimmt. In diesem Sinn muß vom Evangelium als Offenbarungs*ort* schlechthin gesprochen werden. Das Evangelium ist Ort im räumlichen Sinn, weil es den überindividuellen Bereich des Heiles auftut, der mit der kultischen Terminologie im Alten Testament und in der nachalttestamentlichen, auch der urchristlichen Rezeption, mitunter verbunden ist[70].

Daher ist es interessant, daß an den beiden Stellen, wo der Terminus εὐαγγέλιον im Römerbrief mit kultischen Deutungskategorien verbunden ist, jeweils die Genitiv-Erweiterung τοῦ θεοῦ hinzutritt (Röm 1,1; 15,16). Auch da, wo Paulus vom πληροῦν des Evangeliums spricht (Röm 15,19), eine syntaktisch-semantische Parallele zu Röm 15,16, tritt die Genitiv-Erweiterung τοῦ Χριστοῦ hinzu. Das Evangelium ist deshalb Evangelium Gottes, weil sich in ihm Gottes Gerechtigkeit für jeden, der glaubt, ereignet. Paulus ist als "berufener Apostel ausgesondert, das Evangelium Gottes zu verkündigen" (Röm 1,1); er steht in seinem Dienst am Evangelium in diesem selbst, ist, wie H. SCHLIER sagt, "dem Profa-

gehört hat, war der Kultus. Im kultischen, gottesdienstlichen Bereich kann von vergangenem wie künftigem Geschehen so gesprochen werden, daß die angesprochenen Ereignisse vergegenwärtigt werden. Im Rahmen des Kultes kann von Künftigem also in einer Weise gesprochen werden, als wäre es gegenwärtig schon eingetreten. Eine solche Vergegenwärtigung geschieht besonders in der Verkündigung (vgl. z.B. Dtn 5,3).

70 Vgl. oben in Kap. 7.1 die Ausführungen zu Röm 5,2.

nen entnommen" und "in die Sphäre des Heiligen" versetzt.[71] Das Evangelium selbst ist dieser "Ort des Heiligen", die Sphäre erfahrbarer Gottesnähe, zugleich gemeindebildendes Wort, das dem Menschen als wirkmächtiges, dynamisches Geschehen begegnet und zum Glaubensgehorsam provoziert.

Ein weiteres Indiz für diesen im Evangelium gegebenen und in der Verkündigung den Heiden eröffneten Bereich des Heiligen ist der paulinische Gebrauch des Wortes ἀφορίζειν in Röm 1,1 (vgl. oben 3.1). Wenn vom LXX-Sprachgebrauch her dieses Verb "Aussonderung zu heiligem Zweck" oder ins "Heilige" bedeutet, ist auch Paulus "in eine heilige Sphäre" hineingestellt. Ekklesiologisches Ziel des Paulus ist es, die Heiden durch die Verkündigung des Evangeliums in die eröffnete Sphäre des Heiligen, die sich durch das Evangelium selbst und durch die sich darin offenbarende Gerechtigkeit Gottes auftut, hineinzuholen, d.h. zugleich in den Bereich der Gottesgemeinschaft und damit der Heiligkeit. Da, wo das Evangelium im Gehorsam angenommen ist, ist christliche ἐκκλησία gegeben.

Schließlich muß ein weiterer Aspekt rückblickend wiederaufgenommen werden. Der Zugehörigkeit zur Gemeinde kam für Paulus zumindest ein besonderer Wert zu, da diese durch Christus geheiligt und von Paulus so gleichsam als eine Art "heilige Größe" oder eine "Größe von sakralrechtlicher Würde"[72] betrachtet wurde (vgl. oben zu 1 Kor 5 etc.). Zwei Indizien sprechen dafür, daß Paulus die durch Christus geheiligte Gemeinde als eine solche "Größe sakralrechtlicher Würde" betrachtet. Die paulinische Verwendung des Begriffes ἐκκλησία ist vor allem da anzutreffen, wo es um konkrete Probleme der Gemeinden und ihr Zusammenleben geht. Die paulinische Rede von der ἐκκλησία τοῦ θεοῦ findet sich zunächst in den beiden Präskriptstellen (1Kor 1,2; 2 Kor 1,1), um ausdrücklich die Würde der Gemeinde am Beginn des Briefes hervorzuhe-

---

71 Zitate von SCHLIER, "Evangelium" 75; vgl. zum Ausdruck "Sphäre des Heiligen" die Formulierung von J. PONTHOT, a.a.O. 258, "l'accession des païens au culte authentique était".

72 Wir verwenden hier den Ausdruck "sakralrechtliche Würde", obwohl er Mißverständnisse hervorrufen kann.

ben. Daneben steht der Begriff ἐκκλησία τοῦ θεοῦ gerade dort, wo es um das rechte und falsche Verhalten gegenüber der Gemeinde geht. An verschiedenen Stellen seiner Briefe zitiert Paulus Sätze (1 Kor 5,13; vgl. 3,17a; Gal 1,8.9), die eindeutig auf ein sakralrechtliches Denken hinweisen. Paulus geht es an den betreffenden Stellen um die Reinhaltung der Gemeinde, da sie "heilig" und "Gottes Tempel" ist und Gottes Geist in ihr wohnt. Indem Paulus so die Gemeinde als "heilig" nicht nur durch die unmittelbare Benennung, sondern eben durch die verwendete Begrifflichkeit, nämlich die kultischen Deutungskategorien, als eine heilige Größe darstellt, kennzeichnet er sie auch als das neue und eschatologische heilige Volk Gottes.

Paulus sieht die christliche Gemeinde wie das Deuteronomium als "Sakralgemeinde", als das heilige, d.h. Jahwe angehörende Volk, konstituiert durch die Verkündigung des Evangeliums Gottes. Daß Israel Gottes Volk ist, verdankt es nach dem Verständnis des Deuteronomiums einzig der Erwählung durch Gott. Die Motive dieser Wahl werden Dtn 7,7-8 genannt: die Liebe und die Treue zu den Verheißungen, die den Vätern aus ungeschuldeter Gunst gegeben wurden (vgl. Dtn 4,37; 8,18; 9,5; 10,15). Die Wahl macht Israel zu einem geheiligten Volk (Dtn 7,6 u. 26,19). Von dieser Theologie der Erwählung, die im Buch Deuteronomium so stark zum Ausdruck kommt, ist das ganze AT getragen. Israel ist ein abgesondertes Volk (Num 23,9), das Volk Gottes (Ri 5,13), ihm geweiht (Ex 19,6) und in seinen Bund eingetreten (Ex 19,1); es ist sein Sohn (Dtn 1,31), das Volk des Immanuel, "Gott mit uns", Jes 8,8.10. Daß Paulus mit seinem Rückgriff auf ein solches theologisches Verständnis im Rahmen eines breiten Traditionsstromes steht, den er freilich christologisch modifiziert, konnte u.a. beispielhaft am Begriff ἁγιάζειν und an den Untersuchungen zu 1 Kor 5 und 6 gezeigt werden.

Paulus ist in der Verwendung kultisch geprägter Termini in ekklesiologischem Kontext keineswegs singulär, sondern steht in der ihm vorgegebenen Tradition. Der Kultus brachte Israel bei Jahwe ins Gedächtnis. Israel sah den Kultus als den Ort an, an dem es dem Recht und dem Anspruch Jahwes Raum zu geben hatte. Israel trat mit Jahwe über den Kultus in Verbindung durch den Dienst der Priesters. Diese stellten auch aus dem großen Schatz der sakralen Rechtsüberlieferungen jene Reihen zusammen, die an den großen Festen vor der Kultgemeinde rezitiert wurden. Sie allein konnten ferner bei strittigen Fällen über Zugehörigkeit oder Ausschluß aus der Jahwegemeinde entscheiden (Dtn 23,1ff).[73] Zur durch Christus geheiligten Ekklesia Gottes gehört jeder, der von ihm in der Taufe gereinigt und geheiligt ist. So ist für Paulus der Kultus passendes

---

[73] Vgl. dazu G. v. RAD, Theologie I 255-258.

Ausdrucksmittel für seine Aussagen. Paulus steht (am Ende) der Linie der mit Dtn/P^G eingeleiteten Entwicklung zu einer religiösen Größe "Volk", in dessen Mitte Gott wohnt, dessen Grenzen nicht ethnisch zu bestimmen sind. Jetzt ist das "Ich will in eurer Mitte wohnen" eschatologische Wirklichkeit geworden.

Wie sich gezeigt hat, ist der Begriff "Spiritualisierung" als grundsätzliche Bezeichnung für die Verwendung kultischer Deutungskategorien durch Paulus ungeeignet, wenn es bei ihm auch eine Form "spiritualisierenden" Gebrauchs solcher Terminologie gibt. Doch ist der untersuchte Sprachgebrauch bei ihm wesentlich zielgerichtet, hin auf das Evangelium Gottes bzw. Christi, wie die Verbindung kultischer Deutungskategorien mit finalen Formulierungen (ἵνα, εἰς τό) aufzeigen. Dabei haben solche Formulierungen alle das eine Ziel, Gott selbst und das durch Gott in Christus den Menschen zukommende und sich für alle Menschen, Juden wie Heiden, ereignende Heilsgeschehen zur Sprache zu bringen. So kann man davon sprechen, daß mit den kultischen Deutungskategorien als Ziel die Zuordnung zu Gott bzw. zur "Sphäre Gottes", zu dem Bereich, in dem Gottes Gegenwart und Nähe anwesend ist, ausgesagt wird, kurz: ein Zu-Gott-Kommen.

Die Gemeinde ist so wirklich "Tempel Gottes" (1 Kor 3,16f); denn wie der Tempel Ort der Gegenwart Gottes ist, so wohnt sein Geist in der vom Evangelium des Apostels konstituierten Gemeinde.[74] Das Tun des Paulus ist gemeindegründende Evangeliumsverkündigung. Durch die kultischen Deutungskategorien wird das ekklesiologische Ziel des Paulus ausgesagt, speziell die Heiden in den Bereich des Evangeliums, und damit ins Heilige, zu bringen. Der Eintritt in die christliche Gemeinde ist somit auch Eintritt in die Nähe Gottes, ein Zugang zur "Lebenssphäre Gottes", die durch das Evangelium konstituiert wird.

Die kultischen Deutungskategorien werden von Paulus also nicht genutzt, um eine wie immer zu deutende ("spiritualisierende") Aussage über den Kult zu machen. Nicht der Kult wird "spiritualisiert", denn Paulus will ja

[74] Vgl. W. RADL, Kult, hier 67; er beruft sich auf A.M. DENIS, La fonction apostolique 651.

nicht den Kult als solchen modifizieren oder in anderer Weise institutionalisieren, sondern die zu beschreibende Wirklichkeit ist von einer Art, daß sie mit kultischer Terminologie umschrieben werden kann und - in bestimmter Hinsicht - so beschrieben werden muß. Wir haben festgestellt, daß Paulus derartige kultische Deutungskategorien in solchen ekklesiologischen Aussagen benutzt, die mit der Evangeliumsverkündigung an die Heiden verbunden sind. So macht sich Paulus diese kultischen Deutungskategorien dienstbar, ja noch mehr, er muß sie sich so dienstbar machen, um die Übereinstimmung der ἐκκλησία aus [Juden und] Heiden mit den inhaltlichen Vorgaben der Schrifttradition herauszustellen. Es ist bemerkenswert, daß kultische Deutungskategorien von Paulus gerade in Aussagen verwendet werden, in denen entweder (a) sein Apostolat verteidigt wird, das er unmittelbar (!) auf Gott zurückführen will, oder (b) Aussagen über seine Evangeliumsverkündigung an die Heiden gemacht werden (vgl. Röm 15,16). In Röm 1,1ff und Gal 1,15f sind diese beiden Themenkreise, Apologie und Herausstellung des Apostolats und die Evangeliumsverkündigung an die Heiden, miteinander verbunden. Bei beiden Themenkreisen geht es Paulus um "Gottes Gegenwart": Er nimmt diese für sich bzw. für seine Verkündigung in Anspruch in der Betonung und Verteidigung seines Apostelseins oder stellt die Gottesnähe der Heiden heraus, die er durch kultische Deutungskategorien traditionell ausdrücken kann. Während das Begriffsfeld der kultischen Aussonderung (zu בדל vgl. oben Kap. 3.1) in Qumran exklusiv zur Aus- und Absonderung benutzt wurde, um die Sonderstellung und damit verbunden die Identität[75] der Gemeinde auszudrücken, ist Paulus bemüht, mit der gleichen kultischen Kategorie die Zu- und Hinordnung in den Bereich des Evangeliums auszusagen. Absonderung im kultischen Wortverständnis kann für Paulus so aber auch negativ in der Trennung von der Gemeinde aus Juden und Heiden (Gal 2,12) bestehen, da diese Ort der Heiligkeit ist. Wo kultische Deutungskategorien von Paulus angewendet sind, geht es um den in der Evangeliumsverkündigung eröffneten Bereich der Heiligkeit, also um die christliche Gemeinde, um die Gemeinde Gottes, zu der die Heiden Zugang erhalten haben und somit zugleich Zugang zu Gott,

---

75 Vgl. zu "Identität" die bereits erwähnte Arbeit von E. SCHWARZ, Identität durch Abgrenzung, Frankfurt 1982; darin zu Qumran bes. 131ff.

oder es geht um die "Reinhaltung" dieses Bereiches der Heiligkeit, weil Gott in ihm ist (1 Kor 3,16f: "Wißt ihr nicht, daß ihr Gottes Tempel seid und der Geist Gottes in euch wohnt?"), bzw. weil Gott "unter ihnen wohnt" (2 Kor 6,16). Qualitativ kann so von der Gemeinde gesprochen werden, wie alttestamentlich von den Priestern am Jerusalemer Tempel.

Die konkrete Ausformung des zukommenden Heiles wird von Paulus auch mittels kultischer Kategorien als "geheiligt" (Röm 15,16) "reingewaschen, geheiligt und gerechtfertigt" (1 Kor 6,11) bezeichnet. Die Annahme des Evangeliums in Glaubensgehorsam schließt die Glaubenden als von Gott Geheiligte, als Heilige, zusammen. Die Gemeinde der Geheiligten hat so den zu bewahrenden Charakter der Heiligkeit. Die kultischen Deutungskategorien verhelfen Paulus auf dem eschatologisch bestimmten Horizont des urchristlichen wie paulinischen Denksystems zu einer typologischen Rezeption kultischer Vorstellungen.[76]

Auch in anderen Schriften des NT, vor allem in der paulinischen Tradition (Eph; 1 Petr), aber auch in der Apokalypse (vgl. Apk 21,3), finden sich die in dieser Arbeit behandelten kultischen Kategorien zur Deutung ekklesiologischer Sachverhalte. Dabei ist das Anliegen, das Paulus in der Verwendung dieser Terminologie angeleitet hat, weitergeführt. Ist in den paulinischen Homologumena die Rechtfertigungslehre Basis aller ekklesiologischen Aussagen, formuliert der Epheserbrief soteriologische Aussagen als Funktion der Ekklesiologie. Kultische Kategorien deuten sowohl in den Homologumena wie im Epheserbrief die neue Identität der Christen. Während in den Homologumena der neue Status in der Nähe und Gemeinschaft zu Gott pointiert auch vom einzelnen Christen formuliert ist, wird im Epheserbrief dieser neue Stand des Christen aufgrund der hier vorliegenden ekklesiologischen Zielrichtung ausschließlich als neue Identität der Ekklesia verstanden (vgl. oben Kap. 8.1). Im ersten Petrusbrief hingegen ist wieder anders als im Epheserbrief die Ekklesiologie der bestimmenden Christologie zugeordnet, d.h. die christologischen Formulierungen sind Maßstab der ekklesiologischen Formulierungen (vgl. Kap. 8.2).

---

[76] Vgl. oben Kap. 2.4 die Ausführungen zu den kultischen Deutungskategorien in Röm 15,16.

Diese Arbeit hat sich vorwiegend mit dem Phänomen der Aufnahme kultischer Terminologie zur Aussage ekklesiologischer Sachverhalte in den Briefen des Paulus beschäftigt. Eine solcher Beitrag bleibt insofern Stückwerk, da der Vergleich zu anderen Schriften des Neuen Testamentes, speziell dem Hebräerbrief, unberücksichtigt geblieben ist[77]. Auch eine weitere Beobachtung des bei Paulus untersuchten Phänomens in den Schriften der Apostolischen Väter wäre aufschlußreich.

77 Vgl. oben Kap. 8.3.

10. ABSCHLIESSENDE BEOBACHTUNGEN

In diesem abschließenden Kapitel wird zusammenfassend dargelegt, welches Anliegen Paulus verfolgt, wenn er kultische Deutungskategorien in Aussagen über die Evangeliumsverkündigung und die Gemeinde Gottes verwenden kann, und welche Funktion diesen Kategorien zukommt. Paulus "spiritualisiert" die kultischen Deutungskategorien in ekklesiologischen Kontexten gerade nicht, sondern er nutzt sie für seine ekklesiologischen Aussagen. Die Art und Weise, wie dies geschieht, macht deutlich, daß die Inhalte, die Paulus mit kultischer Begrifflichkeit formuliert, nur so und nicht anders zur Sprache gebracht werden können.

Im Kreuzesgeschehen, verstanden als das eschatologische, das Anliegen des Kultes zur Erfüllung bringende Ereignis und somit als das entscheidende Heilsgeschehen schlechthin, liegt für Paulus die sachliche, zwar nicht unmittelbar ausgedrückte, aber aus seiner Darlegung des Sühnetodes Christi (vgl. Röm 3,25; 2 Kor 5,21; Gal 3,13) zu erschließende Voraussetzung für die Anwendung kultischer Terminologie zur Aussage ekklesiologischer Sachverhalte. Auf dem eschatologisch bestimmten Hintergrund des urchristlichen Denksystems verhilft dem Paulus die typologischen Rezeption kultischer Vorstellungen hinsichtlich des Sühnetodes Christi dazu, die kultische Terminologie auch in ekklesiologischen Kontexten anzuwenden[1].

Ausgangspunkt für Paulus ist also, daß sich in Christus das Heilsgeschehen für alle ereignet hat. Gottes Heil gilt nun jedem, der glaubt - Juden wie Heiden (Röm 1,16f). Um diese universale Geltung des Heils auszusagen, knüpft Paulus an herkömmliche Sprachmuster an, mit denen bisher bereits Gottes Nähe und Zuwendung ausgedrückt wurde. Was der Kult bisher intendierte, nämlich Zugang zu Gott, ist nun in Christus nicht nur erreicht, sondern in der Ermöglichung des Immediatverkehrs zu Gott

1 Vgl. MERKLEIN, Der Tod Jesu als stellvertretender Sühnetod 188.

überboten. Paulus greift mit den kultischen Kategorien das kultische Anliegen selbst auf und kann deutlich machen, daß Gott im Heilsgeschehen in Christus den Immediatverkehr zwischen Gott und Mensch ermöglicht. Das Evangelium eröffnet den überindividuellen Heilsraum, jenen Raum, der durch Gottes Anwesenheit geheiligt ist. Deshalb kann Paulus kultische Kategorien auf das Evangelium anwenden und auch auf die Gemeinde Gottes als Ort derer, die in der durch das Evangelium eröffneten Sphäre Gottes leben.

Das Denken des Paulus, gerade auch sein ekklesiologisches Denken, setzt die kulttypologische Deutung des Todes Jesu voraus, so daß Ekklesiologie für ihn nur als Funktion der Christologie möglich ist, die als Rechtfertigungslehre ausgelegt wird.[2] Als Glaubende sind die Christen reingewaschen, geheiligt und gerecht gemacht (vgl. 1 Kor 6,11) und so Ekklesia.[3] Erst für den Verfasser des Epheserbriefes wird, wie Eph 2,11-22 erkennen läßt, die Soteriologie zur Funktion der Ekklesiologie, zur Basis der Ekklesiologie, und so die Ekklesia selbst zum Heilsraum, "zu einem himmlischen Anwesen, zum himmlischen Raum des Heiles"[4].

Im folgenden ist das Ergebnis der vorliegenden Untersuchung in Thesen zusammengefaßt:

1. Gemeinde des Paulus ist Gemeinde in der Gegenwart Gottes.

War vorher der Jerusalemer Tempel Ort der Gegenwart Gottes und wurde dies in kultischen Begriffen ausgesagt, so ist diese Gegenwart Gottes nun an die Gemeinde Gottes gebunden, sprachlich formuliert in der Anwendung der kultischen Deutungskategorien auf die christliche Gemeinde. Die sonst im Tempel erfahrbare Gegenwart Gottes kann nun durch die Vorstellung von der Gemeinde als dem wahren Tempel Gottes und durch die daraus resultierende Übertragung kultischer Kategorien auf die Gemeinde für die Gegenwart der Gemeinde ausgesagt werden.

---

2 Vgl. STUHLMACHER, Gerechtigkeit 210-217.

3 Vgl. MERKLEIN, Kolosser- und Epheserbrief 430f.

4 MERKLEIN, a.a.O. 431.

2. Zur Gemeinde Gottes als dem Ort der Gegenwart Gottes haben gerade die Heiden Zutritt.

Im Jerusalemer Tempel war den Heiden der "Zugang" zu den Vorhöfen Israels unter Todesstrafe verboten, und Zutritt zum Heiligtum selber hatten nur die Priester, zum Allerheiligsten nur der Hohepriester und auch dieser nur einmal im Jahr, am Versöhnungstag.

Demgegenüber stellen die kultischen Deutungskategorien, angewendet in ekklesiologischen Aussagen über die Heiden, diese als "gott-fähig" heraus, als solche, denen nun möglich ist, was bisher den Priestern im Tempel von Jerusalem zugestanden war. Die Gemeinde aus Juden und Heiden kann von Paulus aufgrund seines Verständnisses des Kreuzestodes Christi neu bestimmt werden. Den Heiden ist mit dem in Christus allen Menschen unterschiedslos zugute kommenden Rechtfertigungsgeschehen eine neue Qualität des Gottesverhältnisses aufgetan, sie haben unbeschränkten Zugang zu Gott, die Möglichkeit des Immediatverkehrs.

3. Der Geist Gottes ist der Grund und die Ermöglichung des Immediatverkehrs zwischen Gott und Mensch und Wesensmerkmal der Ekklesia Gottes.

Es fällt auf, daß die in kultischen Deutungskategorien formulierten Aussagen über die Ekklesiologie häufig mit Geistaussagen verbunden sind. Der Geist ist Zeichen des angebrochenen Eschaton. Jedoch ist für Paulus in der Verwendung kultischer Deutungskategorien zur Formulierung ekklesiologischer Sachverhalte keineswegs die eschatologische Spannung aufgehoben. Die kultischen Deutungskategorien ermöglichen Paulus und der später auf ihm aufbauenden Theologie, das Neue von seiten Gottes insbesondere zugunsten der Heidenchristen auszusagen. Ähnlich der präsentischen Eschatologie von Qumran erfährt in der Ekklesia Gottes der Christ, hier aber vor allem der Heidenchrist, die Nähe, ja noch mehr, die Gegenwart dieses Gottes, so daß der Zugang zur Ekklesia Gottes zugleich als Zugang zur Gemeinschaft mit den Engeln verstanden werden kann; die Gabe des Geistes ermöglicht dabei zugleich mit der προσαγωγή (Röm 5,2) zur Gemeinde den Zutritt zur Gnade, damit zum Vater selber im

Geist. Der Geist ist der Grund und die Ermöglichung für den Immediatverkehr des Menschen mit Gott.

Zugehörigkeit zur Ekklesia Gottes geht parallel mit einem Nahegekommensein zu Gott. Die Untersuchungen zur Terminologie wie auch zu den Motiven der behandelten Stellen haben ergeben, daß so der Glaube an eine im Geist bestehende Verbundenheit und Gemeinschaft mit dem himmlischen Bereich ausgedrückt wird. Bei Paulus verbindet der Kult die Ekklesia mit dem himmlischen Bereich und gibt dieser auch Anteil am himmlischen Bereich. Die Ekklesia ist identisch mit dem eschatologischen Tempelheiligtum. Ähnlich wie in den Texten von Qumran fördern der Kult und die von ihm entlehnten Deutungskategorien auch bei Paulus die "realisierte Eschatologie", wenn er auch den eschatologischen Vorbehalt mit anderen nicht-kultischen Kategorien offenhält[5]. Die eschatologischen Ausführungen des Paulus sind begründet durch das, was christologisch bereits vollendet ist.[6]

4. Der Gemeinde kommt in den Augen des Paulus Heiligkeit[7] zu, da sie Gott gehört.

Gott selbst hat im christologischen Geschehen die Ekklesia und ihre Mitglieder erwählt und so ihre Zugehörigkeit zu ihm selber ermöglicht. Weil dies so ist, weil es bei der Gemeinde eben nicht "um die kontingente Existenz irgendeines zufälligen religiösen Vereins", sondern um Gottes Heilige und Erwählte (1 Kor 1,2; 6,1f; 2 Kor 1,1) geht, "um 'Gottes ekklesia' und damit um die Geschichte Gottes mit seinem Volk", darf die Ekklesia nicht zerstört werden. Wer dies tut, vergeht sich an Gottes Werk (1 Kor 3,17).[8]

---

5 Vgl. u.a. Röm 8,24: "auf Hoffnung hin sind wir gerettet"; zum *eschatologischen Vorbehalt* bei Paulus vgl. MERKLEIN, Eschatologie 19-21, hier 20.

6 Vgl. MERKLEIN, a.a.O. 20.

7 Vgl. oben vor allem Kap. 4 zum Begriff ἐκκλησία und zu anderen Gemeindebezeichnungen und Kap. 5 zur Heiligkeit der Gemeinde; ferner Kap. 6 zu den Tempelaussagen.

8 Vgl. K. BERGER, Hermeneutik 51-55, hier 52; Zitate ebenda.

5. Mit Hilfe kultischer Terminologie formulierte Aussagen drücken die Weitergabe der Evangeliumsverkündigung und die Stellung der einzelnen Gläubigen in der Ekklesia aus.

Die Anwendung von kultischen Kategorien auf die Evangeliumsverkündigung bezeugt, daß Paulus ein gewisses kultisches Verständnis seines Verkündigungsdienstes nicht fremd gewesen ist. In der Verkündigung des Evangeliums ist Gott selbst gegenwärtig und so wird darin eine eschatologische Scheidung bewirkt. Die Evangeliumsverkündigung macht das Heilsgeschehen und seine Auswirkung für Juden und (vor allem) für Heiden den Hörern unmittelbar gegenwärtig und macht so die Ekklesia Gottes erst möglich, in deren Inneren die vom Kult gesetzten Grenzen nun in Christus eschatologisch aufgehoben sind. Durch die gläubige Annahme des Evangeliums von der Rechtfertigung ist der Christ in die Ekklesia eingetreten, und es ist ihm zugleich durch das Evangelium Unmittelbarkeit zu Gott ermöglicht. Diese gerade auch den Heiden in der Verkündigung des Evangeliums eröffnete Qualität der Gottesgemeinschaft ist nur auf diese Weise aussagbar.

6. Traditionsgeschichtlich lassen sich Ähnlichkeiten aufweisen.

Die sprachliche Untersuchung der bei Paulus in ekklesiologischen Kontexten anzutreffenden kultischen Deutungskategorien hat gezeigt, daß diese einerseits Vorstellungen widerspiegeln, die sich traditionsgeschichtlich z.T. in den Spätschriften des AT und darüberhinaus auch in außerbiblischen Schriften des Frühjudentums entdecken lassen, daß andererseits, wenn auch nur in deutlich geringerem Maße, philosophische Vorstellungen aus hellenistisch-heidnischen Bereichen miteingeflossen sind. Das Verbindende ist, daß es in beiden Fällen um die **Gegenwart Gottes** geht.

In unserer Untersuchung stießen wir auch auf traditionsgeschichtliche Ähnlichkeiten zwischen Aussagen des Paulus und solchen bei Deutero- und Tritojesaja; diese Ähnlichkeiten bezogen sich thematisch vor allem auf eschatologische Aussagen über die (Heiden-)Völker und ihr Hinzutreten zum Volk Israel. Offensichtlich liegt hier der entscheidende Punkt, der das Interesse des Paulus an solchen Jesaja-Aussagen bewirkte: Jesaja kündigt an, was für Paulus eschatologisch angebrochen ist und der Erfüllung entgegengeht (vgl. u.a. Jes 52,11 in Röm 15,21).

7. Paulus definiert um der Identität der Ekklesia willen die kultischen Motive neu, gerade die einst ab- und aussondernden Motive.

Um die neue Qualität des Gottesverhältnisses der Heiden auszusagen, verwendet Paulus gerade solche kultischen Deutungskategorien oder vom Kult entlehnten Motive, die zuvor im Frühjudentum benutzt wurden, um die Bedingungen für die Aufnahme von Nicht-Juden in die Volksgemeinschaft auszusagen - so "Opfer" (Röm 15,16; Phil 4,18) und "Beschneidung" (Phil 3,3)[9] -, oder die den Ausschluß von Heiden aus der Gemeinde oder die Abgrenzung von den Heiden zur Reinhaltung der Gemeinde zum Inhalt hatten (s. oben bes. Kap. 3.1; Kap. 6).

Gerade, wenn Paulus kultische Kategorien auf seine Evangeliumsverkündigung an die Heiden und auf die Ekklesia aus Heiden und Juden anwendet, geht es ihm darum, *die einstigen ab- und ausgrenzenden Motive neu zu definieren*, um so gewiß auch apologetisch die *Identität* dieser Ekklesia auszusagen, in der Gottes Gegenwart in seinem Geist wohnt und in der sich alle prophetischen Ankündigungen erfüllen. Mit Hilfe der kultischen Deutungskategorien konnten der Apostel und die auf ihn folgende Tradition also die "Identität" der Gemeinde sowie die Kontinuität zu den Vätern und deren Überlieferungen wahren. Zugleich konnte mit den kultischen Kategorien allein durch ihre Anwendung in ekklesiologischen Kontexten hinsichtlich der Heiden die universelle Auswirkung des Heilsgeschehens unmittelbar ausgesagt werden. So kommt den kultischen Kategorien sinnstiftende Funktion zu.

---

9 Vgl. Hans KLEIN, Die Aufnahme Fremder in die Gemeinde des Alten und des Neuen Bundes: Theologische Beiträge 12 (1981), 21-35, hier 30: "Als Bedingung für die Aufnahme Fremder gilt die Beschneidung, das Ablegen fremder Götter und die Verpflichtung auf den Sabbat, im Großen auf das Gesetz. Zum Vollzug der Aufnahme rechnet man im Judentum die Beschneidung, das Tauchbad und ein Opfer."

8. Ausweitung des kultischen Bereichs zur Heiligung der Welt

Wenn auch die Ausdehnung kultischer Begrifflichkeit vom Bereich des Tempels auf den Bereich der Gemeinde und der Evangeliumsverkündigung das Verständnis des Kults als solchen revolutioniert, weil eben seine Ausgrenzung vom Profanen aufgehoben wird, so ist es dennoch falsch, (wie Käsemann) darin ein Programm der Profanisierung alles Kultischen, eine grundsätzliche Absage an jede Art christlichen Kults erkennen zu wollen.[10] Paulus geht es gerade um die Heiligkeit der Gemeinde und der Verkündigung des Evangeliums, da Gottes Gegenwart in ihr durch das Evangelium gegenwärtig wird. Darüberhinaus verfolgt Paulus als größeres Ziel die Heiligung der Welt, d.h. die Ausweitung des Kultes und des kultischen Temenos mit dem Ziel, die Welt in den heiligen Bereich Gottes hineinzuziehen. Für Paulus ist die Verbindung von kultischer Terminologie mit dem Evangelium die Konsequenz dieses Evangeliums selber, nämlich die Entfaltung seiner Dynamik. Dem Apostel geht es um die Durchdringung der Welt durch die Dynamik des Evangeliums.

9. Kultische Terminologie in ekklesiologischen Aussagen läßt keine Rückschlüsse auf die urchristliche Liturgie zu.

Wenn kultische Kategorien zur Deutung ekklesiologischer Sachverhalte benutzt werden, sagt dies unmittelbar nichts darüber aus, wie das Verhältnis der urchristlichen Gemeinden zum eigenen Kultus gewesen ist. Es ist daher sachlich ein voreiliger Schluß, bezüglich der "Spiritualisierung der Kultusbegriffe" eine "Kultusfreiheit" für das frühe Christentum zu propagieren.[11] Ebenso ist es nicht haltbar, in der Verwendung kultischer Begrifflichkeit ein Indiz dafür zu sehen, daß die frühen Gemeinden in derartiger Weise ihre eigene kultische Erfahrung deuteten.[12]

---

[10] Gegen KÄSEMANN, Röm 312f.314; ebenso ders., Gottesdienst 201; mit CRANFIELD, Rom II 601f; SCHLIER, Röm 358; WILCKENS, Röm III 7.

[11] Vgl. WENSCHKEWITZ, Spiritualisierung 162-166, Zitate 163; s. auch KÄSEMANN (Anm. 10).

[12] Vgl. GNILKA, Epheserbrief 146.177; MUSSNER, Christus 117, wendet sich gegen die Folgerungen von WENSCHKEWITZ: "Im Gegenteil, die 'Pneumatisierung' der Tempelvorstellung scheint durch den sichtbaren christlichen Kultus besonders gefördert worden zu sein." (ebd. 117 Anm. 188).

10. In der Anwendung kultischer Terminologie liegt nicht "Spiritualisierung", sondern eigentliche Rede vor.

Paulus muß den Kult bemühen, weil der Kult allein adäquat sein Anliegen auszusagen vermag. Es geht Paulus dabei um das Wesen des Kultes. Denn "menschlicher Kult kann das Verhältnis zur Transzendenz nur im zeichenhaften abbilden".[13] Dieser Abbildungscharakter des Kultischen darf nicht mißverstanden werden als etwas Irreales ohne wirklichen Bezug zur Transzendenz. Der Kult lebt aus diesem Abbilden des Verhältnisses zur Transzendenz im Zeichenhaften, das aber nicht als rein geistiges, "spiritualisierendes" oder uneigentliches Reden vom Absoluten abgetan werden darf. Der Zugang zu Gott setzt diese abbildhafte Ebene notwendig voraus, da sie einzig und allein den begrenzten Erfahrungsraum des Menschen hin auf die Transzendenz zu überschreiten vermag, um das Unanschauliche anschaulich und das Unaussagbare aussagbar werden zu lassen. Wo kultische Terminologie verwendet ist, geht es beim Kult weder um Analogie noch um Allegorie oder Abbildung mit bloßem Zeichencharakter, sondern der Zeichencharakter des Kultes ist ontologisch zu verstehen. Diese Zeichenhaftigkeit des Kultes ist notwendige Voraussetzung, um das Ziel des Kultes zu begreifen, nämlich die Intention, Zugang zu Gott zu vermitteln und so die Gottesgemeinschaft zu ermöglichen. Deshalb konnte Paulus nur mit Hilfe der kultischen Terminologie den Immediatverkehr zu Gott darlegen und in den ekklesiologischen Kontexten die einzigartige Gottesgegenwart in der Ekklesia Gottes aufzeigen. Das Evangelium bewirkt die Heiligkeit der Ekklesia, die Heiligkeit, die sich zeichenhaft im Kult verwirklicht.

---

[13] Vgl. GESE, Sühne 91f; Zitat ebd.; vgl. ders., Gesetz 67: "Der Zeichenbegriff ist ontologisch gefaßt, wie man etwa an der Darstellung des Bundesschlußaktes in Form einer Zeichensetzung Gen 9,12-17 sehen kann, und das Zeichen stellt die Verbindung zur Transzendenz her."

LITERATURVERZEICHNIS

LITERATURVERZEICHNIS

1. TEXTAUSGABEN UND ÜBERSETZUNGEN

Aufgeführt sind nur die verwendeten Ausgaben der Bibel und des Neuen Testaments; die Abkürzung der biblischen Bücher erfolgt nach den Loccumer Richtlinien (ÖVBE). Die außerkanonischen Schriften, die Schriften aus Qumran, von Philo und Josephus sowie das rabbinische Schrifttum werden abgekürzt nach TRE. Abkürzungsverzeichnis, zusammengestellt von S. SCHWERTNER, Berlin - New York ²1992. Sonstige antike Schriftsteller und Schriften werden so abgekürzt, daß sie sich leicht erkennen lassen; in Zweifelsfällen vgl. Exegetisches Wörterbuch zum Neuen Testament (EWNT) I bzw. ThWNT I (dort auch Angaben zu den Editionen).

1.1 Bibel (Textausgaben des Alten u. Neuen Testaments, Handschriften und Übersetzungen)

DIE BIBEL. Einheitsübers. d. Heiligen Schrift; Psalmen u. Neues Testament, ökumen. Text, hrsg. im Auftrag der Bischöfe Deutschlands . . . für die Psalmen und das Neue Testament auch im Auftrag des Rates der Evangelischen Kirche in Deutschland, Studienausgabe Stuttgart 1984 (= EÜ).

DIE BIBEL. Die Heilige Schrift des Alten und Neuen Bundes. Deutsche Ausgabe mit den Erläuterungen der Jerusalemer Bibel (hrsg. von D. Arenhoevel, A. Deissler und A. Vögtle), Freiburg u.a. ⁴1968.

DIE BIBEL nach der Übersetzung Martin Luthers (mit Apokryphen), Bibeltext in der revid. Fassung von 1984, hrsg. v. d. Evang. Kirche in Deutschland u. v. Bund der Evangelischen Kirchen in der DDR, Stuttgart 1985 (= LB).

BIBLIA HEBRAICA STUTTGARTENSIA, ed. Rudolf KITTEL, Stuttgart ¹⁶1973.

BIBLIA HEBRAICA STUTTGARTENSIA, ELLIGER, Karl - RUDOLPH, W. (Hgg.), Stuttgart ²1983 (editio minor 1984).

THE GREEK NEW TESTAMENT (GNT), ed. ALAND, Kurt - BLACK, Matthew - MARTINI, Carlo M. - METZGER, Bruce M. - WIKGREN, Allen, Stuttgart/ New York/London/Edinburgh/Amsterdam ³1986, ²1975.

NOVUM TESTAMENTUM GRAECE ET LATINE. Apparatu critico instrumentum edidit, ed. Augustinus MERK, Rom ⁹1964.

NOVUM TESTAMENTUM GRAECE post Eberhard Nestle et Erwin Nestle comm. ed. Kurt Aland, Matthew Black, Carlo M. Martini, Bruce M. Metzger, Allen Wikgren. Apparatum criticum recensuerunt et editionem novis curis elaboraverunt Kurt Aland et Barbara Aland, Stuttgart ^{26}1986, 7. revid. Druck. (= NESTLE-ALAND^{26}).

HABICHT, Christian, 2.Makkabäerbuch (JSHRZ I/3), Gütersloh 1979, 165-285.

SCHUNK, Klaus-Dietrich, 1.Makkabäerbuch (JSHRZ I/4), Gütersloh 1980, 287-373.

SEPTUAGINTA. Id est Vetus Testamentum graece iuxta LXX interpretes (Vol. I u. II), ed. Alfred RAHLFS, Stuttgart 1935, ^{9}1971.

VON SODEN, Hermann, Die Schriften des Neuen Testaments. In ihrer ältesten erreichbaren Textgestalt hergestellt aufgrund ihrer Textgeschichte, Teil II: Text mit Apparat, Göttingen 1913.

TISCHENDORFF, Constantin, Novum Testamentum Graece. Ad antiquissimos testes denuo recensuit. Apparatum criticum omni studio perfectum apposuit. Commentationem isagogicam praetexuit. Editio octava critica maior, Leipzig 1869, 1872.

VOGELS, Heinrich Joseph, Novum Testamentum Graece. Textum recensuit, apparatum criticum ex editionibus et codicibus manuscriptis collectum addidit, Düsseldorf 1920.

WESTCOTT, Brooke Foss - HORT, Fenton John Anthony, The New Testament in the Original Greek, Cambridge 1881, 1882.

1.2 Außerbiblische antike Quellen (Frühjüdische Pseudepigraphen, Rabbinica, neutestamentliche Apokryphen)

Früjüdische Pseudepigraphen (Sammelwerke)

DENIS, A.M. - DE JONGE, M., Pseudepigrapha Veteris Testamenti graece II, Leiden 1967.

A.-M. DENIS, Fragmenta pseudepigraphorum quae supersunt graeca (Pseudepigrapha Veteris Testamenti Graecae III), Leiden 1970, 61-238.

RIESSLER, Paul, Altjüdisches Schrifttum außerhalb der Bibel, Heidelberg ^{3}1975.

Äthiopisches Henochbuch (AethHen)

UHLIG, Siegbert, Das Äthiopische Henochbuch (JSHRZ V/6), Gütersloh 1984, 461-780.

Aristeasbrief (Arist)

MEISNER, Norbert, Aristeasbrief, in: JSHRZ II,1, Gütersloh 1973, 35-87.

Corpus Hermeticum (CorpHerm)

CORPUS HERMETICUM. Collection des Universités de France. Publ. sous le patronage de l'association Guillaume Budé. Tom 1-4. Texte établi par A.D. Nock et traduit par A.-J. Festugière, Tome I.II Paris 1945; Tome III.IV Paris 1954.

Joseph und Aeneth (JosAs)

BURCHARD, Christoph, Ein vorläufiger Text von Joseph und Aseneth, DBAT 14 (Okt. 1979), 2-53.

Ders., Joseph und Aseneth (JSHRZ II,4), Gütersloh 1983, 577-735.

PHILONENKO, Marc, Joseph et Aséneth. Introduction, texte critique, traduction et notes (StPB 13), Leiden 1968.

Jubiläenbuch (Jub)

BERGER, Klaus, Das Buch der Jubiläen (JSHRZ II,3), Gütersloh 1981, 273-575.

Psalmen Salomos (PsSal)

HOLM-NIELSEN, Svend, Die Psalmen Salomos (JSHRZ IV/2), Gütersloh 1977, 49-112.

4. Makkabäerbuch (4 Makk)

KLAUCK, Hans-Josef, 4.Makkabäerbuch (JSHRZ III/6), Gütersloh 1989, 645-763.

Qumran

ALLEGRO, John M., Qumrân Cave 4 (4Q158-4Q186), (DJD V), Oxford 1968.

BARTHELEMY, D. - MILIK, J.T., Qumran Cave I (DJD I), Oxford 1955.

BENOIT, P. - MILIK, J.T. - DE VAUX, R., Les Grottes de Murabba'ât (DJD II), 2 Bde., Oxford 1961.

BAILLET, M. - MILIK, J.T. - DE VAUX, R., Les "petites grottes" de Qumrân. Exploration de la falaise - Les grottes 2Q, 3Q, 5Q, 6Q, 7Q à 100 - Le rouleau de cuivre (DJD III), 2 Bde., Oxford 1962.

BAILLET, Maurice, Qumrân grotte 4 (4Q482-4Q520), (DJD VII), Oxford 1982.

BURROWS, M., The Dead Sea Scrolls of St. Mark's Monastery. I. The Isaiah Manuscript and the Habakuk Commentary, New Haven 1950.

Ders., The Dead Sea Scrolls of St. Mark's Monastery. II. Fasc. 2: Plates and Transcription of the Manual of Discipline, New Haven 1951.

LOHSE, Eduard, Die Texte aus Qumran. Mit masoretischer Punktation. Übersetzung, Einführung und Anmerkungen, Darmstadt [2]1971.

MAIER, Johann, Die Tempelrolle vom Toten Meer (UTB 829), München 1978.

MAIER, Johann - SCHUBERT, Kurt, Die Qumran-Essener. Texte der Schriftrollen und Lebensbild der Gemeinde (UTB 224), München 1973.

MILIK, Józef T. (Hg.), The Books of Enoch. Aramaic Fragments of Qumran Cave 4, Oxford 1976.

Ders., Le Testament de Lévi en Araméen. Fragment de la Grotte 4 de Qumran (griechisch bei Charles, Test XII, 29 als Zusatz von MS e zu Test Levi 2,3): RB 62 (1955), 398-406.

NEWSOM, Carol, Songs of the Sabbath Sacrifice: A Critical Edition (Harvard Semitic Studies 27), Atlanta (Georgia) 1985.

SANDERS, J.A., The Psalms Scroll of Qumrân Cave 11 (11QPs[a]), (DJD IV), Oxford 1965.

YADIN, Yigael, The Temple Scroll, Bd. II: Text and Commentary, Jerusalem 1983.

Testament Abrahams (TestAbr)

JAMES, Montague Rhodes, The Testament of Abraham. The Greek Text now first Edited with an Introduction and Notes (Texts and Studies II), Cambridge 1892.

JANSSEN, Enno, Testament Abrahams (JSHRZ III/2), Gütersloh 1980, 193-256.

Testament Hiobs (TestIjob)

BROCK, S. P., Testamentum Iobi, in: Denis, A. M. - de Jonge, M., Pseudepigrapha Veteris Testamenti graece II, Leiden 1967, 19-59.

SCHALLER, Berndt, Das Testament Hiobs (JSHRZ III/3), Gütersloh 1979, 301-387.

Testamente der Zwölf Patriarchen (TestXII)

CHARLES, Robert Henry, The Greek Versions of the Testaments of the Twelve Patriarchs. Edited from Nine MSS Together with the Variants of the Armenian and Slavonic Versions and some Hebrew Fragments, Oxford - Darmstadt 1966 (= Oxford 1908).

BECKER, Jürgen, Die Testamente der zwölf Patriarchen (JSHRZ III,1), Gütersloh 1974, 15-163.

Oratio Joseph (FJos)

F(ragm.)Jos., etc.: s. A.-M. DENIS, Fragmenta pseudepigraphorum quae supersunt graeca (Pseudepigrapha Veteris testamenti Graecae 3), Leiden 1970, 61-238, hier 61f.

Constitutiones Apostolorum (ConstAp)

LES CONSTITUTIONS APOSTOLIQUE, Livres VII et VIII (Tome III), par Marcel Metzger (SC 336), Paris 1987.

Neutestamentliche Apokryphen

SCHNEEMELCHER, Wilhelm (Hg.), Neutestamentliche Apokryphen in Deutscher Übersetzung II. Apostolisches, Apokalypsen und Verwandtes, Tübingen [4]1987.

Apostolische Väter

FISCHER, Joseph A., Die Apostolischen Väter. Griechisch und Deutsch, Darmstadt [9]1986.

FUNK, F. X./BIHLMEYER, K., Die Apostolischen Väter (SQS II/1/1), [2]1956.

The Apostolic Fathers with an English Translation by K. Lake, I.II (LCL), London/Cambridge (Mass.) 1959.1965.

MIGNE, J.P., Patrologiae cursus completus. Series Graeca, Paris 1857ff.

WENGST, Klaus (Hg.), Didache, Barnabasbrief, Zweiter Klemensbrief, Schrift an Diognet (SUC II), Darmstadt 1984.

1.3 Antike griechische Autoren

ARISTOPHANES

Aristophanis Commoediae, ed. F.W. Hall/W.M. Geldart, Oxford (Reprint) 1916ff.

Scholia Graeca in Aristophanis Comoedias (2 Bde.), ed. Wilhelm DINDORF, Oxford 1835/8.

Flavius Josephus

MICHEL, O./BAUERNFEIND, O., Flavius Josephus, De Bello Judaico - Der jüdische Krieg, Darmstadt 1959-1969.

NIESE, B. (Hg.), Flavii Josephi Opera I-VI und Indexband, Berlin 1877-1904.

PELLETIER, André, Flavius Josèphe. Autobiographie. Texteètabli et traduit, Paris 1959.

THACKERAY, H. St. J., Josephus. In Nine Volumes (LCL), London/Cambridge Mass. 1926-1965.

Philo Alexandrinus

COHN, Leopold/WENDLAND, Paul (Hgg.), Philonis Alexandrini Opera quae supersunt I-VI, Berlin 1896-1915.

COHN, Leopold u.a., Philo von Alexandria. Die Werke in deutscher Übersetzung, 7 Bde., Berlin 1909-1964.

PHILODEMUS PHILOSOPHUS

Volumina Rhetorica, hg. v. Siegfried Sudhaus (2 Bde.), Leipzig 1892 u. 1896; Suppl. 1895 (zitiert nach Vol und p); (Neudruck bei Teubner/ Stuttgart 1964 [Bibliotheca Scriptorum Graecorum et Romanorum Teubneriana]).

PLATON

PLATON. Werke in acht Bänden: griechisch und deutsch, hg.v. Gunter EIGLER, Darmstadt 1977.

PLUTARCH

Plutarch's Moralia, with an English Translation by Frank Cole Babbit and other, 16 Bde. (LCL), London/Cambridge Mass. 1927-1969.

Plutarch's Lives I-XI, with an English Translation by Bernadotte Perrin (LCL), London/Cambridge Mass. 1914-1926 (Vitae Parallelae).

HUBERT, C., Plutarchi Moralia (Vol. V Fasc. 1), Berlin 1957.

ZIEGLER, Konrat, Plutarchi vitae parallelae, Vols. I-IV, Leipzig-Berlin 1956-1980.

PORPHYRIOS

PÖTSCHER, Walter, Porphyrios: Pros Markellan (Philosophia Antiqua. A Series of Monographs on Ancient Philosophy Vol XV), Leiden 1969.

SOPHOCLES

SOPHOCLES. The Plays and Fragments, Part II. The Oedipus Coloneus, by R.C. Jebb, Cambridge 1928.

THEOPHRASTUS

THE CHARACTER OF THEOPHRASTUS, by R.C. Jebb. A new Edition. Edited by J.E. SANDYS, New York 1979 (Greek Texts and Commentaries).

THUCYDIDES

Thucydides, erklärt von Johannes Classen, bearbeitet von Julius Steup, 8 Bde., [5]1919/22 (Nachdruck 1963; Bd. 1 1966).

Thucydides I-IV, (LCL), ed. Charles Forster Smith, London/Cambridge Mass. 1919/23 - 1958/62.

Thucydides Historiae, ed. H.St. Jones, Oxford (Reprint) 1942ff.

XENOPHON

Xenophon Cyropaedia, ed. Walter Miller, (LCL), 2 Bde., London/Cambridge Mass. 1914.

Xenophontis opera omnia, ed. E.C. Marchant, Oxford (Reprint) 1942ff.

1.4 Papyri und Inschriften

DITTENBERGER, W., Sylloge Inscriptionum Graecarum I-IV, Hildesheim 1960 (= Leipzig [3]1915).
Ders., Orientis Graeci Inscriptionies Selectae I-II, Hildesheim 1960 (= Leipzig 1903.1905).

PREISENDANZ, Karl, Papyri Graecae Magicae. Die griechischen Zauberpapyri, I u. II, Stuttgart [2]1973.1974.

2. HILFSMITTEL

(Synopsen, Konkordanzen, Wörterbücher, Lexika, Grammatiken u.ä.)

ALAND, Kurt u.a., Vollständige Konkordanz zum griechischen Neuen Testament. Unter Zugrundelegung aller modernen kritischen Textausgaben und des textus receptus, Bd. 1 (2 Teile), Berlin 1978 u. 1983.
Ders., Vollständige Konkordanz zum griechischen Neuen Testament. Bd. 2 Spezialübersichten, Berlin 1978.

ALAND, Kurt, Synopsis quattuor evangeliorum. Locis parallelis evangeliorum apocryphorum et patrum adhibitis, Stuttgart [7]1971.

BALZ, Horst - SCHNEIDER, Gerhard (Hgg.), Exegetisches Wörterbuch zum Neuen Testament I - III, Stuttgart 1980, 1981, 1983 (= EWNT).

BAUER, Walter, Griechisch-Deutsches Wörterbuch zu den Schriften des Neuen Testaments und der übrigen urchristlichen Literatur, Berlin u.a. 1971 (= [5]1963; zit. Bauer WB[5]).

BAUER, Walter, Griechisch-Deutsches Wörterbuch zu den Schriften des Neuen Testaments und der übrigen urchristlichen Literatur, hrsg. von K. u. B. Aland, Berlin u.a. [6]1988 (zit.: Bauer WB[6]).

BLASS, Friedrich - DEBRUNNER, Albert - REHKOPF, Friedrich, Grammatik des neutestamentlichen Griechisch, Göttingen [16]1984 (= BDR).

(BOTTERWECK, J.) FABRY, Heinz-Josef/RINGGREN, Helmer (Hgg.), Theologisches Wörterbuch zum Alten Testament, I-VII, Stuttgart u.a. 1970ff.

COENEN,L./BEYREUTHER,E/BIETENHARD,H. (Hgg.), Theologisches Begriffslexikon zum Neuen Testament I.II, Wuppertal [4]1977.

DAVIDSON, Benjamin, The Analytical Hebrew and Chaldee Lexicon. Every Word and Inflection of the Hebrew Old Testament Arranged Alphabetically and with Grammatical Analyses, Grand Rapids 1976.

DENIS, Albert-Marie, Concordance grecque des pseudepigraphes d'Ancien Testament. Concordance - Corpus des textes - Indices, Louvain 1987.

FRISK, H., Griechisches etymologisches Wörterbuch (2 Bde.), Heidelberg ^{2}1973.

GESENIUS, Wilhelm, Hebräisches und aramäisches Handwörterbuch über das Alte Testament, Berlin ^{17}1915 (Neudruck 1962).

HATCH, Edwin - REDPATH, Henry A., A Concordance To the Septuagint and the other Greek Versions of the Old Testament (Including the Apocryphal Books) Volumes I-III, Oxford 1897, Nachdruck: Volume I Graz 1975, Volume II-III Graz 1954.

HOFFMANN, Ernst G. - VON SIEBENTHAL, Heinrich, Griechische Grammatik zum Neuen Testament, Riehen 1985.

JENNI, E./WESTERMANN, C. (Hgg.), Theologisches Handwörterbuch zum Alten Testament, 2 Bd., München-Zürich 1971.

KITTEL, Gerhard - FRIEDRICH, Gerhard (Hgg.), Theologisches Wörterbuch zum Neuen Testament I-X, Stuttgart 1933-1979.

KRAFT, Heinrich, Clavis Patrum Apostolicorum, Darmstadt 1963.

KRAUSE,G./MÜLLER,G. (Hgg.), Theologische Realenzyklopädie, Berlin u.a. 1976f.

KUHN, Karl Georg, Konkordanz zu den Qumrantexten, Göttingen 1960 (mit den Ergänzungen in: RQ 4 [1963] 163-234).

KÜHNER, Raphael - GERTH, Bernhard, Ausführliche Grammatik der griechischen Sprache, 2 Bde., Hannover ^{4}1955.

LAMPE, G.W.H., A Patristic Greek Lexicon (2 Bde.), Oxford 1961 u. 1965.

LAUSBERG, Heinrich, Elemente der literarischen Rhetorik. Eine Einführung für Studierende der klassischen, romanischen, englischen und deutschen Philologie, München ^{8}1984.

Ders., Handbuch der literarischen Rhetorik, 2 Bde., München ^{2}1973.

LEISEGANG, Johannes, Philonis Alexandrini Opera quae supersunt, Bd. VII: Indices ad Philonis Alexandrini opera, 2 Tle., Berlin 1926-1930.

LIDDELL, Henry George - SCOTT, Robert - JONES, Henry Stuart, A Greek-English Lexicon, Oxford ^{9}1940 (Supplement 1968; Reprint 1978).

LISOWSKY, Gerhard, Konkordanz zum hebräischen Alten Testament, Stuttgart 1958.

MAYER, Günter, Index Philoneus, Berlin 1974.

MARTIN, Josef, Antike Rhetorik. Technik und Methode (HKAW II/3), München 1974.

METZGER, B. M., A textual Commentary on the Greek New Testament, London u.a. 1971.

MANDELKERN, Solomon, Veteris Testamenti Concordantiae Hebraicae atque Chalcaice, Leipzig 1896, 2 Bde., (Nachdruck Graz 1975).

MORGENTHALER, Robert, Statistik des neutestamentlichen Wortschatzes, Zürich/Stuttgart [2]1973.

MORRISH, George, A Concordance of the Septuagint. Giving Various Readings from Codices Vaticanus, Alexandrinus, Sinaiticus, and Ephraemi; with an Appendix of Words, from Origen's Hexapla, etc. not Found in the Above Manuscripts, Grands Rapids (Michigan) 1976).

MOULTON, W. F. - GEDEN, A. S. - MOULTON, H. K., A Concordance to the Greek Testament According to the Texts of Westcott and Hort, Tischendorf, and the English Revisers, Edinburgh [4]1963 (Reprint 1980).

PASSOW, Franz, Handwörterbuch der griechischen Sprache I-II, Leipzig [5]1841-1857 (Neudruck Darmstadt 1970).

PREISIGKE, Friedrich - KIESSLING, Emil, Wörterbuch der griechischen Papyrusurkunden, 3Bde., Berlin 1925-31 (= Preisigke).

REICKE, B./ROST, L. (Hgg.), Biblisch-Historisches Handwörterbuch I-IV, Göttingen 1962ff.

RENGSTORF, Karl Heinrich, A Complete Concordance to Flavius Josephus, 4 Bde., Leiden 1973-1983.

SPICQ, Ceslas, Notes de Lexicographie Néo-Testamentaire, 2 Bde., Fribourg/Göttingen 1978.

STEPHANUS, H., Thesaurus Graecae Linguae V, (Reprint) Graz 1954.

3. KOMMENTARE

ALTHAUS, Paul, Der Brief an die Römer (NTD 6), Göttingen [13]1978.

BARRET, C. Kingsley, A Commentary on the First Epistle to the Corinthians (BNTC), London [2]1971.
Ders., A Commentary on the Second Epistle to the Corinthians (BNTC), London [3]1979.

BACHMANN, Philipp, Der zweite Brief des Paulus an die Korinther (KNT VIII), Leipzig-Erlangen [4]1922.

BARTH, Gerhard, Der Brief an die Philipper (ZBK.NT 9), Zürich 1979.

BECKER, Jürgen, Der Brief an die Galater, in: J. Becker - H. Conzelmann - G. Friedrich, Die Briefe an die Galater, Epheser, Philipper, Kolosser, Thessalonicher und Philemon (NTD 8[14]), Göttingen [1]1976, 1-85.

BETZ, Hans Dieter, Der Galaterbrief. Ein Kommentar zum Brief des Apostels Paulus an die Gemeinden in Galatien (= Galatians, Philadelphia 1979; aus dem Amerikanischen übersetzt und für die deutsche Ausgabe redaktionell bearbeitet von Sibylle Ann), München 1988.

BONNARD, Pierre, L'épître de s. Paul aux Philippians (Comm du NT 10) (Neuchâtel - Paris 1950) 5-82.

BORSE, Udo, Der Brief an die Galater (RNT), Regensburg 1984.

BRAULIK, Georg, Deuteronomium 1 - 16,17 (NEB.AT), Würzburg 1986.

BROX, Norbert, Der erste Petrusbrief (EKK XVI), Zürich-Neukirchen-Vluyn 1979.

BRUCE, Frederick Fyvie, The Epistles to the Colossians, to Philemon, and to the Ephesians (NIC.NT 10), Grands Rapids, Michigan 1984.

BULTMANN, Rudolf, Der zweite Brief an die Korinther. Hrsg. von Erich Dinkler (KEK NT Sonderband), Göttingen 1978.

CARREZ, Maurice, La deuxième Epitre de Saint Paul Aux Corinthians (CNT VIII), Genf 1986.

CONZELMANN, Hans, Der erste Brief an die Korinther (KEK 5), Göttingen [12]1981.

Ders., Der Brief an die Epheser, in: J. Becker - H. Conzelmann - G. Friedrich, Die Briefe an die Galater, Epheser, Philipper, Kolosser, Thessalonicher und Philemon (NTD 8[14]), Göttingen [1]1976, 86-124.

CRANFIELD, C.E.B., A Commentary on Romans 12-13, Edinburgh 1965.

Ders., The Epistle to the Romans I, [6]1975 [Rewritten] (ICC).

DANKER, Frederick W., II Corinthians (Augsburg Commentary on the NT), Minneapolis: Augsburg 1989.

DELITZSCH, F., Paulus des Apostels Brief an die Römer, in das Hebräische übersetzt und aus Talmud und Midrasch erläutert, Leipzig 1870.

DIBELIUS, Martin, An die Kolosser, Epheser, an Philemon, neu bearbeitet von H. Greeven (HNT 12), Tübingen [3]1953.

DUNN, James D.G., Romans 1-8; Romans 9-16 (WBC Vol. 38; 2 Bde.), Dallas /Texas 1988.

ERNST, Josef, Die Briefe an die Philipper, an Philemon, an die Kolosser, an die Epheser (Reg NT), Regensburg 1974.

FASCHER, Erich, Der erste Brief des Paulus an die Korinther. I. Teil: Einführung und Auslegung der Kapitel 1-7 (ThHK 7/1), Berlin [3]1984.

FEE, Gordon D., The First Epistle to the Corinthians (NIC.NT), Grand Rapids, Michigan 1987.

FUNG, Ronald Y.K., The Epistle to the Galatians (NIC.NT 9), Grands Rapids, Michigan 1988.

FURNISH, Victor Paul, II Corinthians (AncB 32A), New York 1984.

FRIEDRICH, Gerhard, Der Brief an die Philipper, in: J. Becker - H. Conzelmann - G. Friedrich, Die Briefe an die Galater, Epheser, Philipper, Kolosser, Thessalonicher und Philemon (NTD 8[14]), Göttingen [1]1976, 125-175.
Ders., Der erste Brief an die Thessalonicher, in: ebd., 203-251.

GAUGLER, Ernst, Der Römerbrief I-II (Prophezei), Zürich 1945-1952.

GNILKA, Joachim, Der Philipperbrief (HThK X,3), Freiburg [3]1980.
Ders., Der Epheserbrief (HThK X,2), Freiburg [2]1977.

GOPPELT, Leonhard, Der Erste Petrusbrief (KEK XII,1), Göttingen 1978 [1. Auflage dieser Neuauslegung; 8. Auflage des Kommentars].

HAENCHEN, Ernst, Die Apostelgeschichte (KEK III[16]), Göttingen 1977.

HAUPT, Erich, Die Gefangenschaftsbriefe (KEK X), Göttingen [7]1902.

HAWTHORNE, Gerald F., Philippians (WBC Vol. 43), Waco 1983.

HEINRICI, Georg, Der zweite Brief an die Korinther (KEKNT) Göttingen [7]1890.

HOLTZ, Traugott, Der erste Brief an die Thessalonicher (EKK XII), Neukirchen-Vluyn 1986.

KÄSEMANN, Ernst, An die Römer (HNT 8a), Tübingen [4]1980.

KLAUCK, Hans-Josef, Erster Korintherbrief (NEB.NT 7), Würzburg 1984.
Ders., Zweiter Korintherbrief (NEB.NT 8), Würzburg 1986.

KUSS, Otto, Die Briefe an die Römer, Korinther und Galater (RNT 6), Regensburg 1940.
Ders., Der Römerbrief. 1.-3. Lieferung, Regensburg [2]1963-1978.

LANG, Friedrich, Die Briefe an die Korinther (NTD 7), Göttingen u. Zürich [16]1986.

LIETZMANN, Hans, An die Galater (HNT 10), Tübingen [4]1971.
Ders., An die Korinther I.II. Ergänzt von Werner Georg Kümmel (HbNT 9), Tübingen [5]1969.
Ders., An die Römer (HNT 8), Tübingen [4]1933 [[1]1906].

LIGHTFOOT, J.B., St. Paul's Epistle to the Philippians, London [4]1885 (Neudruck 19).

LINCOLN, Andrew T., Ephesians (WBC Vol. 42), Dallas/Texas 1990.

LINDEMANN, Andreas, Der Epheserbrief (ZBK.NT 8), Zürich 1985.

LOHMEYER, Ernst, Die Briefe an die Philipper, Kolosser und an Philemon (KEK 9), Göttingen [14]1974.

LONGENECKER, Richard N., Galatians (WBC 41), Dallas (Texas) 1990.

LÜHRMANN, Dieter, Der Brief an die Galater (ZBK.NT 7), Zürich 1978.

MARXSEN, Willi, Der erste Brief an die Thessalonicher (ZBK.NT 11,1), Zürich 1979.

MERKLEIN, Helmut, Der erste Brief an die Korinther. Kapitel 1-4 (ÖTK 7/1), Gütersloh/Würzburg 1992.

MICHAELS, J. Ramsey, 1 Peter (WBC Vol. 49), Waco 1988.

MICHEL, Otto, Der Brief an die Römer (KEK 4), Göttingen [14]1977.
Ders., Der Brief an die Hebräer (KEK XIII), Göttingen [12]1966.

MURPHY- O'CONNOR, Jerome, The second Letter to the Corinthians, in: The New Jerome Biblical Commentary, eds. Raymond E. BROWN, Joseph A. FITZMYER, and Roland E. MURPHY, Englewood Cliffs: Prentice Hall/ London 1990.

MURRAY, John, The Epistle to the Romans Vol. 2 (= NIC) Grands Rapids, Michigan 1979.

MUSSNER, Franz, Apostelgeschichte (NEB.NT 5), Stuttgart 1979.
Ders., Der Brief an die Epheser (ÖTK 10), Gütersloh/Würzburg 1982.
Ders., Der Galaterbrief (HThK IX), Freiburg-Basel-Wien 1974.

NOTH, Martin, Das zweite Buch Mose. Exodus (ATD 5), Göttingen [4]1968.

ORR, William F. - WALTHER, James Arthur, I Corinthians (AncB 32), New York 1976.

PETERSON, Erik, Apostel und Zeuge Christi. Auslegung des Philipperbriefes, Freiburg [3]1952.

PRÜMM, Karl, Diakonia Pneumatos. Der zweite Korintherbrief als Zugang zur Apostolischen Botschaft. Auslegung und Theologie I-II/2, Rom-Freiburg-Wien 1960/1967.

ROHDE, Joachim, Der Brief des Paulus an die Galater (ThHK 9), Berlin 1989.

SCHARBERT, Josef: Exodus (NEB.AT 24), Würzburg 1989.

SCHELKLE, Karl Hermann, Die Petrusbriefe - Der Judasbrief (HThK XIII,2), Freiburg 1961.

SCHLATTER, Adolf, Der zweite Brief an die Korinther, Stuttgart [3]1923.
Ders., Gottes Gerechtigkeit. Ein Kommentar zum Römerbrief, Stuttgart [5]1975 [[1]1935].

SCHLIER, Heinrich, Der Brief an die Galater (KEK VII[14]), Göttingen [3]1962.

Ders., Der Brief an die Epheser. Ein Kommentar, Düsseldorf [6]1968.
Ders., Der Apostel und seine Gemeinde. Auslegung des Ersten Briefes an die Thessalonicher, Freiburg-Basel-Wien 1972.
Ders., Der Philipperbrief, Einsiedeln 1980.
Ders., Der Römerbrief (HThK VI), Freiburg 1977.

SCHMIDT, Hans Wilhelm, Der Brief des Paulus an die Römer (ThHK 6) Berlin [3]1972 [[1]1962].

SCHMITHALS, Walter, Der Römerbrief als historisches Problem (StNT 9), Gütersloh 1975.

SCHNACKENBURG, Rudolf, Der Brief an die Epheser (EKK X), Neukirchen-Vluyn 1982.

SCHNEIDER, Gerhard, Das Evangelium nach Lukas II (ÖTK 3,2), Gütersloh/ Würzburg 1977.
Ders., Die Apostelgeschichte. II. Teil: Kommentar zu Kap. 9,1 - 28,31 (HThK V/2), Freiburg-Basel-Wien 1982.

SCHRAGE, Wolfgang, Der erste Brief an die Korinther (EKK VII,1), Zürich-Neukirchen-Vluyn 1991.
Ders., Der erste Petrusbrief, in: Gerhard FRIEDRICH/Peter STUHLMACHER, Die 'Katholischen' Briefe (NTD 10), Göttingen [2]1980.

SCHWEIZER, Eduard, Der Brief an die Kolosser (EKK XII), Zürich/Neukirchen-Vluyn 1976.

STRACK, Hermann L. - BILLERBECK, Paul, Kommentar zum Neuen Testament aus Talmud und Midrasch I-IV, München [5]1969 (I), [4]1965 (II-IV).

STROBEL, August, Der erste Brief an die Korinther (ZBK.NT 6,1), Zürich 1989).

STUHLMACHER, Peter, Der Brief an die Römer (NTD 6), Göttingen 1989.

WALTER, Eugen, Der zweite Brief an die Korinther, Düsseldorf 1964.

WEISER, Alfons, Die Apostelgeschichte. Kapitel 1-12 (ÖTK 5,1), Gütersloh 1981.
Ders., Die Apostelgeschichte. Kapitel 13-28 (ÖTK 5,2), Gütersloh 1985.

WEISS, Bernhard, Der Brief an die Römer, Göttingen [9]1899 [[6]1881] (KEK 4).

WEISS, Hans-Friedrich, Der Brief an die Hebräer (KEK XIII), Göttingen [15]1991.

WEISS, Johannes, Der erste Korintherbrief (KEK 5), Göttingen [9]1910 (Neudruck 1970).

WENDLAND, Heinz-Dietrich, Die Briefe an die Korinther (NTD 7), Göttingen [12]1968.

WESTERMANN, Claus, Das Buch Jesaja. Kapitel 40-66 (ATD 19), Göttingen [2]1970.

WILCKENS, Ulrich, Der Brief an die Römer (EKK VI,1. VI,2. VI,3), Zürich-Neukirchen-Vluyn 1978-1982.

WINDISCH, Hans, Der zweite Korintherbrief (KEK VI^{9}), Göttingen 1924 (Neudruck 1970).

WOLFF, Christian, Der erste Brief des Paulus an die Korinther. Zweiter Teil: Auslegung der Kapitel 8 - 16 (ThHK 72/), Berlin ^{3}1990.

ZAHN, Theodor, Der Brief des Paulus an die Galater (KNT IX), Leipzig ^{2}1907.
Ders., Der Brief des Paulus an die Römer, (KNT) Leipzig ^{3}1925 [^{1}1910].

ZELLER, Dieter, Der Brief an die Römer (RNT 6), Regensburg 1985.

4. ALLGEMEINE LITERATUR

(Lexika-Artikel, sofern nicht in mehreren Kapiteln verwendet, werden jeweils nur im Text angegeben.)

ALAND, Kurt - ALAND, Barbara, Der Text des Neuen Testaments. Eine Einführung in die wissenschaftlichen Ausgaben sowie in Theorie und Praxis der modernen Textkritik

AUS, Roger D., Paul's travel plans to Spain: NT 21 (1979) 232-262.

ASTING, Ragmar, Die Heiligkeit im Urchristentum (FRLANT n.F. 26), Göttingen 1930.

BAECK, Leo, Die Pharisäer. Ein Kapitel jüdischer Geschichte, in: Bericht der Hochschule für die Wissenschaft des Judentums in Berlin (44/1927), 34-71.

BARDTKE, Hans (Hg.), Qumran-Probleme (= SSA 42), Berlin 1963.

BARTH, Gerhard, Die Eignung des Verkündigers in 2 Kor 2,14 - 3,6, in: Dieter LÜHRMANN, Georg STRECKER (Hgg.), Kirche (FS Günther Bornkamm), Tübingen 1980, 257-270.

BECK, Irene, Sakrale Existenz. Das gemeinsame Priesterum des Gottesvolkes als kultische und außerkultische Wirklichkeit: MThZ 19 (1968) 17-34.

BECKER, Jürgen, Untersuchungen zur Entstehungsgeschichte der Testamente der zwölf Patriarchen (AGSU 8), Leiden 1970.
Ders., Paulus. Der Apostel der Völker, Tübingen 1989.
Ders., Die neutestamentliche Rede vom Sühnetod Jesu: ZThK Beiheft 8 (1990) 29-49.

BERGER, Klaus, Abraham in den paulinischen Briefen: MThZ 17 (1966) 47-89.

Ders., Almosen für Israel: NTS 23 (1977) 180-204.
Ders., Art. Kirche I. u. II, in: TRE 18 (1989) 198-218.
Ders., Die Auferstehung des Propheten und die Erhöhung des Menschensohnes (StUNT 13), Göttingen 1976.
Ders., Formgeschichte des Neuen Testaments, Heidelberg 1984.
Ders., Hermeneutik des Neuen Testaments, Gütersloh 1988.
Ders., Jesus als Pharisäer und frühe Christen als Pharisäer: NT 30 (1988) 231-262.
Ders., Zu den sogenannten Sätzen heiligen Rechts: NTS 17 (1970/71) 10-40.
Ders., Exegese des Neuen Testaments. Neue Wege vom Text zur Auslegung (UTB 658), Heidelberg 1978.
Ders., Volksversammlung und Gemeinde Gottes: ZThK 73 (1976) 167-207.

BETZ, Hans Dieter, Das Problem der Grundlagen der paulinischen Ethik: ZThK 85 (1988) 199-218.
Ders., 2 Cor 6:14-7:1: An Anti-Pauline Fragment?: JBL 92 (1973) 88-108.

BETZ, Otto, Jesus. Der Herr der Kirche. Aufsätze zur biblischen Theologie II (WUNT 52), Tübingen 1990.
Ders., Der heilige Dienst in der Qumrangemeinde und bei den ersten Christen, in: ders., Jesus. Der Herr der Kirche. Aufsätze II, 3-20 [Verkürzte Fassung des auf Französisch erschienenen Aufsatzes: O. BETZ, Le Ministère cultuel dans la Secte de Qumran et dans le Christianisme primitif, in: Qumrân et les Origines du Christianisme (Rech Bib IV, Louvain 1959, 162-202)].
Ders., Rechtfertigung und Heiligung, in: FS Adolf Köberle, Darmstadt 1978, 30-44.
Ders., Die Vision des Paulus im Tempel von Jerusalem. Apg 22,17-21 als Beitrag zur Deutung des Damaskuserlebnisses, in: ders., Jesus. Der Herr der Kirche, Aufsätze II, 91-101 [erstmals veröffentlicht in: Verbum Veritas (FS G. Stählin), Wuppertal 1970, 113-123].

BIERINGER, Reimund, Der 2. Korintherbrief in den neuesten Kommentaren: EThL 67 (1991) 107-130.

BIETENHARD, Hans, Die himmlische Welt im Urchristentum und Spätjudentum (WUNT 2), Tübingen 1951.

BLANK, Josef, Paulus und Jesus. Eine theologische Grundlegung (StANT XVIII), München 1968.

BOECKER, Hans Jochen, Recht und Gesetz im Alten Testament und im Alten Orient (Neunkirchener Studienbücher, Bd. 10), Neukirchen-Vluyn 1976.

BORNKAMM, Günther, Paulus (UTB 119), Stuttgart [2]1970.
Ders., Der Römerbrief als Testament des Paulus, in: ders., Geschichte und Glaube II (Gesammelte Aufsätze IV), München 1972, 120-139.

BORSE, Udo, Die geschichtliche und theologische Einordnung des Römerbriefes: BZ 16 (1972) 70-83.

BRANDENBURGER, Egon, Fleisch und Geist. Paulus und die dualistische Weisheit (WMANT 29), Neukirchen-Vluyn 1968.

BRAULIK, Georg, Die Freude des Festes. Das Kultverständnis des Deuteronomium - die älteste biblische Festtheorie, in: Raphael SCHULTE (Hg.), LEITURGIA - KOINONIA - DIAKONIA (FS Kardinal Franz König), Wien 1980, 127-179.

BULTMANN, Rudolf, Theologie des Neuen Testamentes (hrsg. von Otto MERK), Tübingen ^{8}1980 (UTB 630).

Ders., Der Stil der paulinischen Predigt und die kynisch-stoische Diatribe (FRLANT 13), Göttingen 1910 (Nachdruck 1984).

Ders., Das Urchristentum im Rahmen der antiken Religionen, Zürich 1949.

CAMPONOVO, Odo, Königtum, Königsherrschaft und Reich Gottes in den frühjüdischen Schriften (Orbis biblicus et orientalis; 58), Göttingen 1984.

CARREZ, Maurice, 'ΙΚΑΝΟΤΗΣ: 2 Cor 2,14-17, in: Lorenzo DI LORENZI (Hg.), PAOLO. Ministro del Nuovo Testamento (2 Co 2,14 - 4,6), Serie Monografica di «Benedictina», Sezione Biblico Ecumenica Vol. 9, Roma 1987.

Ders., Odeur de mort, odeur de vie (à propos de 2 Co 2,16): RHPhR 64 (1984) 135-141.

CERFAUX, Luçian, La Theólogie de l'église suivant Saint Paul (= Unam Sanctam 10), Paris ^{2}1948.

CONGAR, Yves M.-J., Das Mysterium des Tempels. Die Geschichte der Gegenwart Gottes von der Genesis bis zur Apokalypse, Salzburg 1960.

COOPER, Robert M., Leitourgos Christou Iesou toward a theology of christian prayer: AThR 47 (1965) 263-275.

COPPENS, J.C., The Spiritual Temple in the Pauline Letters and its Background, in: StEv VI, hg. v. Elizabeth A. Livingstone (TU 112), Berlin 1973, 53-66.

DAHL, Nils Alstrup, Das Volk Gottes. Eine Untersuchung zum Kirchenbewußtsein des Urchristentums, Oslo 1941 (= Darmstadt 1963).

DASSMANN, Ernst, Der Stachel im Fleisch. Paulus in der frühchristlichen Literatur bis Irenäus, Münster 1979.

DEICHGRÄBER, Reinhard, Gotteshymnus und Christushymnus in der frühen Christenheit (StUNT 5), Göttingen 1967.

DEISSLER, Alfons, Das Priestertum im Alten Testament. Ein Blick vom Alten zum Neuen Bund, in: A. DEISSLER - H. SCHLIER - J.P. AUDET, Der priesterliche Dienst I. Ursprung und Frühgeschichte (QD 46), Freiburg 1970, 9-80.

DELLING, Gerhard, Art. θριαμβεύω, in: ThWNT III 159-160.

Ders., Art. ὀσμή, in: ThWNT V 492-495.

DENIS, Albert-Marie, La fonction apostolique et la liturgie nouvelle en esprit. Étude thématique des métaphores pauliniennes du culte nouveau, in: RSPhTh 42 (1958) 401-436; 617-656.

DERRET, J.D.M., 2 Cor 6,14ff. a Midrash on Dt 22,10: Bib 59 (1978) 231-250.

DOBBELER, Axel von, Glaube als Teilhabe. Historische und semantische Grundlagen der paulinischen Theologie und Ekklesiologie des Glaubens (WUNT 22), Tübingen 1987.

EGO, Beate, Der Diener im Palast des himmlischen Königs. Zur Interpretation einer priesterlichen Tradition im rabbinischen Judentum, in: Martin HENGEL und Anna Maria SCHWEMER (Hgg.), Königsherrschaft Gottes und himmlischer Kult im Judentum, Urchristentum und in der hellenistischen Welt (WUNT 55), Tübingen 1991, 361-384.

ELLIOTT, Neil, The Rhetoric of Romans. Argumentative Constraint and Strategy and Paul's Dialogue with Judaism (JSNT.Suppl.Ser. 45), Sheffield 1990.

EVANS, Christopher, Romans 12.1-2: The True Worship, in: Lorenzo DE LORENZI (Hg.), Dimensions de la vie chrétienne (Rm 12-13), Série Monographique de «Benedictina», Section Biblico-Oecuménique Vol.4, Rome 1979, 7-49.

FABRY, Hans-Josef, Studien zur Ekklesiologie des Alten Testamentes und der Qumrangemeinde, Habil. Bonn 1979.

Ders., Die Wurzel sub in der Qumranliteratur (BBB 46), Bonn 1975.

FEE, Gordon D., II Corinthians Vi.14 - VII.1 and food offered to idols: NTS 23 (1977) 140-161.

FELDMEIER, Reinhard, Die Christen als Fremde. Die Metapher der Fremde in der antiken Welt, im Urchristentum und im 1. Petrusbrief (WUNT 64), Tübingen 1992.

FINDEIS, Hans-Jürgen, Versöhnung-Apostolat-Kirche. Eine exegetisch-theologische und rezeptionsgeschichtliche Studie zu den Versöhnungsaussagen des Neuen Testaments (2 Kor, Röm, Kol, Eph) (FzB 40), Würzburg 1983.

FISCHER, K.M., Tendenz und Absicht des Epheserbriefes, Berlin 1973.

FITZMYER, Joseph A., Qumran und der eingefügte Abschnitt 2 Kor 6,14 - 7,1, in: Karl Erich GRÖZINGER u.a. (Hgg.), Qumran (WDF 410), Darmstadt 1981, 385-398 (= Qumran and the interpolated paragraph in 2 Cor 6:14-7:1, in: Essays on the Semitic Background of the New Testament, London 1971 [= CBQ 23 <1961> 271-80]).

FLUSSER, David, Pharisäer, Sadduzäer und Essener im Pescher Nahum (In Memory of Gedaliahu Alon. Essays in Jewish History and Philology. Hakibbutz Hameuchad 1970, pp. 133-168. Aus dem Hebräischen übersetzt von Elvira GRÖZINGER), in: Karl Erich GRÖZINGER u.a. (Hgg.), Qumran (WdF 410), Darmstadt 1981.

FRANKEMÖLLE, Hubert, Evangelium - Begriff und Gattung. Ein Forschungsbericht (SBB 15), Stuttgart 1988.

FREDRIKSEN, Paula, Judaism, The Circumcision Of Gentiles, And Apocalyptic Hope: Another Look At Galatians 1 And 2: JThS.NS 42 (1991) 532-564.

FUHS, Hans Ferdinand, Heiliges Volk Gottes, in: Josef SCHREINER (Hg.), Unterwegs zur Kirche. Alttestamentliche Konzeptionen (= QD 110), Freiburg 1987, 143-167.

FUNK, Aloys, Status und Rollen in den Paulusbriefen. Eine inhaltsanalytische Untersuchung zur Religionssoziologie (Innsbrucker Theologische Studien 7), Innsbruck 1981.

GALLING, Kurt, Das Gemeindegesetz in Deuteronomium 23, in: Walter BAUMGARTNER u.a. (Hgg.), Festschrift Alfred BERTHOLET, Tübingen 1950, 176-191.

GÄRTNER, Bertil, The Temple and the Community in Qumran and the New Testament. A comparative study in the temple symbolism of the Qumran texts and the New Testament (MSSNTS 1), Cambridge 1965.

GESE, Hartmut, Das Gesetz, in: Ders., Zur biblischen Theologie. Alttestamentliche Vorträge, München 1977 (BEvTh 78), 55-84.
Ders., Die Sühne, in: Ders., Zur biblischen Theologie. Alttestamentliche Vorträge, München 1977 (BEvTh 78), 85-106.

GFRÖRER, August, Kritische Geschichte des Urchristentums. Erster Teil: Philo und die jüdisch-alexandrinische Theosophie, I u. II, Stuttgart [2]1835.

GNILKA, Joachim, 2 Kor 6,14-7,1 im Lichte der Qumranschriften und der Zwölf-Patriarchen-Testamente, in: FS Josef Schmid, Regensburg 1963, 86-99.
Ders., Das Gemeinschaftsmahl der Essener: BZ 5 (1961) 39-55.
Der., Die essenischen Tauchbäder und die Johannestaufe: RdQ 3 (1961/62) 185-207.

GOLDSTEIN, Horst, Paulinische Gemeinde im Ersten Petrusbrief (SBS 80), Stuttgart 1975.

GRÄSSER, Erich, Der Alte Bund im Neuen. Exegetische Studien zur Israelfrage im Neuen Testament (WUNT 35), Tübingen 1985.
Ders., Paulus, der Apostel des Neuen Bundes (2 Kor 2,14-4,6). Der Anlaß der Apologie und ihre Beziehung zum Briefganzen, in: Lorenzo DE LORENZI (Hg.), PAOLO. Ministro del Nuovo Testamento (2 Co 2,14 - 4,6), Serie Monografica di «Benedictina», Sezione Biblico Ecumenica Vol. 9, Roma 1987.

GRUNDMANN, Walter, Stehen und Fallen im qumranischen und neutestamentlichen Schrifttum, in: H. BARDTKE (Hg.), Qumran-Probleme, 147-166 (= SSA 42), Berlin 1963.

HAHN, Ferdinand, Das Verständnis der Mission im Neuen Testament (WMANT 13), Neukirchen 1963.
Ders., Das Verständnis des Opfers im Neuen Testament, in: Karl Lehmann und Edmund Schlink, Das Opfer Jesu Christi und seine Gegenwart in der Kirche. Klärungen zum Opfercharakter des Herrenmahls (= Dialog der Kirche Bd. 3), Freiburg 1983, 51-91.
Ders., Christologische Hoheitstitel. Ihre Geschichte im frühen Christentum (FRLANT 83), Göttingen [3]1966.

HAINZ, Josef, Ekklesia. Strukturen paulinischer Gemeinde-Theologie und Gemeinde-Ordnung (BU 9), Regensburg 1972.

HANSSEN, Olav, Heilig. Die Auseinandersetzung zwischen Paulus und der korinthischen Gemeinde um die ethischen Konsequenzen christlicher Heiligkeit, Dissertation (unveröffentlicht) Heidelberg 1985.

HARRIS, Gerald, The Beginnings of Church Discipline: 1 Corinthians 5: NTS 37 (1991) 1-21.

HAYS, Richard B., Echoes of Scripture in the Letters of Paul, New Haven/ London 1989.

HEGERMANN, Harald, Die Vorstellung vom Schöpfungsmittler im hellenistischen Judentum und Urchristentum (TU 82), Berlin 1961.

HEINEMANN, Isaak, Philons griechische und jüdische Bildung. Kulturvergleichende Untersuchungen zu Philons Darstellung der jüdischen Gesetze, Hildesheim 1962.

HENGEL, Martin, Judentum und Hellenismus. Studien zu ihrer Begegnung unter besonderer Berücksichtigung Palästinas bis zur Mitte des 2. Jh. v.Chr. (WUNT 10), Tübingen 1969.

Ders., Die Ursprünge der christlichen Mission: NTS 18 (1971/2) 15-38.

Ders., Psalm 110 und die Erhöhung des Auferstandenen zur Rechten Gottes, in: Cilliers BREYTENBACH u. Henning PAULSEN (Hgg.), Anfänge der Christologie (FS Ferdinand Hahn), Göttingen 1991, 43-73.

Ders., Der stellvertretende Sühnetod Jesu. Ein Beitrag zur Entstehung des urchristlichen Kerygmas: IKZ 9 (1980) 1-25.135-157.

HENGEL, Martin und SCHWEMER, Anna Maria (Hgg.), Königsherrschaft Gottes und himmlischer Kult im Judentum, Urchristentum und in der hellenistischen Welt (WUNT 55), Tübingen 1991.

HERMISSON, Hans-Jürgen, Sprache und Ritus im altisraelitischen Kult. Zur "Spiritualisierung" der Kultbegriffe im Alten Testament (WMANT 19), Neukirchen-Vluyn 1965.

HERTZBERG, Hans Wilhelm, Die prophetische Kritik am Kult, in: ders., Beiträge zur Traditionsgeschichte und Theologie des Alten Testamentes, Göttingen 1962, 81-90 (Erstveröffentlichung: ThLZ 75 ([1950] Sp. 219-226).

HOFFMANN, Paul (Hg.), "Priesterkirche", Düsseldorf 1987.

HOFIUS, Otfried, Das vierte Gottesknechtslied in den Briefen des Neuen Testamentes: NTS 39 (1993) 414-437.

HOLL, Karl, Der Kirchenbegriff des Paulus in seinem Verhältnis zu dem der Urgemeinde, in: SAB 1921, 2. Halbband, 920-947, Berlin 1921 (zuletzt aufgenommen in: K.H. RENGSTORF, Das Paulusbild in der neueren deutschen Forschung, Darmstadt 1964, 144-178).

HOLTZ, Traugott, Zum Selbstverständnis des Apostels Paulus: ThLZ 91 (1966) 321-330.

HOSSFELD, Frank-Lothar, Volk Gottes als "Versammlung", in: Josef SCHREINER (Hg.), Unterwegs zur Kirche. Alttestamentliche Konzeptionen (= QD 110), Freiburg 1987, 123-142.

HÜBNER, Hans, Paulusforschung seit 1945, in: ANRW II,25.4 (Berlin-New York 1987), 2649-2840.

HUNZINGER, Claus-Hunno, Beobachtungen zur Entwicklung der Disziplinarordnung der Gemeinde von Qumran, in: Karl Erich GRÖZINGER (Hg.), Qumran (WdF 410), Darmstadt 1981, 248-262 (Erstveröffentlichung: H. BARDTKE [Hg.], Qumran-Probleme 231-247).

JÄGER, Werner, Die Theologie der frühen christlichen Denker, Stuttgart 1953.

JAKOBSON, Roman, Linguistik und Poetik, in: H. BLUMENSATH (Hg.), Strukturalismus in der Literaturwissenschaft (Neue Wissenschaftliche Bibliothek 43), Köln 1972, 118-147.

JANOWSKI, Bernhard - LICHTENBERGER, Hermann, Enderwartung und Reinheitsidee. Zur eschatologischen Deutung von Reinheit und Sühne in der Qumrangemeinde: Journal of Jewish Studies (Vol XXXIV), Oxford 1963, 31-61.

JANOWSKI, Bernhard, "Ich will in eurer Mitte wohnen". Struktur und Genese der exilischen Schekina-Theologie, in: JBTh 2 (1987), 165-193.

Ders., Sühne als Heilsgeschehen. Studien zur Sühnetheologie der Priesterschrift und zur Wurzel KPR im Alten Orient und im Alten Testament (WMANT 55), Neukirchen-Vluyn 1982.

Ders., Tempel und Schöpfung. Schöpfungstheologische Aspekte der priesterschriftlichen Heiligtumskonzeption: JBTh 5 (1990) 37-69.

JEREMIAS, Friedrich, Das orientalische Heiligtum (Angelos Beihefte 4, 56-69), Leipzig 1932.

JEREMIAS, Joachim, Chiasmus in den Paulusbriefen, in: Ders., ABBA. Studien zur neutestamentlichen Theologie und Zeitgeschichte, Göttingen 1966, 276-290.

KÄSEMANN, Ernst, Gottesdienst im Alltag der Welt. Zu Römer 12, in: Ders., Exegetische Versuche und Besinnungen II, Göttingen [6]1975, 198-204 [erstmals veröffentlicht: Judentum, Urchristentum, Kirche. FS J. Jeremias (BZNW 26) Göttingen 1960, 165-171].

Ders., Gottesgerechtigkeit bei Paulus: II 181-193.

Ders., Sätze heiligen Rechtes im Neuen Testament, in: Ders., Exegetische Versuche und Besinnungen II, Göttingen [6]1975, 69-82 [erstmals veröffentlicht: NTS 1 (1954/5) 248-260].

Ders., Zum Thema der urchristlichen Apokalyptik, in: Ders., Exegetische Versuche und Besinnungen II, Göttingen [6]1975, 105-131 [erstmals veröffentlicht: ZThK 59 (1962) 257-284].

Ders., Epheser 2,17-22, in: ders., Exegetische Versuche und Besinnungen I, Göttingen 1964, 280-283.

Ders., Paulinische Perspektiven, Tübingen 1969.

KAISER, Holger, Die Bedeutung des leiblichen Daseins in der paulinischen Eschatologie, Diss. Theol. Heidelberg, I/II 1974.

KELLERMANN, Diether, Die Priesterschrift von Num 1,1 bis 10,10 literarkritisch und traditionsgeschichtlich untersucht (BZAW 120), Berlin 1970.

KELLERMANN, Ulrich, Art. ἀφορίζω, in: EWNT I,442-444.

KERTELGE, Karl, Gemeinde und Amt im Neuen Testament (BiH 10), München 1972.
Ders., Apokalypsis Jesou Christou (Gal 1,12), in: J. GNILKA (Hg.), Neues Testament und Kirche (FS Rudolf Schnackenburg), Freiburg 1974, 266-281.
Ders., Der Ort des Amtes in der Ekklesiologie des Paulus, in: Albert VANHOYE (Hg.), L' apôtre Paul. Personnalité, style et conception du ministere (BEThL 73), Löwen 1986, 184-202.
Ders., Offene Fragen zum Thema "Geistliches Amt" und das neutestamentliche Verständnis von der "Repraesentatio Christi", in: R. SCHNACKENBURG, J. ERNST u. J. WANKE (Hgg.), Die Kirche des Anfangs (FS Heinz Schürmann), Freiburg 1978, 583-605.

KITZBERGER, Ingrid, Bau der Gemeinde. Das paulinische Wortfeld οἰκοδομή/(ἐπ)οικοδομεῖν (FzB 53), Würzburg 1986.

KLAIBER, Walter, Rechtfertigung und Gemeinde. Eine Untersuchung zum paulinischen Kirchenverständnis (FRLANT 127), Göttingen 1982.

KLAUCK, Hans-Josef, Gemeinde · Amt · Sakrament: Neutestamentliche Perspektiven, Würzburg 1989.
Ders., Kultische Symbolsprache bei Paulus, in: Josef SCHREINER (Hg.), Freude am Gottesdienst (FS Josef Plöger), Stuttgart 1983, 107-118 (aufgenommen in: H.-J. KLAUCK, Gemeinde, 348-358).
Ders., Eucharistie und Kirchengemeinschaft bei Paulus, in: ders., Gemeinde, 331-347 (Erstveröffentlichung in: WiWei 49 [1986] 1-14).
Ders., Gemeindestrukturen im ersten Korintherbrief, in: ders., Gemeinde, 37-45.

KLINZING, Georg, Die Umdeutung des Kultus in der Qumrangemeinde und im Neuen Testament (StUNT 7), Göttingen 1971.

KOCH, Dietrich-Alex, Die Schrift als Zeuge des Evangeliums. Untersuchungen zur Verwendung und zum Verständnis der Schrift bei Paulus (BzHTh 69), Tübingen 1986.

KOCH, Klaus, Sühne und Sündenvergebung um die Wende von der exilischen zur nachexilischen Zeit: EvTh 26 (1966) 217-239.
Ders., Die Eigenart der priesterschriftlichen Sinaigesetzgebung: ZThK 55 (1958) 36-51.
Ders., Tempeleinlaßliturgien und Dekaloge, in: Studien zur Theologie der alttestamentlichen Überlieferungen (FS G. v. RAD), Neukirchen 1961, 45-60.
Ders., Der doppelte Ausgang des Alten Testamentes in Judentum und Christentum: JBTh 6 (1991) 215-242.

KÖCKERT, Matthias, Leben in Gottes Gegenwart. Zum Verständnis des Gesetzes in der priesterschriftlichen Literatur, in: JBTh 4 (1989), 19-62.

KRAUS, Hans-Joachim, Das heilige Volk. Zur alttestamentlichen Bezeichnung 'am qados, in: Ders., Biblisch-Theologische Aufsätze, Neukirchen-Vluyn 1972, 37-49.
Ders., Die ausgebliebene Endtheophanie. Eine Studie zu Jes 56-66: ZAW 78 (1966) 317-332.
Ders., Gottesdienst im alten und neuen Bund: EvTh 25 (1965), 171-206.

KÜMMEL, Werner Georg, Kirchenbegriff und Geschichtsbewußtsein in der Urgemeinde und bei Jesus (SyBU 1), Zürich-Uppsala 1943, Göttingen ^{2}1968.
Ders., (P. FEINE/J. BEHM) Einleitung in das Neue Testament, Heidelberg ^{21}1983.

KUHN, Heinz-Wolfgang, Enderwartung und gegenwärtiges Heil. Untersuchungen zu den Gemeindeliedern von Qumran mit einem Anhang über Eschatologie und Gegenwart in der Verkündigung Jesu (StUNT 4), Göttingen 1966.

KUHN, Karl Georg, Der Epheserbrief im Lichte der Qumrantexte: NTS 7 (1960/61) 334-345.
Ders., Art. Qumran: RGG^{3} V,740/56.
Ders., Über den ursprünglichen Sinn des Abendmahls und sein Verhältnis zu den Gemeinschaftsmahlen der Sektenschrift: EvTh 10 (1950/51) 508-527.

LAMBRECHT, J., The fragment 2 Cor VI 14 - VII 1. A plea for its authenticity: Miscellanea Neotestamentica (NT.S 48), Leiden 1978, 143-161.

LICHTENBERGER, Hermann, Studien zum Menschenbild in Texten der Qumrangemeinde (StUNT 15), Göttingen 1980.

LIEBERS, Reinhold, Das Gesetz als Evangelium. Untersuchungen zur Gesetzeskritik des Paulus (AThANT 75), Zürich 1989.

LINDEMANN, Andreas, Die Aufhebung der Zeit. Geschichtsverständnis und Eschatologie im Epheserbrief (StNT 12), Gütersloh 1975.
Ders., Bemerkungen zu den Adressaten und dem Anlaß des Eph: ZNW 67 (1976) 235-251.
Ders., Paulus im ältesten Christentum. Das Bild des Apostels und die Rezeption der paulinischen Theologie in der frühchristlichen Literatur bis Marcion (BHTh 58), Tübingen 1979.

LOHFINK, Norbert, Beobachtungen zur Geschichte des Ausdrucks עם יהוה, in: Hans Walter WOLFF (Hg.) Probleme biblischer Theologie (FS Gerhard v. Rad), München 1971, 275-305.
Ders., Der niemals gekündigte Bund. Exegetische Gedanken zum christlich-jüdischen Dialog, Freiburg 1989.
Ders., Gottesvolk als Lerngemeinschaft. Zur Kirchenwirklichkeit im Buch Deuteronomium: BiKi 39 (1984) 90-100.
Ders., Das Alte Testament und die Krise des kirchlichen Amts: StZ 185 (1970) 269-276.

LOHMEYER, Ernst, Vom göttlichen Wohlgeruch (SHAW.PH 9), Heidelberg 1919.

LUZ, Ulrich, Das Geschichtsverständnis des Paulus, München 1968.

MACH, Michael, Entwicklungsstudien des jüdischen Engelglaubens in vorrabbinischer Zeit (TSAJ 34), Tübingen 1992.

MCDONALD, James I.H.., Paul and the preaching Ministry. A reconsideration of 2 Cor.2:14-17 in its context: JSNT 17 (1983) 35-50.

MCKELVEY, R.J., The New Temple. The Church in the New Testament (OTM), London/Oxford 1969.

MAIER, Johann, Aspekte der Kultfrömmigkeit im Lichte der Tempelrolle von Qumran, in: H. H. HENRIX (Hg.), Jüdische Liturgie. Geschichte - Struktur - Wesen (QD 86), Freiburg 1979, 33-46.
Ders., Das Buch der Geheimnisse: Judaica 24 (1968) 98-111.
Ders., Geschichte der jüdischen Religion. Von der Zeit Alexander des Großen bis zur Aufklärung mit einem Ausblick auf das 19./20. Jahrhundert, Berlin 1972.
Ders., Tempel und Tempelkult, in: ders., Literatur und Religion des Frühjudentums, Würzburg 1973, 371-390.
Ders., Vom Kultus zur Gnosis. Bundeslade, Gottesthron und Märkabah (KAIROS.St 1), Salzburg 1964.
Ders., Zum Begriff יחד in den Texten von Qumran: ZAW 72 (1960), 148-166.
Ders., Zum Gottesvolk- und Gemeinschaftsbegriff in den Schriften vom Toten Meer, Wien 1958 (= Dissertation).
Ders., Zum Gottesvolk- und Gemeinschaftsbegriff in den Schriften vom Toten Meer. Bericht zur Dissertation: ThLZ 85 (1960) Sp. 705/6.
Ders., Die Texte vom Toten Meer, 2 Bände, München-Basel 1960.
Ders., Beobachtungen zum Konfliktpotential in neutestamentlichen Aussagen über den Tempel, in: Ingo BROER (Hg.), Jesus und das jüdische Gesetz, Stuttgart-Berlin-Köln 1992, 173-213.
Ders., Zu Kult und Liturgie der Qumrangemeinde: RdQ 14 (1990) 543-586.

MARSHALL, Peter, A Metaphor of social shame: θριαμβεύειν in 2 Cor 2:14, in: NT 25 (1983), 302-317.

MERKEL, Helmut, Der Epheserbrief in der neueren Diskussion, in: ANRW II,25.4 (Berlin - New York 1987), 3157-3246.

MERKLEIN, Helmut, Das kirchliche Amt nach dem Epheserbrief (StANT 23), München 1973.
Ders., Christus und die Kirche. Die theologische Grundstruktur des Epheserbriefes nach 2,11-18 (SBS 66), Stuttgart 1973.
Ders., Der Sühnetod Jesu nach dem Zeugnis des Neuen Testaments, in: Hanspeter Hainz, Klaus Kienzler und Jakob J. Petuchowski (Hgg.), Versöhnung in der jüdischen und christlichen Liturgie (QD 124), Freiburg 1990, 155-183.
Ders., Der Tod Jesu als stellvertretender Sühnetod. Entwicklung und Gehalt einer zentralen neutestamentlichen Aussage, in: Ders., Studien (s.o.) 181-191 (Erstveröffentlichung: Pastoralblatt für die Diözesen Aachen, Berlin, Essen, Hildesheim, Köln, Osnabrück 37 [1985] 66-73).
Ders., Die Bedeutung des Kreuzestodes Christi für die paulinische Gerechtigkeits- und Gesetzesthematik, in: Studien zu Jesus und Paulus, 1-106.
Ders., Die Ekklesia Gottes. Der Kirchenbegriff bei Paulus und in Jerusalem, in: ders., Studien, 296-318 (Erstveröffentlichung: BZ NF 23 [1979] 48-70).
Ders., Entstehung und Gehalt des paulinischen Leib-Christi-Gedankens, in: ders., Studien, 319-344 (Erstveröffentlichung: M. BÖHNKE u. H. HEINZ (Hgg.), Im Gespräch mit dem dreieinen Gott. Elemente einer trinitarischen Theologie [FS Wilhelm Breuning], Düsseldorf 1985, 115-140).
Ders., Eschatologie im Neuen Testament, in: Heinz ALTHAUS (Hg.), Apokalyptik und Eschatologie. Sinn und Ziel der Geschichte, Freiburg 1987, 11-42.
Ders., Jesu Botschaft von der Gottesherrschaft. Eine Skizze (SBS 111), Stuttgart [3]1989.
Ders., Paulinische Theologie in der Rezeption des Kolosser- und Epheserbriefes, in: Studien zu Jesus und Paulus, 409-453 (Erstveröffentlichung in: Karl KERTELGE [Hg.], Paulus in den neutestamentlichen Spätschriften. Zur Paulus-

rezeption im Neuen Testament [Quaestiones Disputatae 89], Freiburg 1981, 25-69), (= Paulinische Theologie).
Ders., Studien zu Jesus und Paulus (WUNT 43), Tübingen 1987.
Ders., Zur Tradition und Komposition von Eph 2,14-18: BZ.NF 17 (1973), 79-102.

METZGER, Bruce M., The Text of the New Testament. Its Transmission, Corruption and Restoration, New-York and London 1964 [= B. M. METZGER, Der Text des Neuen Testamentes. Eine Einführung in die neutestamentliche Textkritik, Stuttgart 1966 (übersetzt von W. Lohse)].

MILIK, Józef T., Ten Years of Discovery in the Wilderness of Judaea (SBT), London 1959.

MITCHELL, Margaret M., Paul and the Rhetoric of Reconciliation. An Exegetical Investigation and Composition of 1 Corinthians (HUTh 28), Tübingen 1991.

MURPHY- O'CONNOR, Jerome, Relating 2 Corinthians 6.14-7.1 to its Context: NTS 33 (1987) 272-275.
Ders., Philo and 2 Cor 6:14 - 7:1: RB 95 (1988) 55-69.

MUSSNER, Franz, Beiträge aus Qumran zum Verständnis des Epheserbriefes, in: FS Josef Schmid, Regensburg 1963, 185-198.
Ders., Christus, das All und die Kirche. Studien zur Theologie des Epheserbriefes (TThSt 5), Trier [2]1968.
Ders., Dieses Geschlecht wird nicht vergehen. Judentum und Kirche, Freiburg 1991.
Ders., "Das Wesen des Christentums ist συνεσθίειν". Ein authentischer Kommentar, in: ders., Dieses Geschlecht (s.o.) 131-145 (Erstveröffentlichung: H. ROSSMANN/J. RATZINGER [Hgg.], Mysterium der Gnade [FS Johann Auer], Regensburg 1975, 92-102).
Ders., Das Reich Christi. Bemerkungen zur Eschatologie des Corpus Paulinum, in: ders., Dieses Geschlecht (s.o.) 147-162 (Erstveröffentlichung: M. BÖHNKE/H. HEINZ [Hgg.], Im Gespräch mit dem dreieinen Gott [FS Wilhelm Breuning], Düsseldorf 1985, 141-155).
Ders., Was ist die Kirche? Die Antwort des Epheserbriefes, in: ders., Dieses Geschlecht (s.o.) 163-173 (Erstveröffentlichung: R. BEER u.a. (Hgg.), "Diener in Eurer Mitte" [FS für Bischof Antonius Hofmann], Passau 1984, 82-90).

NABABAN, A.E.S., Bekenntnis und Mission in Röm 14 und 15, Heidelberg 1963.

NAUCK, Wolfgang, Eph 2,19-22 - ein Tauflied?: EvTh 13 (1953) 362-371.

NEUSNER, Jacob, The Idea of Purity in Ancient Judaism (SJLA 1), Leiden 1973.
Ders., Judentum in frühchristlicher Zeit (= Judaism in the Beginning of Christianity), übersetzt von Wolfgang Hudel u.a., Stuttgart 1988.
Ders., Das pharisäische und talmudische Judentum. Neue Wege zu seinem Verständnis, Tübingen 1984.

NEWTON, Michael, The concept of purity at Qumran and in the letters of Paul (MSSNTS 53), Cambridge 1985.

NEYREY, Jerome H., Paul, in other words: a cultural reading of his letters, Louisville, Kentucky 1990.

NIEBUHR, Karl-Wilhelm, Heidenapostel aus Israel. Die jüdische Identität des Paulus nach ihrer Darstellung in seinen Briefen (WUNT 62), Tübingen 1992.

NOTH, Martin, Amt und Berufung im Alten Testament, in: Ders., Gesammelte Studien zum Alten Testament (Theologische Bücherei AT 6), München [3]1966, 309-333.

Ders., Die Heiligen des Höchsten, in: Ders., Gesammelte Studien zum Alten Testament (TB.AT 6), München 1957, 274-290.

NÖTSCHER, Friedhelm, Heiligkeit in den Qumranschriften: Revue de Qumran 2 (1959/60) 163-181 u. 315-344 = ders., Vom Alten zum Neuen Testament, Bonn 1962, 126-174.

Ders., Zur theologischen Terminologie der Qumrantexte (BBB 10), Bonn 1956.

DE OLIVEIRA, Anacleto, Die Diakonie der Gerechtigkeit und der Versöhnung in der Apologie des 2. Korintherbriefes. Analyse und Auslegung von 2 Kor 2,14-4,6; 5,11-6,10 (NTA.NF 21), Münster 1990.

OTZEN, Bernhard, Art. בדל, in: ThWAT I 518-520.

PASCHEN, Wilfried, Rein und Unrein. Untersuchung zur biblischen Wortgeschichte (StANT XXIV), München 1970.

PEDERSEN, Sigfred, Theologische Überlegungen zur Isagogik des Römerbriefes: ZNW 76 (1985) 47-67.

PONTHOT, Joseph, L' expression cultuelle du ministère paulinien selon Rom 15,16, in: Albert VANHOYE (Hg.), L' apôtre Paul. Personnalité, style et conception du ministère (BEThL 73), Löwen 1986 (254-262).

PREUSS, Horst Dietrich, BERGER, Klaus, Bibelkunde des Alten und Neuen Testaments. Zweiter Teil: Neues Testament (UTB 972), Heidelberg 1980.

RAD, Gerhard von, Das Gottesvolk im Deuteronomium, in: Gesammelte Studien zum Alten Testament II (TB.AT 48), München 1973, 9-118.

RADL, Walter, Kult und Evangelium bei Paulus: BZ 31 (1987) 58-75.

RECK, Reinhold, Kommunikation und Gemeindeaufbau. Eine Studie zu Entstehung, Leben und Wachstum paulinischer Gemeinden in den Kommunikationsstrukturen der Antike (SBB 22), Stuttgart 1991.

REINELT, Hans, Wesentliche Aufgaben des Priesters nach den Aussagen der Heiligen Schrift, in: Alois WINTER u.a. (Hgg.), Kirche und Bibel (Festgabe für Eduard Schick), Paderborn 1979.

REITZENSTEIN, Richard, Die hellenistischen Mysterienreligionen. Nach ihren Grundgedanken und Wirkungen, Leipzig [3]1927.

Ders., Poimandres. Studien zur griechisch-ägyptischen und frühchristlichen Literatur, Leipzig 1904.

ROLOFF, Jürgen, Art. ἐκκλησία, in: EWNT I 998-1011.

ROST, Leonhard, Einleitung in die alttestamentlichen Apokryphen, Heidelberg 1971.

ROSTOVTZEFF, Michael, Gesellschafts- und Wirtschaftsgeschichte der hellenistischen Welt, Darmstadt (I u. II) 1955 und (III) 1956.

SAHLIN, H., Die Beschneidung Christi. Eine Interpretation von Eph 2,11-22 (SyBU 12), Lund 1950, 5-22.

SAND, Alexander, Der Begriff "Fleisch" in den paulinischen Hauptbriefen (BU 2), Regensburg 1967.

SANDERS, Ed Parish, Paulus und das palästinische Judentum. Ein Vergleich zweier Religionsstrukturen (StUNT 17), Göttingen 1985 (= Übersetzung von: Paul and Palestinian Judasism. A Comparison of Patters of Religion, London 1977).

Ders., Jewish Association with Gentiles and Galatians 2:11-14, in: The Conversations Continues: Studies in Paul and John (FS J. Louis Martyn), Robert T. FORTNA and Beverly R. GAVENTA, eds., Nashville: Abingdon 1990, 170-188.

SASS, Gerhard, Noch einmal: 2 Kor 6,14 - 7,1. Literarkritische Waffen gegen einen >unpaulinischen< Paulus?: ZNW 84 (1993) 36-64.

SCHÄFER, Peter, Engel und Menschen in der Hekhalot-Literatur: Kairos 12 (1980).

SCHARBERT, Josef, Heilsmittler im Alten Testament und im Alten Orient (QD 23/24), Freiburg 1964.

SCHELKLE, Karl Hermann, Der Apostel als Priester: ThQ 136 (1956) 257-282.

SCHLIER, Heinrich, Eine Adhortatio aus Rom. Die Botschaft des ersten Petrusbriefes, in: ders., Besinnung auf das Neue Testament. Exegetische Aufsätze und Vorträge II, Freiburg ^{2}1964, 271-296.

Ders., "Evangelium" im Römerbrief, in: ders., Der Geist und die Kirche. Exegetische Aufsätze und Vorträge IV, hrsg. von Veronika KUBINA und Karl LEHMANN, Freiburg 1980, 70-87.

Ders., Die "Liturgie" des apostolischen Evangeliums (Röm 15,14-21), in: ders., Das Ende der Zeit. Exegetische Aufsätze und Vorträge III, Freiburg ^{2}1971, 169-183.

Ders., Die Eigenart der christlichen Mahnung nach dem Apostel Paulus, in: Besinnung (s.o.), 340-357.

Ders., Die Einheit der Kirche im Denken des Apostels Paulus, in: Die Zeit der Kirche (s.o.), 287-299.

Ders., Die Kirche nach dem Brief an die Epheser, in: Die Zeit der Kirche (s.o.), 159-186.

Ders., Die neutestamentliche Grundlage des Priesteramtes, in: A. DEISSLER - H. SCHLIER - J.P. AUDET, Der priesterliche Dienst I: Ursprung und Frühgeschichte (QD 46), Freiburg-Basel-Wien 1970, 81-114.

Ders., Eine christologische Credo-Formel der römischen Gemeinde. Zu Röm 1,3f, in: ders., Der Geist und die Kirche (s.o.), 56-69.

Ders., Grundelemente des priesterlichen Amtes im Neuen Testament: ThPh 44 (1969) 161-180.

Ders., Vom Wesen der apostolischen Ermahnung. Nach Römerbrief 12,1-2, in: ders., Die Zeit der Kirche. Exegetische Aufsätze und Vorträge I, Freiburg ^{5}1972, 74-89.

SCHMITZ, Otto, Die Opferanschauung des späteren Judentums und die Opferaussagen des Neuen Testamentes. Eine Untersuchung ihres geschichtlichen Verhältnisses, Tübingen 1910.

SCHNACKENBURG, Rudolf, Gemeinschaft mit den Engeln und Heiligen. Gedanken nach Hebr 12,22-24, in: SCHREINER, Josef - WITTSTADT, Klaus (Hgg.), Communio Sanctorum. Einheit der Christen - Einheit der Kirche (FS Paul-Werner Scheele), Würzburg 1988, 82-96.

Ders., Gottesherrschaft und Reich. Eine biblisch-theologische Studie, Freiburg [4]1965.

Ders., Zur Exegese von Eph 2,11-22 im Hinblick auf das Verhältnis von Kirche und Israel, in: William C. WEINRICH (Hg.), The New Testament Age. Essays in Honor of Bo Reicke Vol. II (FS Bo Reicke), Mercer 1984, 467-491.

SCHRAGE, Wolfgang, Das Apostolische Amt des Paulus nach 1 Kor 4,14-17, in: Albert VANHOYE (Hg.), L' apôtre Paul. Personnalité, style et conception du ministère (BEThL 73), Löwen 1986, 103-119.

Ders., "Ekklesia" und "Synagoge". Zum Ursprung des urchristlichen Kirchenbegriffs: ZThK 60 (1963) 178-202.

Ders., Heiligung als Prozeß bei Paulus, in: Dietrich-Alex KOCH u.a. (Hgg.), Jesu Rede von Gott und ihre Nachgeschichte im frühen Christentum. Beiträge zur Verkündigung Jesu und zum Kerygma der Kirche (FS Willi Marxsen), Gütersloh 1989, 222-234.

SCHREINER, Josef, Volk Gottes als Gemeinde des Herrn in deuteronomischer Theologie, in: Ders., Segen für die Völker, Würzburg 1987, 244-262.

SCHRÖGER, Friedrich, Gemeinde im 1. Petrusbrief. Untersuchungen zum Selbstverständnis einer christlichen Gemeinde an der Wende vom 1. zum 2. Jahrhundert (Schriften der Universität Passau Bd. 1), Passau 1981.

SCHUBERT, Kurt, Die jüdischen Religionsparteien zur Zeit Jesu, in: Der historische Jesus und der Christus unseres Glaubens, Wien 1962.

SCHÜRMANN, Heinz, Die apostolische Existenz im Bilde. Meditation über 2 Kor 2,14-16a, in: ders., Ursprung und Gestalt. Erörterungen und Besinnungen zum Neuen Testament, Düsseldorf 1970, 229-235 (Erstveröffentlichung: BuL 4 [1963] 130-137 unter dem Titel "Verkündigung - ein existentielles Geschehen").

Ders., Neutestamentliche Marginalien zur Frage der Entsakralisierung, in: ders., Ursprung (s.o.), 299-325 (Erstveröffentlichung: Der Seelsorger 38 [1968] 38-48.89-104).

SCHÜSSLER-FIORENZA, Elisabeth, Cultic language in Qumran and in the NT: CBQ XXXIII (1976) 159-177;

Dies., Priester für Gott. Studien zum Herrschafts- und Priestermotiv in der Apokalypse (NTA/NF 7), Münster 1972.

SCHWARZ, Eberhard, Identität durch Abgrenzung: Abgrenzungsprozesse in Israel im 2. vorchristlichen Jh. und ihre traditionsgeschichtl. Voraussetzungen; zugl. ein Beitrag zur Erforschung des Jubiläenbuches (EHS.T Bd. 162), Frankfurt 1982.

SCHWEIZER, Harald, Biblische Texte verstehen. Arbeitsbuch zur Hermeneutik und Methodik der Bibelinterpretation, Stuttgart 1986.

SCHWEMER, Anna Maria, Gott als König in den Sabbatliedern, in: Martin HENGEL und Anna Maria SCHWEMER (Hgg.), Königsherrschaft Gottes und himmlischer Kult im Judentum, Urchristentum und in der hellenistischen Welt (WUNT 55), Tübingen 1991, 45-118.

SEIDENSTICKER, Philipp, Lebendiges Opfer (Röm 12,1). Ein Beitrag zur Theologie des Paulus (= NTA XX 1/3), Münster 1954.

SELLIN, Gerhard, "Die Auferstehung ist schon geschehen". Zur Spiritualisierung apokalyptischer Terminologie im Neuen Testament: NT XXV,3 (1983) 220-237.

Ders., Der Streit um die Auferstehung der Toten: eine religionsgeschichtliche und exegetische Untersuchung von 1 Kor 15 (FRLANT 138), Göttingen 1986.

Ders., 1 Korinther 5-6 und der 'Vorbrief' nach Korinth. Indizien für eine Mehrschichtigkeit von Kommunikationsakten im Ersten Korintherbrief: NTS 37 (1991) 535-558.

Ders., Hauptprobleme des Ersten Korintherbriefes, in: ANRW 25,4 (Berlin-New York 1987), 2940-3044.

SIEGERT, Folker, Argumentation bei Paulus gezeigt an Röm 9-11 (WUNT 34), Tübingen 1985.

SÖDING, Thomas, Der Erste Thessalonicherbrief und die frühe paulinische Evangeliumsverkündigung. Zur Frage einer Entwicklung der paulinischen Theologie: BZ 35 (1991) 180-203.

STADLER, Kurt, Das Werk des Geistes in der Heiligung bei Paulus, Zürich 1962.

STECK, Odil Hannes, Die Aufnahme von Genesis 1 in Jubiläen 2 und 4. Esra 6, in: JSJ 8 (1977), 154-182.

Ders., Israel und das gewaltsame Geschick der Propheten. Untersuchungen zur Überlieferung des deuteronomistischen Geschichtsbildes im Alten Testament, Spätjudentum und Urchristentum (WMANT 23), Neukirchen-Vluyn 1967.

STEMBERGER, Günter, Pharisäer, Sadduzäer, Essener (Stuttgarter Bibelstudien 144), Stuttgart 1991.

STENDEBACH, Franz-Josef, Versammlung - Gemeinde - Volk Gottes. Alttestamentliche Vorstufen von Kirche?: Judaica 40 (1984) 211-224.

STRECKER, Georg, Art. εὐαγγέλιον, in: EWNT II 176-186.

STUHLMACHER, Peter, "Er ist unser Friede" (Eph 2,14). Zur Exegese und Bedeutung von Eph 2,14-18, in: J. GNILKA (Hg.), Neues Testament und Kirche (FS R. Schnackenburg), Freiburg-Basel-Wien 1974, 337-358.

Ders., Das paulinische Evangelium I: Vorgeschichte (FRLANT 95), Göttingen 1968.

Ders., Gerechtigkeit Gottes bei Paulus (FRLANT 87), Göttingen [2]1966).

Ders., Erwägungen zum Problem von Gegenwart und Zukunft in der paulinischen Eschatologie: ZThK 64 (1967) 423-450.

Ders., Evangelium - Apostolat - Gemeinde, in: KuD 17 (1971) 28-45.

THRALL, Margaret E., The Problem of II Cor. VI.14 - VII.1 in Some Recent Discussion: NTS 24 (1977/78) 132-148.

Dies., A Second Thanksgiving Period in II Corinthians: JSNT 16 (1982) 101-124.

THÜSING, Wilhelm, "Laßt uns hinzutreten . . . " (Hebr 10,22). Zur Frage nach dem Sinn der Kulttheologie im Hebräerbrief: BZ 9 (1965) 1-17.

ULONSKA, Herbert, Gesetz und Beschneidung. Überlegungen zu einem paulinischen Ablösungskonflikt, in: Dietrich-Alex KOCH u.a. (HGG.), Jesu Rede von Gott und ihre Nachgeschichte im frühen Christentum. Beiträge zur Verkündigung Jesu und zum Kerygma der Kirche (FS Willi Marxsen), Gütersloh 1989, 314-331.

VANHOYE, Albert, Prêtres anciens, Prêtre nouveau selon le Nouveau Testament (Parole de Dieu 20), Paris 1980.

VIELHAUER, Philipp, Oikodome. Das Bild vom Bau in der christlichen Literatur vom Neuen Testament bis Clemens Alexandrinus, Karlsruhe-Durlach 1939 (Diss.) (aufgenommen in: Ders., Oikodome. Aufsätze zum Neuen Testament Bd. 2 [hrsg. v. Günter KLEIN] [= TB.NT 6], München 1979, 1-168).

VÖGTLE, Anton, Die Tugend- und Lasterkataloge exegetisch, religions- und formgeschichtlich untersucht (NTA 16,4-5), Münster 1936.

Ders., Exegetische Reflexionen zur Apostolizität des Amtes und zur Amtssukzession, in: R. SCHNACKENBURG, J. ERNST u. J. WANKE (Hgg.), Die Kirche des Anfangs (FS Heinz Schürmann), Freiburg 1978, 529-582.

VOLZ, Paul, Die Eschatologie der jüdischen Gemeinde im neutestamentlichen Zeitalter, Tübingen 1934.

WEISS, Konrad, Paulus - Priester der christlichen Kultgemeinde: ThLZ 79 (1954) 355-364.

WENSCHKEWITZ, Hans, Die Spiritualisierung der Kultusbegriffe Tempel, Priester und Opfer im Neuen Testament (Angelos Beihefte 4, 70-230), Leipzig 1932.

WERNER, Wolfgang, Micha 6,8: BZ 32 (1988) 232-248.

WESTERMANN, Claus, Prophetenzitate im Neuen Testament: EvTh 27 (1967) 307-327 (= jetzt aufgenommen in: ders., Forschung am Alten Testament, Gesammelte Studien Bd. II [TB.AT 55], München 1974, 280-290).

WIÉNER, CLAUDE, Ἱερουργεῖν (Rm 15,16), in: SPCIC II (1961) 399-404.

WIKENHAUSER, Alfons, Einleitung in das Neue Testament, Leipzig ^{5}1964.

WILDBERGER, Hans, Jahwes Eigentumsvolk. Eine Studie zur Traditionsgeschichte und Theologie des Erwählungsgedankens (AThANT 37), Zürich/Stuttgart 1960.

WOLTER, Michael, Rechtfertigung und zukünftiges Heil (BZNW 43), Berlin-New York 1978.

ZELLER, Dieter, Charis bei Philon und Paulus (= SBS 142), Stuttgart 1990.

Ders., Juden und Heiden in der Mission des Paulus. Studien zum Römerbrief (FzB 1) Freiburg 1973.

ZENGER, Erich, Gottes Bogen in den Wolken. Untersuchungen zu Komposition und Theologie der priesterschriftlichen Urgeschichte (SBS 112), Stuttgart 1983.

Ders., Israels Suche nach einem neuen Selbstverständnis zu Beginn der Perserzeit: Bibel und Kirche 39 (1984) 123-135.

ZIMMERLI, Walther, "Heiligkeit" nach dem sogenannten Heiligkeitsgesetz: VT XXX (1980) 493-511.
Ders., Das Gottesrecht bei den Propheten Amos, Hosea und Jesaja, in: FS Claus Westermann, Neukirchen-Vluyn 1980, 216-235.
Ders., Sinaibund und Abrahambund. Ein Beitrag zum Verständnis der Priesterschrift: ThZ 16 (1960) 268-280 (= Gottes Offenbarung, Gesammelte Aufsätze [ThB 19] München ^{2}1969, 205-216).
Ders., Alttestamentliche Prophetie und Apokalyptik auf dem Wege zur "Rechtfertigung des Gottlosen", in: Johannes Friedrich u.a., Rechtfertigung (FS Ernst Käsemann), Tübingen/Göttingen 1976, 403-414.

ZIMMERMANN, Heinrich, Neutestamentliche Methodenlehre. Darstellung der historisch-kritischen Methode (7. Auflage neubearbeitet von Klaus KLIESCH), Stuttgart ^{7}1982.

ZMIJEWSKI, Josef, Paulus - Knecht und Apostel Christi. Amt und Amtsträger in paulinischer Sicht, Stuttgart 1986.

5. ABKÜRZUNGEN

Zur Abkürzung von Quellentexten siehe oben unter »1. Textausgaben und Übersetzungen«. Die Abkürzung von Zeitschriften, Serien, Lexika u.ä. richtet sich nach: TRE. Abkürzungsverzeichnis, zusammengestellt von Siegfried M. SCHWERTNER, Berlin - New York ^{2}1992. Allgemein übliche Abkürzungen werden nicht aufgelöst. Zusätzlich sind folgende, inzwischen oft gebrauchte Abkürzungen gebraucht worden:

Bauer WB^{5}	BAUER, Walter, Griechisch-Deutsches Wörterbuch, Berlin u.a. 1971 [= ^{5}1963] (s. Texte).
Bauer WB^{6}	BAUER, Walter, Griechisch-Deutsches Wörterbuch, Berlin u.a. ^{6}1988 (s. Texte).
BDR	F. BLASS - A. DEBRUNNER - F. REHKOPF (s. Hilfsmittel).
EÜ	Die Bibel: Einheitsübersetzung (s. Texte).
EWNT	H. BALZ - G. SCHNEIDER (Hgg.), Exegetisches Wörterbuch zum Neuen Testament I - III, Stuttgart u.a. 1980/1981/1983.
FJos	Oratio Joseph (Fragmenta)
JSNT	Journal for the Study of the New Testament.
LB	Die Bibel nach der Übersetzung Martin Luthers (s. Texte).
LSJ	Liddell/Scott/Jones, Greek-English Lexikon
Nestle^{25}	Novum Testamentum Graece, 25. Auflage (s. Texte)
Nestle-Aland^{26}	Novum Testamentum Graece, 26. Auflage (s. Texte)
SJLA	Studies in Judaism in Late Antiquity
z. St.	zur Stelle

Auf biblische Schriften wird im Text und bei Zitation von Kommentaren durch Aufführung der gängigen Abkürzungen verwiesen, wobei anders als beim Verweis auf Schriftstellen (z.B. 1 Thess) kein Abstand zwischen einer Zahl und der nachfolgend genannten biblischen Schrift gemacht wird (also 1Thess).